le Guide du r

Directeur de collection et auteur
Philippe GLOAGUEN

Cofondateurs
Philippe GLOAGUEN et Michel DUVAL

Rédacteur en chef
Pierre JOSSE

Rédacteurs en chef adjoints
Amanda KERAVEL et Benoît LUCCHINI

Directrice de la coordination
Florence CHARMETANT

Directrice administrative
Bénédicte GLOAGUEN

Direction éditoriale
Catherine JULHE

Rédaction
Olivier PAGE, Véronique de CHARDON,
Isabelle AL SUBAIHI, Anne-Caroline DUMAS,
Carole BORDES, André PONCELET,
Marie BURIN des ROZIERS, Thierry BROUARD,
Géraldine LEMAUF-BEAUVOIS,
Anne POINSOT, Mathilde de BOISGROLLIER,
Alain PALLIER, Gavin's CLEMENTE-RUÏZ
et Fiona DEBRABANDER

ROME

2011

hachette

Avis aux hôteliers et aux restaurateurs

Les enquêteurs du *Guide du routard* travaillent dans le plus strict anonymat. Aucune réduction, aucun avantage quelconque, aucune rétribution n'est jamais demandé en contrepartie. Face aux aigrefins, la loi autorise les hôteliers et restaurateurs à porter plainte.

Hors-d'œuvre

Le *Guide du routard,* ce n'est pas comme le bon vin, il vieillit mal. On ne veut pas pousser à la consommation, mais évitez de partir avec une édition ancienne. Les modifications sont souvent importantes.

routard.com dépasse 2 millions de visiteurs uniques par mois !

• ***routard.com*** • Sur notre site, tout pour préparer votre périple. Des fiches pratiques sur plus de 200 destinations, de nombreuses informations et des services : photos, cartes, météo, dossiers, agenda, itinéraires, billets d'avion, réservation d'hôtels, location de voitures, visas... Et aussi un vaste forum pour échanger ses bons plans, partager ses photos, définir son passeport routard ou trouver son compagnon de voyage. Sans oublier *routard mag,* ses reportages, ses carnets de route et ses infos pour bien voyager. La boîte à outils indispensable du routard.

Petits restos des grands chefs

Ce qui est bon n'est pas forcément cher ! Partout en France, nous avons dégoté de bonnes petites tables de grands chefs aux prix aussi raisonnables que la cuisine est fameuse. Évidemment, tous les grands chefs n'ont pas été retenus : certains font payer cher leur nom pour une petite table qu'ils ne fréquentent guère. Au total, 580 adresses réactualisées, dont 120 nouveautés, retenues pour la qualité et la créativité de la cuisine, sans pour autant ruiner votre portefeuille.

Nos meilleurs campings en France

Se réveiller au milieu des prés, dormir au bord de l'eau ou dans une hutte, voici nos 1 850 meilleures adresses en pleine nature. Du camping à la ferme aux équipements les plus sophistiqués, nous avons sélectionné les plus beaux emplacements : mer, montagne, campagne ou lac. Sans oublier les balades à proximité, les jeux pour enfants... Des centaines de réductions pour nos lecteurs.

Avis aux lecteurs

Les réductions accordées à nos lecteurs ne sont jamais demandées par nos rédacteurs afin de préserver leur indépendance. Les hôteliers et restaurateurs sont sollicités par une société de mailing, totalement indépendante de la rédaction, qui reste donc libre de ses choix. De même pour les autocollants et plaques émaillées.

Mille excuses, on ne peut plus répondre individuellement aux centaines de CV reçus chaque année.

TABLE DES MATIÈRES

☎ **112 :** voici le numéro d'urgence commun à la France et à tous les pays de l'UE, à composer en cas d'accident, agression ou détresse. Il permet de se faire localiser et aider en français, tout en améliorant les délais d'intervention des services de secours.

COMMENT Y ALLER ?

ROME UTILE

HOMMES, CULTURE ET ENVIRONNEMENT

ROME

INFORMATIONS ET ADRESSES UTILES

OÙ DORMIR ?

OÙ MANGER ?

OÙ BOIRE UN VERRE ?

OÙ SORTIR ?

OÙ FAIRE SES ACHATS ?

À VOIR

LES ENVIRONS DE ROME

Nous avons divisé l'**ITALIE** en plusieurs titres. En effet, la très grande majorité d'entre vous ne parcourt pas toute l'Italie. Et ces contrées sont tellement riches culturellement qu'elles nécessitent 6 ou 7 guides à elles seules. Rassemblées en un seul volume, nos ouvrages atteindraient 1 500, voire 2 000 pages. Ils seraient alors intransportables et coûteraient... 3 fois plus cher ! Nous souhaitons conserver un format pratique à un prix économique, tout en vous fournissant le maximum d'informations sur des régions qui méritent d'être développées.

Recommandation à nos lecteurs qui souhaitent profiter des réductions et avantages proposés dans le *Guide du routard* par les hôteliers et les restaurateurs : à l'hôtel, prenez la précaution de les réclamer **à l'arrivée** et au restaurant, **au moment** de la commande (pour les apéritifs) et surtout **avant** l'établissement de l'addition. Poser votre *Guide du routard* sur la table ne suffit pas : le personnel de salle n'est pas toujours au courant et une fois le ticket de caisse imprimé, il est difficile pour votre hôte d'en modifier le contenu. En cas de doute, montrez la notice relative à l'établissement dans le guide et ne manquez pas de nous faire part de toute difficulté rencontrée.

La rédaction.

NOS NOUVEAUTÉS

NANTES (avril 2011)

« Ni tout à fait terrienne, ni tout à fait maritime (...), juste ce qu'il faut pour faire une sirène ». Julien Gracq avait raison. Il ne fut pas le seul à tomber sous les charmes de Nantes et de sa métropole. Résolument tournée vers le futur, malgré un glorieux passé, la ville est une vraie boîte à idées, toujours en quête de nouvelles manières de conjuguer le « vivre ensemble ». Avec des propositions culturelles bouillonnantes, un maillage de transports hors du commun, un secteur piéton important, une architecture liant habilement le fil des siècles, des espaces verts en abondance, Nantes a de quoi séduire. Pas étonnant qu'elle connaisse la deuxième plus forte croissance des métropoles de France ! Et si la ville cultive le bien vivre, l'événement phare « Estuaire 2011 » qui se tient tout au long de la Loire attire aussi bien les touristes que les artistes. Le magazine *Time Europe* désignait, il y a quelques années, Nantes comme la ville la plus agréable d'Europe. Elle n'est pas prête d'être détrônée.

SARDAIGNE (avril 2011)

Une île qui décèle parmi les plus belles plages de la Méditerranée. 1 850 km de côtes quasiment vierges aux eaux cristallines. Une nature intacte. Avec ses 20 millions d'années, une terre aussi vieille que la Corse. Le cœur de la Sardaigne montagneux livre nombre de gorges, falaises calcaires et vallées. Mon tout surplombe majestueusement plaines et hauts plateaux – un must pour les randonneurs, et beaucoup de bergers pour vous remettre sur le droit chemin. Ici le maquis, les énormes forêts de chênes verts séculaires et les champs d'oliviers semblent posés directement sur la mer. Parmi les magnifiques églises romanes, on découvre des fêtes religieuses et païennes... Une par jour, dit-on ! Quant à la gastronomie, elle en surprendra plus d'un... Cessons donc de croire que la Sardaigne est une destination confidentielle réservée à la jet-set. Emparez-vous enfin de ces terres parmi les moins peuplées d'Europe et pourtant si étonnantes. Un monde à part, si proche et déjà si exotique. Vite, vous ne serez pas seuls, les phoques-moines, qu'on croyait disparus, viennent de réapparaître...

LES GUIDES DU ROUTARD 2011-2012

(dates de parution sur **routard.com**)

France

Nationaux

- Nos meilleures chambres d'hôtes en France
- Nos meilleurs campings en France
- Nos meilleurs hôtels et restos en France
- Nos meilleurs produits du terroir en France
- Petits restos des grands chefs
- Tourisme durable

Régions françaises

- Alpes
- Alsace (Vosges)
- Ardèche, Drôme
- Auvergne
- Berry
- Bordelais, Landes, Lot-et-Garonne
- Bourgogne
- Bretagne Nord
- Bretagne Sud
- Champagne-Ardennes
- Châteaux de la Loire
- Corse
- Côte d'Azur
- Dordogne-Périgord
- Franche-Comté
- Guadeloupe, Saint-Martin, Saint-Barth
- Languedoc-Roussillon
- Limousin
- Lorraine
- Lot, Aveyron, Tarn
- Martinique
- Nord-Pas-de-Calais
- Normandie
- La Normandie des impressionnistes
- Pays basque (France, Espagne), Béarn
- Pays de la Loire
- Picardie
- Poitou-Charentes
- Provence
- Pyrénées, Gascogne et Pays toulousain
- Réunion

Villes françaises

- Lyon
- Marseille
- **Nantes (avril 2011)**
- Nice

Paris

- Environs de Paris
- Junior à Paris et ses environs
- Paris
- Paris à vélo
- Paris balades
- Paris la nuit
- Paris, ouvert le dimanche
- Paris zen
- Restos et bistrots de Paris
- Le Routard des amoureux à Paris
- Week-ends autour de Paris

Europe

Pays européens

- Allemagne
- Andalousie
- Angleterre, Pays de Galles
- Autriche
- Baléares
- Belgique
- Catalogne (+ Valence et Andorre)
- Crète
- Croatie
- Danemark, Suède
- Écosse
- Espagne du Nord-Ouest (Galice, Asturies, Cantabrie)
- Finlande
- Grèce continentale
- Hongrie, République tchèque, Slovaquie
- Îles grecques et Athènes
- Irlande
- Islande
- Italie du Nord
- Italie du Sud
- Lacs italiens
- Madrid, Castille (Aragon et Estrémadure)
- Malte
- Norvège
- Pologne et capitales baltes
- Portugal
- Roumanie, Bulgarie
- **Sardaigne (avril 2011)**
- Sicile
- Suisse
- Toscane, Ombrie

LES GUIDES DU ROUTARD 2011-2012 (suite)

(dates de parution sur **routard.com**)

Villes européennes

- Amsterdam et ses environs
- Barcelone
- Berlin
- Bruxelles
- Florence
- Lisbonne
- Londres
- Moscou, Saint-Pétersbourg
- Prague
- Rome
- Venise

Amériques

- Argentine
- Brésil
- Californie
- Canada Ouest et Ontario
- Chili et île de Pâques
- Équateur et les îles Galápagos
- États-Unis côte Est
- Floride
- Guatemala, Yucatán et Chiapas
- Louisiane et les villes du Sud
- Mexique
- New York
- Parcs nationaux de l'Ouest américain et Las Vegas
- Pérou, Bolivie
- Québec et Provinces maritimes

Asie

- Bali, Lombok
- Birmanie (Myanmar)
- Cambodge, Laos
- Chine (Sud, Pékin, Yunnan)
- Inde du Nord
- Inde du Sud
- Istanbul
- Jordanie, Syrie
- Malaisie, Singapour
- Népal, Tibet
- Sri Lanka (Ceylan)
- Thaïlande
- Tokyo, Kyoto et environs
- Turquie
- Vietnam

Afrique

- Afrique de l'Ouest
- Afrique du Sud
- Égypte
- Kenya, Tanzanie et Zanzibar
- Maroc
- Marrakech
- Sénégal, Gambie
- Tunisie

Îles Caraïbes et océan Indien

- Cuba
- Guadeloupe, Saint-Martin, Saint-Barth
- Île Maurice, Rodrigues
- Madagascar
- Martinique
- République dominicaine (Saint-Domingue)
- Réunion

Guides de conversation

- Allemand
- Anglais
- Arabe du Maghreb
- Arabe du Proche-Orient
- Chinois
- Croate
- Espagnol
- Grec
- Italien
- Japonais
- Portugais
- Russe

Et aussi...

- G'palémo

Nous tenons à remercier tout particulièrement Loup-Maëlle Besançon, Thierry Bessou, Gérard Bouchu, François Chauvin, Grégory Dalex, Fabrice Doumergue, Cédric Fischer, Carole Fouque, Michelle Georget, Claude Hervé-Bazin, Emmanuel Juste, Fabrice de Lestang, Romain Meynier, Éric Milet, Pierre Mitrano, Jean-Sébastien Petitdemange, Thomas Rivallain et Solange Vivier pour leur collaboration régulière.

Et pour cette nouvelle collection, nous remercions aussi :

David Alon
Emmanuelle Bauquis
Jean-Jacques Bordier-Chêne
Michèle Boucher
Raymond Chabaud
Alain Chaplais
Aline Claustre
Stéphanie Condis
Agnès Debiage
Solenne Deschamps
Tovi et Ahmet Diler
Florence Douret
Céline Druon
Clélie Dudon
Sophie Duval
Alain Fisch
Amandine Fuma
David Giason
Adrien et Clément Gloaguen
Stéphane Gourmelen
Capucine Gudenne
Xavier Haudiquet
Sébastien Jauffret
François et Sylvie Jouffa
Dimitri Lefèvre
Maud Le Floch
Jacques Lemoine
Sacha Lenormand
Valérie Loth
Sulamythe Mokounkolo
Jacques Muller
Caroline Ollion
Nicolas Pallier
Martine Partrat
Odile Paugam et Didier Jehanno
Dominique Roland et Stéphanie Déro
Corinne Russo
Prakit Saiporn
Jean-Luc et Antigone Schilling
Antoine Streiff
Claudio Tombari
Julien Vitry

Direction : Nathalie Pujo
Contrôle de gestion : Joséphine Veyres, Héloïse Morel d'Arleux et Aurélie Knafo
Secrétariat : Catherine Maîtrepierre
Direction éditoriale : Catherine Julhe
Édition : Matthieu Devaux, Géraldine Péron, Olga Krokhina, Gia-Quy Tran, Julie Dupré, Christine de Geyer Julien Hunter, Barbara Janssens et Aurélie Lorot
Préparation-lecture : Élisabeth Bernard
Cartographie : Frédéric Clémençon et Aurélie Huot
Fabrication : Nathalie Lautout et Audrey Detournay
Relations presse France : COM'PROD, Fred Papet. ☎ 01-70-69-04-69.
• *info@comprod.fr* •
Direction marketing : Dominique Nouvel, Lydie Firmin et Claire Bourdillon
Responsable des partenariats : André Magniez
Édition des partenariats : Juliette de Lavaur et Mélanie Radepont
Informatique éditoriale : Lionel Barth
Couverture : Clément Gloaguen et Seenk
Relations presse : Martine Levens (Belgique) et Maureen Browne (Suisse)
Régie publicitaire : Florence Brunel

Remerciements

Pour l'édition de ce guide, nous remercions tout particulièrement :

– Anne Lefèvre et Géraldine Stefanon, chargées des relations presse à l'ENIT ;

– Domenico de Salvo, directeur de l'ENIT à Paris ;

– L'Azienda di Promozione Turistica, toujours *gentilissima,* disponible et efficace ;

– Ivano, Elena et Valérie de *Visiterome.*

LES QUESTIONS QU'ON SE POSE LE PLUS SOUVENT

➤ Quelle est la meilleure saison pour y aller ?
Les intersaisons sont devenues les mois de pleine saison ; il y a souvent moins de monde en juillet-août qu'en mai ou septembre. Le temps y est agréable sans être caniculaire.

➤ Quel est le meilleur moyen pour y aller ?
L'avion est la solution la plus rapide, surtout pour un court séjour. Les compagnies aériennes pratiquent des prix très compétitifs.

➤ La vie est-elle chère ?
En pleine saison, l'hébergement et les transports sont souvent hors de prix. Hors saison, on obtient facilement des réductions pour l'hébergement.

➤ Peut-on visiter le centre de Rome à pied ?
Oui et non. On peut effectivement se promener dans les quartiers centraux (piazza Navona, piazza del Popolo, piazza di Spagna et piazza Venezia) à pied, mais au-delà, mieux vaut utiliser les bus pour se rendre d'un quartier à l'autre : sur le plan, ça a l'air tout près, mais en réalité...

➤ Combien de temps rester à Rome pour avoir « tout vu » ?
Vous n'aurez jamais « tout vu », sachez-le bien. Le mieux est de pouvoir rester une semaine pour découvrir Rome sans se stresser. Mais la ville reste une excellente destination de week-end.

➤ Les enfants sont-ils les bienvenus ?
Bien sûr ! Les Italiens adorent les enfants. Cependant, le riche patrimoine romain risque d'épuiser vos chérubins. Préférez les balades pittoresques plutôt que les visites quotidiennes des musées.

➤ Faut-il parler italien pour se faire comprendre ?
Comme partout, on vous conseille d'apprendre quelques mots. Sachez tout de même que, le plus souvent, les Italiens comprennent ou parlent le français pour l'avoir étudié à l'école. Les jeunes générations communiquent davantage en anglais.

➤ Doit-on prévoir un gros budget pour les visites culturelles ?
Il existe des *pass* regroupant quelques musées associés, ce qui permet de réaliser de bonnes économies. Si vous avez un gros appétit culturel, prévoyez un bon budget. Sinon, les visites, l'une après l'autre, finissent par revenir cher.

LES COUPS DE CŒUR DU ROUTARD

- Profiter de la vue extraordinaire sur les forums de la ville au coucher du soleil depuis le toit du monument à Victor-Emmanuel II.
- Se mesurer à la statue de l'empereur Constantin dont la tête (2,60 m) et le pied (2 m) trônent au musée du Capitole.
- Visiter (sans passeport !) le plus petit État souverain au monde, le Vatican, dont les musées regorgent de chefs-d'œuvre.
- Enquêter sur les martyrs chrétiens, au beau milieu d'un mastodonte architectural, le Colisée.
- Se laisser avoir par les proportions en trompe l'œil de Saint-Pierre de Rome, avant de réaliser ses réelles mensurations.
- Rêver dans la chapelle Sixtine sous l'œuvre aérienne et titanesque de Michel-Ange.
- Rêver de dormir une nuit dans l'une des magnifiques chambres peintes par Raphaël au musée du Vatican.
- Se retirer sur l'Aventin pour se reposer de l'agitation urbaine et méditer sur la condition d'opprimé de la société.
- Se balader et dîner dans le charmant et populaire quartier du Trastevere, en prolongeant la soirée dans le festif Testaccio voisin.
- Visiter les quatre basiliques majeures de Rome, Saint-Pierre, Saint-Jean-de-Latran, Sainte-Marie-Majeure et Saint-Paul-hors-les-Murs, pour espérer obtenir une indulgence plénière.
- Jeter une pièce dans la fontaine de Trevi, en lui tournant le dos, pour être sûr de revenir un jour.
- Piazza Navona, se rappeler la rivalité du Bernin et de Borromini, entre la fontaine des Quatre-Fleuves et l'église Sant'Agnese in Agone.
- Déguster des artichauts, de l'agneau et des tripes à la romaine dans l'un des nombreux restos populaires de la ville.
- Se reposer sur les marches de l'église de la Trinité-des-Monts, au pied de l'obélisque, tout en contemplant l'animation de la piazza di Spagna.
- S'extasier sur les chefs-d'œuvre du Caravage à l'intérieur de l'église Saint-Louis-des-Français.
- Se laisser impressionner par l'ampleur du Panthéon et l'harmonie des colonnes des anciens...
- Faire l'acteur sur la scène de la piazza San Ignazio di Loyola avant d'admirer le trompe-l'œil de l'église du même nom.
- Découvrir la superbe alchimie entre les statues antiques et la centrale électrique Montemartini.
- Boire le meilleur *espresso* de Rome (voire d'Italie, voire du monde d'après les habitués !) au café *Tazza d'Oro* ou au *Sant'Eustachio.*
- Crouler sous l'extraordinaire profusion d'œuvres des galeries Borghèse et Doria Pamphilj.
- Remonter la très chic via del Corso jusqu'à la majestueuse piazza del Popolo et son admirable obélisque.
- Prendre le thé au milieu des sculptures dans l'ancien atelier de Canova et de Tadolini.
- Se mettre au vert avec les enfants dans les jardins du Pincio et de la villa Borghèse.
- Lécher une merveilleuse glace italienne pendant une éternité chez *San Crispino* ou *Giolitti.*
- Admirer le point de vue sur la ville au milieu des bustes garibaldiens depuis la promenade du Janicule.
- Chercher le passage secret qui relie le château Saint-Ange au Vatican et qui sauva le pape Clément II.
- Sillonner en scooter le quartier branché de la Garbatella à la manière de Nanni Moretti dans son film *Journal intime.*

COMMENT Y ALLER ?

EN VOITURE

De France, plusieurs trajets possibles, mais n'oubliez pas tout de même d'emporter une bonne carte routière.

➢ ***De Paris :*** prendre l'A 6 (direction Lyon) jusqu'à Mâcon. Puis Bourg-en-Bresse et Bellegarde. Autoroute vers Chamonix (A 6-E 15). Suivre l'A 40-E 21 direction Milan, puis prendre l'A 40-E 25 direction Annecy. Traverser le tunnel du Mont-Blanc (compter 35 € la traversée, 44 € l'aller-retour ; attention, le retour doit se faire 8 j. après la date d'émission). Prendre l'A 5-E 25 à Aoste jusqu'à Turin, puis l'A 21 jusqu'à Alessandria. Ensuite, direction Gênes (A 10-E 80) et Florence (voir ci-dessous).

➢ ***Par l'autoroute du Sud :*** descendre jusqu'à Marseille, puis Nice et Menton, la frontière italienne et Vintimille. Le voyage se poursuit sur les autoroutes à péage italiennes. De Gênes, prendre l'autoroute A 10-E 80 (appelée plus communément la via Aurelia) jusqu'à Rome en longeant la côte toscane. Autre solution, prendre à partir de Gênes l'A 12 jusqu'à Lucques (Lucca), puis l'A 11 jusqu'à Florence (Firenze) et enfin l'A 1 jusqu'à Rome. Très bien indiqué.

➢ ***Par le tunnel du Fréjus :*** autoroute du Sud jusqu'à Lyon, autoroute A 43 Lyon-Chambéry-Montmélian, puis la vallée de la Maurienne jusqu'à Modane (compter env 33 € le péage), Turin, Florence.

➢ ***Ceux qui habitent l'est ou le nord de la France*** ont avantage à prendre l'autoroute en Suisse ***à partir de Bâle.*** Passer par Lucerne et le tunnel du Gothard, puis aller en direction de Milan, Florence et Rome. À prendre en compte : 30 € le droit de passage (à l'année) en Suisse.

– *Attention :* en Italie, sur l'autoroute, les panneaux indicateurs sont de couleur verte ; les bleus concernent les autres routes, notamment les nationales ou les routes secondaires. D'ailleurs, les feux de code sont obligatoires sur les routes italiennes... sous peine d'amende.

EN TRAIN

Au départ de Paris et de la province

On conseille de réserver au moins 15 j. à l'avance, surtout en haute saison. *Artesia* gère les trains entre la France et l'Italie. Des trains de nuit partent tous les soirs au départ de Paris-gare de Bercy (avec arrêts à Dijon et dans d'autres villes, cela dit pour ceux qui habitent l'est de la France). *Artesia* propose également des liaisons en TGV au départ de Paris-gare de Lyon à destination de Turin et Milan.

➢ ***Au départ de Paris-gare de Bercy*** (Ⓜ Bercy), ***de Dijon et de Dôle :*** 1 aller-retour par jour en train de nuit (départ le soir vers 19h, arrivée à Rome-Termini le mat vers 10h).

Pour préparer votre voyage

– ***Billet à domicile :*** commandez et payez votre billet par téléphone au ☎ 36-35 (0,34 € TTC/mn) ou sur Internet, la SNCF vous l'envoie gratuitement à domicile.

AIRFRANCE

- ***Service « Bagages à domicile » :*** appelez le ☎ 36-35 (0,34 € TTC/mn), la SNCF prend en charge vos bagages où vous le souhaitez, et vous les livre là où vous allez en ***24h de porte à porte.***

Pour voyager au meilleur prix

La SNCF propose des tarifs adaptés à chacun de vos voyages.
➢ ***TGV Prem's, Téoz Prem's et Lunéa Prem's :*** des petits prix disponibles toute l'année. Tarifs non échangeables et non remboursables (offres soumises à conditions).
- ***Prem's :*** pour des prix mini si vous réservez jusqu'à 90 j. avant votre départ, à partir de 22 € l'aller en 2de classe avec TGV, 17 € en 2de classe avec Téoz et 35 € en 2de classe en couchette avec Lunéa (32 € sur Internet).
- ***Prem's Dernière Minute :*** des offres exclusives à saisir sur Internet. Bénéficiez jusqu'à 50 % de réduction sur des places encore disponibles quelques jours avant le départ du train.
- ***Prem's Vente Flash :*** des promotions ponctuelles.
- ***TGV Prem's Week-End :*** 25 € ou 45 € garantis en 2de classe pour des départs sur les derniers TGV du vendredi soir et du dimanche soir (une offre exclusive TGV).

➢ ***Les tarifs Loisir***
Une offre pour tous ceux qui programment leurs voyages mais souhaitent avoir la liberté de décider au dernier moment et de changer d'avis (offres soumises à conditions, tarifs échangeables et remboursables). Pour bénéficier des meilleures réductions, pensez à réserver vos billets à l'avance (les réservations sont ouvertes jusqu'à 90 j. avant le départ) ou à voyager en période de faible affluence.

➢ ***Les cartes***
Pour ceux qui voyagent régulièrement, profitez de réductions garanties tout le temps avec les Cartes Enfant +, 12-25, Escapades ou Senior (valables 1 an).
- Vous voyagez avec un enfant de moins 12 ans : pour 70 €, la ***Carte Enfant +*** permet aux accompagnateurs (jusqu'à 4 adultes ou enfants, sans obligation de lien de parenté) de bénéficier de réductions allant jusqu'à 50 %, et à l'enfant titulaire de la carte de payer la moitié du prix adulte après réduction (s'il a moins de 4 ans, l'enfant voyage gratuitement).
- Vous avez entre 12 et 25 ans : avec la ***Carte 12-25,*** pour 49 €, vous bénéficiez jusqu'à 60 % de réduction et - 25 % garantis sur tous vos voyages, même au dernier moment.
- Vous avez entre 26 et 59 ans : avec la ***Carte Escapades,*** pour 85 €, vous bénéficiez jusqu'à 40 % de réduction et - 25 % garantis sur tous vos voyages, même au dernier moment. Ces réductions sont valables pour tout aller-retour de plus de 200 km effectué sur la journée du samedi ou du dimanche, ou comprenant la nuit du samedi au dimanche sur place.
- Vous avez plus de 60 ans : avec la ***Carte Senior,*** pour 56 €, vous bénéficiez jusqu'à 50 % de réduction et - 25 % garantis sur tous vos voyages, même au dernier moment.

➢ ***Les avantages européens***
Avec les ***Pass InterRail,*** les résidents européens peuvent voyager dans 30 pays d'Europe, dont l'Italie. Plusieurs formules et autant de tarifs, en fonction de la destination et de l'âge. À noter que le *Pass InterRail* n'est pas valable dans votre pays de résidence (cependant l'*InterRail Global Pass* offre une réduction de 50 % de votre point de départ jusqu'au point frontière en France).
- Pour les grands voyageurs, l'***InterRail Global Pass*** est valable dans 30 pays d'Europe concernés, intéressant si vous comptez parcourir plusieurs pays au cours du même périple. Il se présente sous 5 formes au choix. Deux formules flexibles : utilisable 5 j. sur une période de validité de 10 j. (159 € pour les 12-25 ans, 249 € pour les + de 25 ans), ou 10 j. sur une période de validité de 22 j. (239 € pour les 12-25 ans, 359 € pour les + de 25 ans). Trois formules « continues » : pass 15 j. (279 € pour les 12-25 ans, 399 € pour les 12-25 ans,), pass 22 j. (309 € pour les

12-25 ans, 469 € pour les + de 25 ans), pass 1 mois (399 € pour les 12-25 ans, 599 € pour les + de 25 ans). Toutes ces formules existent aussi en version 1re classe !
– Si vous ne parcourez que l'Italie, le ***One Country Pass*** vous suffira. D'une période de validité de 1 mois et utilisable selon les formules 3, 4, 6 ou 8 j. en discontinu : à vous de calculer avant votre départ le nombre de jours dont vous aurez besoin pour voyager : 3 j. (54,50 € pour les 4-11 ans, 71 € pour les 12-25 ans, 109 € pour les + de 25 ans), 4 j. (69,50 € pour les 4-11 ans, 90 € pour les 12-25 ans, 139 € pour les + de 25 ans), 6 j. (94,50 € pour les 4-11 ans, 123 € pour les 12-25 ans, 189 € pour les + de 25 ans) ou 8 j. (114,50 € pour les 4-11 ans, 149 € pour les moins de 25 ans, 229 € pour les + de 25 ans). Là encore, ces formules existent en version 1re classe (mais ce n'est pas le même prix, bien sûr). *InterRail* vous offre également la possibilité d'obtenir des réductions ou avantages à travers toute l'Europe avec ses partenaires bonus (musées, chemins de fer privés, hôtels, etc.). Tous ces prix sont applicables jusqu'au 31/12/10.
Pour plus de renseignements, adressez-vous à la gare ou boutique SNCF la plus proche.

Pour obtenir plus d'informations sur les conditions de réservation et d'achat de vos billets

*– **Internet :** • voyages-sncf.com • tgv.com • artesia.eu • interrailnet.com • corail teoz.com • coraillunea.fr •*
*– **Téléphone :** ☎ 36-35 (0,34 €/mn).*
– Également dans les gares, les boutiques SNCF et les agences de voyages agréées SNCF.

EN BUS

▲ CLUB ALLIANCE

– Paris : 33, rue de Fleurus, 75006. ☎ 01-45-48-89-53. Ⓜ Notre-Dame-des-Champs, Saint-Placide ou Rennes. Lun-ven 10h30-19h ; sam 13h30-19h.
Spécialiste des week-ends et des ponts de 3 ou 4 j. Circuits économiques de 1 à 16 j. en Europe, y compris en France. Pour l'Italie, Club Alliance propose un circuit combiné de 6 j. Florence-Rome-Venise. Brochure gratuite sur demande.

▲ EUROLINES

Rens : ☎ 0892-89-90-91 (0,34 €/mn). Tlj 8h-12h, dim 10h-17h. • eurolines.fr • Vous trouverez également les services d'Eurolines sur • routard.com • Eurolines propose 10 % de réduc pour les jeunes et les seniors. Deux bagages gratuits par personne en Europe et 40 kg gratuits pour le Maroc.
🚌 Gare routière internationale à Paris : Gallieni, 28, av. du Général-de-Gaulle, 93541 Bagnolet Cedex. Ⓜ Gallieni.
Première *low-cost* par bus en Europe, Eurolines permet de voyager vers plus de 1 500 destinations en Europe et au Maroc avec des départs quotidiens depuis 110 villes françaises.
Pass Eurolines : pour un prix fixe valable 15 ou 30 j., vous voyagez autant que vous le désirez sur le réseau entre 45 villes européennes. Également un mini-pass pour visiter deux capitales européennes (6 combinés possibles).

▲ VOYAGES 4A

– Tarnos : 306, rue de l'Industrie, 40220. Rens et résas : ☎ 05-59-23-90-37. • voyages4a.com • Lun-ven 9h30-12h, 14h-18h.
Spécialiste des voyages en autocar à destination de toutes les grandes cités européennes. Week-ends, séjours et circuits en bus toute l'année, grands festivals et événements européens. Formules pour tout public, en individuel ou en groupe, au départ de toutes les grandes villes de France.

EN AVION

Les compagnies régulières

▲ **AIR FRANCE**
Rens et résas au ☎ 36-54 (0,34 €/mn – tlj 6h30-22h), sur • airfrance.fr •, dans les agences Air France (fermées dim) et dans ttes les agences de voyages.
➢ Depuis Paris, aérogare 2G, 13 vols quotidiens pour Rome-Fiumicino (dont 7 en partage de code avec Alitalia).
Air France propose à tous des tarifs attractifs toute l'année. Vous avez la possibilité de consulter les meilleurs tarifs du moment sur Internet dans l'onglet « Achat & enregistrement en ligne », rubrique « Promotions ».
Le programme de fidélisation Air France KLM permet de cumuler des *miles* à son rythme et de profiter d'un large choix de primes. Avec votre carte *Flying Blue,* vous êtes immédiatement identifié comme client privilégié lorsque vous voyagez avec tous les partenaires.
Air France propose également des réductions jeunes avec la carte *Flying Blue Jeune,* réservée aux jeunes âgés de 2 à 24 ans résidant en France métropolitaine, dans les départements d'outre-mer, au Maroc ou en Tunisie. Avec plus de 18 000 vols/j., 800 destinations, et plus de 100 partenaires, *Flying Blue Jeune* offre autant d'occasions de cumuler des *miles* partout dans le monde.

▲ **ALITALIA**
Infos et résas en France : ☎ 0820-315-315 (0,12 €/mn). Lun-ven 8h-20h ; w-e 9h-19h. En Italie : ☎ 0039-06-2222 (n° Vert de tte l'Italie slt). • alitalia.fr • Et dans les agences de voyages.
➢ Vols Paris-Rome 5 fois/j. (en partage de code avec Air France).

▲ **BRUSSELS AIRLINES**
Rens : ☎ 0892-64-00-30 (0,33 €/mn) depuis la France ; ☎ 0902-51-600 (0,70 €/mn) depuis la Belgique. Lun-ven 9h-19h ; sam 9h-17h. • brusselsairlines.com •
Deux tarifications : ***b-flex,*** pour une clientèle professionnelle, et ***b-light,*** proposant des formules *low-cost* depuis Brussels-Airport.
➢ Vols quotidiens Bruxelles-Rome.

Les compagnies *low-cost*

Ce sont des compagnies dites « à bas prix ». De nombreuses villes de province sont desservies, ainsi que les aéroports limitrophes des grandes villes. Ne pas trop espérer trouver facilement des billets à prix plancher lors des périodes les plus fréquentées (vacances scolaires, w-e...). À bord, c'est service minimum. Afin de réduire les files d'attente dans les aéroports, certaines font même payer l'enregistrement aux comptoirs d'aéroport. Pour éviter cette nouvelle taxe qui ne dit pas son nom, les voyageurs ont intérêt à s'enregistrer directement sur Internet où le service est gratuit. La résa se fait parfois par téléphone (pas d'agence, juste un n° de réservation et un billet à imprimer soi-même) et aucune garantie de remboursement n'existe en cas de difficultés financières de la compagnie. En outre, les pénalités en cas de changement d'horaires sont assez importantes et les taxes d'aéroport rarement incluses. Il faut aussi rappeler que plusieurs compagnies facturent maintenant les bagages en soute. Ne pas oublier non plus d'ajouter le prix du bus pour se rendre à ces aéroports, souvent assez éloignés du centre-ville. Au final, même si les prix de base restent très attractifs, il convient de prendre en compte tous ces frais annexes pour calculer le plus justement son budget.

▲ **BLU-EXPRESS**
Rens et résas : ☎ 0039-060-214-577 (0,52 €/mn). Tlj 8h-20h. • blu-express.com •
➢ 6 vols allers-retours/sem Rome-Fiumicino-Nice.

Visitez l'Italie
avec les yeux
des Italiens
l'Italie chez l'habitant
Bed & Breakfast Italia le premier réseau de
logement chez l'habitant à Rome en Italie.
Plus de 500 localités
dispersées sur toute
l'Italie avec 1800
habitation privées
sélectionnées avec soin
pour vous garantir le
meilleur séjour dans
un cadre familial,
accueillant et
chaleureux.
Bed & Breakfast
ITALIA
www.bbitalia.it
disponibilités et réservations en ligne
info@bbitalia.it
Tel.: +33 (0)1 82880145 · fax +33 (0)1 72729074
3% de réduction aux amis du Routard en se connectant à la page: www.bbitalia.it/routard
UNE FAÇON ORIGINALE DE VIVRE A L'ITALIENNE
CASA d'ARNO

▲ **EASY JET**
Résas : ☎ 0899-65-00-11 (1,34 €/mn l'appel, puis 0,34 €/mn). Lun-ven 8h-20h ; w-e 9h-17h. • easyjet.com •
➢ Vols aller-retour tlj Paris Orly-Rome-Ciampino.

▲ **RYANAIR**
Rens et résas : ☎ 0892-780-210 (0,34 €/mn). • ryanair.com • Lun-sam 8h-19h ; dim 6h-17h.
➢ Au départ de Paris-Beauvais, 2 allers-retours tlj pour Rome-Ciampino, ainsi que de Bruxelles-Charleroi.

▲ **VUELING**
Rens et résas : ☎ 0899-232-400 (N° vert en France) ou 0902-33-429 (en Belgique). • vueling.com •
➢ Compagnie espagnole qui assure des allers-retours Paris CDG-Rome-Fiumicino : 3 vols/sem (ven, sam, dim) en mai-juin, puis tlj juil-oct.

LES ORGANISMES DE VOYAGES EN FRANCE

– Ne pas croire que les vols à tarif réduit sont tous au même prix pour une même destination à une même époque : loin de là. On a déjà vu, dans un même avion partagé par deux organismes, des passagers qui avaient payé 40 % plus cher que les autres. De plus, une agence bon marché ne l'est pas forcément toute l'année (elle peut n'être compétitive qu'à certaines dates bien précises). Donc, contactez tous les organismes et jugez vous-même.
– Les organismes cités sont classés par ordre alphabétique, pour éviter les jalousies et les grincements de dents.

▲ **AUTREMENT L'ITALIE ET LA SICILE**
– Paris : 76, bd Saint-Michel, 75006. ☎ 01-44-41-69-95. • autrement-Italie.net • RER B : Luxembourg. Lun-ven 9h30-19h ; sam 10h-13h, 14h-17h.
Autrement permet de voyager en toute liberté en Italie et en Sicile en construisant son voyage sur mesure avec l'aide de spécialistes : locations d'appartements, de villas dans la région des lacs, la Toscane, la côte amalfitaine et dans des grandes villes culturelles comme Rome, Venise, Florence ou Naples. Également des billets d'avions et des locations de voitures.
Possibilité aussi de s'initier à la cuisine italienne ou encore de réserver des billets pour des grandes manifestations culturelles (théâtres, opéras, concerts, expositions...).

▲ **BOURSE DES VOLS – BOURSE DES VOYAGES**
Rens : ☎ 01-42-61-66-61. Lun-sam 8h-20h. • bdv.fr •
Agence de voyages en ligne, BDV.fr propose une vaste sélection de vols secs, séjours et circuits à réserver en ligne ou par téléphone. Pour bénéficier des meilleurs tarifs aériens, même à la dernière minute, le service de Bourse des Vols référence en temps réel un large panel de vols réguliers, charters et dégriffés au départ de Paris et de nombreuses villes de province. Promotions toute l'année sur une large sélection de séjours.

▲ **BRAVO VOYAGES**
– Paris : 5, rue de Hanovre, 75002. ☎ 01-45-35-43-00. • bravovoyages.com • Ⓜ Opéra ou 4-Septembre. Lun-ven 9h-19h ; sam 10h-17h.
Agence spécialisée sur l'Italie du nord au sud, les villes d'art, la Campanie, et plus particulièrement sur la Sicile, les îles Éoliennes et la Sardaigne. Bravo propose des séjours en hôtels ou en clubs, des circuits, croisières, et des locations de villas et d'appartements sur l'Italie et ses îles. Vols réguliers hebdomadaires sur la Sicile et la Sardaigne. Brochures à consulter en ligne sur le site internet.

▲ COMPTOIR DE L'ITALIE ET DE LA CROATIE

– Paris : 6, rue des Écoles, 75005. ☎ 0892-237-037 (0,34 €/mn). Fax : 01-53-10-21-71. • comptoir.fr • Lun-ven 9h30-18h30 ; sam 10h-18h30. Ⓜ *Cardinal-Lemoine.*
– Lyon : 10, quai Tilsitt, 69002. ☎ 0892-230-465. Lun-sam 9h30-18h30. Ⓜ *Bellecour.*
– Toulouse : 43, rue Peyrolières, 31000. ☎ 0892-232-236 (0,34 €/mn). Lun-sam 10h-18h30. Ⓜ *Esquirol.*

La *dolce vita,* la magie de la Renaissance italienne, le bleu de mer et les îles croates ne sont jamais bien loin lorsque leurs conseillers vous aident à bâtir un voyage. Comptoir de l'Italie et de la Croatie propose un grand choix d'hébergements de charme, des week-ends insolites, des idées de voyages originales, et bien d'autres suggestions à combiner selon son budget, ses envies et son humeur.

Chaque comptoir est spécialiste d'une ou plusieurs destinations : Afrique, Amérique centrale et Caraïbes, Brésil, Canada, Chine, Égypte, États-Unis, Grèce, îles de la Polynésie française et îles de l'océan Indien, Indonésie, Inde et Sri Lanka, Islande et terres polaires, Italie et Croatie, Japon, Maroc, Moyen-Orient, Pays andins, Pays celtes, Pays scandinaves, Pays du Mékong.

▲ DONATELLO

Rens : ☎ 0826-102-102 (0,15 €/mn). • donatello.fr •

Donatello est l'un des spécialistes du voyage en Italie. L'agence propose des week-ends d'art, des séjours culturels, ou encore des locations d'appartements ou de villas. Vous trouverez leurs brochures en ligne sur 25 destinations.

▲ FUAJ

– Paris : antenne nationale, 27, rue Pajol, 75018. ☎ 01-44-89-87-27. Ⓜ *La Chapelle, Marx-Dormoy ou Gare-du-Nord. Mar-ven 13h-17h30. Rens dans toutes les auberges de jeunesse, les points d'information et de réservation en France et sur le site • fuaj.org •*

La FUAJ (Fédération Unie des Auberges de Jeunesse) accueille ses adhérents dans 160 auberges de jeunesse en France. Seule association française membre de l'IYHF *(International Youth Hostel Federation),* elle est le maillon d'un réseau de 4 200 auberges de jeunesse réparties dans 81 pays. La FUAJ organise, pour ses adhérents, des activités sportives, culturelles et éducatives ainsi que des rencontres internationales. Vous pouvez obtenir gratuitement les brochures *Printemps-Été, Hiver,* le dépliant des séjours pédagogiques, la carte pliable des AJ et le *Guide des AJ en France.*

▲ ITALOWCOST

Rens : ☎ 0892-160-960 (0,34 €/mn). Lun-ven 9h-19h. • italowcost.com •

Ce tour-opérateur propose des forfaits vols/hébergement à des prix très attractifs. Pour Rome, plusieurs départs hebdomadaires de Nantes, Paris et Toulouse.

▲ LINEA ITALIA

– Paris : 15, rue du Surmelin, 75020. ☎ 01-43-61-10-00. Ⓜ *Pelleport. Lun-ven 9h30-12h30, 13h30-18h30 (17h30 ven).*

Linea Italia offre une nouvelle ligne de programmes pour concevoir ses vacances selon son plaisir et à son rythme : soit détente et farniente, soit découverte des trésors culturels ou d'un événement.

Linea Italia, c'est aussi des vols spéciaux ou réguliers à prix réduits, un choix d'hôtels du 2 étoiles aux palaces, hôtels-clubs, villages de vacances, location d'appartements et location de voitures, sélectionnés par une équipe italienne de spécialistes.

▲ NOUVELLES FRONTIÈRES

Rens et résas dans toute la France : ☎ 0825-000-825 (0,15 €/mn). • nouvelles-frontieres.fr • Les brochures Nouvelles Frontières sont disponibles gratuitement dans les 300 agences du réseau, par téléphone et sur Internet.

Plus de 40 ans d'existence, 1 000 000 clients par an, 250 destinations, deux chaînes des hôtels-clubs Nouvelles Frontières et une compagnie aérienne, *Corsairfly*. Pas étonnant que Nouvelles Frontières soit devenu une référence incontournable, notamment en matière de tarifs. Le fait de réduire au maximum les intermédiaires permet d'offrir des prix « super serrés ». Un choix illimité de formules vous est proposé : des vols sur la compagnie aérienne de Nouvelles Frontières au départ de Paris et de province, en classe Horizon ou Grand Large, et sur toutes les compagnies aériennes régulières, avec une gamme de tarifs selon votre budget. Sont également proposés toutes sortes de circuits, aventure ou organisés ; des séjours en hôtels, en hôtels-clubs et en résidences ; des week-ends, des formules à la carte (vol, nuits d'hôtel, excursions, location de voitures...), des séjours neige, des croisières, des séjours thématiques, plongée, thalasso.
Avant le départ, des réunions d'information sont organisées. Intéressant : des brochures thématiques (plongée, aventure, rando, trek, sport, et Nouvelles Rencontres).

▲ PARTIRENEUROPE.COM

– Grenoble : 45, rue Lesdiguières 38000. ☎ 04-76-47-19-18. • partireneurope.com • Lun-ven 9h-12h30, 14h-18h30 (17h30 ven).
Une agence dynamique qui organise des séjours économiques en Europe et en Russie dans les grandes capitales européennes au départ de 30 villes de France. Plusieurs formules d'hébergement, de la cité U aux hôtels 3 étoiles. Départs toute l'année et pour des concerts et des festivals rock en Europe. Nouveau : départs possibles chaque semaine avec des formules bus + hôtels dans les capitales européennes.

▲ PROMOVACANCES.COM

Les offres Promovacances sont accessibles sur • promovacances.com • ou au ☎ 0899-654-850 (1,35 € l'appel, puis 0,34 €/mn) et dans 10 agences situées à Paris et à Lyon.
N° 1 français de la vente de séjours sur Internet, Promovacances a fait voyager plus de 2 millions de clients en 10 ans. Le site propose plus de 10 000 voyages actualisés chaque jour sur 300 destinations : séjours, circuits, week-ends, thalasso, plongée, golf, voyages de noces, locations, vols secs... L'ambition du voyagiste : prouver chaque jour que le petit prix est compatible avec des vacances de qualité. Grâce aux avis clients publiés sur le site et aux visites virtuelles des hôtels, vous réservez vos vacances en toute tranquillité.

▲ PROMOVOLS

Infos et résas : ☎ 0899-01-01-01 (1,35 €/mn). Lun-ven 9h-19h ; sam 10h-18h. • promovols.com •
Spécialiste de la vente de billets d'avions sur Internet, Promovols vous propose une vaste sélection de vols réguliers, charters et dégriffés au départ de Paris et de la plupart des villes de Province. Grâce à son moteur de réservation très performant, cette agence de voyage en ligne vous garantit les meilleurs prix du marché quelle que soit votre destination.
Promovols propose également un très large choix d'hôtels, séjours et circuits à prix extrêmement compétitifs sur plus de 200 destinations.

▲ VOYAGES-SNCF.COM

Voyages-sncf.com, acteur majeur du tourisme français qui recense neuf millions de visiteurs par mois, propose d'acheter en ligne des billets de train, d'avion, des chambres d'hôtel, des locations de voitures, de vacances et des séjours clés en main ou Alacarte®, ainsi que des spectacles, des excursions et des musées. Un large choix et des prix avantageux sont offerts toute l'année, pour tous types de voyages dans le monde entier : SNCF, 180 compagnies aériennes, 84 000 hôtels référencés et les principaux loueurs de voitures.
Leur site • *voyages-sncf.com* • permet d'accéder tous les jours, 24h/24, à plusieurs services : envoi gratuit des billets à domicile, Alerte Résa pour être informé

de l'ouverture des réservations et profiter du plus grand choix, calendrier des meilleurs prix (TTC), mais aussi des offres de dernière minute et des promotions...
Pratique : • *voyages-sncf.mobi* •, le site mobile pour réserver, s'informer et profiter des bons plans n'importe où et à n'importe quel moment.
Et grâce à l'Écocomparateur, en exclusivité sur • *voyages-sncf.com* •, possibilité de comparer le prix, le temps de trajet et l'indice de pollution pour un même trajet en train, en avion ou en voiture.

▲ VOYAGEURS EN ITALIE
Le spécialiste du voyage en individuel sur mesure. • vdm.com •
– Paris : La Cité des Voyageurs, 55, rue Sainte-Anne, 75002. ☎ 01-42-86-17-20.
Ⓜ Opéra ou Pyramides. Lun-sam 9h30-19h.
Également des agences à Bordeaux, Caen, Grenoble, Lille, Lyon, Marseille, Montpellier, Nantes, Nice, Rennes, Rouen, Strasbourg et Toulouse.
Pour partir à la découverte de plus de 120 pays, des experts pays, de près de 30 nationalités et grands spécialistes de leurs destinations, guident à travers une collection de 30 brochures (dont 6 thématiques) comme autant de trames d'itinéraires destinées à être adaptés à vos besoins et vos envies pour élaborer étape après étape son propre voyage en individuel.
Dans chacune des *Cités des Voyageurs,* tout appelle au voyage : librairies spécialisées, boutiques d'accessoires de voyage, expositions-ventes d'artisanat ou encore cocktails-conférences. Toute l'actualité de Voyageurs du Monde et des devis en temps réel à consulter sur leur site Internet.
Voyageurs du Monde est membre de l'association ATR (Agir pour un Tourisme Responsable) et a obtenu en 2008 sa certification Tourisme Responsable AFAQ AFNOR.

Comment aller à Roissy et à Orly ?

À Roissy-Charles-de-Gaulle 1, 2 et 3

Attention : si vous partez de Roissy, pensez à vérifier de quelle aérogare votre avion décolle car la durée du trajet peut considérablement varier en fonction de cette donnée.
Bon à savoir :
– Le ***pass Navigo*** est valable pour Roissy-Rail (RER B, zones 1-5) et Orly-Rail (RER C, zones 1-4).
– Le ***billet Orly-Rail*** permet d'accéder sans supplément aux réseaux métro et RER.

Transports collectifs

Les cars Air France : *☎ 0892-350-820 (0,34 €/mn). • cars-airfrance.com •*
Paiement par CB possible à bord.
➢ *Paris-Roissy :* départ pl. de l'Étoile (1, av. Carnot), avec un arrêt pl. de la Porte-Maillot (bd Gouvion-Saint-Cyr). Départs ttes les 30 mn 5h45-23h. Durée du trajet : 35-50 mn env. Tarifs : 15 € l'aller simple, 24 € l'aller-retour.
Autre départ depuis la gare Montparnasse (arrêt rue du Commandant-Mouchotte, face à l'hôtel *Méridien Montparnasse*), ttes les 30 mn 6h30-21h30, avec un arrêt gare de Lyon (20 bis, bd Diderot). Tarifs : 16,50 € l'aller simple, 27 € l'aller-retour.
➢ *Roissy-Paris :* les cars *Air France* desservent la pl. de la Porte-Maillot, avec un arrêt bd Gouvion-Saint-Cyr, et se rendent ensuite au terminus de l'av. Carnot. Départs ttes les 30 mn 5h45-23h des terminaux 2A et 2C (porte C2), 2E et 2F (niveau « Arrivées », porte 3 de la galerie), 2B et 2D (porte B1), et du terminal 1 (porte 34, niveau « Arrivées »).
À destination de la gare de Lyon et de la gare Montparnasse, départs ttes les 30 mn 7h-21h des mêmes terminaux. Durée du trajet : 45 mn env.

Roissybus : *☎ 32-46 (0,34 €/mn).* • *ratp.fr* • Départs de la pl. de l'Opéra (angle rues Scribe et Auber) ttes les 15 mn (20 mn à partir de 19h) 5h45-23h. Durée du trajet : 45-60 mn. De Roissy, départs 6h-23h des terminaux 1, 2A, 2B, 2C, 2D et 2F, et à la sortie du hall d'arrivée du terminal 3. Tarif : 9,10 €.

Bus RATP n° 351 : de la pl. de la Nation, 5h30-20h20. Solution la moins chère mais la plus lente. Compter en effet 1h30 de trajet. Ou ***bus n° 350,*** de la gare de l'Est (1h15 de trajet). Arrivée Roissypôle-gare RER.

RER ligne B + navette : départ ttes les 15 mn. Compter 30 mn de la gare du Nord à l'aéroport (navette comprise). Un 1er départ à 4h56 de la gare du Nord et à 5h26 de Châtelet. À Roissy-Charles-de-Gaulle, descendre à la station (il y en a 2) qui dessert le bon terminal. De là, prendre la navette adéquate. Tarif : 8,50 €.

Si vous venez du nord, de l'ouest ou du sud de la France en train, vous pouvez rejoindre les aéroports de Roissy sans passer par Paris, la gare SNCF Paris-Charles de Gaulle étant reliée aux réseaux TGV.

Taxis collectifs

Liaisons avec les aéroports depuis Paris-Île-de-France, l'Eure et l'Oise. Moins cher qu'un taxi puisque les tarifs sont forfaitaires. Véhicules adaptés aux familles et aux personnes handicapées. Possibilité de devis en ligne. *Résas :* • *atafrance.com* • *Avec le code « Routard », bénéficiez de 10 % de réduc.*

Taxis

Compter au moins 50 € du centre de Paris, en tarif de jour.

En voiture

Chaque terminal a son propre parking. Compter 30 € par tranche de 24h. Également des parkings longue durée (PR et PX), plus éloignés des terminaux, qui proposent des tarifs plus avantageux (forfait 24h 22 €, forfait 6 à 7 j. 130 €). Possibilité de réserver sa place de parking via le site • *aeroportsdeparis.fr* • Stationnement au parking Vacances (longue durée), situé à 200 m du P3 Est. Formules de stationnement 1-30 j. (120-190 €). Réservation sur Internet uniquement.

Comment se déplacer entre Roissy-Charles-de-Gaulle 1, 2 et 3 ?

Les rames du CDG-VAL font le lien entre les 3 terminaux en 8 mn. Fonctionne tlj, 24h/24. Gratuit. Accessible aux personnes à mobilité réduite. Départ ttes les 5 mn, et ttes les 20 mn minuit-4h. Desserte gratuite vers certains hôtels, parkings, gares RER et gares TGV.

À Orly-Sud et Orly-Ouest

Transports collectifs

Les cars Air France : *☎ 0892-350-820 (0,34 €/mn).* • *cars-airfrance.com* • *Tarifs : 11,50 € l'aller simple, 18,50 € l'aller-retour. Paiement par CB possible dans le bus.*

➢ *Paris-Orly :* départs du terminal des Invalides, 2, rue Robert-Esnault-Pelterie (Ⓜ Invalides), ttes les 30 mn 5h50-22h55. Durée du trajet : 40 mn env. Arrêt à Montparnasse, rue du Commandant-Mouchotte, face à l'hôtel *Méridien Montparnasse* (Ⓜ Montparnasse-Bienvenüe, sortie Gare SNCF).

Autre départ de l'Étoile, 1, av. Carnot, ttes les 30 mn 6h15-23h15. Arrêt à Montparnasse (voir ci-dessus).

➢ *Orly-Paris :* départs 6h15-23h15 d'Orly-Sud, porte L, et d'Orly-Ouest, porte B, niveau « Arrivées ».

RER C + navette Orly-Rail : *☎ 0891-362-020 (0,23 €/mn).* • *transilien.com* • Prendre le RER C jusqu'à Pont-de-Rungis (un RER ttes les 15-30 mn). Compter

25 mn depuis la gare d'Austerlitz. Ensuite, navette Orly-Rail pdt 15 mn pour Orly-Sud et Orly-Ouest. Compter 6 €. Très recommandé les jours où l'on piétine sur l'autoroute du Sud (w-e et jours de grands départs) : on ne sera jamais en retard. Pour le retour, départs de la navette depuis la porte G des terminaux Sud et Ouest (4h46-23h30).

Bus RATP Orlybus : *☎ 32-46 (0,34 €/mn). • ratp.fr •*
➢ *Paris-Orly :* départs ttes les 15-20 mn de la pl. Denfert-Rochereau. Compter 25 mn pour rejoindre Orly (Ouest ou Sud). La pl. Denfert-Rochereau est très accessible : RER B, 2 lignes de métro et 3 lignes de bus. Orlybus fonctionne lun-jeu et dim 5h35-23h, jusqu'à 0h05 ven, sam et veilles de fêtes dans le sens Paris-Orly ; et lun-jeu et dim 6h-23h30, jusqu'à 0h30 ven, sam et veilles de fêtes dans le sens Orly-Paris.
➢ *Orly-Paris :* départ d'Orly-Sud, porte H, quai 4, ou d'Orly-Ouest, porte J, niveau « Arrivées ». Compter 6,40 € l'aller simple.

Orlyval : *☎ 32-46 (0,34 €/mn). • ratp.fr •* Ce métro automatique est facilement accessible à partir de n'importe quel point de la capitale ou de la région parisienne (RER, stations de métro, gare SNCF). La jonction se fait à Antony (ligne B du RER) sans aucune attente. Permet d'aller d'Orly à Châtelet et vice versa en 40 mn env, sans se soucier de la densité de la circulation automobile.
➢ *Paris-Orly :* départs pour Orly-Sud et Ouest ttes les 4-8 mn 6h-23h.
➢ *Orly-Paris :* départ d'Orly-Sud, porte J, à proximité de la livraison des bagages, ou d'Orly-Ouest, porte W du hall 2, niveau « Départs ». Compter 9,85 € l'aller simple entre Orly et Paris. Billet Orlyval seul : 7,60 €.

Taxis collectifs (voir plus haut)

Taxis

Compter au moins 35 € en tarif de jour du centre de Paris, selon circulation et importance des bagages.

En voiture

À proximité d'Orly-Ouest, parkings P0 et P2. À proximité d'Orly-Sud, P1 et P3 (à 50 m du terminal, accessible par tapis roulant). Compter 23,30 € par tranche de 24h. Ces 4 parkings à proximité immédiate des terminaux proposent un forfait intéressant : « week-end » valable du ven 0h01 au lun 23h59 (40 €). Dans les P0, P2 et P5 (excentrés), forfait « grand week-end » du jeu 15h au lun soir (55 €).
Les P4, P7 (en extérieur) et P5 (couvert) sont des parkings longue durée, plus excentrés, reliés par navettes gratuites aux terminaux. Compter 115 € pour 8 j. et 10h au P4, 115 € pour 6 j. et 8h au P7 (45 j. de stationnement max). En revanche, ne sont pas moins chers pour des séjours de courte durée, w-e inclus. *Rens : ☎ 01-49-75-56-50.* Comme à Roissy, possibilité de réserver en ligne sa place de parking (P0) sur *• aeroportsdeparis.fr •* Les frais de résa (en sus du parking) sont de 8 € pour 1 j., de 12 € pour 2-3 j. et de 20 € pour 4-10 j. de stationnement.

Liaisons entre Orly et Roissy-Charles-de-Gaulle

Les cars Air France : *☎ 0892-350-820 (0,34 €/mn). • cars-airfrance.com •* Départs de Roissy-Charles-de-Gaulle depuis les terminaux 1 (porte 34, niveau « Arrivées »), 2A et 2C (porte C2), 2B et 2D (porte B1), 2E et 2F (niveau « Arrivées », porte 3 de la galerie) vers Orly 5h55-22h30. Départs d'Orly-Sud (porte K) et d'Orly-Ouest (porte B-C, niveau « Arrivées ») vers Roissy-Charles-de-Gaulle 6h30 (7h le w-e)-22h30. Ttes les 30 mn (dans les 2 sens). Durée du trajet : 50 mn env. Tarif : 19 €.

RER B + Orlyval : *☎ 32-46 (0,34 €/mn).* Depuis Roissy, navette, puis RER B jusqu'à Antony, et enfin Orlyval entre Antony et Orly, 6h-23h. Tarif : 17,60 €.

– ***En taxi collectif :*** voir plus haut.
– ***En taxi :*** compter 50-55 € en journée.

LES ORGANISMES DE VOYAGES EN BELGIQUE

▲ AIRSTOP

Pour toutes les adresses Airstop, un seul numéro de téléphone : ☎ 070-233-188. • *airstop.be* • *Lun-ven 9h-18h30 ; sam 10h-17h.*
– Bruxelles : rue Fossé-aux-Loups, 28, 1000.
– Anvers : Jezusstraat, 16, 2000.
– Bruges : Dweersstraat, 2, 8000.
– Gand : Maria Hendrikaplein, 65, 9000.
– Louvain : Maria Theresiastraat, 125, 3000.
Airstop offre une large gamme de prestations, du vol sec au séjour tout compris à travers le monde.

▲ CONNECTIONS

Rens et résas : ☎ 070-233-313. • *connections.be* • *Lun-ven 9h-19h ; sam 10h-17h.*
Fort d'une expérience de plus de 20 ans dans le domaine du voyage, Connections dispose d'un réseau de 28 *travel shops*, dont un à Brussels Airport, et propose des vols dans le monde entier à des tarifs avantageux ainsi que des voyages destinés à des voyageurs désireux de découvrir la planète de façon autonome et de vivre des expériences uniques. Connections dispose d'une gamme complète de produits : vols, hébergements, locations de voitures, autotours, vacances sportives, excursions, assurances « protection »...

▲ NOUVELLES FRONTIÈRES

– Bruxelles (siège) : bd Lemonnier, 2, 1000. ☎ 02-547-44-44. • *nouvelles-frontieres.be* •
Également d'autres agences à Bruxelles, Charleroi, Liège, Mons, Namur, Waterloo, Wavre et au *Luxembourg.*
(Voir texte dans la partie « En France ».)

▲ SERVICE VOYAGES ULB

• *servicevoyages.be* •
– Bruxelles : campus ULB, av. Paul-Héger, 22, CP 166, 1000. ☎ 02-650-40-20.
– Bruxelles : rue Abbé-de-l'Épée, 1, Woluwe, 1200. ☎ 02-742-28-80.
– Bruxelles : hôpital universitaire Érasme, route de Lennik, 808, 1070. ☎ 02-555-38-63.
– Bruxelles : chaussée d'Alsemberg, 815, 1180. ☎ 02-332-29-60.
– Ciney : rue du Centre, 46, 5590. ☎ 083-216-711.
– Marche (Luxembourg) : av. de la Toison-d'Or, 4, 6900. ☎ 084-31-40-33.
– Wepion : chaussée de Dinant, 1137, 5100. ☎ 081-46-14-37.
Service Voyages ULB, c'est le voyage à l'université. Billets d'avion sur vols charters et sur compagnies régulières à des prix compétitifs.

▲ TAXISTOP

Pour toutes les adresses Taxistop : ☎ 070-222-292. • *taxistop.be* •
– Bruxelles : rue Thérésienne, 7a, 1000.
– Gent : Maria Hendrikaplein, 65b, 9000.
– Ottignies : bd Martin, 27, 1340.
Taxistop propose un système de covoiturage, ainsi que d'autres services comme l'échange de maisons ou le gardiennage.

▲ VOYAGEURS DU MONDE

• *vdm.com* •
– Bruxelles : chaussée de Charleroi, 23, 1060. ☎ 0900-44-500 (0,45 €/mn).
Le spécialiste du voyage en individuel sur mesure.
(Voir texte dans la partie « En France ».)

LES ORGANISMES DE VOYAGES EN SUISSE

▲ TUI – NOUVELLES FRONTIÈRES
– Genève : rue Chantepoulet, 25, 1201. ☎ 022-716-15-70.
– Lausanne : Grand-Chêne, 4, 1002. ☎ 021-321-41-11.
(Voir texte dans la partie « En France ».)

▲ STA TRAVEL
• statravel.ch • ☎ 058-450-49-49.
– Fribourg : rue de Lausanne, 24, 1701. ☎ 058-450-49-80.
– Genève : rue de Rive, 10, 1204. ☎ 058-450-48-00.
– Genève : rue Vignier, 3, 1205. ☎ 058-450-48-30.
– Lausanne : bd de Grancy, 20, 1006. ☎ 058-450-48-50.
– Lausanne : à l'université, Anthropole, 1015. ☎ 058-450-49-20.
Agences spécialisées notamment dans les voyages pour jeunes et étudiants. Gros avantage en cas de problème : 150 bureaux STA et plus de 700 agents du même groupe répartis dans le monde entier sont là pour donner un coup de main *(Travel Help).*
STA propose des voyages très avantageux : vols secs *(Blue Ticket),* hôtels, écoles de langues, *Work & Travel,* circuits d'aventure, voitures de location, etc. Délivre la carte internationale d'étudiant et la carte Jeune.
STA est membre du fonds de garantie de la branche suisse du voyage ; les montants versés par les clients pour les voyages forfaitaires sont assurés.

▲ VOYAGES APN
– Carouge : rue Saint-Victor, 3, 1227. ☎ 022-301-01-50. • apnvoyages.ch •
Voyages APN propose des destinations hors des sentiers battus, particulièrement en Europe (Grèce, Italie et pays du Nord), avec un contact direct avec les prestataires, notamment dans le cadre de l'agritourisme. Certains programmes sont particulièrement adaptés aux familles. L'accent est mis sur le tourisme responsable et durable. Dans ce cadre, une sélection de destinations telles que la Bolivie ou le Bénin est proposée.

LES ORGANISMES DE VOYAGES AU QUÉBEC

▲ EXOTIK TOURS
Rens sur • exotiktours.com • ou auprès de votre agence de voyages.
La Méditerranée, l'Europe, l'Asie et les Grands Voyages : Exotik Tours offre une importante programmation en été comme en hiver. Ses circuits estivaux se partagent notamment entre la France, l'Autriche, la Grèce, la Turquie, l'Italie, la Croatie, le Maroc, la Tunisie, la République tchèque, la Russie, la Thaïlande, le Vietnam, la Chine... Dans la rubrique « Grands voyages », le voyagiste suggère des périples en petits groupes ou en individuel. Au choix : l'Amérique du Sud (Brésil, Pérou, Argentine, Chili, Équateur, îles Galápagos), le Pacifique Sud (Australie et Nouvelle-Zélande), l'Afrique (Afrique du Sud, Kenya, Tanzanie), l'Inde et le Népal. L'hiver, des séjours sont proposés dans le Bassin méditerranéen et en Asie (Thaïlande et Bali). Durant cette saison, on peut également opter pour des combinés plage + circuit. Le voyagiste a par ailleurs créé une nouvelle division : Carte Postale Tours (circuits en autocar au Canada et aux États-Unis). Exotik Tours est membre du groupe *Intair.*

▲ TOURS CHANTECLERC
• tourschanteclerc.com •
Tours Chanteclerc est un tour-opérateur qui publie différentes brochures de voyages : Europe, Amérique du Nord, Amérique du Sud, Asie et Pacifique Sud, Afrique et le Bassin méditerranéen en circuits ou en séjours. Il se présente comme l'une des « références sur l'Europe » avec deux brochures : groupes (circuits guidés en

français) et individuels. « Mosaïque Europe » s'adresse aux voyageurs indépendants qui réservent un billet d'avion, un hébergement (dans toute l'Europe), des excursions ou une location de voiture. Aussi spécialiste de Paris, le grossiste offre une vaste sélection d'hôtels et d'appartements dans la Ville Lumière.

▲ TOURSMAISON

Spécialiste des vacances sur mesure, ce voyagiste sélectionne plusieurs « Évasions soleil » (plus de 600 hôtels ou appartements dans quelque 45 destinations), offre l'Europe à la carte toute l'année (plus de 17 pays) et une vaste sélection de compagnies de croisières (11 compagnies au choix). Toursmaison concocte par ailleurs des forfaits escapades à la carte aux États-Unis et au Canada. Au choix : transport aérien, hébergement (variété d'hôtels de toutes catégories ; appartements dans le sud de la France ; maisons de location et condos en Floride), locations de voitures pratiquement partout dans le monde. Des billets pour le train, les attractions, les excursions et les spectacles peuvent également être achetés avant le départ.

▲ VACANCES TOURS MONT ROYAL

• *vacancestmr.com* •

Le voyagiste propose une offre complète sur les destinations et les styles de voyages suivants : Europe, destinations soleils d'hiver et d'été, forfaits tout compris, circuits accompagnés ou en liberté. Au programme Europe, la gamme complète pour les voyageurs indépendants : locations de voitures, cartes de train, bonne sélection d'hôtels, excursions à la carte, forfaits à Paris, etc. À signaler : l'option « achat/rachat » de voiture (17 jours minimum, avec prise en France et remise en France ou ailleurs en Europe). Également : vols entre Montréal et Londres, Bruxelles, Bâle, Madrid, Malaga, Barcelone et Vienne avec *Air Transat* ; les vols à destination de Paris sont assurés par la compagnie *Corsair* au départ de Montréal, d'Halifax et de Québec avec *Corsairfly.* Nouvelle destination : l'Islande.

▲ VACANCES AIR CANADA

• *vacancesaircanada.com* •

Vacances Air Canada propose des forfaits loisirs (golf, croisières, voyages d'aventure, ski, et excursions diverses) flexibles vers les destinations les plus populaires des Antilles, de l'Amérique centrale et du Sud, de l'Asie, de l'Europe, et des États-Unis. Vaste sélection de forfaits incluant vol aller-retour et hébergement. Également des forfaits vol + hôtel/ vol + voiture.

▲ VOYAGES CAMPUS – TRAVEL CUTS

• *voyagescampus.com* •

Campus – Travel Cuts est un réseau national d'agences de voyages spécialisées pour les étudiants et les voyageurs qui disposent de petits budgets. Le réseau existe depuis 40 ans et compte plus de 50 agences dont 6 au Québec. Voyages Campus propose des produits exclusifs comme l'assurance « Bon voyage » le programme de Vacances-Travail (SWAP), la carte internationale d'étudiant (ISIC) et plus. Ils peuvent vous aider à planifier votre séjour autant à l'étranger qu'au Canada et même au Québec.

ROME UTILE

ABC DE ROME

- *Superficie :* 1 500 km².
- *Population :* 2 705 000 hab.
- *Maire de la ville :* Gianni Alemanno (depuis le 28 avril 2008).
- *Nombre de touristes par an :* 26 millions (en 2009).
- *Nombre de fontaines :* près de 300.
- *Nombre d'églises :* environ 400.
- *Les 7 collines :* Capitole, Palatin, Aventin, Quirinal, Viminal, Esquilin, Celius.

AVANT LE DÉPART

Adresses utiles

En France

■ ***Office national italien de tourisme (ENIT) :*** *23, rue de la Paix, 75002 Paris. Infos : ☎ 01-42-66-03-96 (ligne souvent saturée).* ● *infoitalie.paris@enit.it* ● *enit.it* ● *(site très complet à consulter absolument avt de partir).* Ⓜ *Opéra ; RER A : Auber. Lun-ven 11h-16h45.* L'*ENIT (Ente Nazionale Italiano per il Turismo)* est l'organisme national chargé de la promotion touristique de l'Italie à l'étranger (France, Belgique, Suisse, Canada). L'*ENIT* est en relation directe avec les administrations touristiques des différentes régions et est susceptible de vous donner les meilleures informations « à chaud » (fêtes, festivals...).

■ ***Ambassade d'Italie :*** *51, rue de Varenne, 75007 Paris.* ☎ *01-49-54-03-00.* ● *ambparigi.esteri.it* ● Ⓜ *Rue-du-Bac ou Varenne.* Superbe hôtel particulier ouvert au public uniquement lors des Journées du patrimoine en septembre.

■ ***Consulats d'Italie en France***

– Paris : 5, bd Émile-Augier, 75116. ☎ *01-44-30-47-00 (standard automatique qui oriente en fonction de l'appel lun-ven 9h-18h).* ● *informazioni.parigi@esteri.it* ● *consparigi.esteri.it* ● Ⓜ *La Muette. Ouv au public lun-ven 9h-12h ; mer 9h-12h, 14h30-16h30. Infos téléphoniques lun-ven 9h-13h, 14h30-16h30.*

– ***Vice-consulats*** *à Bordeaux, Lille, Lyon, Marseille, Metz, Nice et Toulouse.*

■ ***Institut culturel italien :*** *hôtel de Gallifet, 50, rue de Varenne/73, rue de Grenelle, 75007 Paris (hôtel de Gallifet).* ☎ *01-44-39-49-39.* ● *iicparigi.esteri.it* ● Ⓜ *Varenne, Rue-du-Bac ou Sèvres-Babylone. Lun-ven 10h-13h, 15h-18h. Bibliothèque de consultation :* ☎ *01-44-39-49-25. Mêmes horaires sf lun matin.*

Loisirs

■ ***Centre culturel italien :*** *4, rue des Prêtres-Saint-Séverin, 75005 Paris.* ☎ *01-46-34-27-00.* ● *centreculturelitalien.com* ● Ⓜ *Cluny-La Sorbonne ou*

Saint-Michel ; RER B et C : Saint-Michel. Lun-ven 9h-19h ; sam 9h30-13h. Propose des séjours linguistiques, des cours d'italien ainsi que des expos, des conférences, des cours d'histoire de l'art, de cuisine... On peut demander le programme des activités culturelles par téléphone ou par e-mail.

■ ***Radici :*** *☎ 05-62-17-50-37. • radici-press.net •* Revue bimensuelle centrée sur l'actualité, la culture et la civilisation italiennes. Articles en français et en italien.

■ ***Théâtre de la comédie italienne :*** *17, rue de la Gaîté, 75014 Paris. ☎ 01-43-21-22-22. • comedie-italienne.fr • Ⓜ Edgar-Quinet ou Gaîté.* La programmation de ce théâtre perpétue la tradition de la commedia dell'arte.

■ ***Radio Aligre :*** *☎ 01-40-24-28-28. • aligrefm.free.fr • FM 93.1.* Le dimanche de 10h30 à 12h, journalistes et invités évoquent les problématiques franco-italiennes. La série *L'Italie en direct au quotidien,* du lundi au vendredi de 6h30 à 8h, est, quant à elle, plus axée sur la musique et l'actualité. Ceux qui n'habitent pas en Île-de-France peuvent accéder aux émissions via le site internet.

■ ***Keith Prowse :*** *résas au ☎ 01-42-81-88-88 ou • resaparis@keithprowse.com • paris@keithprowse.com •* Agence internationale de billetterie de spectacles, *Keith Prowse* propose de réserver vos excursions à Rome (monuments, musées du Vatican, Tivoli, etc.) et/ou au départ de Rome (Capri, Pompéi, Florence, Assise...). La société *Keith Prowse* est également présente dans une vingtaine de destinations à l'étranger.

■ ***Cours de cuisine italienne :*** *36, rue de la Roquette, 75011 Paris. ☎ 01-44-64-86-00. • info@casadarno.com • Ⓜ Bastille. À partir de 70 €/pers l'atelier d'env 3h par groupes de 8 pers. Ven-sam 11h-14h dans un loft, tt à côté de l'agence.* Cours orchestrés par Elisabetta Arno, de l'agence *Casa d'Arno* (voir plus loin « Hébergement »). Un thème culinaire est abordé chaque semaine, avec comme fil conducteur une région italienne. À la fin de l'atelier, on déguste ce qu'on a préparé, arrosé (ça va de soi) d'un bon cru local. Ambiance conviviale.

En Belgique

ℹ ***Office de tourisme :*** *av. Louise, 176, Bruxelles 1050. ☎ 02-647-11-54. • bruxsels@enit.it • enit.it • Lun-ven 11h-16h.*

■ ***Ambassade d'Italie :*** *rue Émile-Claus, 28, Bruxelles 1050. ☎ 02-643-38-50. • ambbruxelles.esteri.it •*

■ ***Consulat d'Italie :*** *rue de Livourne, 38, Bruxelles 1000. ☎ 02-543-15-50. • segreteria.bruxelles@esteri.it • Lun 9h-12h30, 14h30-16h30 ; mar-ven 9h-12h30.*

En Suisse

ℹ ***Office de tourisme :*** *Uraniastrasse, 32, 2e étage, 8001 Zurich. ☎ 04-346-640-40. • zurich@enit.it • Lun-ven 9h-17h.*

■ ***Ambassade d'Italie :*** *Elfenstrasse, 14, 3006 Berne. ☎ 031-350-07-11. • ambasciata.berna@esteri.it •*

■ ***Consulat d'Italie :*** *Belpstrasse, 11, 3007 Berne. ☎ 031-390-10-10. • segreteria.consolato-italia-be.ch • consberna@esteri.it • Mar 9h-12h30, 15h-17h30 ; mer 9h-12h30 ; jeu 15h-17h30 ; ven 9h-12h30 ; sam 9h-13h.*

Au Canada

ℹ ***Office national de tourisme :*** *175 Bloor St, Suite 907, South Towe, Toronto (Ontario) M4W 3R8. ☎ (416) 925-48-82. • toronto@enit.it •*

■ ***Ambassade d'Italie :*** *275 Schalter St, 21st Floor, Ottawa (Ontario) K1P 5H9. ☎ 1-613-232-24-01. • ambasciata.ottawa@esteri.it •*

Formalités d'entrée

Pas de contrôle aux frontières, puisque l'Italie fait partie de l'espace Schengen. Néanmoins, quelques précautions d'usage.
– ***Pour un séjour de moins de 3 mois :*** carte d'identité en cours de validité ou passeport pour les ressortissants de l'Union européenne et de la Suisse. Ressortissants canadiens : passeport en cours de validité.
– ***Pour les mineurs non accompagnés de leurs parents :*** une autorisation de sortie du territoire est indispensable.
– ***Pour une voiture :*** permis de conduire à trois volets, carte grise et carte verte d'assurance internationale. Munissez-vous d'une procuration si vous n'êtes pas propriétaire du véhicule.
– ***Ariane, le fil à suivre :*** Ariane est un nouveau service gratuit mis à disposition par le Centre de crise du ministère des Affaires étrangères et européennes. Il permet aux voyageurs français qui le souhaitent de s'enregistrer à l'occasion de leurs séjours à l'étranger. Les informations déposées sur Ariane sont utilisées en cas de crise, par exemple pour contacter des voyageurs dans l'hypothèse où des opérations de secours sont organisées ou encore pour joindre rapidement les familles ou les proches en France si une situation le nécessite. Être inscrit sur Ariane, c'est voyager l'esprit tranquille. Pour en savoir plus : • *diplomatie.gouv.fr/fr/conseils-aux-voyageurs_909/index.html* •

Pensez à scanner passeport, visa, carte de paiement, billet d'avion et vouchers d'hôtel. Ensuite, adressez-les-vous par mail, en pièces jointes. En cas de perte ou vol, rien de plus facile pour les récupérer dans un cybercafé. Les démarches administratives seront bien plus rapides. Merci tonton Routard !

Avoir un passeport européen, ça peut être utile !

L'Union européenne a organisé une assistance consulaire mutuelle pour les ressortissants de l'UE en cas de problème en voyage.
Vous pouvez y faire appel lorsque la France (c'est rare) ou la Belgique (c'est plus fréquent) ne disposent pas d'une représentation dans le pays où vous vous trouvez. Concrètement, elle vous permet de demander assistance à l'ambassade ou au consulat (pas à un consulat honoraire) de n'importe quel État membre de l'UE. Leurs services vous indiqueront s'ils peuvent directement vous aider ou vous préciseront ce qu'il faut faire.
Leur assistance est, bien entendu, limitée aux situations d'urgence : décès, accidents ayant entraîné des blessures ou des lésions, maladie grave, rapatriement pour raison médicale, arrestation ou détention. En cas de **perte ou de vol de votre passeport,** ils pourront également vous procurer un **document provisoire** de voyage.
Cette entraide consulaire entre les 27 États membres de l'UE ne peut, bien entendu, vous garantir un accueil dans votre langue. En général, une langue européenne courante sera pratiquée.

Assurances voyages

■ ***Routard Assurance*** *(c/o AVI International) : 28, rue de Mogador, 75009 Paris.* ☎ *01-44-63-51-00.* • *avi-international.com* • Ⓜ *Trinité-d'Estienne-d'Orves.* Depuis 1995, *Routard Assurance,* en collaboration avec *AVI International,* spécialiste de l'assurance voyage, propose aux routards un tarif à la semaine qui inclut une assurance bagages de 2 000 € et appareils photo de 300 €. Pour les séjours longs (2 mois à 1 an), il existe le *Plan Marco Polo*. Depuis peu, également un nouveau contrat pour les seniors, en courts et longs séjours. *Routard Assurance* est aussi disponible en version « light » (durée adaptée aux week-ends et courts séjours en Europe). Vous trouverez un bulletin de souscription dans les dernières pages de chaque guide.

■ ***AVA :*** *25, rue de Maubeuge, 75009 Paris.* ☎ *01-53-20-44-20.* ● *ava.fr* ● Ⓜ *Cadet.* Un autre courtier fiable pour ceux qui souhaitent s'assurer en cas de décès-invalidité-accident lors d'un voyage à l'étranger, mais surtout pour bénéficier d'une assistance rapatriement, perte de bagages et annulation. Attention, franchises pour leurs contrats d'assurance voyage.

■ ***Pixel Assur :*** *18, rue des Plantes, 78600 Maisons-Laffitte.* ☎ *01-39-62-28-63.* ● *pixel-assur.com* ● *RER A : Maisons-Laffitte.* Assurance de matériel photo et vidéo tous risques dans le monde entier. Devis basé sur le prix d'achat de votre matériel. Avantage : garantie à l'année.

Carte internationale d'étudiant (carte ISIC)

Elle prouve le statut d'étudiant dans le monde entier et permet de bénéficier de tous les avantages, services, réduc étudiants du monde concernant les transports, les hébergements, la culture, les loisirs, le shopping... C'est la clé de la mobilité étudiante !
La carte ISIC donne aussi accès à des avantages exclusifs sur le voyage (billets d'avion, hôtels et auberges de jeunesse, assurances, cartes SIM, location de voitures...).
Pour plus d'informations sur la carte ISIC et pour la commander en ligne, rendez-vous sur le site ● *isic.fr* ●

Pour l'obtenir en France

Pour localiser le point de vente le plus proche de chez vous : ☎ *01-40-49-01-01.* ● *isic.fr* ● Se présenter au point de vente avec :
– une preuve du statut d'étudiant (carte d'étudiant, certificat de scolarité...) ;
– une photo d'identité ;
– 12 € (ou 13 € par correspondance, incluant les frais d'envoi des documents d'information sur la carte).
Émission immédiate sur place ou envoi à votre domicile le jour même de votre commande en ligne.

En Belgique

La carte coûte 9 € et s'obtient sur présentation de la carte d'identité, de la carte d'étudiant et d'une photo auprès de :

■ ***Connections :*** *rens au* ☎ *070-23-33-13.* ● *isic.be* ●

En Suisse

La carte s'obtient dans toutes les agences *STA Travel* (☎ *058-450-40-00*), sur présentation de la carte d'étudiant, d'une photo et de 20 Fs. Commande de la carte en ligne (● *isic.ch* ● *statravel.ch* ●).

Au Canada

La carte coûte 16 $Ca ; elle est disponible dans les agences *Travel Cuts/Voyages Campus*, mais aussi dans les bureaux d'associations étudiants. Pour plus d'infos : ● *voyagescampus.com* ●

Carte FUAJ internationale des auberges de jeunesse

Cette carte, valable dans plus de 90 pays, vous ouvre les portes des 4 000 auberges de jeunesse du réseau *Hostelling International,* réparties dans le monde entier. Les périodes d'ouverture varient selon les pays et les AJ. À noter, la carte est obligatoire pour séjourner en auberge de jeunesse, donc nous vous conseillons de vous la procurer avant votre départ.
– Il n'y a pas de limite d'âge pour séjourner en AJ. Il faut simplement être adhérent.
– La FUAJ offre à ses adhérents la possibilité de réserver en ligne grâce à son système de réservation international • *hihostels.com* • jusqu'à 12 mois à l'avance, dans plus de 1 600 auberges de jeunesse dans le monde. Et si vous prévoyez un séjour itinérant, vous pouvez réserver plusieurs auberges en une fois.
Ce système permet d'obtenir toutes les informations utiles sur les auberges reliées au système, de vérifier les disponibilités, de réserver et de payer en ligne.
– La carte donne également droit à des réductions sur les transports, les musées et les attractions touristiques dans plus de 90 pays. Ces avantages varient d'un pays à l'autre, ce qui n'empêche pas de la présenter à chaque occasion. Liste de ces réductions disponible sur • *hihostels.com* • et les réductions en France sur • *fuaj.org* •

Pour adhérer

– En ligne, avec un paiement sécurisé, sur le site • *fuaj.org* •
– Directement dans une auberge de jeunesse à votre arrivée.
– Auprès de l'antenne nationale : *27, rue Pajol, 75018 Paris.* ☎ *01-44-89-87-27.* • *fuaj.org* • Ⓜ *Marx-Dormoy ou La Chapelle.* Horaires d'ouverture disponibles sur le site internet rubrique « Nous contacter ».

Les tarifs de l'adhésion 2010

– Carte internationale FUAJ moins de 26 ans : 11 €.
Pour les mineurs, une autorisation parentale et la carte d'identité du parent tuteur sont nécessaires pour l'inscription.
– Carte internationale FUAJ plus de 26 ans : 16 €.
– Carte internationale FUAJ Famille : 23 €.
Seules les familles ayant un ou plusieurs enfants de moins de 16 ans peuvent bénéficier de la carte « famille » sur présentation du livret de famille. Les enfants de plus de 16 ans devront acquérir une carte individuelle.
– Munissez-vous de votre pièce d'identité lors de l'inscription. Pour les mineurs, une autorisation des parents leur permettant de séjourner seul(e) en auberge de jeunesse est nécessaire (une photocopie de la carte d'identité du parent qui autorise le mineur est obligatoire).
– Adhésion possible également dans toutes les auberges de jeunesse, points d'information et de réservation FUAJ en France.

En Belgique

La carte d'adhésion est obligatoire. Son prix varie selon l'âge : entre 3 et 15 ans, 3 € ; entre 16 et 25 ans, 9 € ; après 25 ans, 15 €.

■ ***LAJ :*** *rue de la Sablonnière, 28, Bruxelles 1000.* ☎ *02-219-56-76.* • *info@laj.be* • *laj.be* •

■ ***Vlaamse Jeugdherbergcentrale (VJH) :*** *Van Stralenstraat 40, B 2060 Antwerpen.* ☎ *03-232-72-18.* • *info@vjh.be* • *vjh.be* •

– Votre carte de membre vous permet d'obtenir de 3 à 20 € de réduction sur votre première nuit dans les réseaux LAJ, VJH et CAJL (Luxembourg), ainsi que des réductions auprès de nombreux partenaires en Belgique.

En Suisse (SJH)

Le prix de la carte dépend de l'âge : 22 Fs pour les moins de 18 ans, 33 Fs pour les adultes et 44 Fs pour une famille avec des enfants de moins de 18 ans.

■ ***Schweizer Jugendherbergen (SJH) :*** *service des membres des auberges de jeunesse suisses, Schaffhauserstr. 14, 8042 Zurich. ☎ 01-360-14-14. • bookingoffice@youthhostel.ch • youthhostel.ch •*

Au Canada

La carte coûte 35 $Ca pour une durée de 16 à 28 mois et 175 $Ca pour une carte valable à vie. Gratuit pour les enfants de moins de 18 ans qui accompagnent leurs parents.

■ ***Auberges de jeunesse du Saint-Laurent / St Laurent Youth Hostels :***
– À Montréal : 3514 av. Lacombe, Montréal (Québec) H3T 1M1. ☎ (514) 731-1015. N° gratuit (au Canada) : ☎ 1-866-754-1015.
– À Québec : 94 bd René-Levesque Ouest, (Québec) G1R 2A4. ☎ (418) 522-2552.

■ ***Canadian Hostelling Association :*** *205 Catherine St, bureau 400, Ottawa, (Ontario) K2P 1C3. ☎ (613) 237-7884. • info@hihostels.ca • hihostels.ca •*

ARGENT, BANQUES

Les banques

Même si les horaires varient un peu avec les saisons, les banques sont généralement ouvertes du lundi au vendredi de 8h30 à 13h30 et de 14h30 à 16h. Elles sont fermées les week-ends et jours fériés, mais la plupart disposent d'un distributeur de billets à l'extérieur. Certaines sont ouvertes le samedi matin, mais c'est plutôt rare. Nos amis francophones, en particulier les Suisses et les Québécois, peuvent évidemment toujours convertir leurs monnaies d'origine en euros dans les nombreux bureaux de change : ouverts tous les jours, même les jours fériés.

Les cartes de paiement

La grande majorité des restaurants, hôtels et stations-service les acceptent. Nous vous signalons, dans la mesure du possible, les adresses qui les refusent. Sur place, vous verrez en principe sur les vitrines des établissements les acceptant l'autocollant « Carta Si ».
De nombreux distributeurs automatiques *(Bancomat)* acceptant, entre autres, les cartes *MasterCard* et *Visa* internationales sont disséminés un peu partout, prêts à satisfaire le moindre de vos besoins. Vérifiez avant votre départ et auprès de votre banque le plafond autorisé pour vos retraits. Ces distributeurs, qui proposent une traduction en français, permettent théoriquement de retirer de 240 à 300 € par semaine.
Quelle que soit la carte, chaque banque gère elle-même le processus d'opposition, et le numéro de téléphone correspondant ! Avant de partir, notez donc bien le numéro d'opposition propre à votre banque en France (il figure souvent au dos des tickets de retrait, sur votre contrat ou à côté des distributeurs de billets), ainsi que le numéro à 16 chiffres de votre carte. Bien entendu, conservez ces informations en lieu sûr, et séparément de votre carte. L'assistance médicale se limite aux 90 premiers jours du voyage.

– ***Carte Bleue Visa :*** *assistance médicale incluse ; numéro d'urgence (Europ Assistance) : ☎ (00-33) 1-41-85-85-85. Pour faire opposition, contactez le numéro communiqué par votre banque ; à défaut, si vous êtes en France, faites le ☎ 0892-705-705.* • *carte-bleue.fr* •
– ***Carte MasterCard :*** *assistance médicale incluse ; numéro d'urgence : ☎ (00-33) 1-45-16-65-65.* • *mastercardfrance.com* • *En cas de perte ou de vol, composez le numéro communiqué par votre banque pour faire opposition ou à défaut, si vous êtes en France, faites le ☎ 0892-705-705 (0,34 €/mn).*
– ***Carte American Express :*** *téléphonez en cas de pépin au ☎ (00-33) 1-47-77-72-00.* • *americanexpress.fr* • *Numéro accessible tlj 24h/24.*
– *Pour ttes les cartes émises par* **La Banque Postale,** *composez le ☎ 0825-809-803 (0,15 €/mn) depuis la France métropolitaine ou les DOM, et depuis les DOM ou l'étranger, le ☎ (00-33) 5-55-42-51-96.*
– Petite mesure de précaution : si vous retirez de l'argent dans un distributeur, utilisez de préférence les distributeurs attenants à une agence bancaire. En cas de pépin avec votre carte (carte avalée, erreurs de numéro...), vous aurez un interlocuteur dans l'agence, pendant les heures ouvrables du moins.

En cas d'urgence – dépannage

– ***Western Union Money Transfer :*** en cas de besoin urgent d'argent liquide (perte ou vol de billets, chèques de voyage, cartes de paiement), vous pouvez être dépanné en quelques minutes grâce au système *Western Union Money Transfer.* Pour cela, demandez à un proche de déposer de l'argent en euros pour vous dans l'un des bureaux Western Union ; les correspondants en France de Western Union sont *La Banque Postale (fermé sam ap-m, n'oubliez pas ! ☎ 0825-00-98-98 ; 0,15 €/mn)* et *Travelex* en collaboration avec la *Société financière de paiements (SFDP ; ☎ 0825-825-842 ; 0,15 €/mn).* L'argent vous est transféré en moins de 15 mn. La commission, assez élevée, est payée par l'expéditeur. Possibilité d'effectuer un transfert en ligne 24h/24 par carte de paiement (*Visa* ou *MasterCard* émise en France). À Rome, se présenter avec une pièce d'identité à une agence Western Union *(n° Vert : ☎ 800-464-464, service disponible lun-ven 8h30-20h, sam 9h-19h, dim 9h-13h) ; ou de France : ☎ 0825-00-98-98 (0,15 €/mn).* • *westernunion.fr* •

ACHATS

Milan a la mode et le design, Venise a ses masques, Florence ses cuirs... Rien d'équivalent ici.
Mais Rome reste une capitale. En conséquence, on y trouve de tout. Si vous avez les moyens, vous pourrez faire la tournée des *Prada, Gucci, Dolce e Gabbana, Bulgari, Valentino* et autres *Armani.* Vous trouverez forcément chaussure à votre pied, sans oublier le petit sac assorti (ou la cravate !). Les belles boutiques se trouvent du côté du Corso. Jetez donc un coup d'œil à la lingerie. Des marques comme *La Perla* proposent des petits ensembles chic et sexy, à des prix, en revanche, franchement obscènes !
C'est finalement pour la qualité de ses antiquaires et de ses artisans ébénistes que Rome se distingue. Les prix sont malheureusement élevés. Sans parler des créateurs de céramiques splendides (qui font des copies d'ancien mais aussi des créations contemporaines).
Gardez plutôt vos sous pour rapporter de l'huile d'olive, des charcuteries, du fromage, du vin (voir plus loin « Où faire ses achats ? »). Ou, pourquoi pas, des tomates séchées, des sauces pour pâtes et, bien sûr, des pâtes ! Des marchés alimentaires se tiennent tous les matins.

BUDGET

Les tarifs sont généralement proches des prix pratiqués en France. Il n'empêche que l'hébergement risque de plomber votre budget. Hors saison, tout devient plus raisonnable, comme souvent dans les villes touristiques... Pour vous permettre de vous en faire une idée, nous indiquons ci-dessous des ordres de grandeur.

Hébergement

On l'a dit plus haut, on le répète : en Italie, l'hébergement en hôtel est cher, et plus encore à Rome. Si vous avez un petit budget, le mieux est de chercher à dormir en dortoir, voire en chambre double, dans une auberge de jeunesse privée, une institution religieuse ou dans un petit hôtel du quartier de Termini. Il y a également des campings autour de Rome mais, bien sûr, cela demande d'avoir une voiture ou de passer du temps dans les transports. Si on voyage en famille ou en bande de copains, la location d'appartements peut constituer une alternative avantageuse, surtout à plusieurs. Économies non seulement sur les nuits, mais aussi, et ce n'est pas négligeable, sur les repas. Se reporter à notre rubrique « Hébergement ».
Pour les autres, le choix est plus vaste (et plus cher !). Il est bon de savoir que les prix ne sont pas souvent affichés dans les hôtels. Avec un peu de chance, en se tordant le cou, on les apercevra derrière la réception mais rarement lisibles... Ils sont extrêmement fluctuants. Évidemment, en basse saison, les prix que nous vous indiquons baissent, mais ils peuvent aussi diminuer en haute saison, selon le remplissage de l'établissement et la « qualité » du client. La plupart des hôtels des catégories « Bon marché » et « Prix moyens » et un certain nombre de la catégorie « Plus chic » disposent de chambres aux prestations (et donc aux prix) différents. Comme bien souvent, la classification ne correspond pas vraiment à celle que nous connaissons en France : par exemple, un 3-étoiles italien *(tre stelle)* n'offre souvent pas plus que ce qu'offre un 2-étoiles français. Ce décalage est valable pour toutes les catégories.
Pour deux personnes en haute saison, il faut compter :
– ***Bon marché :*** de 50 à 80 €.
– ***Prix moyens :*** de 80 à 140 €.
– ***Plus chic :*** de 140 à 180 €.
– ***Très chic :*** des établissements exceptionnels et d'un prix très élevé – au-delà de 180 € –, que nous citons surtout en fonction de leur renommée et de leur décor, en souhaitant que votre budget vous permette, un jour, d'y descendre.

Restaurants

Contrairement aux hôtels, les restaurants ont des cartes très complètes avec tous les prix indiqués. Faire cependant attention, d'une part aux *antipasti* au buffet, car ils ne sont pas à volonté, et d'autre part aux poissons, facturés la plupart du temps au poids en fonction du prix du jour (et souvent chers).
Les prix relevés pour établir les fourchettes ci-dessous correspondent aux prix moyens affichés d'un *antipasto* ou d'un *primo piatto* suivi d'un *secondo* et d'un *dolce* ; ils vous donnent une idée des prix pratiqués par l'établissement. À moins d'avoir un très gros appétit, vous vous en sortirez sans doute pour un peu moins (le régime pâtes + viande ou poisson et dessert à chaque repas, c'est un peu beaucoup pour nos estomacs, non ?). Il vous faudra penser à rajouter à l'addition le *pane e coperto* (de 1 à 3 € en moyenne, mais cette pratique devient un peu plus rare à Rome) ainsi que la bouteille d'eau minérale (de 1 à 3 €), car il est quasiment impossible d'obtenir de l'eau du robinet (ou alors, payante !). Il arrive aussi qu'on vous compte le service (de 10 à 15 %). L'addition peut donc monter très vite ! Rassurez-vous, on peut très bien manger en choisissant les meilleures adresses bon marché de chacun des quartiers. Nous avons sélectionné également quelques

adresses pour manger sur le pouce à prix modique, une part de pizza *al taglio*, un sandwich (à l'italienne, bien sûr !), une salade ou un plat chaud. On y mange le plus souvent debout, et on économise en plus sur le service et le couvert.

Pour goûter des spécialités régionales ou familiales avec un repas complet (entrée, plat, dessert, boisson, pain et couvert), compter environ 30 €. Beaucoup moins si l'on se contente d'un plat ou d'une pizza ou si l'on opte pour un menu touristique (tout compris). Un peu plus si l'on se laisse tenter par un poisson frais, une belle déco dans un quartier chic ou une bonne bouteille de vin (la plupart des restos proposent en effet un honnête *vino della casa*, servi au pichet, à prix plutôt raisonnable, entre 3 et 6 €). Au-dessus de 40 € et plus : la classe ou... l'arnaque dans certains endroits touristiques.

Quant aux routards aux budgets serrés, un plan sympa consiste à aller dans un magasin d'alimentation *(alimentari)* pour se faire faire un *panino* ; c'est-à-dire qu'on choisit une ou deux *rosette* (au singulier, *rosetta* : petit pain individuel) ou bien un morceau de pizza blanche *(pizza bianca)* et on met dedans ce qu'on veut (mozzarelle, jambon fumé, etc.).

Comme pour les hôtels, les restaurants sont en majorité des établissements familiaux.

Voici notre fourchette ; les prix s'entendent par personne, pour un repas sur le pouce pour la catégorie « Très bon marché » (une pizza ou un sandwich et une boisson) et, dans les catégories suivantes, pour un repas complet (c'est-à-dire le plus souvent *antipasto*, *primo* ou *secondo* et éventuellement un *dolce*, soit le dessert), boisson non comprise.

- ***Très bon marché (sur le pouce) :*** moins de 10 €.
- ***Bon marché :*** de 10 à 15 €.
- ***Prix moyens :*** de 15 à 30 €.
- ***Chic :*** au-delà de 30 €.

Un dernier conseil (sans vouloir vous stresser) : pensez à recompter votre addition. À Rome, bizarrement, 1 + 1 ne font pas toujours 2 !

Réductions

Attention, si vous voulez bénéficier des avantages, remises et gratuités (apéro, café, digestif) que nous avons obtenus pour les lecteurs de ce guide, n'oubliez pas de les réclamer AVANT que le restaurateur ou l'hôtelier n'établisse l'addition. La loi italienne l'oblige à vous remettre une *ricevuta fiscale* qu'il ne peut en aucun cas modifier après coup. Ce serait dommage qu'il vous les refuse pour cette raison.

Visites des églises et musées

Bien sûr, les églises sont gratuites (sauf les accès aux « trésors »). En ce qui concerne les grands sites ou musées, leurs tarifs varient en moyenne de 8 à 15 € d'un site à l'autre et selon que s'y déroule une exposition temporaire (et elles sont fréquentes !) ou pas, et si on a effectué une réservation avant de venir. Bref, pas simple à comprendre ni à calculer. Les musées moins connus présentent généralement des tarifs allant de 3 à 7 € (variant selon les mêmes conditions). Les professeurs, les étudiants de moins de 24 ans et les jeunes de 18 à 24 ans, à condition d'être ressortissants de l'Union européenne, ont souvent droit à une réduction de 50 % ; quant aux visiteurs de moins de 18 ans et de plus de 65 ans, c'est souvent la gratuité qui leur est accordée, à condition d'être ressortissant de l'Union européenne et de présenter une pièce d'identité. Également sur présentation d'une pièce d'identité, les Parisiens ont accès gratuitement à certains musées. Il existe aussi trois formules de ***pass.*** Pour plus de détails, consultez la rubrique « Musées, sites et monuments » et renseignez-vous dans les points d'informations touristiques dès votre arrivée. Enfin, prévoyez de la « menue monnaie » pour l'éclairage des églises (0,50 € le plus souvent) ; c'est idiot, mais ça finit par chiffrer. Les musées n'acceptent pas les cartes de paiement, prévoyez des espèces sonnantes et trébuchantes !

CLIMAT

On peut se rendre à Rome presque toute l'année, les meilleures saisons étant le printemps et l'automne. L'été, on rencontre presque plus d'étrangers que de Romains (qui vont se réfugier généralement dans la campagne toscane). La température peut dépasser parfois 35 °C et parfois, le sirocco, venu d'Afrique, recouvre la ville d'une fine pluie de sable. Il est alors conseillé de faire les visites le matin et le soir et... la sieste entre 14h et 17h.

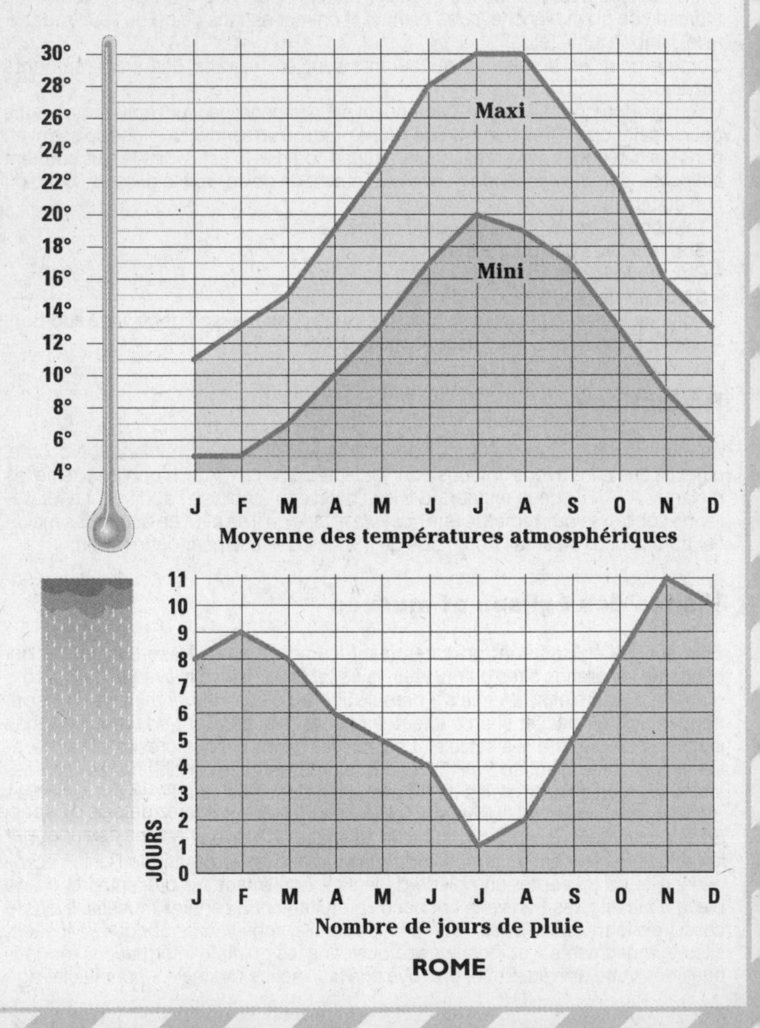

DANGERS ET ENQUIQUINEMENTS

Vols

En cas de vol, rendez-vous au poste de police le plus proche afin de faire établir un constat pour votre compagnie d'assurances. Adressez-vous à l'antenne du consulat français seulement en cas de vol ou de perte des papiers d'identité.

Achats dans la rue

Les vendeurs à la sauvette sont dans les rues, tout autour des sites touristiques. Évitez de succomber aux imitations de sacs de grandes marques. On vous rappelle qu'acheter ce genre de produits est rigoureusement interdit et passible d'une très forte amende. Non seulement l'article vous est confisqué immédiatement mais vous risquez jusqu'à 10 000 € d'amende. À la douane, en rentrant chez vous, si vous êtes pris la main dans le sac, vous risquez jusqu'à 300 000 € d'amende et 3 ans d'emprisonnement. *Gloups !* ça laisse à réfléchir ! Depuis quelque temps, les autorités italiennes et françaises ont renforcé les contrôles. N'oubliez pas qu'acheter ces faux encourage aussi l'esclavage moderne.

ENFANTS (ET PARENTS !)

Musée à ciel ouvert, ville éminemment culturelle, la capitale italienne n'est pas franchement idéale avec de jeunes enfants. D'abord, on marche beaucoup à Rome, et puis, les ruines antiques et les musées de peinture peuvent vite les lasser. C'est peut-être à partir de 10 ans qu'ils profiteront le mieux des richesses de la Ville Éternelle, à condition qu'on ait un tant soit peu préparé le voyage avec eux. De nombreux livres illustrés évoquent l'Antiquité et leur permettront, une fois sur place, de mieux se représenter ce que fut la puissance de l'Empire romain. Quelques pistes de lecture : *Astérix Gladiateur,* Hachette ; *Comment vivaient les Romains,* coll. Découvertes Benjamin, Gallimard jeunesse ; *Contes et Légendes de la naissance de Rome,* coll. Pleine Lune, Nathan.
Avant tout, on vous déconseille d'aller à Rome en été, la chaleur étant vraiment étouffante. Si vous ne pouvez vraiment pas faire autrement, les quelque 300 fontaines permettent de se désaltérer et de se rafraîchir facilement...
Sur place, balisez bien votre itinéraire pour ne pas faire de détours inutiles, ne cherchez pas à « tout voir », et optez plutôt pour un parcours sélectif et spectaculaire : la Rome antique, avec le Colisée, bien sûr, un petit tour dans le Forum romain (évitez d'enchaîner le Palatin, moins parlant pour des enfants) et sur la place du Capitole. Avec les plus grands, prévoyez d'aller à Saint-Pierre de Rome et aux musées du Vatican, la chapelle Sixtine demeurant un grand moment, si toutefois la foule n'est pas trop dense. La location d'un audioguide en français pourra s'avérer très utile dans certains sites. Pour ne pas risquer l'overdose, alternez visites culturelles, pause pizza ou glace et balades au vert, par exemple dans les jardins de la villa Borghèse, où l'on peut louer des vélos ou faire de la barque sur le *Laghetto.* Et ne manquez pas, bien sûr, d'aller jeter deux pièces dans la fontaine de Trevi !
Côté pratique, en famille et à condition de rester plusieurs jours, on conseille de louer un appartement (nous indiquons plusieurs organismes dans « Hébergement »). À prix égal, voire moindre qu'un hôtel, vous disposerez de plus d'espace et de plus d'intimité, et les enfants pourront vaquer à leurs jeux sans déranger personne. Autres avantages, pas de contraintes horaires, possibilité de revenir faire la sieste et de prendre certains repas « à la maison », solution évidemment plus économique que le restaurant et souvent plus pratique avec de jeunes enfants (le soir notamment). Rome dispose d'un bon réseau de supermarchés *(Standa)* et d'épiceries de quartier, sans oublier les marchés typiques : celui du *campo dei Fiori,* celui de la piazza *San Cosimato,* ou encore le marché couvert de la piazza *Testac-*

cio. Généralement, ils sont ouverts tous les matins. C'est l'endroit idéal pour découvrir et nommer les fruits et les légumes dans la langue de Dante !
Quant aux transports, ils sont gratuits pour les moins de 10 ans. Les nombreux musées nationaux et sites sont, quant à eux, gratuits pour les moins de 18 ans ressortissants de l'Union européenne. Profitez-en ! Les musées privés offrent souvent une réduction pour les enfants.

FÊTES ET JOURS FÉRIÉS

Jours fériés

Ne pas confondre *giorno feriale* qui, en italien, signifie « jour ouvrable », avec *giorno festivo,* qui se traduit par « jour férié »... Ah, ces faux amis ! Les jours fériés et chômés sont à peu près identiques aux nôtres, à savoir :
– ***1er janvier :*** *Capodanno.*
– ***6 janvier :*** *Epifania.* Mais pour tous les Italiens, c'est le jour de la *Befana,* une gentille sorcière qui circule à califourchon sur son balai de paille. Elle va chez les enfants ; aux méchants, elle dépose du charbon dans leurs chaussettes pendues à la cheminée et, aux gentils, de jolis cadeaux et de merveilleuses confiseries. Ah ! qu'il est loin le bon temps de l'enfance...
– ***Lundi de Pâques :*** *Pasquetta.*
– ***25 avril :*** *Liberazione del 1945.*
– ***1er mai :*** *festa del Lavoro.*
– ***2 juin :*** fête de la proclamation de la République.
– ***29 juin :*** *Saint-Pierre* et *Saint-Paul* (les saints patrons de Rome).
– ***15 août :*** *festa dell'Assunta, Ferragosto.*
– ***1er novembre :*** *Ognissanti.*
– ***25 et 26 décembre :*** *Natale* et *San Stefano.*
Sont aussi considérés comme des jours semi-fériés les 14 août, 24 et 31 décembre. Certaines fêtes, comme celle du 15 août, peuvent durer plusieurs jours et paralyser une grande partie de la vie économique. Attention à la fermeture des banques, notamment.

Fêtes et événements à ne pas rater à Rome

En hiver

– ***La fête de l'Immaculée Conception :*** *8 déc, piazza di Spagna.*
– ***Les messes de minuit :*** *24 déc, dans la plupart des églises.*
– ***Le Nouvel An :*** *31 déc, feux d'artifice (voir aussi plus bas).*
– ***La fête de l'Épiphanie :*** *début janv, piazza Navona.*
– ***Le carnaval :*** *en fév.* Défilés déguisés dans les rues de Rome, et aussi bonne occasion de déguster beignets et fritures.
– ***La fête de la Saint-Joseph :*** *19 mars, dans le quartier Trionfale situé au pied du monte Mario, entre le Vatican et le Tibre.* Fête du saint charpentier pendant toute la journée et une partie de la nuit... avec de pantagruéliques festins à base de beignets et de crêpes.

Au printemps

– ***L'exposition des Azalées :*** *entre mars et mai (!), piazza di Spagna.* Connue aussi comme la *festa della primavera.*
– ***Le chemin de croix :*** *Vendredi saint, à 21h.* Conduit par le pape, il débute au Vatican pour s'achever au Colisée.
– ***La bénédiction du pape :*** *dim de Pâques, à 12h.*
– ***La naissance de Rome (Natale a Roma) :*** *21 avr, piazza del Campidoglio.* Feux d'artifice. En 2007, on a fêté les 2 760 ans de la ville !

- ***Le concours hippique international :*** *dernière décade de mai, villa Borghèse, au niveau de la piazza di Siena.*
- ***Settimana della Cultura :*** *8 j. en mai, dans tte l'Italie. Programme : • benicultu rali.it •* Un peu l'équivalent des Journées du patrimoine en France : musées, sites et monuments sont gratuits, et certains sites habituellement fermés ouvrent exceptionnellement leurs portes. Grosse affluence, bien sûr.
- ***Les internationaux de tennis :*** *dernière sem de mai, foro Italico.*

En été

- ***Les concerts et opéras en plein air :*** *en juin, juil et août.* Voir « Où sortir ? ».
- ***La fête de la Saint-Jean :*** *24 juin, piazza di porta San Giovanni.* Une occasion de se remplir la panse avec de la *porchetta,* cochon de lait rôti, et des escargots, servis traditionnellement à l'occasion de cette fête qui n'a pas qu'un intérêt culinaire.
- ***Les fêtes des saints Pierre et Paul :*** *28 et 29 juin, au Vatican.* Également des feux d'artifice à Saint-Paul-hors-les-Murs le 29 juin.
- ***Le Roma Jazz Festival :*** *en juin, foro Italico.*
- ***Le festival Roma Europa :*** *en juil, villa Médicis.* Concerts, danse et théâtre.
- ***Le show Alta Moda :*** *en juil, piazza di Spagna.* Grand défilé de la haute couture italienne sur les escaliers de l'église de la Trinité-des-Monts.
- ***La fête de Noantri :*** *15-30 juil, dans le Trastevere.* Fête populaire où vous rencontrerez, un peu partout, l'indispensable *porchetta...* et une quantité de manifestations et d'animations, jusque sur les bords du Tibre (voir aussi plus bas).
- ***La fête nationale... française :*** *14 juil, palais Farnèse.* Une opportunité quasiment unique d'y pénétrer était la traditionnelle garden-party ouverte à tous les titulaires d'une pièce d'identité française. Le dernier ambassadeur en poste en a décidé autrement : il a fait savoir que le palais Farnèse sera « réservé » aux seuls Français de Rome et de la circonscription consulaire. Les abords du Farnèse devraient, cependant, rester animés pour l'occasion, du fait du bal qu'y organise tous les ans l'Union des Français de Rome... et du Latium. Le plan Vigipirate vient également perturber l'organisation de la fête.
- ***La fête de Saint-Laurent :*** *10 août, quartier San Lorenzo.*

En automne

- ***La sagra dell'Uva :*** *début sept, basilique de Maxence et Constantin.*
- ***La Notte Bianca :*** *mi-sept*. Répliques romaines des Nuits blanches nantaises et parisiennes. Les sites culturels restent ouverts toute la nuit.
- ***Les expositions d'antiquités :*** *en oct, le w-e, via dei Coronari.*
- ***La fête du Vin nouveau :*** *fin nov, campo dei Fiori.*

De septembre à juin

- Le ***Calcio*** (championnat de foot italien) draine tous les dimanches après-midi une foule énorme au *stadio olimpico.* Deux équipes, évoluant en première division (l'*AS Roma* et la *Lazio*), jouent à tour de rôle. Location sur place. (Voir ci-dessous « Assister à un match de foot ».)

La fête de Noantri

Du 15 au 30 juillet, dans le Trastevere. Elle commence par une procession. On transporte la Vierge de l'église de Sant'Agata (piazza Sydney Sonnino) et, après lui avoir fait faire le tour du quartier, l'itinéraire change chaque année selon les offrandes des commerçants. On la dépose une semaine durant dans l'église face au cinéma *Reale,* piazza Sonnino. Les fidèles viennent y allumer un cierge. À la fin de la fête, on la ramène dans son église.
Au moment du départ de la procession, plus loin vers la piazza Mastai, commence la contre-manifestation avec la bande des *bersaglieri* et leurs superbes chapeaux de plumes de faisans noirs, qui jouent les musiques garibaldiennes de la Libéra-

tion. Un exemple de l'éternelle guéguerre entre les catholiques et les athées de Rome. Les Romains aiment la fête aussi, et après avoir entendu les *bersaglieri,* on les voit courir comme des dératés pour voir passer la Vierge... ponctuellement en retard.

Le Nouvel An *(Capodanno)*

Dans le même style de manifestation/contre-manifestation. À 12h, le 1er janvier, le pape adresse ses vœux à la foule rassemblée place Saint-Pierre et bénit tout le monde. Au même moment, Mister OK se jetait du pont Cavour dans le Tibre glacé. Mister OK est mort il y a quelques années. Il aura sacrifié au rituel du plongeon jusqu'au bout. Depuis, des jeunes ont pris la relève, pour le plus grand bonheur de la télé régionale, qui répercute toujours l'information. Une petite armada, composée d'embarcations de toutes sortes, se forme rapidement pour assister à l'événement.

Assister à un match de foot

« Romain, choisis ton camp ! » Deux grandes équipes évoluent en première division : la *Roma* et la *Lazio.* Les supporters de la Roma – les *Romanisti* – viennent surtout de Rome, contrairement aux *Laziali,* supporters de la Lazio, qui viennent des *borgate* (banlieues) de la capitale ou des Castelli Romani. Vous pouvez donc imaginer la réputation qui est faite aux pauvres Laziali, dédaignés des Romanisti.
Pour assister à la *partita* du dimanche, vous devrez vous rendre au ***stadio olimpico.*** Le plus simple est sans doute de prendre au départ de la piazzale Flaminio le tramway n° 225, qui mène en 10 mn piazza Mancini. À partir de là, vous rejoindrez le stade olympique en traversant le Tibre au niveau du ponte Duca-d'Aosta.
En fonction de l'importance du match, il faudra vous soucier des billets plus ou moins tôt. Vente sur place avant les matchs. Les virages (places les moins chères) se disent *curve* (*curva* nord et *curva* sud). Les tribunes latérales sont dénommées *Tevere* (tribune la plus proche du Tibre) et *monte Mario* (nom de la colline au pied de laquelle se trouve le stade). La seconde est la plus chère, car elle est à l'ombre au moment du match. À vous de jouer maintenant. Grosses affluences garanties (50 000 à 60 000 spectateurs en moyenne) grâce aux nombreux abonnés, pour qui le dimanche est une journée doublement sainte : messe le matin, puis match de foot l'après-midi. Amen !

HÉBERGEMENT

Ainsi que l'indique notre rubrique « Budget », la majeure partie de vos dépenses sera consacrée à l'hébergement. De plus, en juillet et août, c'est un euphémisme de dire qu'il est difficile de trouver une chambre, même si l'on y met le prix. Pour l'été, mieux vaut réserver à partir de la France. Pensez aussi aux périodes de fêtes, aux festivals locaux, aux salons et aux foires. Si vous séjournez au moins une semaine au même endroit, pensez à une location d'appartement : formules moins chères que l'hôtel, par exemple. Pour loger dans une institution religieuse, s'y prendre des mois à l'avance si l'on compte séjourner en période de fêtes religieuses comme Pâques, par exemple.

Le camping

Il arrive souvent que l'on paie environ 25 à 30 € pour deux avec une petite tente et une voiture en haute saison. Se faire préciser si la douche (chaude) est comprise dans le prix et à tout moment de la journée.

Si vous êtes avec des enfants, il existe un tarif « spécial *bambini* » pour les moins de 12 ans. Une liste complète est éditée par le *Touring Club Italien* : *Campeggi in Italia,* que vous pouvez trouver dans les librairies sur place.

■ ***Fédération française de camping et caravaning :*** *78, rue de Rivoli, 75004 Paris.* ☎ *01-42-72-84-08.* • *info@ffcc.fr* • *ffcc.fr* • Ⓜ *Hôtel-de-Ville. Lun-ven 8h30-12h30, 13h30-17h30 (17h ven).* Possibilité de se procurer la liste des campings. Également, possibilité d'acheter la *Camping Card international* qui permet de bénéficier de réductions.

Les auberges de jeunesse

Il n'existe qu'une seule auberge de jeunesse officielle à Rome (à 6 km de la gare de Termini). Il faut y venir avec sa carte des AJ, que vous pouvez vous procurer en France. L'organisation ***Hostelling International*** est représentée à Paris par la ***Fédération unie des auberges de jeunesse (FUAJ).*** Coordonnées plus haut dans « Avant le départ ».
On peut acheter la carte sur place, mais, bien sûr, c'est plus cher. En cas d'oubli, on peut également se la procurer sur Internet. En haute saison, il est conseillé de ***réserver*** à l'avance. Plusieurs possibilités :
– ***Sur Internet :*** • *hihostels.com* •
– ***Par téléphone ou e-mail :*** en contactant directement l'AJ.
Sinon, les ***auberges de jeunesse privées*** pullulent à Rome, notamment autour de la gare de Termini. Méfiez-vous : il s'agit le plus souvent d'appartements mal rafistolés pour accueillir des jeunes peu exigeants. Les infrastructures sont alors généralement très médiocres, et les propriétaires n'hésitent pas à entasser le maximum de touristes pour rentabiliser leur (maigre) investissement. Mais, comme partout, il existe des perles. Certaines auberges privées sont, à l'inverse des précédentes, d'excellente qualité, joliment décorées, équipées de tout le confort moderne (cuisine, clim', wifi...) et... propres. Évidemment, mieux vaut réserver le plus possible dans ces dernières. Essayer par exemple les sites • *hostelworld.com* • et • *hostels.com* •
– Vous pouvez aussi vous adresser directement au central de réservation des auberges de jeunesse italiennes pour plus d'informations :

■ ***Associaziona italiana alberghi per la gioventù :*** *piazza San Bernardo, 107, 00187 Roma.* ☎ *06-489-07-740.* • *info@aighostels.com* • *aighostels.com* • Pour compenser, un certain nombre d'établissements font office d'auberge de jeunesse privée, en proposant le même type d'hébergement en dortoirs : ils pratiquent le même genre de tarifs et sont bien mieux situés, beaucoup plus centraux.

Le logement dans les institutions religieuses

Pour être hébergé dans les couvents, il n'est pas nécessaire de jouer les bigots. L'essentiel est de se montrer respectueux des règles. Toutefois, couples non mariés, se renseigner avant ! Certaines communautés n'acceptent que les filles. On est logé soit dans des dortoirs, soit dans des chambres individuelles ou doubles. Deux points forts : la tranquillité et la propreté. Mais il faudra compter avec le réveil aux aurores et un couvre-feu le soir (horaires souvent contraignants). Malgré ces inconvénients, le rapport qualité-prix reste intéressant si l'on souhaite loger dans le centre historique et éviter le quartier bon marché mais bruyant de la gare de Termini. Nous indiquons quelques institutions situées dans cette partie de la ville. Sinon, tous renseignements auprès du centre pastoral d'accueil des pèlerins et touristes d'expression française Saint-Louis-des-Français (voir « Adresses et infos utiles. Institutions » et « Où dormir ? »).

Les *Bed & Breakfast*

Vous pouvez loger chez l'habitant en ville grâce à l'organisme *Bed & Breakfast Italia,* qui propose 1 000 appartements ou maisons répartis dans toute l'Italie et permet d'obtenir une chambre simple à partir de deux nuits aussi bien qu'un appartement pour six personnes pendant un mois. Une formule qui voit ses adeptes se multiplier...

■ ***Central de réservation :*** *palazzo Sforza Cesarini, corso Vittorio Emanuele II, 282, 00186 Rome. ☎ 06-68-78-618. Lun-ven 9h-18h30. • bbitalia.it* • Possibilité également de réserver en ligne. Nous avons également sélectionné quelques logements que vous pourrez joindre directement.

Les pensions

Ces pensions, appelées *pensioni* ou *locande,* sont parfois plus abordables et plus familiales que les hôtels, mais en voie de disparition à Rome. On n'est pas obligé d'y prendre ses repas ni de rester un nombre minimum de nuits. Théoriquement, elles sont contrôlées par l'office de tourisme et donc correctes, mais en haute saison, il arrive que les habitants transforment leur maison en pension temporaire. Le prix dépend alors de la loi de l'offre et de la demande. Il n'y a aucun recours en cas de contestation.

Les hôtels

Ils sont classés en six catégories (L pour luxe et de 5 étoiles à 1 étoile pour les plus simples). Cette classification peut paraître surfaite par rapport à la classification française. De plus, les prix sont très supérieurs, pour un confort et un service souvent discutables. Méfiez-vous comme de votre pire ennemi des édifices historiques transformés en hôtels. Bien souvent, sous prétexte d'avoir un passé à vendre, le confort du présent a été oublié.
Les prix sont toujours affichés dans les chambres. Enfin, petit détail qui a son importance : tous les hôtels consentent des réductions importantes aux tour-opérateurs. C'est pourquoi, dans certains types de voyage, on a tout intérêt, pour l'Italie, à passer par une agence.

La location d'appartements

C'est devenu depuis quelques années la solution très pratique et plutôt économique à condition de rester plusieurs jours. Votre budget nourriture s'en trouvera sérieusement allégé, car il y a toujours un supermarché à proximité indiqué par l'agence qui gère les lieux.
Les agences suivantes, que nous avons retenues sans hésitation, sont classées par ordre alphabétique pour éviter les grincements de dents.

■ ***Casa d'Arno :*** *36, rue de la Roquette, 75011 Paris. ☎ 01-44-64-86-00. • info@casadarno.com • Ⓜ Bastille. Il est préférable de téléphoner avt pour prendre rdv.* Location de studios, d'appartements ou de *palazzi,* simples ou luxueux, situés dans le centre de Rome, au calme dans un quartier résidentiel ou à la campagne dans une ferme. Également une sélection de *B & B* pour un séjour (même court). Conseils par une accueillante Italienne qui connaît parfaitement son pays. Propose également des cours de cuisine italienne à Paris, tout à côté de son agence, dans un loft. Possibilité de réserver une location de voiture, un transfert de l'aéroport et des visites guidées sur mesure en Italie. Consultez leurs offres sur • *casadarno.com* • Pour d'autres destinations, brochures sur simple demande.

■ ***Far Voyages :*** *8, rue Saint-Marc, 75002 Paris. ☎ 01-40-13-97-87. • info@locatissimo.com • locatissimo.com •*

Ⓜ *Bourse ou Grands-Boulevards.* Propose quelques appartements à Rome (pour un minimum de 5 nuits). Également dans toute l'Italie des locations à la campagne dans les *agriturismi,* fermes restaurées dans le respect des structures originelles, simples ou luxueuses. Catalogue gratuit sur simple demande.

■ ***Loc'Appart :*** *75, rue de la Fontaine-au-Roi, 75011 Paris. ☎ 01-45-27-56-41. • contact@locappart.com • locap part.com • Ⓜ Goncourt ou République. Permanence téléphonique lun-ven 10h30-13h, 14h-19h. Accueil sur rdv slt. Italie Loc'Appart* propose la location d'appartements à Rome, du studio jusqu'à la maisonnette, pour un minimum de 3 nuits à partir de n'importe quel jour de la semaine. Accueil assuré par des spécialistes sur place, et des chargés de destinations à Paris. Ils interviennent en cas de problème. Agence sérieuse et compétente que nous vous recommandons. Service proposé également à Venise, Florence, Naples, la côte amalfitaine, la Toscane, l'Ombrie et la Sicile.

L'échange d'appartements

Il s'agit, pour ceux qui possèdent une maison, un appartement ou un studio, d'échanger leur logement contre celui d'un adhérent du même organisme, dans le pays de leur choix, pendant la période des vacances. Cette formule offre l'avantage de passer des vacances à l'étranger à moindres frais, en particulier pour les jeunes couples avec enfants. Voici deux agences qui ont fait leurs preuves :

■ ***Intervac :*** *230, bd Voltaire, 75011 Paris. ☎ 0820-888-342 (0,15 €/mn). • in tervac-homeexchange.com • Ⓜ Rue-des-Boulets.* Adhésion annuelle avec diffusion d'annonce sur Internet : 95 €.

■ ***Homelink International :*** *19, cours des Arts-et-Métiers, 13100 Aix-en-Provence. ☎ 04-42-27-14-14. • home link.fr •* Adhésion annuelle : 125 € avec diffusion d'annonce sur Internet.

HORAIRES

Les horaires officiels, que nous vous donnons ***à titre indicatif,*** ne sont pas toujours respectés. Inutile, donc, de nous envoyer un courrier pour nous injurier : la mise à jour est faite avec soin, mais, entre le moment où nous soumettons le guide à l'imprimeur et le moment où il sort en librairie, il y a déjà des modifications... On vous conseille donc de vous adresser à l'office de tourisme, qui distribue gratuitement une liste régulièrement mise à jour des lieux de visite (très utile pour les expos temporaires).

– ***Banques :*** du lundi au vendredi de 8h30 à 13h30 et de 14h30 à 16h. Certaines sont ouvertes le samedi matin.

– ***Postes :*** du lundi au vendredi, approximativement de 9h à 13h30, le samedi de 8h30 à 13h, et le dernier jour du mois de 9h à 11h50. La poste centrale reste ouverte l'après-midi.

– ***Bureaux et administrations :*** ouverts le matin seulement.

– ***Restaurants :*** grosso modo de 12h30 à 15h et de 19h à 23h (beaucoup plus tard dans les endroits touristiques). Il faut savoir que déjeuner avant 13h, voire 13h30, est une hérésie. Quant au dîner, c'est rarement avant 21h. La possibilité d'être servi jusqu'à 23h et au-delà n'a rien d'exceptionnel à Rome. Si bien que dans les restaurants, souvent, les touristes étrangers fournissent le gros du premier service, les Italiens venant prendre le relais en seconde partie de soirée... C'est même pratique : si vous arrivez vers 19h, vous êtes à peu près sûr de trouver une place sans attente.

– ***Églises :*** ouvertes, généralement, tôt le matin pour la messe, elles ferment souvent à l'heure du déjeuner (et de la sieste !), soit entre 12h30 et 16h30, pour rouvrir jusqu'au soir. On a en revanche un peu plus de mal à les visiter le week-end, en

raison des nombreux mariages et cérémonies religieuses. Mais il faut savoir que certains édifices religieux n'ouvrent jamais leurs portes.
– ***Musées :*** voir plus loin « Musées, sites et monuments ».
– ***Magasins :*** leurs horaires varient selon la période de l'année. En règle générale, ouverts de 9h à 13h et de 16h à 19h30, et presque toujours fermés le dimanche et une autre demi-journée par semaine.

ITINÉRAIRES

Bien sûr, vous ne pourrez pas faire en une seule fois toutes les visites que nous conseillons. Il faudrait presque toute une vie pour venir à bout des innombrables trésors que recèle cette ville. Pour vous consoler, dites-vous que toute personne qui jette une pièce dans la fontaine de Trevi est sûre de revenir un jour à Rome !
Comme les séjours sont de plus en plus courts, les itinéraires que nous proposons aideront ceux qui ne restent que peu de temps. Mais sachez tout de même qu'en s'écartant des lieux touristiques, la ville livre un tout autre visage. N'hésitez donc pas à vous perdre dans les rues pour découvrir des endroits insolites...

Rome en une demi-journée

Si vous êtes entre deux avions, par exemple, ou que vous êtes là pour des raisons professionnelles...
Évidemment, ce ne sera qu'un aperçu ! Le mieux est sans doute de prendre un tour en bus (voir les renseignements dans « Adresses et infos utiles ») pour un rapide tour d'horizon de la ville tout en ayant la possibilité de descendre et de remonter à chaque étape, que ce soit au Vatican, au Colisée, etc. Évidemment, c'est une vision superficielle de la ville, mais le bus est rapide et pas si bête, d'autant que l'on a une vue en hauteur au-dessus du flot des voitures. Ensuite, à pied, admirer la perspective de la piazza Navona, poursuivre jusqu'au Panthéon (vous avez même le droit d'y entrer 5 mn), pousser jusqu'à la fontaine de Trevi (sans oublier d'y jeter une piécette pour être sûr de revenir un jour à Rome avec un peu plus de temps devant vous), avant de remonter vers la piazza di Spagna. Qu'il soit l'heure de déjeuner ou de dîner, vous trouverez plein de restos dans ce coin. Et si la soirée n'est qu'à peine entamée, deux balades nocturnes au choix : autour du Colisée, bellement éclairé le soir, ou, si à l'antiquité romaine vous préférez l'époque médiévale, dans le quartier du Ghetto, avant de finir, via le palais Farnèse, devant un bon verre sur le campo dei Fiori ou, pour les plus aventureux, dans le Trastevere (allez ! il n'y a que le pont à traverser !). Ouf...

Rome en un jour

Rome ne s'est pas faite ainsi, tout le monde le sait, mais on peut toujours essayer ! En aussi peu de temps, il est difficile de voir autre chose que les endroits « incontournables ». Dormez bien la veille, car l'itinéraire est chargé ! À vos marques, prêt, partez...
En arrivant le matin, aller directement en bus à *Saint-Pierre de Rome* pour admirer la basilique et la vue (en abandonnant évidemment toute idée de se lancer dans la visite des musées). En quittant le Vatican à pied, passer devant le *castel Sant'Angelo,* puis prendre le corso Vittorio Emanuele II en direction de la *piazza Navona.* Marcher jusqu'à la piazza della Rotonda pour déjeuner dans le quartier du *Panthéon* (qu'on ira tout de même visiter rapidement).
Après un bon repas, reprendre la balade vers le *Capitole (Campidoglio),* emprunter la via dei Fori Imperiali, passer devant le *Forum romain* (ne pas s'y arrêter car vous n'aurez pas de temps pour voir le reste, qui vaut vraiment le coup) et aller jusqu'au *Colisée.* Reprendre la via dei Fori Imperiali, puis la via del Corso jusqu'à la fameuse

fontaine de Trevi. Ne rien faire d'autre qu'apprécier le charme du lieu et le bruit de l'eau. Finir en beauté par la *piazza di Spagna* et savourer un repos bien mérité sur les marches.

Rome en trois jours

Premier jour : le Vatican et le Trastevere

On vous conseille d'arriver de bon matin, de commencer par le Vatican, et d'aviser en fonction de l'affluence que connaîtra le musée ce jour-là (de manière générale, il y a foule le week-end). Soit vous êtes matinal et vous êtes le premier dans la queue ; à ce moment-là, ne vous posez pas trop de questions, entrez et visitez... Comptez au moins 4 à 6h de visite. Embrayez ensuite sur la basilique Saint-Pierre et le quartier du Trastevere. En fonction du temps qu'il vous reste, tentez votre chance à la *Farnesina,* où vous pourrez admirer les magnifiques fresques de Raphaël. Vous finirez la journée autour d'un apéro et d'un bon dîner : le quartier regorge d'adresses sympas.
Autre hypothèse, vous êtes là tôt mais, malheureusement, vous n'êtes déjà plus seul. Sachez que la queue avance relativement vite. À vous de voir... Si vous n'êtes pas du genre patient, on vous conseille de récupérer l'itinéraire du jour suivant (et de vous lever plus tôt le lendemain !) ou de filer directement à la *Farnesina,* dans le Trastevere : vous prendrez le temps d'apprécier ce charmant quartier à la fois bobo et pittoresque. Retour vers 11h30-12h au Vatican, où normalement les choses se sont calmées (attention, le musée ferme en milieu d'après-midi). Vous visiterez le musée au pas de course mais dans un calme relatif. En sortant, vous pourrez aller pleurer à la basilique Saint-Pierre devant la sublime *Pietà* de Michel-Ange.

Deuxième jour : la Rome antique

Prévoyez une bonne paire de chaussures, car la journée s'annonce longue. Selon votre humeur et la météo, vous pourrez décider de visiter les musées ou de vous contenter des sites à l'air libre. Dans tous les cas, il suffit de se reporter à l'itinéraire décrit plus loin dans « À voir » : Capitole, Forum, Palatin, Colisée, forums impériaux et marché de Trajan... auxquels vous pourrez joindre, en fonction de votre appétit, les thermes de Caracalla ou encore le fabuleux Musée romain du palazzo Massimo.

Troisième jour

C'est là qu'on se rend compte que 4 jours, c'est mieux ! Les plus courageux se rendront à l'ouverture à la villa Borghèse (en ayant pris soin de réserver au moins la veille, et même plusieurs jours à l'avance à partir d'avril) et profiteront pleinement des 2h autorisées à la visite de ce musée, considéré comme l'un des plus beaux du pays, voire du monde. Ensuite, il suffit de traverser les jardins pour regagner le centre historique. Piazza del Popolo, via del Corso, piazza di Spagna, fontana di Trevi, Pantheon, campo dei Fiori, piazza Navona... Tout cela à pied, évidemment... Profitez-en pour admirer au passage les innombrables fontaines de Rome, ses églises baroques, les façades de palais... Prenez le temps d'un café au comptoir, d'un verre de vin en terrasse et surtout d'un bon repas *alla romana.*

Rome en une semaine ou plus

En une semaine, on découvre la ville sans trop se presser. On peut visiter les sites « incontournables » plus en profondeur et voir des quartiers moins fréquentés, comme le Ghetto. Côté musées, ne manquez pas le palais Barberini (bien qu'une partie des bâtiments soit toujours en restauration) et, bien sûr, si vous ne les avez pas déjà visités, les musées du Capitole et celui du palazzo Massimo. Nous vous proposons aussi, pourquoi pas, de passer une demi-journée à vous balader sur la colline du Gianicolo (Janicule) ou dans les jardins de la villa Borghèse, où il est possible de pique-niquer et de louer une barque. Sans oublier le castel Sant'Angelo, et quelques églises un peu excentrées mais magnifiques (Sainte-Marie-Majeure,

Saint-Paul-hors-les-Murs, Saint-Jean-de-Latran...). Si vous restez plus de 4 jours, on vous conseille, dans les environs immédiats de Rome, la visite du site d'*Ostia Antica* (accessible en train), des catacombes, voire de Tivoli (mais là, on vous conseille plutôt la voiture, même si des bus vous y déposent après un long périple). Bref, en une semaine on se fait plaisir tout en prenant son temps.

LANGUE

Comme vous le découvrirez vite, l'italien est une langue facile pour les francophones. En peu de temps, vous pourrez apprendre quelques rudiments suffisants pour vous débrouiller. Pour vous aider à communiquer, n'oubliez pas notre ***Guide de conversation du routard* en italien.**
L'Italie, c'est aussi le foisonnement des dialectes : sicilien, sarde, romagnol, napolitain, milanais, bergamasque, ainsi que des langues grecque, albanaise et slovène. Ne vous découragez pas : il vous restera toujours la possibilité de joindre le geste à la parole. Ci-dessous, un petit vocabulaire de secours à ajouter au lexique donné dans la rubrique « Cuisine » (partie « Hommes, culture et environnement »), indispensable pour déchiffrer une carte de restaurant. Attention à certains faux amis : les jours *feriali* sont les jours ouvrables (par opposition aux jours *festivi,* qui sont les dimanche et jours fériés).

Quelques éléments de base

Politesse

Bonjour	*Buongiorno*
Bonsoir	*Buonasera*
Au revoir	*Arrivederci*
Excusez-moi	*Scusi*
S'il vous plaît	*Per favore*
Merci	*Grazie*

Expressions courantes

Pouvez-vous me dire ?	*Può dirmi ?*
Avez-vous ?	*Ha lei ?*
Je ne comprends pas	*Non capisco*
Parlez lentement	*Parli lentamente*
Combien coûte... ?	*Quanto costa... ?*
C'est trop cher	*È troppo caro*

Le temps

Lundi	*Lunedì*
Mardi	*Martedì*
Mercredi	*Mercoledì*
Jeudi	*Giovedì*
Vendredi	*Venerdì*
Samedi	*Sabato*
Dimanche	*Domenica*
Aujourd'hui	*Oggi*
Hier	*Leri*
Demain	*Domani*

Les nombres

Un	*Uno*
Deux	*Due*
Trois	*Tre*

Quatre	*Quattro*
Cinq	*Cinque*
Six	*Sei*
Sept	*Sette*
Huit	*Otto*
Neuf	*Nove*
Dix	*Dieci*
Quinze	*Quindici*
Cinquante	*Cinquanta*
Cent	*Cento*
Mille	*Mille*

Les transports

Un billet pour...	*Un biglietto per...*
À quelle heure part... ?	*A che ora parte... ?*
À quelle heure arrive... ?	*A che ora arriva... ?*
Gare	*Stazione*
Horaire	*Orario*

À l'hôtel

Hôtel	*Albergo*
Une pension de famille	*Una pensione familiare*
Je désire une chambre	*Desidero una camera*
À un lit, à deux lits	*A un letto, a due letti*

Un zeste de romain *(romanesco)*

Le dialecte romain se différencie des autres dialectes de la péninsule car il est beaucoup plus proche de l'italien ; la grande différence se trouve au niveau du lexique. Cependant, le romain conserve ses origines latines en gardant la locution vocative, très utilisée en latin mais complètement oubliée en italien ! Ce parler reste un langage populaire dans les rues de Rome et y exprime toute son exubérance... Sachez qu'en romain, les consonnes en début de mot deviennent facilement des doubles et que le « l » peut se transformer en « r », et lisez ce petit glossaire qui pourra vous être utile.

Numéro	*Nummero*
Je mange chez vous	*Veng'a magnà dda voi*
Viens dormir	*Viè a dormmi'*
Écoute-la	*Stall'a senti*
Où ?	*Andove ?*
Je n'aime pas	*Nu' mme piace*
Un bout de pain	*Un boccon de pane*
Un verre de vin	*Un bicchier de vino*

Le vocatif

Monsieur...	*A signno'*

Le vocatif renforcé

Eh François	*Aho', a France'*
Eh monsieur	*Aho', a siggno'*

LIVRES DE ROUTE

Pour parfaire votre préparation, nous vous proposons ci-dessous une liste d'ouvrages sur l'Italie. Vous trouverez ces livres pour la plupart en librairie dans des édi-

tions courantes. Ils n'ont pas tous Rome comme référence, mais certains apportent des éclairages inédits sur tel ou tel aspect de l'Italie.
– ***Chroniques italiennes*** (1837-1839), de Stendhal ; éd. Flammarion, GF n° 293, 1993. En fouillant les archives de Civitavecchia, Stendhal se constitua une étonnante collection de procès-verbaux relatant des faits divers qui ensanglantèrent certaines grandes familles italiennes du XVIe s : on y complote, on y aime, on y tue avec cette fièvre et cette exaltation latines qui, même en Italie, ont disparu depuis longtemps.
– ***La Vie quotidienne à Rome à l'apogée de l'Empire*** (1939), de Jérôme Carcopino ; éd. Le Livre de Poche n° 5800, 1998. La Rome des Césars comme si vous y étiez... Avec un luxe incroyable de détails, l'auteur nous fait découvrir les maisons, les thermes, l'éducation, les jeux du cirque, mais aussi les mœurs des Romain(e)s. On sent bien qu'il aurait aimé vivre aux alentours du IIe s ; chacun ses goûts !
– ***L'Italie sur le fil du rasoir*** (2009), de Marc Lazar, éd. Perrin. Écrit par l'un des spécialistes de l'Italie contemporaine, cet essai explore l'histoire d'une Italie en pleine mutation, qui a jusqu'à présent toujours réussi à échapper à une crise interne, laquelle semble pourtant chaque jour de plus en plus proche. Utile pour comprendre l'Italie de l'intérieur.
– ***Mémoires d'Hadrien*** (1951), de Marguerite Yourcenar ; éd. Folio n° 921, 1977. Rome racontée par son empereur, Hadrien. Yourcenar traduit en langage littéraire le travail des archéologues et rend une œuvre à la fois littéraire, historique et poétique. Grand succès mondial.
– ***Les Ragazzi*** (1955), de Pier Paolo Pasolini ; éd. 10/18, 2005. Le premier roman de Pasolini dépeint le monde cruel de la banlieue de Rome, dont il réinvente le langage.
– ***La Storia*** (1974), d'Elsa Morante ; éd. Folio n° 4024, 2004. L'histoire d'une femme à demi juive dans la Rome occupée. Une œuvre qui, selon Alberto Moravia (son mari), évoque bien le sentiment de la petite bourgeoisie vis-à-vis de l'Histoire. Adapté au cinéma par Luigi Comencini.
– ***Nouvelles romaines*** (1959), d'Alberto Moravia ; éd. GF n° 389, 1993. La description de Rome, la ville moderne, à travers le récit des vies de la petite bourgeoisie romaine. Les vices et les misères éclatent au grand jour sous la plume de l'auteur.
– ***Ceux qui vont mourir te saluent*** (1994), de Fred Vargas ; éd. J'ai lu policier n° 5811, 2005. Un dessin de Michel-Ange, provenant probablement de la bibliothèque vaticane, fait une apparition discrète sur le marché. Qui se risquerait à dérober les trésors des archives papales ? Lorsque l'expert parisien Valhubert arrive à Rome pour élucider l'affaire, les péripéties commencent... Limpide et efficace, ce « rompol » (un nom donné par l'auteur elle-même), peuplé de personnages singuliers, rebondit de page en page, ne cessant de surprendre par ses tournants inopinés.
– ***Spiriti*** (2002), de Stefano Benni ; éd. Actes Sud, 2002. Un récit fantastique où des esprits malicieux vont essayer de saboter la politique de l'Empire. Dans ce conte, l'humour se mêle à une critique du monde contemporain (et de l'Italie en particulier). Préparez-vous à rire aux éclats !

MUSÉES, SITES ET MONUMENTS

Les horaires

Avant d'aborder les musées, signalons une chose toute simple : ce ne sont pas les églises qui manquent à Rome (environ 400), mais, évidemment, on continue d'y célébrer des messes chaque dimanche matin. Il est donc déconseillé, sauf si on vient s'y recueillir, de les visiter à ce moment-là. En effet, l'accès à leurs beautés et à leurs trésors est la plupart du temps fermé aux touristes le dimanche matin, y compris au Panthéon, considéré comme une église ! En revanche, si vous souhai-

tez assister à la messe, certaines sont chantées en grégorien (c'est le cas à la Chiesa Nuova, Corso Vittorio Emanuele).
Pour le reste, sachez que la saison touristique s'étend surtout de fin juin à fin août. La Ville Éternelle étant une étape incontournable du circuit européen classique, il faut s'attendre à cette période à des queues aux allures de manifs devant les principaux monuments. Par conséquent, venir tôt (comme au Vatican), ou tard (comme au Forum), ou réserver à l'avance (obligatoire à la galerie Borghèse). Il y a aussi toutes les petites combines, pas toujours très fair-play, mais qui évitent la crise de nerfs ou le découragement devant les files d'attente. Par exemple, on ira chercher son billet pour le Colisée à la caisse du Palatin ou à celle du Forum... puisqu'il s'agit d'un ticket combiné ! Il y a généralement 10 à 20 fois moins de monde, ce qui permet d'accéder au Colisée en un temps record puisque les visiteurs munis de billets ne sont pas tenus de faire la queue. De même, les *pass,* qui font souvent office de coupe-file (mais pas toujours), s'achèteront dans les points d'informations touristiques plutôt que sur les sites...
Question horaires, en revanche, on observera la plus grande des prudences... Malgré une nette amélioration dans ce domaine depuis quelques années, *chiuso* est un petit mot signifiant « fermé » qui décore parfois de manière complètement inattendue la porte d'un musée ou d'un monument qui devrait être ouvert. La fantaisie, qui fait partie des charmes de l'Italie, n'est pas exclue des horaires dont les fluctuations échappent au commun des mortels. Les raisons de la fermeture de certains musées sont parfois obscures : par exemple, fermé le dimanche 30 parce que le mardi 1er est une fête (sic !). Ou alors, si le lundi, jour de fermeture habituel, est un jour férié, le musée sera fermé le jour suivant, donc le mardi...
En principe, les grands sites et musées sont ouverts du mardi au dimanche de 9h à 17h, voire 19h ou 20h (mais certains petits musées ferment l'après-midi). Fermés pour la plupart le lundi (en principe, on le répète !).
Depuis quelque temps, les horaires d'ouverture de certains grands musées italiens ont en effet été étendus (ouverture à 9h et fermeture à 22h). Et ce tous les jours de l'année. D'autres encore ont vu leurs jours de fermeture considérablement réduits (avec ouverture le dimanche et en été jusqu'à 22h). De nombreux sites à ciel ouvert sont aussi accessibles de 9h à l'heure précédant le coucher du soleil. Et puis la mairie, ne voulant pas être en reste, a parfois pris la décision de rallonger les journées des établissements culturels pour une durée indéterminée. Mais, qu'on se le dise, cette « révolution culturelle » ne concerne pas tous les musées ni tous les sites archéologiques.
Afin de vous organiser au mieux, on ne saurait trop vous conseiller de vous procurer au plus tôt la brochure officielle *Musées de Rome* (traduite en français), censée avoir des horaires à jour. Voire de vous rendre, avant votre départ, sur • *turismoroma.it* • et de reporter sur votre guide préféré les modifications que vous aurez déjà pu relever sur le site officiel de la ville. Car ça change vraiment beaucoup, et souvent.

Les tarifs

La plupart des tarifs demeurent élevés. C'est comme ça, il faut investir chaque année des sommes monumentales pour préserver l'un des plus grands parcs patrimoniaux du monde. Moins agréables, les très fréquentes expositions temporaires (été comme hiver !) qui viennent s'ajouter au prix d'entrée « normal » et qui ne font jamais l'objet d'un ticket séparé. Cependant, des cartes combinées, d'une validité de 3 ou 7 jours, offrent d'appréciables gratuités et réductions (et permettent justement d'échapper aux surcoûts occasionnés par les expositions temporaires : les cartes donnent des gratuités, non majorées en cas d'expos). On les achète dans les musées et dans les différents points d'informations touristiques de la ville (voir « Informations et adresses utiles »).
L'***Archaeologia Card*** à 23,50 € est valable 7 jours et comprend l'entrée au *palazzo Altemps,* au *palazzo Massimo,* aux thermes de Dioclétien et à la crypte Balbi (c'est-

à-dire pour l'ensemble de ce qu'il est convenu d'appeler le Musée national romain et pour lequel il existe également un billet unique à 10 €, valable 3 jours), mais aussi le Forum, le Colisée, le Palatin, les thermes de Caracalla, le tombeau de *Caecilia Metalla* et la *villa dei Quintili.* Toujours dans la veine antique, si vous n'en êtes pas à votre premier séjour à Rome, vous pourrez également être intéressé par l'***Appia Antica Card*** (7,50 € pour 7 jours), qui comprend l'accès aux thermes de Caracalla, au tombeau de *Caecilia Metalla* et à la *villa dei Quintili.* Ces deux cartes sont disponibles aux caisses respectives de ces sites (sauf au tombeau de *Caecilia Metalla* et à la *villa dei Quintili*). Le ***Roma Pass*** est une option intéressante, puisque ce *pass* (25 €, valable 3 jours) permet d'entrer gratuitement dans deux musées ou sites archéologiques au choix, offre des tarifs préférentiels pour tous les autres, et donne un accès illimité à tout le réseau de transport urbain (bus et métro), toujours pour 3 jours. Attention cependant si vous optez pour cette carte lors d'un week-end prolongé à Rome : choisissez plutôt un séjour du vendredi au dimanche, car, la plupart des musées et sites étant fermés le lundi (à l'exception notable du Colisée, du Forum et du Palatin), votre carte ne serait pas forcément amortie pour un séjour du samedi au lundi. Si vous comptez visiter les musées du Vatican, cette carte ne s'applique pas, ni aucune autre d'ailleurs (en revanche, l'entrée au Vatican est gratuite le dernier dimanche du mois...). Et puis, activez-la le matin car, si vous l'entamez en milieu de journée ou, pire, le soir, cela vous comptera quand même la première journée. La carte est aussi un coupe-file bien appréciable (par exemple pour le Colisée), mais elle ne vous dispense pas partout de faire la queue pour retirer votre ticket. Et en saison, il peut y avoir aussi du monde armé du *Roma Pass,* tout comme vous... Enfin, elle ne vous dispense pas non plus de réserver votre entrée dans les musées (moyennant 1,50 à 2 €), et notamment à la galerie Borghèse pour laquelle la réservation est obligatoire.

La carte ***Roma & Più Pass*** fonctionne pour la même durée (3 jours) et selon le même principe que le *Roma Pass* mais elle est valable également pour les sites de la région de Rome, transports inclus (comme par exemple les villas d'Este et d'Hadrien). Elle coûte 25 €. Toutes infos sur • *romapass.it* •

Les jeunes de moins de 18 ans ainsi que les adultes de plus de 65 ans ressortissants de l'Union européenne bénéficient de ***réductions*** ou même de la ***gratuité*** dans bon nombre de musées et sites nationaux. Munissez-vous donc d'une pièce d'identité. Les réductions étudiantes sont peu fréquentes, mais le demi-tarif est souvent appliqué pour les 18-24 ans, ce qui permet aux étudiants de s'y retrouver. Parfois des réductions pour les enseignants à condition de présenter une carte de l'année en cours.

Enfin, les Parisiens seront heureux d'apprendre que, dans le cadre d'un partenariat entre les municipalités de Paris et de Rome, certains musées sont gratuits sur présentation d'une pièce d'identité (c'est notamment le cas pour les musées capitolains ou les marchés de Trajan). Liste sur le site • *museiincomune.it* •

ORIENTATION

On n'ira pas jusqu'à regretter le temps des quadriges ou des méchantes chaises à porteurs, mais gardez à l'esprit que la plus historique des cités européennes est également la plus anémique en matière de transports en commun. Le métro se heurte aux vestiges innombrables et ne peut étendre son réseau, tandis que les bus circulent avec difficulté dans le maillage étroit des venelles pittoresques de la vieille ville. Par conséquent, le centre historique se visite de préférence *pedibus cum jambis* !

Pour simplifier, le centre ancien est circonscrit par le mur d'Aurélien (le « muro Torto »), dont les vestiges sont visibles au sud de la villa Borghèse, au nord-est de la gare de Termini et au sud des thermes de Caracalla. Au-delà s'étendent les faubourgs, les boulevards périphériques *(raccordo anulare)* et les prairies de l'Agro

Romano. Le découpage par quartiers que vous trouverez dans le guide procède à la fois d'une cohérence géographique, historique et d'une homogénéité sociale.
À partir de la ***piazza Venezia,*** nombril de la ville ancienne, le ***secteur antique*** s'étend plein est, plus ou moins du Capitole aux thermes de Caracalla. Là se concentre l'essentiel de la Rome monumentale romaine (excepté le Panthéon). Plus à l'est encore, on s'aventure dans le quartier tranquille de ***Saint-Jean-de-Latran*** en suivant la rue du même nom. Si l'on s'égare en revanche au sud du Capitole et du Palatin, on découvrira au-delà du circo Massimo le quartier populaire du ***Testaccio,*** qui connaît un incroyable renouveau depuis quelques années.
Changement de décor au nord du secteur antique. La célèbre via Cavour dessert le quartier artisan éminemment romain ***dei Monti.*** De collines en vallons, on atteint le quartier de la gare de ***Termini,*** avant de gagner un autre secteur très authentique, ***San Lorenzo.***
De retour à la ***piazza Venezia*** (notre fameux nombril), on fait face plein ouest au vieux ***centro storico,*** le quartier médiéval de Rome. Délimité par la via del Corso et le Tibre, il offre aux promeneurs le mystère de son labyrinthe de ruelles, qui ne relâche son étreinte qu'aux abords de la ***piazza Navona*** et du ***Panthéon.*** On ira chercher un peu d'espace plus au nord, vers la ***piazza di Spagna*** et la ***piazza del Popolo,*** reliées par le fameux Corso, à moins de poursuivre son chemin encore plus au nord vers les jardins de la ***villa Borghèse.***
En revanche, pour arpenter les rues tirées au cordeau du quartier du ***Vatican*** ou les venelles étroites du ***Trastevere,*** il faudra dans les deux cas traverser le Tibre depuis le ***centro storico*** : à l'ouest pour le Vatican, au sud pour le Trastevere.

Nos incontournables... et les autres

– ***Les lieux où tout le monde va et qu'on ne peut décemment pas rater :*** la piazza Navona, le Panthéon, les musées du Capitole, les forums, le Colisée, la piazza di Spagna, le Vatican, la villa Borghèse, la fontaine de Trevi.
– ***Les lieux où tout le monde va, mais qu'on peut rater sans trop de regrets :*** le campo dei Fiori, les thermes de Dioclétien, le circo Massimo, Sainte-Marie-Majeure.
– ***Les lieux peu fréquentés, mais que les routards découvrent avec ravissement :*** Santa Maria del Popolo, le Ghetto et l'île Tibérine, le Testaccio, San Lorenzo, l'Ara Pacis Augustae, la basilique de Santa Prassede, Ostia Antica.

PERSONNES HANDICAPÉES

On a pu constater que les Italiens étaient plus en avance que nous (pas difficile !) pour tous les aménagements concernant les personnes à mobilité réduite. Ainsi, de nombreux hébergements sont équipés d'au moins une chambre pour personnes handicapées. N'hésitez pas à appeler pour vous renseigner même si le symbole ♿ ne figure pas dans l'adresse que nous indiquons, car de plus en plus d'hôtes aménagent leur structure en conséquence.

POSTE

– La poste italienne a mis en circulation un timbre *Posta prioritaria,* obligatoire vers les pays européens (à 0,65 €), qui permet d'envoyer une lettre en un temps record (2 à 3 jours). Pour l'Italie (0,60 €) : compter une journée.
– Vous pouvez acheter vos timbres *(francobolli)* à la poste centrale ou dans certains bureaux de tabac signalés par un grand T blanc sur fond noir (mais tous n'en ont pas). Le libellé des adresses en Italie est du même type que le nôtre. Les boîtes aux lettres, de couleur rouge, sont disséminées un peu partout dans la ville.

– Vous pouvez également poster vos cartes du Vatican ; tout d'abord, les timbres du Vatican sont beaux, et le cachet de la cité papale impressionnera le destinataire. De plus, la poste vaticane (sans faire de miracles) fonctionne plutôt bien.
– Pour se faire adresser du courrier en poste restante, tenir compte des délais d'acheminement et demander à l'expéditeur de rédiger l'enveloppe avec la mention : « *Fermo posta, posta centrale di Roma* », précédée, si possible, du code postal, 00187, comme en France.
– Pour tout autre renseignement, n'hésitez pas à contacter le *call center* au ☎ 803-160. Des opérateurs parlant l'anglais ou le français répondent à vos questions de 8h à 20h.

POURBOIRES ET TAXES

Rien ne vous oblige à laisser un pourboire *(una mancia).* Libre à vous d'en décider, selon la qualité du service dont vous avez bénéficié. Dans les églises, les sacristains sont souvent remplacés par des tirelires électriques (en général 0,50 €) pour éclairer les chefs-d'œuvre sans forcer la main.

L'addition

Ne pas s'étonner de voir son addition majorée de 2 à 3 % du traditionnel *pane e coperto* (lequel a théoriquement été supprimé mais continue d'être appliqué dans plusieurs restos). Telle est la pratique en Italie. Ce *pane e coperto* peut varier entre 1 et 3 € par personne (au-delà, cela devient du vol). Il doit être signalé sur la carte, quand il y en a une. Les 10 % de *servizio* d'antan ont en revanche pratiquement disparu. Ajoutez à cela une bouteille d'eau minérale (de 1 à 3 € selon le standing du resto), et vous comprendrez rapidement pourquoi l'addition grimpe si vite.

ROME GRATUIT

La Ville éternelle ne s'offre pas au premier impécunieux venu, ne serait-ce que par les tarifs pour y loger, mais elle offre quand même quelques belles possibilités à peu de frais.
Valable pour tout un chacun, les ***églises*** : absolument et complètement gratuites ! Vu le nombre de grands peintres et sculpteurs qui travaillèrent à leur décoration, c'est un vrai musée essaimé dans la ville qui s'offre ainsi. Et l'occasion aussi de découvrir toute la palette des courants architecturaux : paléochrétien, médiéval (rare), Renaissance et baroque... Attention cependant aux tirelires qui permettent d'illuminer certaines chapelles, et qui finissent par chiffrer... Les fauchés et les radins attendront que le voisin mette son obole !
La visite du palais Farnèse (l'ambassade de France) est également gratuite... mais nécessite une réservation bien longtemps à l'avance.
Enfin, nombre de monuments de la ville, ses places, ses fontaines, ses ponts, l'accès à ses villas-jardins (la villa Borghèse, les jardins de l'Aventino, la villa Sciarra, le Gianicolo) sont bien sûrs d'accès gratuit. De même le monument à Victor-Emmanuel II, ou les prisons Mamertines ! Malheureusement, depuis peu, le Forum romain est devenu payant (sauf la vue, bien sûr !).
Toujours pour tous, mais ponctuellement, la plupart des musées et sites de la ville sont gratuits lors de *Natale a Roma* (la naissance de Rome, le 21 avril), pendant la *Settimana della Cultura* (au printemps, en général) et lors de la *Notte Bianca* (mi-septembre) : en revanche, vous ne serez pas vraiment seul à vouloir en profiter...
Les musées du Vatican, pour leur part, ouvrent leurs portes gratuitement le dernier dimanche du mois (sauf lors de certaines fêtes, où lesdites portes restent closes). Pour les horaires précis, se reporter plus loin à la rubrique « À voir ».

Les ressortissants de l'Union européenne de moins de 18 ans et de plus de 65 ans bénéficient de la gratuité totale, tous les jours et toute l'année, dans tous les musées nationaux et communaux, c'est-à-dire la plupart des musées de la ville. Attention cependant, ils ne seront pas pour autant exemptés des frais de réservation, en général 1 à 2 € (et c'est obligatoire, par exemple, pour la villa Borghèse). Les 18-24 ans se contenteront des tarifs réduits... mais ne seront pas plus dispensés des frais de réservation le cas échéant.
Toujours gratuit, le Trastevere accueille en juillet un festival, la fête de Noantri, où la plupart des animations sont... gratuites.
Enfin, nos lecteurs parisiens ont accès gratuitement aux sites gérés par la municipalité (plus d'infos ci-dessus dans la rubrique « Musées, sites et monuments. Les tarifs »).

SANTÉ

Carte européenne d'assurance maladie

Pour un séjour temporaire à Rome, pensez à vous procurer la carte européenne d'assurance maladie. Il vous suffit d'appeler votre centre de sécurité sociale (ou de vous connecter au site internet de votre centre, encore plus rapide !) qui vous l'enverra sous une quinzaine de jours. Cette carte fonctionne avec tous les pays membres de l'Union européenne (y compris les 12 petits derniers), ainsi qu'en Islande, au Lichtenstein, en Norvège et en Suisse. C'est une carte plastifiée bleue du même format que la carte Vitale. Attention, elle est valable 1 an, gratuite et personnelle (chaque membre de la famille doit donc avoir la sienne, y compris les enfants). Conservez bien toutes les factures pour obtenir le remboursement au retour.

Vaccins

Aucun n'est obligatoire, mais il est préférable d'avoir son rappel antitétanique à jour, surtout si l'on fait du camping. Par précaution, vous pouvez prévoir un répulsif antimoustiques.

■ Les produits et matériels utiles aux voyageurs, assez difficiles à trouver, peuvent être achetés par correspondance sur le site • *sante-voyages.com* • Infos complètes toutes destinations, boutique web, paiement sécurisé, expéditions *Colissimo Expert* ou *Chronopost.* ☎ *01-45-86-41-91 (lun-ven 14h-19h).*
– Dépôt-vente : ***AccesProVisas,*** *26, rue de Wattignies, 75012 Paris.* ☎ *01-43-40-11-34.* • *accespro-visas.fr* • Ⓜ *Dugommier ou Daumesnil.*

SITES INTERNET

Sur l'Italie

• ***routard.com*** • Tout pour préparer votre périple. Des fiches pratiques sur plus de 200 destinations, de nombreuses informations et des services : photos, cartes, météo, dossiers, agenda, itinéraires, billets d'avion, réservation d'hôtels, location de voitures, visas... Et aussi un espace communautaire pour échanger ses bons plans, partager ses photos, définir son passeport routard ou trouver son compagnon de voyage. Sans oublier *routard mag,* ses reportages, ses carnets de route et ses infos pour bien voyager. La boîte à outils indispensable du routard.
• ***touristie.com*** • En français. Site régulièrement remis à jour. Une mine d'infos avec des rubriques très complètes sur la littérature, le cinéma, la gastronomie, les personnages célèbres... Possibilité de réserver en ligne des hôtels, une voiture et

des billets d'avion, ainsi que les entrées dans les musées. Une carte générale divisée par régions vous aidera à vous situer. Indispensable avant de foncer vers la Botte !

• ***paginegialle.it*** • Pages jaunes italiennes à consulter si besoin.

• ***museionline.it*** • En anglais ou en italien. Un site incontournable si vous vous apprêtez à visiter tous les musées d'Italie. Ils sont répertoriés par catégories : art, histoire, archéologie, histoire naturelle, sciences et technologie, avec les prix, les horaires et le site internet de chaque musée. En plus, ce site vous donne la liste des expos temporaires à faire dans la région visitée (régulièrement remise à jour). On vous le recommande chaudement.

• ***italieaparis.net*** • Un site qui vous donnera un avant-goût de la Botte ou qui pourra, tout aussi bien, essayer de vous guérir du mal du pays à votre retour. Malheureusement, il ne conseille que des adresses parisiennes, mais les infos culturelles profiteront à tout le monde...

• ***membres.multimania.fr/italiamia*** • En français. Une vraie mine d'informations pour tous ceux qui veulent découvrir la culture italienne. Très simple d'utilisation, il va droit à l'essentiel et permet de découvrir toute l'Italie en un clic.

Sur Rome

• ***romaturismo.it*** • En anglais et en italien. Le site portail de la ville, où l'on trouve notamment des informations sur les événements culturels à Rome.

• ***wantedinrome.com*** • En anglais. Le site internet du bimensuel du même nom. Plein d'infos sur Rome. Présente les expositions et manifestations culturelles en cours.

• ***monsite.orange.fr/passeggiata*** • Une petite visite guidée de Rome avec historique des monuments à l'appui. Les photos sont d'une luminosité incroyable.

• ***mackoo.com/rome*** • En français. Un site sur Rome qui vous propose une petite visite guidée illustrée de photos de monuments (quartier par quartier).

• ***unicaen.fr/rome*** • En français. Rome au IVe s comme vous ne l'avez jamais vue. Visite en 3D de tous les grands édifices romains : le Forum, le Champ-de-Mars, le Capitole, entre autres. Site réalisé par l'université de Caen, très pratique pour se replonger dans la Rome antique.

• ***vatican.va*** • En français. Le site officiel du Vatican. Vous vous replongerez dans l'histoire religieuse et saurez tout des papes, de Léon XIII à Benoît XVI. Fonds bibliographique important et visite guidée virtuelle des lieux, en particulier du musée.

Sur le cinéma et la presse

• ***cinecitta.it*** • Site officiel du géant italien avec le box-office de chaque semaine, des infos et l'actualité du cinéma.

• ***cinema-italien.cinemotions.com*** • Plus de 1 800 films (et coproductions) italiens recensés sur ce site, des résumés de chaque film, le tout illustré par de superbes affiches d'époque.

Sur la cuisine et les vins italiens

• ***italianpasta.net*** • En italien. Sur un air de musique italienne, vous découvrirez l'univers des pâtes : le goût, la consistance, la couleur. Plus de 150 recettes, des conseils pour les aficionados et l'accompagnement des vins. Vous pouvez également adhérer au très sérieux *Club de la pasta.* Un avant-goût de l'Italie...

• ***cucina.intrage.it/*** • En italien. Un site bien conçu et haut en couleur ! Des recettes à foison (de la plus traditionnelle à la plus inventive) classées par rubriques, des conseils malins à la pelle pour bien cuisiner. S'il n'en fallait qu'un...

TABAC

L'Italie compte parmi les pays en Europe à avoir interdit la cigarette dans TOUS les lieux publics (restaurants, cafés, bars et discothèques). Si les partisans du « *vietato fumare* » se réjouissent de pouvoir désormais dîner sans craindre l'asphyxie, les accros au tabac ont, quant à eux, la vie dure. En cas d'infraction, une grosse amende vous attend : 27 € à la moindre cigarette allumée (275 € s'il y a des enfants ou des femmes enceintes à proximité). Quant aux restaurateurs, ils encourent une peine de 2 200 € s'ils ne font pas respecter cette loi dans leur établissement.
Le moment est donc venu de faire connaissance avec les autres fumeurs agglutinés sur le trottoir devant l'établissement autour du cendrier géant (pratique somme toute plutôt sympathique aux beaux jours mais beaucoup moins en hiver, quand le mercure flirte avec les dessous du zéro).

TÉLÉPHONE ET TÉLÉCOMMUNICATIONS

Téléphone

Le téléphone portable

Le routard qui ne veut pas perdre le contact avec sa tribu peut utiliser son propre téléphone portable en Italie avec l'option « Europe » ou « monde ». Mais gare à la note salée en rentrant chez vous ! On conseille donc d'acheter en arrivant une carte SIM locale prépayée chez l'un des nombreux opérateurs *(Vodaphone, Time, Tre Italia),* qui sont tous représentés dans les boutiques de téléphonie mobile des principales villes du pays. Après avoir montré votre carte d'identité et donné l'adresse de votre hébergement du moment, on vous attribue un numéro de téléphone local et un petit crédit de communication, généralement pour environ de 10 €. Avant de signer le contrat et de payer, essayez donc, si possible, la carte SIM du vendeur dans votre téléphone – préalablement débloqué – afin de vérifier si celui-ci est compatible. Ensuite, les cartes permettant de recharger votre crédit de communication s'achètent dans ces mêmes boutiques, en supermarchés, stations-service, tabacs-journaux, etc. pour 10, 20, 30, 40 €... C'est toujours plus pratique pour trouver son chemin vers un *B & B* paumé, réserver un hôtel, un resto ou une visite guidée, et bien moins cher que si vous appeliez avec votre carte SIM personnelle. Malin, non ?

Urgence : en cas de perte ou de vol de votre téléphone portable

Suspendre aussitôt sa ligne permet d'éviter de douloureuses surprises au retour des vacances ! Voici les numéros des trois opérateurs français, accessibles depuis la France et l'étranger :
– ***SFR :*** ☎ *1023 depuis la France ;* ☎ *+ 33-6-1000-1900 depuis l'étranger.*
– ***Bouygues Télécom :*** ☎ *0800-29-1000 depuis la France comme depuis l'étranger (remplacer le « 0 » initial par « + 33 » depuis l'étranger).*
– ***Orange :*** ☎ *+ 33-6-07-62-64-64 depuis la France comme depuis l'étranger.*
Vous pouvez aussi demander la suspension depuis le site internet de votre opérateur.

Les cartes prépayées

Elles s'avèrent très utiles pour les réservations de restos ou de visites guidées. Vous l'insérez dans votre portable et en 2 mn vous avez une ligne italienne. Coût de la communication bien moins élevé qu'avec son portable étranger.

Les cabines téléphoniques

Mêmes si celles-ci tendent de plus en plus à disparaître, on en trouve encore quelques-unes dans le centre-ville. Elles fonctionnent avec des cartes magnétiques qui s'achètent dans les bureaux de poste, les tabacs (signalés par un T blanc sur fond noir) et quelques bars-restaurants ; il existe aussi des distributeurs automatiques de cartes. N'oubliez pas de déchirer le coin en plastique de la carte pour téléphoner (gage que la carte n'a jamais été utilisée) et d'appuyer sur la touche « OK » après avoir composé le numéro de votre correspondant. On peut également téléphoner dans les centres *Telecom Italia* ou à la poste centrale. Noter qu'on ne peut généralement pas se faire rappeler dans ces cabines.

Appels nationaux et internationaux

– ***Renseignements :*** *☎ 12 (gratuit).*
– *Pour un appel d'**urgence,** composer le ☎ 113.*
– ***Italie → France :*** 00 + 33 + numéro à 9 chiffres de votre correspondant (c'est-à-dire le numéro à 10 chiffres sans le 0 initial).
Code des autres pays francophones : *Belgique,* **32** ; *Luxembourg,* **352** ; *Suisse,* **41** ; *Canada,* **1.**
– ***France → Italie :*** 00 + 39 + indicatif de la ville + numéro de votre correspondant (6 ou 7 chiffres). Tarification selon votre opérateur.
– ***Italie → Italie :*** il faut impérativement composer le numéro de votre correspondant précédé du 0 et de l'indicatif de la ville.
– Depuis l'ouverture de France Télécom à la concurrence, les prix des télécommunications varient beaucoup selon le type de forfait souscrit. Pour s'y retrouver, ce n'est pas toujours évident. N'hésitez pas à faire jouer la concurrence ; certains opérateurs proposent même les communications gratuites vers certains pays européens (dont l'Italie). Renseignez-vous ! Toujours pratique quand on veut préréserver les musées ou hôtels.
– Un conseil : sur place, évitez d'appeler de votre hôtel, vous auriez la mauvaise surprise de voir votre communication fortement majorée !
Vous pouvez aussi demander la suspension depuis le site internet de votre opérateur.

Internet-Wifi

Vous trouverez désormais des centres Internet dans tous les quartiers. Généralement ouverts tous les jours, ils ferment leurs portes entre 21h et minuit. Compter entre 2 et 3 € pour 1h de connexion. Un minimum de 15 mn de connexion est exigé. Sinon, si vous transportez votre portable à travers le monde, vérifiez que votre hôtel propose bien une connexion wifi.

TRANSPORTS

Le bus

Les tickets de bus des réseaux urbains sont en vente dans les kiosques à journaux, les bureaux de tabac, certains distributeurs automatiques, ainsi que dans quelques magasins autorisés (signalés par un autocollant). En revanche, une fois monté dans le bus, impossible de trouver un titre de transport, si ce n'est en l'achetant à un passager qui en a en réserve ! Seules exceptions : les minibus électriques qui parcourent le centre historique et les lignes de tramway les plus récentes, qui sont équipées de distributeurs de tickets ; mais prévoir la monnaie !

Le scooter

Qui n'a pas rêvé de parcourir Rome en scooter, cheveux au vent, à la manière de Nanni Moretti dans son film *Journal intime* ? Un conseil : si vous n'en avez jamais fait, ce n'est pas le moment de commencer. Le port du casque est obligatoire (le nombre d'accidents en Italie dépassant tout entendement). Une dernière recommandation : vérifiez que vous êtes bien assuré, un accident est vite arrivé...

La bicyclette

On trouve quelques loueurs de vélos et la ville s'est s'équipée d'un système de Vélib' à l'italienne (infos sur • *roma-n-bike.com* •). Un seul problème (et pas le moindre) : ça descend... et ça monte terriblement ! Et ce n'est pas peu dire. Cela explique peut-être le lent développement du vélo et l'absence de pistes cyclables. De plus, tout comme pour le scooter, il faut savoir slalomer entre les voitures et ça, franchement, ce n'est pas gagné. On vous aura prévenu !

Le taxi

Il a mauvaise réputation, et ce n'est pas totalement injustifié. Ne prendre que des taxis officiels, généralement de couleur blanche ou jaune. Des suppléments affichés dans tous les taxis peuvent être exigés pour des bagages, des services de nuit ou les jours de fête. En cas d'absence de compteur, n'oubliez pas de bien fixer le prix de la course avant de partir ; sinon, changez de taxi.

La voiture

Pas franchement conseillée pour visiter Rome, d'autant qu'une bonne partie de la ville est en accès restreint (voir plus loin « Arriver – Quitter Rome » dans « Informations et adresses utiles »), mais fantastique pour visiter les environs !
Les stations-service sont fréquentes sur les autoroutes, où elles ne ferment pratiquement jamais. Modernité oblige, elles acceptent quasiment toutes les cartes de paiement. Mais comme on n'a toujours pas mis les autoroutes au cœur des villes, on trouve d'autres stations-service dans la *città*. En général, celles-ci sont fermées entre 12h30 et 15h30 (la sacro-sainte sieste), mais cela dépend du temps, de l'endroit et... de l'âge du capitaine. Dans ce créneau horaire et le dimanche, il y a souvent une pompe automatique qui fonctionne avec une carte de paiement, mais qui ne délivre jamais de tickets.

Quelques principes de conduite

Pour conduire sereinement en Italie, il est indispensable de s'imprégner de quelques principes tout simples. D'abord, oublier ses bonnes habitudes, ses leçons laborieusement emmagasinées, ses réflexes acquis de longue date, etc. Une seule règle : coller le plus près possible au code de la route local. Commençons...
Il semble que le panneau « STOP » ne soit pas autre chose qu'un élément de mobilier urbain purement décoratif. Nous n'allons pas, bien sûr, vous recommander de le brûler, mais seulement de le respecter très modérément, de façon à ne pas briser le rythme de la circulation. Ensuite, la priorité n'existe pas. Tout n'est qu'une question de rapport de forces et de bon sens. Chacun sait quand il peut s'imposer, jusqu'où il peut aller et quelle limite ne point dépasser. Ce qui compte, c'est l'esprit de décision, qui n'exclut jamais la prudence.
Le klaxon est souvent utilisé. Pour beaucoup de raisons : parce que vous vous êtes arrêté à un stop, parce que vous tardez à démarrer, parce que... On klaxonne pour dire bonjour à un ami, pour rien, pour le plaisir. Réagissez cool car c'est un rite, rarement un signe d'énervement. L'automobiliste italien n'est pas hargneux comme son homologue français, tout juste manifeste-t-il une petite irritation s'il ne vous trouve pas assez incisif (d'où une éventuelle petite quinte de klaxonite).
Vous serez étonné du faible nombre d'accidents ou d'accrochages en ville. Pas de mystère, le manque d'agressivité dans les rapports entre automobilistes, l'esprit de décision, la reconnaissance des rapports de forces calculés, le respect d'un certain consensus à défaut de code sont à l'origine de cette situation quasi « idyllique ».

Finalement, vous apprécierez cette forme de liberté, cette « anarchie » raisonnable, ce refus des contraintes, du port du casque (enfin, on ne vous le conseille pas !), de la ceinture de sécurité et tous ces pieds de nez gentillets à l'autorité policière. D'ailleurs, cette dernière n'intervient, en général, que pour des choses graves. Le reste du temps, le flic se moque des petites infractions (les mobs surchargées ne provoquent même pas chez lui la moindre vibration de narine). Il n'est pas là pour embêter les gens.
Voilà, pour rouler heureux, oubliez vos petites manies et vos critères de conduite, armez-vous d'une bonne dose d'humour, intériorisez la façon de conduire des Italiens, et l'enfer de Rome vous paraîtra plus doux.

Le stationnement

Vous constaterez, comme dans beaucoup de pays, que le plus difficile en voiture, c'est de pouvoir s'arrêter. Chaque lieu touristique ou administration possède son parking plus ou moins officiel. N'hésitez pas à les utiliser, et ne vous sentez pas agressé (ou ne tentez pas de vous esquiver) si le gardien vient vers vous : votre voiture sera réellement en sécurité, ne mégotez pas pour quelques euros. Donnez-les-lui d'ailleurs directement, d'un geste sûr, il verra que vous êtes « du coin ». Le paiement peut vous être demandé à l'arrivée ou au départ.
Vous remarquerez également que l'on se gare n'importe comment. Renoncez à votre créneau savant, à 15 cm du trottoir. Vous risquez de prendre du temps, de bloquer la circulation, d'occuper de la place surtout ! Ayez du sens civique. Quand vous voyez que la plupart des gens se garent en épi en grimpant sur le trottoir, faites de même. Le problème du stationnement en ville sera l'un de vos cauchemars si vous conservez une attitude trop disciplinée. Attention malgré tout à la sévérité de la police si vous vous garez dans une zone d'enlèvement *(zona rimozione).* Votre véhicule finira à la fourrière avec une note salée. Paradoxe de l'Italie.

La location de voitures

■ ***Auto Escape :*** ☎ *0820-150-300 (0,12 €/mn).* • *autoescape.com* • *Vous trouverez également les services d'*Auto Escape *sur* • *routard.com* • L'agence *Auto Escape* réserve auprès des loueurs de véhicules de gros volumes d'affaires, ce qui garantit des tarifs très compétitifs. Il est recommandé de réserver à l'avance. *Auto Escape* offre 50 % de remise sur l'option d'assurance « zéro franchise » (soit 3 € par jour au lieu de 6 €) pour les lecteurs du *Guide du routard.*
■ ***BSP Auto :*** ☎ 01-43-46-20-74 (tlj). • *bsp-auto.com* • Les prix proposés sont attractifs et comprennent le kilométrage illimité et les assurances. *BSP Auto* vous propose exclusivement les grandes compagnies de location sur place, vous assurant un très bon niveau de services. Les plus : vous ne payez votre location que 5 jours avant le départ + réduction spéciale aux lecteurs de ce guide avec le code « routard ».
■ Et aussi ***Hertz,*** ☎ *0825-861-861 (0,15 €/mn) ou sur* • *hertz.com* • *;* ***Avis,*** ☎ *0820-050-505 (0,12 €/mn) ou* • *avisautonoleggio.it* • *;* ***Budget*** ☎ *0825-003-564 (0,15 €/mn) ou sur* • *budget.fr* •

URGENCES

On ne vous demande pas de les apprendre par cœur, mais c'est bon à savoir au cas où...

■ ***Quelques adresses d'hôpitaux :***
– En cas d'urgences ophtalmologiques, on ira plutôt à l'***Ospedale Oftalmico Pronto Soccorso Oculistico,*** *piazza degli Eroi, 11.* ☎ *06-68-35-26-48.*
– Pour des traumatismes de l'ordre des fractures, voir le ***CTO*** *(Centro Trauma-*

tologia Ortopedica), via S. Nemezio, 21. ☎ 06-51-001.
– Pour les urgences pédiatriques, aller à l'***Ospedale Pediatrico del Bambino Gesù,*** *piazza di S. Onofrio, 4. ☎ 06-68-59-23-51 ou 06-68-59-11.*
– Enfin, également pour les urgences pédiatriques, ***Policlinico Gemelli Pronto Soccorso Pediatrico.*** *☎ 06-30-54-343.*
■ ***Pharmacies :*** *vous trouverez une pharmacie, tlj 24h/24 au n° 228 de la via Nazionale (☎ 06-488-07-54) ou encore au n° 49 de la piazza Barberini (☎ 06-482-54-56). Sinon, pharmacie de garde en appelant le ☎ 06-22-89-41.*
■ ***Police :*** *☎ 113.* En cas de vol ou d'agression, appelez le ☎ 112 ou 113 ; on vous communiquera l'adresse du commissariat *(questura)* le plus proche de l'endroit où vous êtes.
■ ***Commissariat de police principal :*** *via S. Vitale, 15. ☎ 06-46-861.*
■ ***Croce rossa italiana*** *(CRI)* ***:*** *☎ 118.*
■ ***Pompiers*** *(Vigili del Fuoco)* ***:*** *☎ 115.*

☎ **112 :** voici le numéro d'urgence commun à la France et à tous les pays de l'UE, à composer en cas d'accident, agression ou détresse. Il permet de se faire localiser et aider en français, tout en améliorant les délais d'intervention des services de secours.

HOMMES, CULTURE ET ENVIRONNEMENT

Tous les chemins mènent à Rome, c'est bien connu. Inutile aussi de dire que Rome est l'une des grandes révélations d'un voyage en Italie. Nulle part ailleurs 28 siècles d'histoire ne sont aussi présents dans une ville : les temples et les amphithéâtres romains, certains étonnamment intacts (malgré la négligence des autorités italiennes), font partie intégrante de l'urbanisme, jusqu'à dessiner encore la ville : les innombrables églises témoignent des premiers temps de la chrétienté ou affichent un baroque plus ou moins fastueux, les palais Renaissance, les fontaines et les places baroques, ou encore les ruelles au charme médiéval en font un lieu où tous les styles se côtoient. Rome est véritablement un musée à ciel ouvert, une ville qui a conservé une véritable homogénéité architecturale ; ici, pas de bouleversements dus à l'industrialisation et au modernisme, mais une ville qui conserve tout son charme. Amateur de belles pierres, pensez aussi à la bonne chère, et donc à la cuisine romaine et italienne. Oubliez, de temps en temps, votre guide préféré et entrez là où bon vous semble. Vous en ressortirez peut-être de fort bonne humeur ou le ventre bien rond...

BOISSONS

Les vins du Latium *(I vini laziali)*

Les produits locaux sont toujours appréciés. Alors, amateur de vin ou non, n'oubliez pas le proverbe romain qui dit *Buon vino fa buon sangue* (est-il nécessaire de traduire ?). Fort de cette recommandation, vous voilà maintenant déculpabilisé pour partir à la découverte des vins du Latium (5,5 % de la production nationale). 15 % de la production du Latium ont droit à l'AOC locale (DOC). Ces dernières sont au nombre de 25 mais se divisent (toute une histoire !) en trois fois plus de *sottodenominazioni*.

– Les routards se souviendront sans doute du ***blanc des Castelli Romani,*** région des châteaux romains au sud de Rome. Appellation générique qui regroupe plusieurs DOC dont le fameux *frascati,* mais encore le *colli albani,* le *colli lanuvini,* le *marino* et le *montecompatri colonna.* Les deux tiers de la production totale de DOC du Latium sont produits ici sur des terres ensoleillées et fertiles qui favorisent notamment les cépages trebbiano et malvasia.

– En dehors des ***blancs*** fruités des *Castelli Romani,* qui se boivent comme du petit-lait (vins de 10,5° à 11,5° seulement), le Latium produit dans la région de Viterbe un blanc fort réputé de Montefascione. Pour clore le chapitre sur le blanc, on oublie parfois de mentionner – parmi les vins de la région – l'*orvieto* (*classico* ou non), que l'on retrouve dans la province de Viterbe... mais aussi et surtout dans les parages d'Orvieto (Ombrie). Dernière remarque : on note que le Latium produit essentiellement des vins tranquilles (sans bulles), vifs et fruités. Faciles à boire, en somme !

– ***Les rouges*** abondaient naguère dans la région des Castelli Romani, avant la crise du phylloxéra qui détruisit les vignes dans la seconde moitié du XIXe s. Aujourd'hui, les rouges font figure d'exception. Ils proviennent pour la plupart du sud de Rome (châteaux romains, Frosinone) : *velletri, cesanese del piglio...* ou de Cerveteri (au nord de Rome). Les principaux cépages sont le merlot, le sangiovese, le montepulciano (au nord) et le cesanese.

– **Les vins de table** (*vini da tavola*). Il y a de très bons rouges, à commencer par le *torre ercolana* (un des meilleurs rouges d'Italie ; région d'Anagni), le *colle picchioni* et le *vigna del vassalo,* provenant tous deux du même producteur (dans les Castelli Romani).
La buona cantina (coopérative ou domaine viticole) *fa il buon vino.* Autre proverbe romain qui incitera nos lecteurs à la prudence.

Suivez donc nos conseils

– Pour goûter un bon vin blanc des *Castelli Romani,* prenez une bouteille de *frascati* (compter de 4 à 8 € maximum) choisie parmi les producteurs ou coopératives suivants : *Casale Marchese (Frascati ; via di Vermicino, 68 ; ☎ 06-940-89-32), Castel de Paolis (Grottaferrata ; via Val de Paolis ; ☎ 06-941-36-48), Conte Zandotti (Frascati ; via Colle Mattia, 8 ; ☎ 06-206-090-00), Fontana Candida (Monteporzio Candida ; via Fontana Candida, 11 ; ☎ 06-940-18-81).*
– Les charmes orientaux se révèlent avec la *Cantina Falesco (Montecchio, loc. San Pietro ; ☎ 0744-95-561).*
– Les amateurs de rouge ne pourront pas faire l'impasse sur les vins de la *Cantina Colacicchi (Anagni, loc. Romagnano ; ☎ 06-446-96-61), torre ercolana, romagnono rosso,* ou de *Paola di Mauro-Colle Picchioni (Marino ; via Colle Picchione, 46 ; loc. Frattocchie, ☎ 06-935-46-329), vigna del vassalo, colle picchioni,* sans vider leur porte-monnaie (compter de 10 à 20 €). Les vins de Cerveteri, *vigna grande* notamment, sont nettement moins ruineux *(Cantina Cooperativa di Cerveteri ; via Aurelia, km 42, 700 ; ☎ 06-99-44-41).*
– À Rome, les ***bars à vins*** poussent comme des champignons après la pluie. Ils sont, avec les producteurs, un endroit privilégié pour goûter aux vins italiens et en particulier à ceux du Latium. Voir plus loin « Où manger ? *Enoteche* (bars à vins) ».
– Si vous ne voulez ni vous spécialiser dans la dégustation ni grever votre porte-monnaie trop lourdement, sachez que la plupart des restos proposent aussi du vin au pichet, *vino della casa,* en général tout à fait correct et à prix démocratique.

La *sambuca*

C'est le digestif traditionnel des Romains à base d'anis, auquel une marque est naturellement associée : ***Molinari,*** nom de la fabrique familiale fondée à Civitavecchia qui produit cet alcool. Il se boit frais et à toute heure. Sur la côte Adriatique, on met un peu de *sambuca* pour corriger son café *(caffè corretto).* À Rome, on le corrige non pas avec de la *sambuca,* mais avec de la grappa.

Le café

Les premières graines de caféier, cet arbre merveilleux, auraient été introduites en Europe par des marchands vénitiens, et le premier *caffè* aurait ouvert ses portes dans la cité des Doges, dès 1640. Ce qui est sûr, c'est que les Italiens sont imbattables pour sa préparation. Et dans ce domaine, la médiocrité ne pardonne pas : un café est bon ou mauvais.
Rares sont ceux qui, au bar, demandent un simple *espresso* : certains le souhaitent *ristretto* (serré), *lungo* (allongé) ou encore *macchiato* (« taché » d'une goutte de lait froid, tiède ou chaud). Le café au lait se dit : *caffè con latte.* À ne pas confondre avec le fameux cappuccino, *espresso* coiffé de mousse de lait et saupoudré, si on le demande, d'une pincée de poudre de cacao. Sublime quand il est bien préparé ! À moins que vous ne préfériez le *caffè corretto,* c'est-à-dire « corrigé » d'une petite liqueur. Mieux vaut le boire, debout au comptoir, en deux gorgées, à l'italienne... Assis, il peut coûter jusqu'à cinq fois plus cher !

Le chocolat

La *cioccolata calda* est pour certains meilleure que le cappuccino qui, dans bien des endroits touristiques, se transforme, de plus en plus, en un banal café au lait (d'où l'intérêt de lire notre rubrique « Où boire un bon café ? Où prendre le petit déj ? »). Ce chocolat chaud réalisé dans les règles de l'art est extrêmement onctueux, voire très épais (la cuillère tient quasiment toute seule !)... Un vrai régal à déguster à la petite cuillère.

L'eau

L'eau du robinet est potable mais n'a pas très bon goût. Elle n'est d'ailleurs quasiment jamais servie dans les restaurants, où l'on vous propose toujours de l'eau minérale. Précisez *naturale* si vous souhaitez de l'eau plate, sinon on vous servira, d'office, de l'eau gazeuse *(frizzante).* Si vous y tenez absolument, demandez l'*acqua del rubinetto,* mais c'est plutôt mal vu et ça vous catalogue illico *turista,* voire touriste radin. Et puis, elle est quand même facturée dans certains endroits ! Enfin, n'oubliez pas qu'il existe environ 300 fontaines publiques dans Rome, de quoi remplir la gourde ou la bouteille en plastique pour la journée.

CINÉMA

Cinecittà

Voici une question que l'on peut se poser : que serait le cinéma italien sans Cinecittà ? À vrai dire, il n'aurait pas le même visage. Nombre de chefs-d'œuvre du cinéma italien ont été tournés dans cet immense complexe de 60 ha. Pourtant, l'affaire semblait mal engagée. Dans le but avoué de concurrencer l'hégémonie d'Hollywood et de « diffuser plus rapidement la civilisation romaine dans le monde » (dixit le premier slogan publicitaire), Cinecittà est inaugurée en avril 1937. Entre 1937 et 1943, 300 films sont réalisés dans les studios de la *ville du cinéma*. Mais, évidemment, la plupart de ces pellicules de la période fasciste sont des produits aseptisés et sans intérêt visant à divertir les populations pour mieux les endormir. Avec la chute du fascisme, l'essor du néoréalisme plombe les aspirations de la « Hollywood-sur-Tibre ». Le « cinéma-vérité » du néoréalisme ne pouvant s'adapter aux décors carton-pâte de Cinecittà. Elle doit son salut à la venue de nombreux réalisateurs américains au début des années 1950. Véritable Eldorado pour cinéastes (coûts nettement inférieurs à ceux d'Hollywood et main-d'œuvre moins chère), le filon des péplums, alors en plein boom, y est largement exploité avec des films comme *Quo vadis ?* et *Ben Hur.* Mais il faut véritablement attendre les années 1960 pour que Cinecittà entre dans la légende du cinéma. Le réalisateur le plus emblématique de cette période restera Federico Fellini. Il y tournera l'impérissable *La Dolce Vita* et nombre de ses chefs-d'œuvre *(Huit et demi, Casanova, Les Clowns...),* rejoignant au passage le Panthéon du cinéma italien et obtenant par ailleurs une reconnaissance internationale. Des réalisateurs de génie comme Visconti, De Sica, Rossellini (qui furent les chantres du néoréalisme) et Pasolini y posent également leur caméra. La plupart de ces films bénéficient des présences remarquées d'acteurs français tels que Alain Delon, Annie Girardot et Anouk Aimée. Le genre des westerns spaghetti s'implante dans les studios romains avec le crépusculaire *Pour une poignée de dollars* de Sergio Leone. C'était l'âge d'or du cinéma italien. Malheureusement, toutes les bonnes choses ont une fin. Dès le début des années 1980, Les studios de Cinecittà commencent à produire des émissions télévisées et des téléfilms, puis accueillent occasionnellement quelques films à gros budget (*Gangs of New York* de Martin Scorsese et *La Passion du Christ* de Mel Gibson). En avril 2007, un incendie ravage 40 ha des studios mais épargne les décors légendaires de *Ben Hur*, de *La Dolce Vita*... Même les flammes ne peuvent détruire l'essence même de Cinecittà...

Filmographie

Le cinéma naît en Italie comme en France en 1895. Cette année-là, un certain ***Alberini*** fait breveter une machine qu'il nomme *Kinetografo Alberini,* destinée à pren-

dre, tirer et projeter des films. Mais il se fera doubler par le fameux Cinématographe des frères Lumière qui, dès 1896, envoient des opérateurs sillonner la péninsule. Les premiers sujets qu'ils en ramènent sont d'ailleurs des films touristiques sur... Venise, Gênes, Turin et Rome, bien entendu !
Tant comme thème cinématographique que comme lieu de production, Rome joue un rôle majeur dans le cinéma italien. La première fiction importante, *La Prise de Rome,* réalisée par Alberini en 1904, a pour sujet et pour cadre la capitale italienne. La même année, on célèbre à Rome l'ouverture du *Moderno,* le premier cinéma du monde. On assiste aussi à la naissance des premières sociétés de production, telle la Cinès, ancêtre de la Cinecittà, créée en 1906. Jusqu'aux années 1910, le cinéma italien connaît une période faste à laquelle la Première Guerre mondiale vient mettre un terme. La relance s'opère grâce au soutien de l'État, avec la création à Rome de deux institutions sacrées du cinéma italien : l'école *Centro Sperimentale* en 1935 et les immenses studios de Cinecittà en 1937. Les écrans italiens offrent alors essentiellement des produits aseptisés, les seuls tolérés par le régime fasciste. Il faudra attendre les années 1940 pour qu'apparaissent les signes d'un renouveau, lorsque des écrivains, journalistes et cinéastes expriment leurs critiques et appellent de leurs vœux une autre manière de concevoir le cinéma. C'est à la Libération, avec *Rome, ville ouverte* (1945) de ***Roberto Rossellini*** (avec Federico Fellini comme assistant et coscénariste), que s'opère la révélation du néoréalisme. Le film met en scène la capitale occupée. Il est le premier du genre à traiter de l'histoire immédiate sous forme de fiction, en choisissant de surcroît la voie du témoignage distancié. Plusieurs films illustrent ce courant novateur, dont *Le Voleur de bicyclette* (1948), de ***Vittorio De Sica,*** une histoire terriblement ancrée dans le réel misérable de la Rome d'après-guerre et un film puissamment néoréaliste, puisque tourné en décors naturels et avec des comédiens non professionnels. Côté potins, la belle ***Gina Lollobrigida*** *(Fanfan la Tulipe, Pain, Amour et Fantaisie...)* arrive deuxième au concours de Miss Rome en 1947. L'année précédente, ***Silvana Mangano*** *(Riz amer, L'Or de Naples...)* avait remporté la première place et elles firent leurs débuts de comédiennes ensemble dans un petit film de ***Mario Costa*** : *L'Élixir d'amour.*
Au début des années 1950, les producteurs américains s'entichent de la petite « Hollywood-sur-Tibre » et viennent y tourner nombre de péplums et autres films en costumes. Sans oublier le must des comédies romantiques, *Vacances romaines* (1953) de l'Américain William Wyler, où un très séduisant Gregory Peck tombe amoureux d'une encore plus séduisante Audrey Hepburn, tout cela dans le décor de la *Caput mondi* (enfin, Rome...). Comme c'est romantique ! Toujours dans un esprit de légèreté, *Le Pigeon* (1958), un petit chef-d'œuvre de comédie à l'italienne de ***Mario Monicelli,*** avec ***Marcello Mastroianni*** et ***Vittorio Gassman.*** Un genre bientôt éclipsé dans sa fonction de pur divertissement par le western spaghetti. Un certain ***Sergio Leone*** réalise en 1964 à Cinecittà son premier film intitulé *Pour une poignée de dollars,* avec un acteur américain inconnu : Clint Eastwood. La musique composée par ***Ennio Morricone*** a beaucoup contribué au succès du film. En 1968, Leone donne sa chance à un critique pour coécrire *Il était une fois dans l'Ouest.* Il s'agit de ***Dario Argento,*** né à Rome en 1940, qui passera ensuite maître dans le film de terreur et d'effroi *(Zombie, Ténèbres, Suspiria, Le Syndrome de Stendhal...).*
Bientôt, le grand ***Fellini*** va investir les studios. Il y tourne *Fellini Roma* en 1972 et plus tard *Intervista* (1987), où Cinecittà est presque un sujet à elle seule. Mais surtout, LE film qui restera dans les mémoires par-delà tous les autres, tant l'on a vu et revu ses scènes mythiques : *La Dolce Vita* (1960). Des faubourgs romains à la basili-

PAPARAZZO

En 1959, Fellini sort son chef-d'œuvre, La Dolce Vita, *avec Marcello Mastroianni. On y voit un photographe pour vedettes, plutôt sans foi ni loi. Dans le film, il s'appelle Paparazzo. Ce qui donne, au pluriel, paparazzi.*

que Saint-Pierre en passant par les rues désertes de *Rome by night,* sans oublier la célèbre scène de la baignade de l'actrice Anita Ekberg et de Marcello Mastroianni dans la fontaine de Trevi. Après Fellini, ce sera ***Pasolini*** qui reprendra dans ses films ce thème de ville mère, avec *Mamma Roma* notamment, l'histoire d'une mère prostituée à Rome, admirablement jouée par ***Anna Magnani*** (actrice romaine par excellence), qui décide de changer de vie pour son fils. Un film qui illustre aussi l'histoire du prolétariat et de sa pénible condition dans la Rome d'après-guerre.
Ettore Scola réalise aussi à Rome de nombreux films dont le grinçant *Affreux, sales et méchants* et le magnifique *Nous nous sommes tant aimés* sur ce qu'a été l'Italie et ce qu'elle est devenue. Sans oublier *Une journée particulière* dans lequel une mère de famille ***(Sophia Loren)*** et un homosexuel ***(Marcello Mastroianni)*** partagent, par hasard, une journée dans un immeuble déserté de Rome, lors d'une visite de Hitler à Mussolini. De nombreux films internationaux sont également tournés à Cinecittà, permettant de faire vivre l'usine à rêves : *Spartacus* de Stanley Kubrick, *Jules César* de Joseph L. Mankiewicz, *Le Nom de la rose* de Jean-Jacques Annaud, *Le Ventre de l'architecte* de Peter Greenaway, *La Fureur du dragon* de Bruce Lee, *Gangs of New York* de Martin Scorsese et *Ocean's Twelve* de Steven Soderbergh...
Enfin, de nos jours, ***Nanni Moretti*** nous montre un autre visage de Rome. Observateur lucide du monde qui l'entoure, Moretti, dans la première partie de son *Journal intime* (1994), se lance dans une promenade à Vespa (un chapitre d'ailleurs intitulé « Sur ma Vespa » !), partant à la découverte de différents quartiers de la Ville éternelle, en particulier celui de la Garbatella.
Aujourd'hui, le cinéma italien n'arrive plus en France qu'à dose homéopathique et, faute d'aller à Rome ou dans les festivals spécialisés comme celui d'Annecy, on a peu connaissance de ce qui se crée dans l'Italie contemporaine. Cependant, des films comme *Cinéma Paradiso* de ***Giuseppe Tornatore*** (oscar du meilleur film étranger en 1990), *La vie est belle* de ***Roberto Benigni*** ou *Nos meilleures années* de ***Marco Tullio Giordana,*** superbe épopée sur les années de plomb se déroulant entre Rome et Turin, laissent espérer l'arrivée d'un contingent plus important de films italiens en France dans les prochaines années. Citons encore *La Fenêtre d'en face* et *Cœur sacré* de Ferzan Ozpetek, tournés à Rome dans une veine nostalgico-mystique, et *Juste un baiser* de Gabriele Muccino, le réalisateur de *Romanzo criminale* (2006), tiré du roman de Giancarlo de Cataldo qui retrace l'histoire d'un gang qui a fait trembler Rome de 1977 à 1992. En mars 2009, la comédie à l'italienne est revenue sur nos écrans avec la sortie du *Déjeuner du 15 août,* réalisé par Gianni Di Gregorio.

Itinéraires pour cinéphiles

– Les cinéphiles iront récupérer à l'office de tourisme (APT) la très belle brochure (gratuite) *Roma, il grande Set* qui propose, photos à l'appui, quelques itinéraires sur le thème du cinéma. Quartier par quartier, partez sur les traces de Mastroianni dans *La Dolce Vita* ou d'Audrey Hepburn dans *Vacances romaines...* mais aussi d'Anna Magnani dans *Rome, ville ouverte,* de Gwyneth Paltrow dans *Le Talentueux Monsieur Ripley,* de Bruce Willis dans *Hudson Hawk.*

CUISINE

Comment manger à l'italienne ?

La carte des restaurants se divise en cinq grands chapitres : *gli antipasti, il primo, il secondo, i contorni* et *i dolci.* Il faut faire un choix en sachant que les Italiens eux-mêmes, en dehors de certains repas de fêtes, se contentent d'*antipasti* et d'un plat selon leur faim. Sinon, gare à la ceinture, et surtout – car on marche suffisamment à Rome pour digérer – à l'addition finale ! Les pâtes ne seront jamais servies en accompagnement d'une viande, car les Italiens aiment les saveurs franches. Cette succession de plats permet de mieux se concentrer sur les saveurs, les textures. Et encore, idéalement l'on prend soin de se « rincer » la bouche en mangeant quelques feuilles de salade. La cuisine est aussi très marquée régionalement, plus encore qu'en France, du fait de l'unification tardive de l'Italie. Chaque région a ses recettes, ses spécialités, et finalement, la cuisine est restée cloisonnée bien après 1870. Aujourd'hui, avec le développement du tourisme, des transports, on assiste comme partout à l'émergence d'une cuisine plus générique, moins typique, ce qui n'empêche pas les Italiens de rester très fidèles à leur patrimoine culinaire.

LES DANGERS DE L'ART CULINAIRE

Les Romains, gastronomes avertis, édifièrent l'Empire sans savoir que le plomb de leur vaisselle les condamnait au saturnisme !

Les spécialités culinaires de Rome

La cuisine romaine se caractérise par ses influences rurales et juives (voir plus loin). C'est une cuisine pauvre à l'origine mais elle est simple, saine, nutritive... et savoureuse. Elle est assez variée : spécialités à base de pâtes, de viande (blanche seulement), d'abats divers *(abbachio, tripa alla romana),* de poissons (malheureusement très chers à Rome) et quantité de recettes à base de légumes (*carciofi alla romana,* soit les artichauts à la romaine, etc.). Elle n'est pas particulièrement raffinée, mais c'est une cuisine qui se plaît à respecter les saisons et qui ne s'est jamais vraiment éloignée de la nature et de son terroir. La tradition culinaire impose le jeudi les gnocchis, le vendredi la morue *(baccalà)* et le samedi les tripes.

Les hors-d'œuvre *(antipasti)*

À l'origine, quelques olives ou de simples croûtons à l'huile d'olive frottés d'ail, l'*antipasto* s'est fait avec le temps plus varié, plus fin. De la « bricole » qui accompagne le *vino bianco* à la solide entrée, le choix est large. Sachez qu'un bel assortiment, à partager ou non, peut faire un repas tout à fait honorable. C'est finalement votre appétit, votre imagination et la suite du repas qui dicteront la quantité et la variété des *antipasti.* Beaucoup sont à base de poissons et de fruits de mer (attention, ça chiffre vite), comme les poulpes marinés, les *mazzancolle* (nom local des gambas), les fritures en tout genre, notamment les calamars *alla romana,* les *scampi fritti,* les *fiori di zucca fritti* (fleurs de courgette fourrées d'une tranchette de mozzarella et d'une pointe d'anchois, puis enrobées d'une pâte à beignet légère, et qu'on fait frire)... On peut juger la qualité d'un buffet à celle des légumes grillés, poivrons, aubergines, courgettes... Ils ne doivent pas baigner dans l'huile mais pas non plus être secs : un subtil équilibre. Vous trouverez également boulettes et croquettes en tout genre, comme, par exemple, les *supplì di riso,* boulettes de riz frites fourrées de *provatura* (variante de la mozzarella). Toutes sortes de tartines *(bruschette, crostini...),* d'omelettes (*frittata* ou *torta,* assez proche de la tortilla espagnole), de fromages, de charcuteries viennent compléter la liste.

Les charcuteries romaines

Outre les classiques charcuteries italiennes (*prosciutto, salame...* servis avec ou sans melon ou figues), on trouve quelques spécialités romaines comme la *corallera* ou la *mortadella* d'Amatrice (que l'on appelle aussi « couilles de mulet » !). Dans la région de Palestrina, on fabriquait des *coppiette di cavallo,* mais la viande de cheval, tout comme celle de buffle, est aujourd'hui bien rare. Vous aurez peut-être l'occasion d'y goûter dans une auberge de campagne. Il ne faut pas oublier la *porchetta* des Castelli Romani (voir un peu plus loin).

Les « premiers plats » *(primi piatti)*

Vous aurez en guise de « premier plat » le choix entre la *pasta* et les soupes ou bouillons *(minestre).* Avant de vous fâcher avec le serveur, il vous faut savoir qu'il n'est pas à Rome d'usage répandu de mettre du parmesan sur les pâtes. Il vous faudra souvent le demander, voire le quémander (à part dans les gargotes à touristes, peu à cheval sur les traditions). Et quand le Romain recouvre ses pâtes de fromage râpé, il préférera de toute façon le *pecorino* au *parmiggiano reggiano.*

La pasta alla romana

– *Cacio e pepe :* de loin la recette la plus simple. Poivre concassé, huile d'olive et *pecorino.* Relevé et un tantinet piquant, un pur régal !
– *Bucatini all'amatriciana :* spaghettis géants avec un petit trou, poitrine fumée et sauce tomate relevées d'un peu de piment, le tout saupoudré de *pecorino romano* râpé.
– *Minestra sulla palla :* spaghettis au chou-fleur ou au brocoli.
– *Pasta alla chitarra con agnello :* au ragoût d'agneau.
– *Fettuccine alla romana :* genre de tagliatelle aux cèpes, avec de la poitrine de porc ou des abats de poulet.
– *Spaghetti* (ou *bucatini*) *alla carbonara :* œufs battus avec de la pancetta, de l'ail et du *pecorino* râpé.
– *Spaghetti aglio, olio e peperoncino :* recette typiquement romaine. Agrémentée de piments *(peperoncino)* ou non, elle est parfois dénommée la *pasta dei cornuti* (des cocus), car c'est la seule que la maîtresse de maison, revenant de chez son amant, a le temps de préparer pour son mari.
– *Penne all'arrabbiata :* à « l'enragée », à la sauce tomate pimentée.
– *Gnocchi alla romana :* le jeudi seulement, pour respecter la tradition. Petites galettes gratinées à base de semoule de blé, saupoudrées de *pecorino, parmiggiano* ou de *grana* râpé. À ne pas confondre avec les *gnocchi di patate,* à base de pommes de terre.
– *Rigatoni con la pagliata :* pâtes courtes en forme de polochons, servies avec des boyaux de veau, une des recettes les plus traditionnelles de Rome.
– *Ravioli ou cannelloni con ricotta romana :* farcis de ricotta. Et d'épinards, le plus souvent.

Les soupes et potages

– Grande prédilection pour les légumes secs et les céréales : *minestra di fave* (fèves), *minestra di farro* (épeautre), *minestra di pasta e lenticchie* (lentilles), *stracciatella* (bouillon de viande auquel est ajoutée une préparation à base d'œufs, de parmesan et de semoule, ainsi qu'une pointe de noix de muscade)... Ou bien encore les pâtes et brocolis au bouillon d'*arzilla* (petit poisson à frire).

Les « seconds plats » *(secondi piatti)*

Les plats à base de viande

– S'il y a un plat qui caractérise la cuisine du Latium, c'est bien l'agneau : l'*abbacchio al forno* (rôti au four) ou l'*abbacchio alla cacciatora* (en cocotte), ou bien encore à la poêle. À l'inverse, les côtelettes *(scottadito di abbacchio)* se cuisinent frites, panées ou encore grillées. L'*abbacchio* est un jeune agneau de lait âgé d'à peine 1 mois (bien qu'il y ait une tolérance jusqu'à 4 mois). Ensuite, il devient *agnello,* mais ça n'a déjà plus rien à voir. Quoi qu'il en soit, avant de commander de l'*abbacchio,* soyez sûr de votre coup... Trop de restos, y compris ceux que nous indiquons, l'inscrivent à la carte mais ne savent pas le faire cuire (quand ils ne trichent pas sur l'âge de la bête !). Vous avez de grandes chances de vous retrouver avec un bout de carne bouillie et, forcément, vous serez déçu.

Attention d'ailleurs, les viandes sont globalement plus cuites qu'en France. Et n'oubliez pas qu'en Italie, on ne mange de bœuf guère qu'à Florence. Alors si vous aimez votre steak bleu ou saignant, limitez-vous au bon vieux ragoût de bœuf ou craquez pour une bonne côte de veau, ça, ils savent faire ! Enfin, sachez que la plupart du temps, les viandes sont servies sans accompagnement. Il faut donc commander les légumes, qui sont facturés en sus comme des *contorni* (voir plus loin).
– Autre spécialité, la *saltimbocca alla romana,* qui est une escalope de veau farcie au jambon et à la sauge, le tout arrosé d'un peu de vin blanc.
– *Pollo alla romana :* les amateurs de poulet ne sont pas oubliés. Il est cuisiné ici aux poivrons et en cocotte.
– On ne peut, enfin, faire l'impasse sur la *porchetta* (cochon de lait désossé et rôti au feu de bois, arrosé de vin blanc et parfumé d'herbes aromatiques) que vous trouverez non pas dans les restos mais vendue en sandwichs, en particulier dans les Castelli Romani (où se déroule en septembre la grande fête de la *porchetta*). Ariccia en revendique la paternité, et la ville a déposé un dossier pour faire reconnaître une IGP (appellation contrôlée)... à quoi les autres villes et villages des Castelli Romani ripostent en demandant une seconde IGP « Castelli Romani »...

Les plats à base d'abats

On trouve à Rome (en particulier dans le quartier du Testaccio) et dans sa région quantité de préparations à base d'abats.
Les *tripes alla romana* sont un classique, ainsi que la queue de bœuf *(coda alla vaccinara),* mais pour sortir de l'ordinaire, jetez-vous sur les *testine d'agnello al forno* (têtes d'agneau au four), les intestins des jeunes veaux (la *pagliata,* souvent servie avec des *rigatoni*), et, plus aventureux encore, la *coratella* : de la fressure, c'est-à-dire poumon, foie et cœur coupés en petits morceaux et sautés. Délicieux !

Le poisson

Des poissons pêchés sur le littoral du Latium n'arrivent, et encore de plus en plus rarement, que des petits poissons à frire comme le *palombo* et l'*arzilla.*
Du côté du Tibre, les *ciriole* (petites anguilles qu'on trouvait également dans les marais) ont quasiment disparu. On les préparait souvent avec des petits pois. En revanche, la morue est toujours omniprésente à Rome... le vendredi. Plutôt cher.

Les garnitures et légumes *(contorni e verdure)*

– Parmi les légumes, les artichauts *(carciofi),* originaires de Sicile, sont devenus un produit typique du Latium. Ils sont proposés avant tout *alla giudea* (« à la juive » ; voir ci-dessous) ou *alla romana* (farcis avec une préparation de menthe, d'ail). Un incontournable.
– Autres légumes très prisés : les petits pois *(piselli : carciofi coi piselli),* les épinards *(spinacci),* les courgettes *(zucchine)* et leurs fleurs en saison, les aubergines *(melanzane).*
– Enfin, les fèves *(fave),* qu'on apprécie ici plus qu'ailleurs en Italie. C'est le plat typique du lundi de Pâques *(Pasquetta).* En hiver, on les utilise dans les soupes et les ragoûts.
– En saison, c'est-à-dire en février-mars, ne ratez pas la *puntarella,* une salade typiquement romaine. Un genre de chicorée froufroutante, croquante et parfumée, assaisonnée généralement d'une petite sauce à l'ail et aux anchois. Le reste du temps, on se régale de roquette, de mesclun... Les Italiens sont friands de salades, juste arrosées d'un filet d'huile d'olive et de vinaigre (balsamique de préférence) ; ils ignorent tout de notre vinaigrette moutardée.

HOMMES, CULTURE ET ENVIRONNEMENT

Alla giudea : les influences juives dans la cuisine romaine

Si les influences juives sur la cuisine romaine sont souvent méconnues, elles n'en sont pas moins fondamentales (sans que l'on puisse vraiment l'expliquer, d'ailleurs). Les restaurants du Ghetto se font fort de préserver toutes ces recettes, mais quantité de restaurants romains proposent des plats juifs, parfois même sans le savoir. À commencer par les nombreuses charcuteries à base de bœuf et d'innombrables pâtisseries.
Le plus célèbre exemple est le *carciofi alla giudea.* L'artichaut, débarrassé de ses parties les plus dures, est ouvert, aplati puis passé à la friture. Hmm ! Il y a aussi l'*agnello alla giudea,* recette typique de Pâques, avec une sauce à base d'œuf et de citron, les *concia,* des courgettes frites et marinées, ou encore une tourte aux endives et aux anchois. Il existe encore d'autres plats que vous ne manquerez pas de relever.

Les desserts *(dolci)*

Les Italiens ne mangent pas beaucoup de sucreries en fin de repas (ils les préfèrent à l'heure du goûter et plutôt faites maison) ; ils se contentent le plus souvent de quelques fruits frais (raisin, melon, sans oublier les célèbres fraises de Nemi). La plupart des restos proposent néanmoins des pâtisseries pour les touristes (et les irréductibles gourmands italiens !). Les desserts et les pâtisseries sont souvent associés à une fête religieuse : on ne les trouve donc pas toute l'année. Voici quand même quelques grands classiques :
– Comment parler des *dolci* sans évoquer les glaces *(gelati)* si réputées ? Plutôt que de les consommer dans un restaurant, demandez l'adresse de la *gelateria* du quartier. Entre deux visites, vous pourrez aussi déguster un cône ou une *coppetta* à votre parfum préféré. Ce ne sont pas des boules mais des formes sans dénomination que l'on fait tenir avec habileté dans un biscuit.
– *Bignè di San Giuseppe :* ou beignets de saint Joseph, soit des choux à la crème anglaise saupoudrés de sucre glace.
– *Budino di ricotta :* flan en forme de couronne à base de ricotta.
– *Crostata di ricotta :* pâte sablée avec de la ricotta.
– *Frappe :* gâteau frit assez lourd que l'on mange pendant le carnaval et en particulier le Jeudi gras.
– *Torte di mele :* tarte typiquement romaine (qu'ils disent !), aux pommes et au miel.
Et enfin, deux incontournables, pas romains pour deux sous ; ces deux desserts jouent néanmoins les vedettes sur tous les menus de la ville (et d'Italie !) :
– *Tiramisù :* sublimissime gâteau à base de mascarpone (crème épaisse) et de biscuits imbibés de café et de marsala, le tout saupoudré de cacao. La légende veut qu'on en donnât aux femmes de Trévise qui venaient d'accoucher pour les remettre sur pied. *Tiramisù* signifie « tire-moi vers le haut » ou « hisse-moi le moral » ! C'est en tout cas une référence évidente à son haut pouvoir calorique ! En fait, son origine (assez obscure) est bien plus récente, ce qui ne l'a pas empêché de devenir aujourd'hui le plus célèbre des desserts italiens... Malheureusement, de plus en plus galvaudé, il est rarement convaincant quand il n'est pas carrément écœurant, voire mauvais... Soyez prudent !
– *Panna cotta :* crème cuite, recouverte d'un coulis de fruit. L'autre dessert à la mode.

Les fromages du Latium *(formaggi laziali)*

– ***Le pecorino romano :*** *pecorino* désigne tout fromage de brebis, qu'il soit doux et à pâte molle ou sec et fort comme le *pecorino romano.* Ailleurs, on rencontre donc des *pecorino toscano, pecorino sardo, pecorino siciliano...* Le *romano* est sans doute le plus ancien des fromages italiens car les Romains, dans l'Antiquité,

en consommaient déjà. Il est aujourd'hui produit principalement en Sardaigne mais reste traditionnellement consommé à Rome. Vous le retrouverez aussi comme fromage de table. Il reste irremplaçable sous forme râpée dans bon nombre de préparations culinaires du Latium.
Affiné 18 mois, sa *croûte* est de couleur paille ou brune plus ou moins fraîche ; sa *pâte* – parsemée de trous – de couleur blanche ou jaune pâle ; affiné, son *parfum* et son *goût* seront prononcés... Autre précision : la *marque d'origine* est reconnaissable à une tête de brebis stylisée et à la mention « Pecorino romano ».
Riche en bonnes choses, la tradition veut que l'on donne aux mères qui allaitent leur ration de *pecorino.*
À Rome et dans ses environs, il est fréquent de l'emporter avec soi pour les piqueniques de printemps, avec du pain de campagne, des fèves fraîches et un verre de rouge (de préférence de Velletri ou un Cesanese del Piglio), et c'est le bonheur.
Le *pecorino* a sa *sagra* (fête), qui se déroule tous les ans à Antrodoco (province de Rieti), sur la route de L'Aquila venant de Rieti, le 26 juillet. L'occasion de goûter aux différents *pecorini.* Renseignements : ☎ 07-46-56-232.
– ***La ricotta :*** élaboré traditionnellement avec du lait de brebis (mais de plus en plus à base de lait de vache), ce fromage frais d'une blancheur immaculée est indispensable pour la préparation de nombreux plats romains *(maccheroni con la ricotta, ravioli con ricotta romana...)* et desserts. On la retrouve aussi comme fromage de table.
– ***La mozzarella di bufala :*** bien que l'IGP qui la protège (l'équivalent de nos AOC) indique comme origine la Campanie, l'essentiel de cette mozzarella est produit dans le Latium. Elle vous sera souvent servie entière. Quand vous l'aurez goûtée, vous comprendrez le gouffre qui la sépare de l'insipide et caoutchouteuse *mozzarella di vacca* (au lait de vache et non de bufflonne) et vous n'en voudrez plus jamais d'autre malgré son prix plus élevé. Fondante et délicate, le mieux est encore de la manger nature, juste recouverte d'une pincée de sel, d'un filet d'huile d'olive fruitée et, à la rigueur, d'un coup de moulin à poivre... On trouve même un resto-bar spécialisé dans la mozzarella à Rome.
– ***La caciotta :*** la plus connue est celle d'Urbino, dans les Marches. C'est un fromage de brebis (trois quarts) et de vache (un quart). Ailleurs, c'est le nom qu'adopte toute l'Italie centrale (dont le Latium) pour désigner les fromages que font les bergers à partir de lait de vache et de brebis (ou de chèvre) ou d'un mélange de laits. La *caciotta* du Latium *(caciotta dei colli laziali, caciotta di leonessa...)* est produite dans l'Agro Romano (la campagne romaine) de juin à novembre, ainsi que dans les Castelli Romani et l'Agro Pontina (régions de Pomezia, d'Aprilia et de Latina). Une petite merveille selon Michel-Ange, qui emportait toujours avec lui son chevalet, des pinceaux... et une petite réserve de *caciotta.*

La pizza

Tout le monde la connaît. Elle naquit, il y a longtemps, dans les quartiers pauvres de Naples, où c'était la nourriture des dockers. La pâte, agrémentée d'un petit quelque chose suivant la richesse du moment (huile, tomate, fromage...), que l'on roulait sur elle-même, constituait le casse-croûte de midi. Elle a fait du chemin depuis : il y aurait, d'après les spécialistes, près de 200 variantes dans sa préparation. La plus courante est *alla napoletana* (recouverte de tomates, de mozzarella, de trois anchois, de câpres et d'huile d'olive).

PIZZA ROYALE !

C'est en l'honneur de la reine Marguerite de Savoie, l'épouse d'Umbert Ier (fin XIXe s), lors d'une réception à Naples, que l'on prépara une pizza spéciale. Sans ail évidemment, rapport à l'haleine ! On décida alors de rendre hommage à la nation nouvellement unifiée en évoquant le drapeau italien : tomate pour le rouge, mozzarella pour le blanc et basilic pour le vert. La margherita *était née.*

Mais pour les puristes, la seule acceptable sur le plan historique est la *margherita* (voir encadré). *Alla romana,* la pizza se pare de tomate, de mozzarella et d'anchois. Surtout, la pâte est à Rome traditionnellement (beaucoup) plus fine qu'à Naples, où on l'aime plus épaisse. En parlant de tradition... les restos n'allument en principe leur four à bois que pour la pizza du soir. Ailleurs, on vous dirait que c'est un bon critère pour reconnaître une authentique pizzeria, mais ici il en va autrement. Beaucoup servent des pizzas le midi, sans pour autant démériter... finalement, c'est le goût qui prime ! De manière générale, essayez de repérer l'indication « *forno a legna* » (c'est-à-dire cuite au feu de bois), que les restos arborent fièrement en devanture... N'hésitez pas à demander non plus votre pizza *bianca,* c'est-à-dire sans sauce tomate... elles sont bien souvent meilleures, plus riches en garniture.
Dans la rue, snacks et boutiques proposent la pizza *al taglio* ou *al metro,* c'est-à-dire à la coupe, au poids ou au mètre. Pratique pour un repas sur le pouce, mais le pire côtoie le meilleur.
Les boulangeries vendent également (au poids) de la *pizza bianca.* Dans ce cas précis, il s'agit de pizza « blanche », nature avec juste un filet d'huile d'olive... à garnir de mortadelle.

Les pâtes *(la pasta)*

La pasta méritait bien une rubrique à elle seule. Voir donc un peu plus loin la rubrique « *Pasta* (les pâtes) ».

Le succès du *slow food*

De plus en plus de restaurants romains affichent désormais l'autocollant « *Slow food* » (reconnaissable au symbole du petit escargot), et c'est tant mieux. Ce mouvement culinaire né en Italie en 1986 a décidé de défendre les valeurs de la cuisine traditionnelle, notamment celles des petites *trattorie* du terroir. Il est grand temps de sauvegarder les bons produits du terroir et les plats de tradition.
Ce retour du « bien-manger » et la volonté de préserver la biodiversité sont apolitiques. Le *slow food* n'est pas contre la modernisation, à condition qu'elle soit au service du goût.
Les restaurants *slow food* (on en sélectionne certains) ne sont pas bon marché, car ils privilégient justement la cuisine dite du marché. La carte est parfois absente (le patron déclame alors ce qu'il a le jour même dans ses fourneaux), et surtout, on prend le temps de manger... et d'apprécier.
Pour plus d'informations sur ce mouvement : ● *slowfood.it* ●

Petit lexique culinaire

Abbacchio	agneau de lait
Acciughe	anchois
Agnello	agneau
Ai ferri	grillé
Arrosto	rôti
Asparagi	asperges
Baccalà	morue
Calamari	calamars
Casalinga	comme à la maison, « ménagère »
Cipolla	oignon
Contorno	garniture de légumes
Coratella	fressure
Costoletta	côtelette
Dolci	desserts
Fegatini di pollo	foies de volaille

Fegato	foie
Frittura	friture
Funghi	champignons
Gamberi	crevettes
Gelato	glace
Insalata	salade
In umido	en ragoût
Maiale	porc
Manzo	bœuf
Melanzana	aubergine
Pane	pain
Panna	crème épaisse
Pasticceria	pâtisserie
Peperoni	poivrons verts ou rouges
Pesce	poisson
Ragù	sauce à la viande
Riso	riz
Sarde	sardines
Seppia	seiche
Sogliola	sole
Tortelli	raviolis farcis d'herbes et de fromage frais
Uovo	œuf
Verdura	légumes
Vitello	veau
Vongole	palourdes ou clovisses
Zucchine	courgettes

ÉCONOMIE

Proclamée capitale de l'Italie au moment de l'Unité (au détriment des villes du Nord), Rome n'a pas bénéficié de la révolution industrielle du XIXe s, qui a consacré Milan comme capitale économique du pays. Longtemps caractérisée par la faiblesse de son secteur industriel, la *Caput mundi* connaît un essor économique important dans le secteur des technologies et des communications depuis une vingtaine d'années. Mais la valeur sûre du dynamisme économique romain se trouve du côté du secteur tertiaire, et plus particulièrement du tourisme. Après la rénovation des infrastructures hôtelières et culturelles, le tourisme s'impose comme le ciment de l'économie romaine. En 2009, le nombre de visiteurs de la capitale s'élevait à 12 millions. Et de plus, la capitale italienne s'est dotée d'un solide réseau de transports : la gare centrale de Termini est une des plus grandes gares d'Europe, l'aéroport Fiumicino connaît un intense trafic aérien, qui en fait un des aéroports les plus fréquentés d'Europe. La source du tourisme n'est donc pas prête de se tarir. À côté de cela, l'économie romaine s'appuie également sur son industrie cinématographique avec le prestigieux complexe de Cinecittà, puis sur tout le domaine de l'administration, relative au statut de capitale politique d'un pays (ministères, entreprises nationales, institutions...). Il ne faudrait pas oublier une importante immigration (venant principalement d'Europe de l'Est) qui constitue une main-d'œuvre essentielle au bon fonctionnement de l'économie de la ville mais qui endure, depuis quelque temps, les injonctions du gouvernement.

ORIGINE DE LA BANQUE

Au Moyen Âge, les prêteurs sur gage travaillaient sur un comptoir (il banco). *C'est l'origine de ces établissements financiers. Quand ils faisaient faillite, ils étaient obligés de casser, de rompre ce comptoir* (banco rotto). *D'où le mot « banqueroute ».*

HISTOIRE

Au début étaient le Nord et la mer...

Les sources

Entre le discours apologétique et glorificateur de Rome, dont le but avoué est de justifier son *imperium,* et les dénigrements de la chrétienté triomphante, qui veut se justifier d'avoir mis un terme à la *pax romana* et précipiter la fin d'un monde, beaucoup d'erreurs et de fausseté.

À noter que nombre d'écrivains romains (Suétone) seront tout au long de l'histoire des porte-parole du parti sénatorial, d'où leur promptitude à noircir les empereurs les plus hostiles au Sénat (Caligula, Néron, Domitien, etc.). Quant aux autres (Virgile, Tacite...), ils seront les propagandistes d'un empereur, d'où la dénonciation accusée des méfaits de ses prédécesseurs, souvent évincés par la force. Toute la propagande romaine repose sur un art consommé de mêler le vrai et le faux, et d'inventer mille anecdotes flatteuses ou calomnieuses. Sans oublier certains hagiographes chrétiens qui s'acharneront au fil des siècles à noircir la Rome païenne (que n'a-t-on pas fabulé sur Néron) ou à multiplier le nombre et l'importance des persécutions.

Pourtant, réelle ou imaginaire, cette histoire est indissociable d'une visite de la ville. Aujourd'hui encore, la littérature et le cinéma se repaissent d'aventures romanesques et sanglantes qui n'ont souvent que peu à voir avec la réalité. Les esclaves ne nourrissaient pas les murènes, les gladiateurs n'étaient pas tous égorgés dans l'arène et les lions du Colisée ne dévoraient pas les chrétiens !

Un peu de mythologie

Si Rome ne s'est pas bâtie en un jour, les Romains aiment accréditer la légende des jumeaux Romulus et Remus allaités par la louve, et symboles de la naissance de leur ville. Cette légende fut imposée huit siècles après la fondation de Rome par les écrits d'historiens et de poètes comme Tite-Live et Virgile, désireux de célébrer l'essence divine de l'empire d'Auguste. De tout temps, les dieux ont veillé sur Rome, guidant les pas d'Énée et la geste des vénérables ancêtres pour lui donner la maîtrise du monde. Énée, dont la mère n'était autre que Vénus, découvrit le site de Rome ; puis son fils Iule – dont les Jules, par homophonie, se dirent par la suite les descendants, s'octroyant ainsi des origines divines – fonda Albe, cité voisine. Grâce à Romulus, ils ont aussi Mars pour grand-père. Jolie carte de visite qui vous donne le droit de régner...

Romulus fonda Rome en l'an 753 av. J.-C. en traçant ses limites avec une charrue. Son frère, Remus, se moqua de lui en sautant par-dessus le fossé dérisoire ainsi formé. Romulus le tua en prononçant ces mots : « Ainsi périsse quiconque, à l'avenir, franchira ces murailles ! » Ça commençait bien... Dès les origines, l'histoire romaine est marquée par le meurtre et la violence. *Insociabile regnae,* le pouvoir ne se partage pas, dira Tacite. Tous les maîtres de Rome s'en souviendront...

La vérité vraie

En réalité, à partir du IIe millénaire av. J.-C., deux vagues successives d'envahisseurs indo-européens vinrent se mêler aux éléments méditerranéens indigènes pour donner naissance à des peuples très diversifiés sur les plans culturel, linguistique et technique. La tradition admet la fusion des deux peuples et l'existence de successeurs latino-sabins à Romulus.

Si les Phéniciens et les Grecs (775 av. J.-C.) eurent également un rôle civilisateur considérable, les premiers à tenter l'unification politique et culturelle de la péninsule italienne furent les Étrusques, les véritables fondateurs de Rome. La recherche moderne commence à percer le secret de leur culture et l'importance de leurs apports...

Ceux-ci érigèrent le premier mur d'enceinte (VIIIe s av. J.-C.), répartirent les habitants en quatre quartiers et organisèrent l'armée. C'est à cette période que furent construits les premiers grands monuments : le temple de Jupiter capitolin, le temple de Vesta sur le Forum, le Grand Cirque ainsi que le Cloaca Maxima, qui permit de drainer les marécages inter-collinaires et l'aménagement du Forum.
Rome était déjà la plus puissante cité du Latium quand la monarchie étrusque fut renversée par l'aristocratie romaine en 509 av. J.-C., mettant en place un système républicain.

La République romaine

Premiers aspects

Le gouvernement républicain reposait sur l'équilibre des pouvoirs, et cet équilibre était le fruit d'un contrôle mutuel des différentes institutions : Sénat, magistratures et assemblées populaires. Les magistrats (consuls, prêteurs, édiles, questeurs, prêtres puis, à compter de 493 av. J.-C., les tribuns de la plèbe), élus par le peuple (comices centuriates et comices tributes), exerçaient le pouvoir exécutif sous la tutelle du Sénat, qui représentait l'autorité permanente.
À l'extérieur, la République romaine étendit petit à petit son pouvoir. À l'aube du IIIe s av. J.-C., Rome exerçait son autorité de la plaine du Pô à la mer Ionienne. Puis ce fut la conquête du Bassin méditerranéen, en commençant par la Sicile. En moins de 40 ans, Rome acquit de nouvelles provinces : la Macédoine, l'Asie Mineure, l'Afrique du Nord, l'Espagne.
Une des plus importantes guerres de cette époque fut celle qui l'opposa à Carthage (non loin de l'actuelle Tunis), la seule cité qui pouvait réellement menacer l'hégémonie de Rome sur cette partie du monde. Hannibal, général carthaginois reconnu comme l'un des plus grands chefs de guerre de l'Antiquité, élevé dans la haine de Rome, ne pensait qu'à une chose : venger sa cité qui avait été déjà humiliée une première fois. Déclenchant la seconde guerre punique, il traversa l'Espagne, les Pyrénées, le sud de la Gaule, et enfin franchit les Alpes à la tête d'une armée formidable où des éléphants tenaient lieu de chars d'assaut, les canons en moins. On retrouvera près de Florence les ossements fossilisés de ces blindés de l'Antiquité.
Hannibal avait déjà accumulé une impressionnante série de victoires contre les Romains quand il pénétra en Italie. Peu pressé de concrétiser son triomphe, il commit alors l'erreur de prendre ses quartiers d'hiver à Capoue (entre Rome et Naples) sans exploiter sa victoire de Cannes (celle d'Apulie) en l'an 216 av. J.-C., laissant ainsi à Rome le temps de se réorganiser. Celle-ci dépêcha toute une armée en Afrique, et Hannibal fut battu à Zama (en Numidie, proche de Carthage) en 202 av. J.-C. Désormais, Rome était maître de tout le Bassin méditerranéen. Plus tard, craignant que Carthage ne relève encore la tête – le fameux *Cartago delenda est !* (en v.f. : « Carthage doit être détruite ! ») du sénateur Caton –, elle porta le coup final et fit raser sa dangereuse rivale en 146.

Un colosse aux pieds d'argile

La nouvelle dimension de la République romaine changea aussi la société, et ce dès le IIe s av. J.-C. Le divorce fut autorisé et devint même très fréquent vers la fin de la République ; la femme put disposer de ses biens et la famille perdit de son autorité, chose impensable du temps du chantre du conservatisme, Caton. L'aristocratie même donna l'exemple en limitant les naissances. On vit alors apparaître un nouveau type de Romain, plus « fin », cultivé et intéressé à la vie publique. L'hellénisation des arts, de la langue, de la culture, ainsi que l'enrichissement des élites romaines, la montée des grandes familles plébéiennes creusèrent le fossé avec le peuple, ruiné par des guerres incessantes. Les grandes conquêtes ayant perturbé l'équilibre économique, Rome allait vers une grave crise sociale qui devait causer la chute de la République. La classe rurale, éloignée des bénéfices que pouvaient apporter les conquêtes, s'était énormément appauvrie, et de graves révoltes – les *guerres serviles* – avaient éclaté. La République n'existait plus que sur les tablettes car le Sénat n'était plus qu'un outil aux mains des puissants, les *optimates,* et leur discours sur les libertés, une défense de leurs privilèges. Il y eut une véritable course de vitesse pour savoir qui prendrait le pouvoir.

Spartacus – que Hollywood et Kirk Douglas rendirent célèbre – fut à la tête de la plus importante – mais aussi de la dernière – des grandes révoltes d'esclaves. Ancien berger, il s'échappa avec 70 compagnons d'une école de gladiateurs de Capoue en l'an 73 av. J.-C. et lança un appel aux armes à tous les esclaves. Avec plusieurs milliers d'hommes, il défit, les unes après les autres, les armées romaines (il faut dire que la majorité d'entre elles étaient, heureusement pour lui, stationnées hors d'Italie), ravageant les campagnes, avant d'être tué dans la bataille qui l'opposa à Crassus en 71 av. J.-C. Vaincus, les esclaves subirent une répression terrible. 6 000 esclaves furent crucifiés le long de la via Appia. Spartacus et ses compagnons gladiateurs ont symbolisé le combat pour la liberté. Rosa Luxemburg s'en est souvenue quand elle fonda, en 1916, la ligue Spartakus (ancêtre du Parti communiste allemand).

Onze ans après cette révolte, le grand Jules était prêt à entrer en scène. En 60 av. J.-C., trois consuls (Crassus, Pompée et César) formèrent le premier triumvirat ; pour César, la route vers le pouvoir était désormais ouverte. Nommé proconsul des Gaules en 59, il dirigea avec succès la campagne contre les Gaulois.

Les derniers soubresauts de la République

C'est grâce aux *Commentaires sur la guerre des Gaules* de César que nous avons une idée de ce qu'était la Gaule au Ier s av. J.-C. Le pays était en grande partie recouvert de marais et de forêts, les Gaulois ne connaissaient pratiquement pas la vie urbaine, et leur société était divisée en trois classes : la noblesse guerrière, le peuple et les druides, dépositaires du savoir et des traditions religieuses. Profitant des incessantes querelles entre tribus, César soumit la Gaule, la Bretagne et les Germains, puis rentra en Italie. En son absence, Vercingétorix organisa un soulèvement général au début de 52 av. J.-C., obligeant les armées romaines à intervenir de nouveau. Mais pendant que le proconsul des Gaules remportait une victoire décisive à Alésia, l'anarchie menaçait Rome. Le triumvirat fut dissous après la nouvelle de la mort de Crassus, et Pompée, personnage ambitieux, se fit nommer par le Sénat Premier consul extraordinaire, avec les pleins pouvoirs. Il exigea le rappel de César et le licenciement de ses troupes. Furieux, celui-ci franchit le Rubicon (une petite rivière qui séparait la Gaule italienne de l'Italie romaine) en grommelant « *Alea jacta est* » (en v.f. : « Le sort en est jeté »). Il marcha sur Rome avec ses légions, se rendit rapidement maître de tout le pays, et fut nommé dictateur la même année. Vaincu, Pompée s'enfuit en Grèce, mais César ne lâcha pas prise pour autant et finit par écraser ses troupes à Pharsale en 48 av. J.-C.

Pompée se réfugia alors en Égypte, où il fut assassiné par le roi Ptolémée XIII, désireux de s'attirer les faveurs de Rome. En fait, il s'attira surtout des ennuis : César s'intéressa d'un peu plus près à ce pays et mit le nez (!) dans ses affaires. Il fit remplacer Ptolémée par sa sœur... L'immense fortune de Cléopâtre et le prestige des Ptolémées ouvrirent à César la conquête de l'Orient et le contrôle de Rome. Pour le coup, l'histoire du monde en eût été changée...

L'Égypte et ses richesses seront toujours la propriété personnelle de l'empereur, donc de son pouvoir. En outre, pharaon en Égypte, il devient naturellement dieu à Rome.

De retour à Rome – avec le calendrier égyptien dans ses bagages –, César entreprit une série de réformes tendant à rétablir un peu d'ordre et de justice en faveur du petit peuple et des paysans. Nommé dictateur à vie en l'an 44 av. J.-C., il aurait probablement instauré à Rome une démocratie à la grecque s'il n'avait pas été assassiné la même année par une conjuration de jeunes aristocrates dont faisait partie son propre fils adoptif, Brutus, qu'il reconnut avant de s'effondrer, victime de 23 coups de poignard.

L'Empire romain

Règlements de comptes

Après la mort de César, le monde romain connut un moment de flottement avant qu'Octave, neveu de César, ne puisse s'imposer. Son principal rival fut Marc Antoine, ancien lieutenant du dictateur, maître de Rome après l'assassinat. Une fois vaincu à Modène, Marc Antoine se rapprocha d'Octave et, avec Lépide, l'ancien maître de cavalerie de César, forma le deuxième triumvirat en 43 av. J.-C. Les triumvirs éliminèrent le parti républicain en faisant assassiner Cicéron, et écrasèrent les conjurés Brutus et Cassius à Philippes. Puis ils se partagèrent le monde romain. Octave prit l'Occident, Lépide l'Afrique (il fut déposé très vite, en 36 av. J.-C.). Quant à Marc Antoine, il épousa la sœur d'Octave et obtint l'Orient. Cléopâtre inspira à Marc Antoine, comme à César, le rêve d'un nouvel ordre mondial. Elle était la dernière descendante des généraux d'Alexandre et, depuis sa mort, l'Asie était constellée de cités hellénistiques qui attendaient le retour de ses successeurs. César, Marc Antoine et Cléopâtre avaient l'ambition d'additionner les conquêtes d'Alexandre et celles de Rome dans un monde unifié et éternel.
Marc Antoine s'attira ainsi la haine de l'Occident romain, fier de ses valeurs et qui vit en lui un traître à abattre. Vaincu en mer à Actium le 2 septembre 31 av. J.-C. par Octave (son beau-frère, donc) dont les troupes assiégeaient aussi Alexandrie, il se donna la mort sur une fausse annonce du suicide de Cléopâtre. Désormais, Octave régnait seul.

Le premier Empire

Pour la première fois, toutes les terres bordant la Méditerranée appartenaient à un même ensemble politique. Octave, à qui le Sénat avait reconnu une autorité souveraine en lui décernant le titre d'*Augustus* le 16 janvier 27 av. J.-C., allait tenter d'en faire un État unifié et d'y instaurer un ordre nouveau. Il commença par garantir les frontières et réorganiser l'administration des provinces. La longueur de son règne (47 ans !) lui permit d'édifier lentement mais sûrement la nouvelle civilisation impériale (lui et ses successeurs adopteront le titre d'*imperator* en guise de prénom), qui tentait de concilier la satisfaction des besoins nouveaux et le respect de l'ancien patrimoine culturel romain.
Le « siècle d'Auguste » vit le triomphe de la littérature latine classique : Virgile, Tibulle, Properce, Ovide et Tite-Live. C'est aussi à cette époque que se définit l'art romain ou que la légende des origines trouve sa forme définitive. La politique de « grands-œuvres » d'Auguste répondait aux mêmes exigences que ses visions religieuses et morales. Il suscita un art officiel, une sorte de synthèse entre les traditions réalistes et un besoin d'idéalisation de sa propre personne. Héritier de l'esthétique grecque, l'art romain eut à résoudre des problèmes spécifiques à la nouvelle civilisation. La concentration urbaine entraîna la construction d'édifices gigantesques (amphithéâtres, thermes, aqueducs...) où le souci de frapper l'imagination l'emportait souvent sur celui d'équilibrer les formes. On vit se multiplier les jardins, les fontaines et les villas « de plaisance ».

L'ère chrétienne et Néron

C'est dans un petit coin éloigné du Grand Empire romain qu'allait naître un des personnages les plus importants de l'histoire de l'humanité... le fils du Dieu des chrétiens. On fixe généralement la naissance de Jésus-Christ en 4 ou 5 avant l'ère qui porte son nom, et sa mort en 28 ou 29 de cette même ère. Les Évangiles, rédigés en grec, n'ont pu l'être que d'après les enseignements de saint Matthieu, saint

Marc, saint Luc et saint Jean. En effet, le plus ancien, celui de saint Marc – un juif converti, vivant dans une communauté romanisée, peut-être même à Rome –, date de 75 apr. J.-C. !

VIVE LA MARIÉE !

Les Romains ont instauré la tradition de porter l'alliance de mariage à l'annulaire gauche. En effet, ils étaient persuadés qu'une veine reliait ce doigt directement au cœur. Ils l'appelaient d'ailleurs « la veine d'amour ». La tradition dure depuis 20 siècles.

Selon la tradition, saint Pierre – que Jésus surnomma *Képhas* (c'est-à-dire « pierre » en araméen : « Tu es Pierre, et sur cette pierre je bâtirai mon église ») – arriva à Rome après maintes tribulations et en devint le premier évêque avant d'être martyrisé sous Néron en l'an 64, dit la légende. En fait en 67, et peut-être pas si martyr que ça. Il serait enseveli sur le mont Vatican, au lieu même où s'élève la basilique qui porte son nom.

Que n'a-t-on dit et écrit sur le règne de Néron... Cinquante ans après sa mort, la légende prend corps et, de siècle en siècle, ne cesse d'enfler. Fou et cruel, il le fut assurément, mais ni plus ni moins que ses prédécesseurs ou que ses successeurs. Son bilan est même largement positif : il préserve la paix et consolide l'Empire par la diplomatie. S'il tue Agrippine, sa mère, c'est qu'elle se prépare à l'assassiner (ce qu'elle avait déjà fait avec son époux, l'empereur Claude). Néron devient indocile à ses ordres, refusant les exécutions massives qu'elle réclame. Poltron, il craindra toujours que ses proches l'assassinent. De quoi entretenir sa paranoïa. Quant à l'incendie de 64, un parmi les dizaines qui ravagèrent Rome, il n'en est nullement responsable. Il y perdit même ses trésors les plus précieux et combattit le feu comme tout un chacun. Au lendemain du sinistre, qui ne fut pas aussi terrible qu'on voulut le dire, il s'occupe personnellement de secourir les sinistrés et puisera dans sa cassette les fonds nécessaires à la reconstruction. Aucun de ses contemporains ne pense qu'il en est l'auteur. Quant aux persécutions, il faut un siècle pour que les sources chrétiennes viennent l'en accuser formellement, d'où un doute sur leur réalité. Seule certitude, la décapitation de Paul date de 67 et n'a aucun lien avec l'incendie. Au terme d'un premier procès, il resta plusieurs années libre de ses mouvements et de ses prêches. Dans l'Antiquité tardive, les contes populaires font même de Poppée (peut-être convertie au judaïsme) et de Néron des protecteurs des chrétiens. Au passage, il est peu vraisemblable qu'il ait tué ladite Poppée d'un coup de pied dans le ventre. Quant au plaisir qu'il prend à se produire sur scène ou conduire dans des courses de char, cela n'est nullement ridicule pour ses contemporains, et bien d'autres joueront les Hercule et les gladiateurs. Adepte du culte solaire, il endosse les attributs d'Apollon, joueur de luth et aurige du Soleil. En ce qui concerne ses talents, ils nous restent inconnus, son œuvre ayant été presque entièrement détruite. Certains le diront excellent versificateur, d'autres se gausseront de sa balourdise et de sa vanité. Pour couvrir ses dépenses somptuaires, mais aussi affaiblir ses ennemis, Néron pratiquait l'élimination pure et simple de sénateurs ou patriciens sous n'importe quel prétexte, puis confisquait biens et fortune. Petit à petit, on s'en doute, le mécontentement grandit, associé à la crainte « d'être le prochain », jusqu'à devenir une opposition ouverte. Galba fut proclamé empereur, et Néron, déclaré ennemi public, fut chassé de Rome, puis littéralement poussé au suicide. Sa mort attrista le petit peuple et son tombeau devint un lieu de dévotion. On attendit même son retour et les faux Néron furent nombreux, si bien que saint Augustin, au IVe s, devait encore réfuter cette croyance.

L'âge d'or de l'Empire romain

L'apogée de l'Empire romain se situe autour du règne des empereurs de la dynastie des Antonins, Nerva, Trajan, Hadrien, Antonin et Marc Aurèle, période qui va de l'an 96 à l'an 192. Ce IIe s vit s'installer des régimes stables, modérés, à un moment où le monde romain atteignait sa plus grande extension et consolidait ses nouvelles frontières. Ainsi l'empereur Hadrien fit-il construire d'une mer à l'autre le mur qui porte son nom pour matérialiser la frontière entre l'Écosse et l'Angleterre. Ce mur était destiné à empêcher les Barbares d'aller piller les plaines fertiles qui s'étendaient plus au sud. Car si les Romains ont conquis l'Angleterre, ils n'ont jamais réussi à garder un pied en Écosse, terre aride et peuplée de « sauvages ».

A VOTÉ !

Dans la Rome antique, les coquillages en général, et les coquilles d'huîtres en particulier, servaient de bulletin de vote. En inscrivant sur la coquille le nom d'un politicien souvent influent de la cité, on demandait son bannissement. C'est de là que vient le mot ostracisme (du latin ostrea, *huître).*

C'est également sous le règne d'Hadrien que le peuple juif fut dispersé. Il les fit expulser de Jérusalem et peupla la Palestine de paysans grecs... Nous connaissons la suite de l'histoire.

Marc Aurèle, prince philosophe, instaura une monarchie impériale éclairée et humaniste, mais mena des guerres permanentes, témoignant ainsi des fragilités de l'édifice. C'est sous son règne que l'art plébéien commence à submerger l'art hellénistique, traduisant les inquiétudes du siècle. Son stoïcisme est d'ailleurs un rien désespéré, comme s'il pressentait que la Ville éternelle vivait ses dernières heures. La surprise, c'est plutôt que l'Empire ait duré si longtemps. La civilisation urbaine est à son apogée, la vie intellectuelle est brillante, d'autant qu'elle se trouve enrichie par le brassage des cultures entre l'Italie et ses provinces. C'est d'ailleurs pendant cette période que Rome sera la plus cosmopolite et la plus polyglotte, à l'image du Sénat qui comptera dans ses rangs des hommes venus siéger de tous les coins de l'Empire.

L'Empire est débordé

En 180, le fils de Marc Aurèle, Commode – qui ne l'était pas du tout –, se tourna vers un régime absolutiste et théocratique. On assassina beaucoup dans l'Empire romain à cette époque, et être empereur devint presque une garantie de ne pas mourir dans son lit. Commode lui-même fut victime de la manière de régler les différends qu'il avait tant contribué à « populariser ». Il fut trucidé dans son bain le 31 décembre 192. Entre-temps – et ce depuis les dernières années du régime de Marc Aurèle –, les Barbares s'agitaient aux limites de l'Empire (Orient et Germanie) et certaines garnisons commençaient à devenir nerveuses, allant parfois jusqu'à se soulever.

C'est ainsi que Septime Sévère, un Africain, fut porté au pouvoir par ses soldats et sortit vainqueur de péripéties certes sanglantes mais pourtant contenues. La dynastie des Sévères changea la nature du régime (empereurs-soldats). Se proclamant « fils » de Marc Aurèle et frère de Commode, Septime Sévère, et ses successeurs dans une moindre mesure, s'efforceront de prolonger et d'achever l'édifice des Antonins (l'édit de Caracalla). Le changement dans la continuité, en quelque sorte ! L'armée fut favorisée et intervint désormais dans la vie politique, la bureaucratie fut renforcée, le poids de l'État s'accrut par la fiscalité et ses interventions dans la vie des cités, priorité étant accordée aux frais occasionnés par le maintien des frontières. En l'an 212, Caracalla donna à tous les hommes libres de l'Empire romain la citoyenneté romaine : l'unité romaine devint une réalité, mais l'œuvre des Sévères n'en modifia pas assez les structures pour pouvoir en assurer la stabilité. À partir des années 230, l'Empire subit un assaut généralisé de la part des Barbares, dû à des mouvements internes au monde germanique et à l'attitude offensive du nouvel empire perse des Sassanides. À plusieurs reprises, Alamans, Francs, Goths et Perses ravagèrent les provinces.

Entre 235 et 268, ce sont les Trente Tyrans. La grande crise du IIIe s, les légions ne cessent de se révolter et les généraux se succèdent au pouvoir, l'Empire se disloque. Onze empereurs consacrés se suivent et s'entretuent, sans compter les

imposteurs et les tentatives avortées, la différence entre les uns et les autres tenant à leur capacité à passer quelques jours à Rome, le temps de se faire reconnaître par le Sénat. Mais ne simplifions pas, certains eurent un pouvoir territorial et un rôle politique déterminant. Par exemple Postumus, empereur des Gaules en 258, ou Odenath, roi de Palmyre (260-267), qui sauvent l'Empire, l'un à l'ouest, l'autre à l'est. L'Empire se maintient, tant son organisation est solide. Ainsi, avec Aurélien et les autres empereurs illyriens (268-285), litanie de soldats compétents et acharnés, entraînés dans des guerres frontalières incessantes, l'Empire semble retrouver un second souffle. Le dernier, Dioclétien, marquera le siècle avec sa Tétrarchie.
Mais la défense de l'Empire est affaiblie car il est menacé par des troubles sociaux, des révoltes paysannes et des problèmes économiques (hausse des prix) et religieux, la persécution des chrétiens devenant pour la première fois systématique. En effet, jusque-là, celle-ci avait été certes violente mais toujours épisodique et localisée : le christianisme était antiromain, donc « illicite », et les chrétiens étaient parfois l'objet de la vindicte populaire, mais ils bénéficiaient de la tolérance des autorités, parfois même dans l'entourage de l'empereur, et ne risquaient la mort que par dénonciation.

La fin de la puissance de Rome

L'essor du christianisme

Le 25 juillet de l'an 306, Constantin Ier fut proclamé premier empereur par ses légions de Germanie. Au même moment à Rome, Maxence, porté par sa garde prétorienne, devenait lui aussi empereur ! Le choc final se produisit le 28 octobre 312, à la bataille du Pont-Milvius. Durant la bataille, Constantin aurait vu une croix dans le ciel avec les mots *In hoc signo vinces* (« Par ce signe tu vaincras »). C'est effectivement après cette bataille, dont il sortit vainqueur, que Constantin favorisa ouvertement la religion chrétienne par l'édit de Milan (313). Il donna au monde le « dimanche férié », en ordonnant que le « jour vénérable du Soleil » soit un jour de repos obligatoire pour les juges, les fonctionnaires et les plébéiens urbains. Ce jour, célébré par les adeptes du culte solaire dont fit longuement partie Constantin lui-même, correspondait aussi au « jour du Seigneur » des pratiques chrétiennes. Par cette loi – qui fut comme un pont jeté entre deux religions – se trouvait aussi officialisée l'organisation du temps en semaines qu'ignorait le calendrier romain. Enfin, le 20 mai 325, pour la première fois de son histoire, l'Église chrétienne triomphante réunit ouvertement et librement à Nicée tous les évêques de l'Empire romain en un concile œcuménique qui devait régler le délicat problème de la Sainte-Trinité.
Il est probable que Constantin ne fut baptisé que sur la toute fin de sa vie, voire sur son lit de mort (il mourut en 337). Homme prudent, il avait compris qu'un baptême prématuré l'aurait obligé à vivre sans pécher, alors que tard venu, il le lavait de toutes ses fautes passées, y compris le massacre de ses adversaires et leur famille, ou celui de ses parents. Pratique, non ? Cette tradition sanglante marqua les seconds Flaviens. Constance II, à force de massacrer ses oncles et ses cousins, n'eut qu'un seul héritier, Julien, futur Apostat.
La dépouille de Constantin fut ensevelie dans l'église des Saints-Apôtres de Constantinople. À sa mort, Rome, qui n'était plus résidence impériale depuis 285, vit s'élever les premières basiliques chrétiennes grâce aux donations de l'empereur. Elles s'installèrent à la périphérie de la ville, sur les emplacements des cimetières chrétiens devenus lieux de pèlerinage. La toute première fut établie sur une propriété impériale (donation de Constantin confisquée à la famille des Latrani) à côté du palais Latran, lequel sera la résidence des papes et le siège des services pontificaux de 313 à 1305, date à laquelle le pape français Clément V s'installe en Avignon. En 1417, lorsque la papauté réinvestit Rome, le pape Martin V transférera les services pontificaux au Vatican.

Où l'Église prend goût au pouvoir

Débuts et expansion de l'Église romaine

De Jérusalem, le christianisme se répandit dans la diaspora juive et le monde gréco-romain un peu comme une traînée de poudre. Lyon, par exemple, eut probablement sa première église dès l'an 150 grâce à saint Pothin. Les Goths, peuple germanique d'origine scandinave, furent les premiers Barbares à accepter le christianisme. Vers l'an 350, un de leurs évêques, Ulfilas, traduisit la Bible : c'est la première traduction dans une langue barbare du Livre saint.

Dès le IIe s, l'évêque de Rome possédait une certaine prééminence, le « primat de Pierre » étant un fondement de l'autorité pontificale. Quand l'Église se développa dans le cadre de l'Empire romain grâce à Constantin Ier, elle reçut une position officielle qui marqua une étape fondamentale dans son histoire.

Théodose le Grand (379-395) fut le dernier empereur à régner sur l'ensemble du territoire de l'Empire. Il est aussi celui qui fit du christianisme la religion officielle de l'Empire. Il le partagea entre ses deux fils : Honorius pour l'Occident et Arcadius pour l'Orient. C'est sous son règne que le christianisme devint religion d'État, mais cela ne l'empêcha pas de connaître quelques déboires avec l'Église : saint Ambroise de Milan l'excommunia pour avoir massacré 700 insurgés en l'an 390. Ainsi, pour la première fois, l'État romain se soumit à la puissance de l'Église.

Rome perd sa toute-puissance

Sous le règne d'Honorius, le 24 août 410, les Wisigoths, le roi Alaric à leur tête, pénétrèrent dans Rome. Honorius était alors dans sa résidence à Ravenne et refusa d'accorder à Alaric l'or et les dignités qu'il convoitait. En représailles, les Wisigoths pillèrent Rome. La chute de la ville, inviolée depuis plus de huit siècles, eut un énorme retentissement, faisant douter les païens de sa puissance. Huit ans plus tard, le roi Wallia obtint de l'Empire – ou plutôt de ce qu'il en restait ! – le droit d'installer ses Wisigoths en Aquitaine : c'était la première fois qu'un royaume barbare s'établissait sur le sol romain ! Décidément, la chute se précipitait...

Puis ce fut au tour des Vandales, cousins germains – ou plutôt germaniques – des Wisigoths, qui, après avoir pris Carthage en 439, pillèrent Rome pendant 15 jours en 455, sans toutefois massacrer la population ni incendier la ville, selon un accord passé avec le pape Léon Ier ! Vinrent ensuite les Ostrogoths – les Goths de l'est du Dniepr – qui, eux, occupèrent carrément toute l'Italie, la France méridionale jusqu'à Arles, et l'ancienne Yougoslavie.

Le roi Théodoric maintint une séparation très stricte entre les Romains et les Goths. La carrière militaire était réservée aux Goths, et la carrière des fonctions civiles aux Romains. Quand Théodoric se rendit à Rome en l'an 500, il fut accueilli comme un empereur romain par le Sénat, le peuple et le 51e pape : Symmaque.

Le nouveau calendrier

En 526, Denys le Petit, moine originaire de Scythie, publia une « table pascale » destinée à fixer la date du dimanche de Pâques pour les années à venir. Pour cela, il choisit le décompte alexandrin et non le vieux décompte romain. Il en profita pour inventer et faire adopter une manière de dater les événements sur la base d'une ère commençant avec la naissance du Christ. Mais l'année qu'il choisit est en fait postérieure d'au moins 4 ans... et on persiste toujours dans cette erreur !

Quant au jour choisi – le 25 décembre – pour fêter son avènement, l'Église romaine a tout simplement fait de la récupération sur le dos du paganisme. La fête de Noël – le jour du solstice d'hiver – se célébrait en Orient comme la renaissance du Soleil. Ce culte se répandit dans l'Empire romain au IIIe s apr. J.-C. : la Vierge céleste, protectrice de la race et de sa régénération, redonnait naissance chaque année dans la nuit du 24 au 25 décembre à minuit au dieu Mitra, symbole du Soleil invaincu.

En plaçant la fête de la nativité du Seigneur au même moment, l'Église avait bien conscience de concurrencer, voire de récupérer, le culte païen. Entre Jésus et Mitra, il fallait choisir...

L'Église : un État dans l'État

Le 14 avril 754 à Quierzy, au nord-ouest de Paris, le pape Étienne II rencontra Pépin le Bref, roi des Francs, pour signer un traité qui allait donner à l'Église un État placé sous la souveraineté des papes (il ne sera véritablement fondé qu'après une intervention militaire de Pépin en Italie contre le roi des Lombards).
En échange, le pape reconnaissait la légitimité royale de la dynastie des Carolingiens. Cette alliance permit d'une part à l'Église de se dégager définitivement de la tutelle politique de Byzance (Constantinople), d'autre part de renforcer les liens entre le royaume franc et la papauté, ce qui constituera l'un des facteurs politiques primordiaux de l'Occident. En effet, la défense de l'Église romaine sera l'un des devoirs de tous les souverains... mais aussi source de nombreux conflits.

Charlemagne et son grand Empire

L'an 771 voit l'avènement de Charlemagne, qui finit par écraser les Lombards et conquérir toute la moitié nord de l'Italie (774). Le 25 décembre de l'an 800, il est sacré empereur d'Occident, à Rome, dans la basilique Saint-Pierre, par le pape Léon III. L'Empire carolingien s'étend désormais de la mer du Nord à l'Italie et de l'Atlantique (plus l'Èbre au sud des Pyrénées) aux Carpates (Elbe et Danube). À la mort de Charlemagne, son fils Louis le Pieux hérite de l'empire. Miné par les querelles intestines et une incapacité à lutter contre les raids vikings, l'ensemble constitué par Charlemagne est divisé en 843 entre ses trois petits-fils. Une fois le royaume de Lothaire Ier disparu (Lotharingie), ce partage est à l'origine de deux pôles majeurs de l'Europe médiévale : le royaume de France et le Saint Empire. Bien plus tard, Frédéric Ier Barberousse entérine son héritage en prenant Naples en 1162, et en faisant reculer les hordes de Normands qui avaient envahi la région.
Par ailleurs, plusieurs cités s'organisent en minirépubliques indépendantes, gouvernées par une aristocratie « locale ». C'est dans cet état d'esprit de compétitivité que s'épanouit la Renaissance.

JEANNE LA SOUS-PAPE

Au IXe s, une certaine Jeanne fit de brillantes études pour devenir moine. Elle était tellement érudite qu'elle se fit élire pape en 855. Elle cacha bien entendu sa féminité, la hiérarchie catholique n'ayant jamais été un partisan de l'égalité des sexes. Elle tomba enceinte (bravo !). Quand le subterfuge fut découvert, le crime devait être jugé considérable puisque la « coupable » fut lapidée ainsi que l'enfant. Depuis, on vérifie la virilité des candidats au trône papal. On les assoit sur une chaise percée tandis qu'un cardinal vérifie l'existence ou non des testicules. Passe-temps intéressant.

De l'âge d'or à l'obscurantisme

L'Europe chrétienne, à travers Rome, ne suivit pas la voie tracée par les savants de l'Antiquité (Aristote, Ératosthène, Ptolémée...). Les géographes chrétiens durent consacrer toute leur énergie à donner du monde une vision conforme aux dogmes de l'Église : la géographie ne figurait pas parmi les « sept arts libéraux » du Moyen Âge.

Les papes à Avignon

Le 5 août 1305, un Français, Bertrand de Got, est élu pape. Pourtant, rien ne le destinait au pontificat, et il ne faisait même pas partie du Sacré Collège (il était

vigneron). Mais la nomination d'un pape italien aurait sans doute attisé le conflit entre Philippe le Bel et Rome. Ce conflit, en fait, n'était rien d'autre qu'une histoire de « racket » que Philippe le Bel, toujours à court d'argent, exerçait sur l'Église. Il fallait donc un homme neutre pour calmer le jeu, et qui ne soit pas sujet du roi. Bertrand de Got était bordelais – et à cette époque, Bordeaux n'appartenait pas au royaume de France, mais à celui d'Angleterre. Avisé de son élection, il prit le nom de Clément V et se mit aussitôt en route pour se faire couronner à Vienne avant de gagner l'Italie. Mais Philippe le Bel l'ayant invité à Lyon, c'est là qu'il fut intronisé. Dissuadé de se rendre à Rome, Clément s'installa en Avignon.
En 68 ans, sept papes s'y succédèrent avant que Grégoire XI ne ramène brièvement la papauté dans sa ville d'origine. Urbain VI fut le premier pape élu de nouveau à Rome en 1378, mais ce personnage se rendit odieux aux cardinaux, en majorité français. Ceux-ci élurent alors Clément VII, qui retourna en Avignon, déclenchant ainsi le Grand Schisme d'Occident. Les deux papes eurent des successeurs chacun de leur côté, aucun d'entre eux ne voulant céder. Devant la situation et l'impatience générale, les cardinaux réunirent le concile de Pise en 1409, qui ne fit que compliquer la situation : un troisième pape fut élu ! Avant que la question ne soit réglée une fois pour toutes avec l'élection de Martin V en 1417, il y eut une succession de quatre papes à Rome, quatre papes en Avignon, et deux à Pise... de quoi y perdre son latin ! Mais Avignon ne cessera pas pour autant de contester Rome puisque, dès le début de la Révolution française de 1789, la ville s'opposa à l'autorité du pape – qui l'administrait par l'intermédiaire de légats – et, le 12 juin 1790, votera son annexion à la France.

La Renaissance

L'élection en 1447 du pape Thomas de Sarzana, un humaniste respecté, marqua le début d'une période harmonieuse et épanouie dans l'histoire de l'Église, qui allait aboutir à la reconnaissance de la souveraineté des papes. Ayant pris le nom de Nicolas V, « le » pape de la Renaissance travailla de son côté à rebâtir et à fortifier Rome, et à lui rendre sa splendeur de l'époque antique. Il lança également le premier projet de restauration de la basilique Saint-Pierre, qui menaçait ruine. C'est aussi durant cette période qu'allaient s'épanouir le royaume de Naples, le duché de Milan et les républiques de Venise et de Florence.
Dès 1492 s'ouvrit un nouvel âge. Le pays allait devenir la proie de l'Europe : la découverte de l'Amérique par Christophe Colomb ruina la suprématie commerciale de Venise, et les papes furent de timides despotes à côté de Rodrigo Borgia, un homme de sinistre réputation élu sous le nom d'Alexandre VI. Charles VIII, roi de France, envahit l'Italie et se fit couronner roi de Naples, exposant ainsi au grand jour la faiblesse militaire et la désunion politique de l'Italie. Bientôt, les Français mais aussi les Espagnols (de la fin du XVIe s au début du XVIIIe s) – aidés par des mercenaires suisses – s'attaquèrent aux provinces italiennes.

Le pillage de Rome

Le 6 mai 1527, des troupes espagnoles et des lansquenets entrent dans Rome et commencent l'énorme pillage de la Ville éternelle. En effet, Charles V a commandité cette action pour punir le pape Clément VII de son adhésion à la ligue de Cognac ! Pendant un an, ses troupes s'adonnent à des violences sur la ville et sa population (viols, meurtres, pillages...) : l'estimation des morts s'élève à quelques milliers, sans compter la peste qui se répand dans la ville, apportée par ses mêmes soldats. Le pape se réfugie au château Sant'Angelo, le seul fortifié, et il y reste cloîtré jusqu'à une certaine nuit de décembre où il arrive à s'enfuir, déguisé en domestique. Il s'installe dans la ville de Viterbe, pour ne rentrer à Rome qu'en octobre 1528 : il retrouve une ville meurtrie, diminuée des quatre cinquièmes de ses habitants, pillée et affamée... Le pillage de Rome mit fin à la splendeur artistique de la ville pendant la première moitié du XVIe s.

L'unification de l'Italie

Du rêve à la réalité

Quand Napoléon se lança dans sa campagne d'Italie le 11 avril 1796, il ne pouvait se douter qu'il serait à l'origine d'un sentiment nationaliste. Cette nouvelle occupation française dura jusqu'en 1814. Entre le Vatican et Napoléon, les relations n'étaient pas au mieux : le pape Pie VII refusait de prononcer le divorce entre Jérôme Bonaparte et Mlle Paterson ; de son côté, Napoléon voulait contrôler l'Église tant en France qu'en Italie.

Le traité de Paris, en 1814, redonna l'Italie aux Autrichiens, mais le mouvement nationaliste devint de plus en plus actif, et dès 1821 eurent lieu les premières insurrections, notamment à Turin. En 1825, un Génois, Mazzini, créa le « Mouvement de la Jeune Italie » ; la conscience de faire partie d'une même nation était désormais dans le cœur de tous les Italiens. Même le pape Pie IX, fervent lecteur des philosophes, adhéra aux théories de Vincenzo Gioberti, prêtre philosophe et homme politique qui prôna l'idée d'une fédération... sous la direction du pape. Néanmoins, il fut aussi un sympathisant des idées de Mazzini qui, lui, souhaitait une république. En 1848, toutes les villes italiennes connurent une certaine agitation et le roi de Piémont-Sardaigne, Charles-Albert Ier – qui, par ailleurs, n'avait aucune sympathie pour ces mouvements – déclara la guerre à l'Autriche. La cause italienne fut rapidement écrasée, même si Venise résista jusqu'en août 1849. De ces événements allait sortir la leçon suivante : peu importe la forme que prendrait une Italie unifiée – royaume, fédération ou république –, l'essentiel était d'expulser d'abord les Autrichiens, et ça ne pourrait se faire qu'avec une aide extérieure.

Les acteurs de l'Unité

Camillo Benso Di Cavour créa en 1847 le journal *Il Risorgimento,* modéré mais libéral. Appelé à jouer des rôles ministériels sous le roi Charles-Albert et son successeur et fils Victor-Emmanuel II, il devint le véritable maître de la politique piémontaise. Il fonda une société dans laquelle un autre jeune homme allait très vite se distinguer dans cette marche vers l'indépendance : Giuseppe Garibaldi. Né à Nice en 1807, Garibaldi fut contraint de s'exiler au Brésil en raison de ses sympathies pour Mazzini. Après ce séjour aux Amériques, où il prit part à une insurrection républicaine brésilienne et combattit pour l'Uruguay, il revint en Italie d'abord en 1848, échouant militairement, puis en 1854, aux côtés de Cavour. Et petit à petit se dessina la force qui allait expulser les Autrichiens.

Le 14 janvier 1858 se produisit un autre événement : la tentative d'assassinat de Napoléon III par Orsini. Avant d'être exécuté, Orsini écrivit à Napoléon III pour le supplier d'intervenir en faveur de l'unité italienne. Impressionné par la teneur de la lettre, l'empereur conclut un accord avec Cavour : la France fournirait 200 000 hommes pour aider à la libération, mais en échange le Piémont céderait la Savoie et le comté de Nice. Un peu réticent au début, Cavour réalisa plus tard la nécessité de ce sacrifice. En 1859, Garibaldi leva une armée de 5 000 chasseurs et vainquit les Autrichiens à Varese et à Brescia. L'année suivante, il s'empara de la Sicile et de Naples grâce aux Chemises rouges, une armée formée de volontaires internationaux. Élu député par la suite, Garibaldi ne tarda pas à entrer en conflit avec Cavour au sujet de la cession du comté de Nice (et pour cause, c'était sa ville natale !) aux Français, puis à propos du problème des États pontificaux.

Les premiers pas de l'Italie naissante

Victor-Emmanuel II fut proclamé roi d'Italie en mars 1861. Son royaume comprenait – outre le Piémont et la Lombardie – la Romagne, Parme, Modène, la Toscane, le royaume des Deux-Siciles, les Marches et l'Ombrie. Il restait le problème de la Vénétie et de Rome, laissé en suspens avec la mort de Cavour. Victor-Emmanuel II prit la tête de l'armée italienne pour tenter de récupérer Venise. Ce fut un échec cuisant mais, par un extraordinaire tour de passe-passe diplomatique (et la défaite des

Autrichiens à Sadowa contre les Prussiens), Venise fut remise aux mains de Napoléon III qui, à son tour, la céda aux représentants vénitiens ! Après un vote de 647 246 voix contre 69, Venise intégra l'union italienne et le roi Victor-Emmanuel II déclara : « C'est le plus beau jour de ma vie : l'Italie existe, même si elle n'est pas encore complète... » Il faisait allusion à Rome, que les Français, pas plus que le pape, n'avaient l'intention d'abandonner... Le 18 juillet 1870, le XXIe concile œcuménique proclama l'infaillibilité du pape. Bien que les forces armées françaises se fussent retirées du territoire dès le mois de décembre 1861, les forces pontificales se composaient largement de Français.

Le 16 juillet 1870, Napoléon III eut la malencontreuse idée de déclarer la guerre aux Prussiens, et le 4 septembre, la nouvelle de la chute de l'Empire français parvint en Italie. Les troupes pontificales baissèrent les armes devant les Italiens et Rome rejoignit la jeune nation. Le gouvernement italien proposa un acte connu sous le nom de loi des Garanties papales, où l'Italie reconnaissait l'idée d'une Église libre dans un État libre, la personne du pape étant considérée comme sacrée. Il lui fut accordé annuellement une somme de 3 225 000 lires, les propriétés du Vatican et du palais du Latran, ainsi que la villa de castel Gandolfo. Il put aussi entretenir une petite force pontificale : les fameux gardes suisses.

De 1870 à nos jours

L'entrée dans le XXe siècle

Tout d'abord, un régime parlementaire fut institué et le système des élections devint habituel. À peine 10 ans après la fin des luttes pour l'unité, la droite se retrouva en minorité et la gauche arriva au pouvoir. L'Italie connaissait alors de grosses difficultés : le fossé économique et culturel entre le Nord et le Sud continuait de se creuser. Avec l'unification, la croissance démographique connut son taux le plus haut. C'est aussi à ce moment que l'émigration fut la plus forte : entre 1876 et 1910, environ 11 millions de personnes émigrèrent, surtout vers les Amériques dont l'Argentine, enrichissant les pays d'accueil des particularismes italiens.

La montée du fascisme

Au terme de la Grande Guerre, la paix rendit à l'Italie Trieste, le Trentin, le Haut-Adige et l'Istrie, mais l'après-guerre fut accompagnée de grèves et connut une succession de trop nombreux gouvernements ; cela créa un terrain favorable à la montée du fascisme. Mussolini et ses Chemises noires donnèrent un temps l'illusion d'une prospérité, qui profita surtout à la petite bourgeoisie. Engagé dans la conquête éthiopienne et rejeté par les démocraties occidentales, Mussolini trouva en Hitler une âme sœur. Beaucoup plus faible que celui de son allié allemand, le régime fasciste italien rencontra au sein du pays une résistance ouverte à partir de 1941-1942. Littéralement occupée par les Allemands, l'Italie fut la première des forces de l'Axe à subir l'assaut des Anglais et des Américains. Et Mussolini fut tué par des partisans italiens.

Après la Seconde Guerre mondiale, l'Italie était dans une situation dramatique : usines, réseau des chemins de fer, villes, tout n'était que ruines. Le cinéma italien de la seconde après-guerre se fit indirectement le témoin de la misère qui s'ensuivit et qui entraîna une nouvelle vague d'émigration, plus européenne cette fois-ci.

LES LECTURES CACHÉES DE BENITO

Mussolini écrivit une quinzaine d'ouvrages. Il créa même un journal. Les Italiens le considéraient comme un intellectuel. Son fils Romano avouera que le Duce avait, en fait, une véritable passion pour... Mickey. Il en dévorait tous les albums et visionnait les films. Il invitera même Walt Disney à Rome, en 1935, alors que l'union sacrée avec l'Allemagne était officielle.

L'après-guerre

Devenue République par référendum en juin 1946, après l'abdication de Victor-Emmanuel III et la mise à l'écart de son fils Umberto II, l'Italie a connu une vie politique particulièrement agitée : entre 1947 et 2008, ce sont 62 gouvernements différents qui se sont succédé ! La première République italienne (1946-1992), il est vrai, a rencontré toutes sortes de difficultés : extrémisme de gauche (les Brigades rouges) et de droite (de type néofasciste), corruption généralisée grippant les rouages de l'État et touchant les plus hauts responsables gouvernementaux, scandales divers (la loge secrète P2 et ses relations avec les banquiers du Vatican) et on en passe... sans parler des remous sociaux, de la crise économique... L'Italie semblait ingouvernable, livrée aux jeux d'alliances (et surtout de retournements d'alliances). Tout a semblé prendre une nouvelle tournure dans les années 1990 avec, enfin, des signes forts de l'État, apparemment décidé à se faire entendre : rigueur économique, opération « Mains propres » conduisant à un grand nettoyage de la vie politique (1 500 personnes mises en examen, dont 251 parlementaires). Le socialiste Bettino Craxi, ancien président du Conseil, prend alors la fuite pour échapper à la justice et se réfugie en Tunisie, où il reste jusqu'à sa mort. Giulio Andreotti, autre ancien président du Conseil, démocrate-chrétien, est mis en cause au bout de 5 ans, blanchi, faute de preuve, de l'accusation d'« association mafieuse ». Sa carrière politique est néanmoins terminée et sa formation politique balayée. L'Italie se débarrasse de ses politiciens corrompus, et de nouveaux visages apparaissent. Ainsi Umberto Bossi, leader de la Lega Nord, cherche à liguer les Italiens du Nord contre le Sud, considérés comme une charge pour le pays. De nouvelles têtes donc... à défaut d'idées nouvelles, mais l'expérience ne dure pas et la gauche revient au pouvoir en 1996. L'Italie semble alors reprendre sa route vers l'Europe dans une relative sérénité. Le Parti démocrate est fondé en 2007, autour de la personnalité de Romano Prodi, afin d'unir les forces de gauche, mais la coalition est divisée. La droite de Silvio Berlusconi reprend les rênes du pouvoir en 2008.

L'Italie de Berlusconi

Silvio Berlusconi, 23e fortune planétaire, n'a pas fait ses premières armes en politique. Ancien chanteur sur des bateaux de croisière, il commence dans les années 1970 une carrière dans l'immobilier, qui se poursuit avec la construction de l'empire médiatique qu'on lui connaît.
En 1993, il se redirige en politique, en créant le parti « Forza Italia » (le slogan des supporters de l'équipe nationale de football). Soutenu en grande partie par ses chaînes de télévision, il gagne les élections et choisit son premier gouvernement, qui ne tiendra que 8 mois. Passé dans l'opposition, Berlusconi resserre petit à petit le contrôle des médias, écrase le débat politique qu'il remplace par des reality shows. Plus qu'aucun autre, le *Cavaliere* incarne le populisme médiatique. Face à l'émiettement des forces politiques (174 partis et mouvements enregistrés en 2001 !), Berlusconi s'impose comme le nouvel homme fort de l'Italie.
C'est ainsi qu'en 2001, il est de nouveau président du Conseil. Au programme : une politique ultralibérale (notamment dans le domaine de la fiscalité), des privatisations et des grands travaux. En fait, il excelle essentiellement dans l'art d'élaborer des lois qui l'avantagent, lui et ses proches. Malgré l'échec de sa politique (économie en crise, discrédit sur le plan international, société fragmentée), les nombreuses controverses et dérapages verbaux, il reste à la tête du Conseil des ministres entre 2001 et 2006...

La parenthèse Prodi

Après un coude à coude difficile à démêler, c'est finalement Romano Prodi, le leader de l'*Unione* (coalition de gauche), qui gagne les élections législatives de 2006. Cependant, cette coalition hétéroclite de 11 formations différentes qui place des catholiques progressistes à côté de l'extrême gauche ne réussit pas à trouver une ligne d'action commune. Romano Prodi ne parvient pas à s'imposer et le *Cavaliere* fait son retour sur la scène politique en remportant les élections d'avril 2008.

Énième crise politique

En effet, le ciment Prodi n'aura pas tenu longtemps. Son deuxième gouvernement a fini par tomber en janvier 2008. Même si la Chambre des députés, majoritairement à gauche, a renouvelé sa confiance à Prodi, ce sont les sénateurs qui ont précipité sa chute. Tout est parti de la démission du ministre de la Justice, Clemente Mastella, accusé de corruption et de trafic d'influence, et chef du parti centriste l'Udeur qui compte alors... trois sénateurs. Leur intention de ne plus soutenir Prodi suffit à faire tomber le gouvernement. Coup de théâtre, l'un d'eux, Nuccio Cusumano, change d'avis, provoquant une *bronca* dans l'hémicycle et une sérieuse prise de bec (on en vient aux mains !). Le sénateur fait un malaise et doit être évacué sur un brancard... De toute façon, rien n'y fait, le sort de Prodi est scellé. Depuis l'après-guerre, la durée de vie moyenne d'un gouvernement en Italie est de 18 mois. Le seul à avoir tenu 5 ans s'appelle... Berlusconi. Cette énième crise politique met en relief le problème de la loi électorale italienne, faisant la part belle à la proportionnelle et à l'instabilité. Prodi comptait la modifier, raison supplémentaire pour l'Udeur de sortir de la coalition, cette toute petite formation risquant tout simplement de disparaître ! Ajoutons à cela l'ingérence grandissante de l'église catholique dans la politique italienne. Celle-ci s'est opposée vigoureusement à un projet de Pacs à l'italienne proposé par Prodi et tente de revenir sur le droit à l'avortement tout en déclarant que l'Italie est « en miettes »... Le 13 janvier 2008, pour la première fois depuis Vatican II, un pape dit la messe en latin en tournant le dos à l'assemblée des fidèles. Les valeurs conservatrices sont de retour.

Berlusconi : l'éternel retour

Après la chute de Prodi, le président Napolitano refuse puis accepte finalement d'organiser des élections anticipées pour le mois d'avril 2008. À la grande satisfaction de Berlusconi qui les avait réclamées, pour ne pas dire exigées, et qui s'annonce de nouveau grand favori... Alors, qui pour succéder éventuellement à Prodi à gauche ? C'est ici que l'ancien maire de Rome, Walter Veltroni, qui attendait son heure, entre en scène. Classé au centre gauche, il prend la tête du combat contre Berlusconi sans pour autant renouveler l'alliance que Prodi avait mise en place. Il veut rester au centre tout en ratissant large et sans dépendre des chausse-trappes des petites formations. À vrai dire, les Italiens de gauche expriment un profond ras-le-bol. Ils sont même désabusés, estimant que l'Église joue désormais un rôle politique illégitime et clairement à droite (Berlusconi a notamment exempté l'Église de la taxe foncière !), et que *Il Cavaliere* a toujours un boulevard devant lui quand la gauche et le centre ne s'unissent que pour leurs intérêts de boutiquiers... ou ne s'unissent pas. Résultat : la prédiction se confirme. Malgré une participation en baisse, Berlusconi gagne largement les élections. Il obtient même la majorité absolue dans les deux chambres (Sénat et Assemblée nationale), ce qui lui permet de caresser deux rêves : faire à nouveau l'intégralité de ses 5 ans de mandat... et postuler plus tard à la présidence de la République. Il donne d'ailleurs des gages à son concurrent malheureux afin de s'entendre sur certaines réformes. Néanmoins, il lui faudra compter avec la ligue du Nord, le parti d'extrême droite qui a obtenu 8,2 % des voix et exige des mesures plus strictes contre l'immigration clandestine. Un créneau qui a également porté un ancien militant d'extrême droite à la mairie de Rome, Gianni Alemanno, dans la foulée des élections générales ; et ce contre Francesco Rutelli, un vieux cheval de retour désigné par Walter Veltroni pour lui succéder à Rome... Bref, 2008 aura marqué le retour de la droite italienne !

Les années 2009 et 2010 en bref

L'année 2009 a été marquée par les frasques multiples de Berlusconi, tant dans sa vie privée que dans sa vie publique. Les déboires conjugaux de Silvio Berlusconi tiennent les Italiens en haleine. On ne parle plus que du « Noemigate », l'histoire de la jeune Noemie Letizia avec laquelle il entretiendrait des relations troubles. Suite à cette affaire, son épouse demande le divorce, et le scandale suivant, celui des escort-girls explose. Le chef du gouvernement est également éclaboussé par de nombreux scandales politiques qui ont poussé une partie de la population à organiser des manifestations géantes dans tout le pays. Ces « No Berlusconi Day » ont remporté un grand succès. L'affaire David Mills, du nom de l'ex-avocat de Berlusconi, est l'un d'entre eux. Accusé de faux témoignage au profit de son client, il a été condamné à 4 ans et demi de prison. À la fin de l'année, la Cour constitutionnelle a invalidé une loi qu'avait instaurée Silvio Berlusconi et qui lui accordait une immunité judiciaire tant qu'il était au pouvoir. Des procès suspendus reprennent. Au plus fort de l'exaspération, *Il Cavaliere* est agressé par un déséquilibré au cours d'un rassemblement. Les photos de son visage ensanglanté et tuméfié vont faire le tour du web.

Alors que l'Italie tente de sortir de la crise économique, la terre tremble dans les Abruzzes dans la nuit du 5 au 6 avril 2009. Le bilan est lourd : 308 morts, plus de 1 500 blessés et de nombreux dégâts.

Les élections régionales de mars 2010 ont encore renforcé la présence et la puissance de la ligue du Nord dans la vie politique italienne. Désormais en position de force, elle compte bien se faire entendre au sein du gouvernement. C'est au cours de ces élections que l'Italie a connu la plus grande abstention de son histoire avec 65 %. En janvier, un fait divers a révélé des tensions raciales à Rosarno, en Calabre. Plusieurs ouvriers d'origine africaine y ont saccagé des voitures et des vitrines de magasins en représailles de l'agression contre certains d'entre eux. Les habitants ont alors organisé une expédition punitive, une « chasse aux immigrés ». Seule l'intervention d'un important contingent de policiers a permis de ramener le calme dans la région. Les tensions avec les immigrés sont toujours très fortes.

Côté législation, le décret Romani, du ministre du même nom, enflamme la toile italienne. En effet, avec cette loi, « toute image animée accompagnée ou non de son » devra être soumise à l'approbation du ministère des Communications. Certains y voient une censure à la solde du gouvernement.

Principales dates historiques

– ***800 av. J.-C. :*** apparition de la civilisation étrusque.
– ***753 av. J.-C. :*** fondation légendaire de Rome.
– ***750 av. J.-C. :*** hellénisation du sud de la péninsule.
– ***509 av. J.-C. :*** naissance de la République romaine.
– ***IVe-Ier s av. J.-C. :*** Rome conquiert progressivement l'Italie dans le cadre de l'offensive de la romanisation ; acculturation réussie !
– ***395 apr. J.-C. :*** partage de l'Empire romain par Théodose.
– ***455 :*** premier pillage de Rome par Alaric.
– ***476 :*** Odoacre renvoie les emblèmes impériaux à Byzance et Romulus Augustule, âgé de 14 ans, part en exil à Naples (ville byzantine).
– ***VIe-Xe s :*** Barbares, Byzantins et Lombards. Pendant plus de 15 siècles, l'Italie ne sera qu'un ensemble de territoires disloqués et rivaux, incapables de s'unir pour créer un véritable État.
– ***754 :*** le pape et Pépin le Bref signent un traité qui sanctionne l'existence d'un État du pape.
– ***XIe-XIIe s :*** les Normands sont en Italie et en Sicile.
– ***XIIe s :*** quelques villes s'organisent en république aristocratique, comme Venise, Gênes, Florence.
– ***1305 :*** à cause des pillages et des violences à Rome, Clément V s'installe en Avignon.
– ***1378 :*** Grégoire XI est élu pape ; son retour à Rome marque le début du Grand Schisme d'Occident. Un autre pape, Clément VII, s'installe en Avignon.

– ***1417 :*** le Conclave se réunit à Constance (sous l'aile de l'empereur Sigismond), et choisit un seul et unique pape (Martin V) qui s'installera à Rome.
– ***1494 :*** les Français viennent en Italie recueillir l'héritage napolitain de Charles VIII. Une ligue anti-Français les oblige à rentrer en France.
– ***XVIe-XVIIIe s :*** domination espagnole ; le royaume de Naples est lui-même province espagnole ; quelques États gardent leur indépendance (Venise, le Piémont).
– ***1527 :*** les troupes espagnoles et les lansquenets, sur ordre de Charles V, s'adonnent au grand pillage de Rome pendant un an.
– ***1713 :*** après le traité d'Utrecht, domination autrichienne.
– ***1796-1814 :*** occupation française, au cours de laquelle se répandent les idées d'unité nationale. Joseph Bonaparte puis Murat sont chacun roi de Naples.
– ***1814 :*** avec le traité de Paris, c'est le retour des Autrichiens. Premiers soulèvements nationalistes.
– ***1848 :*** l'agitation règne dans toutes les villes. Charles-Albert Ier (Piémont) déclare la guerre à l'Autriche. Peu de temps après, un armistice est signé et les anciennes frontières sont rétablies. La répression est violente un peu partout. Venise résiste pendant un an avant de capituler. Mais les Italiens ont pris conscience d'appartenir à une même patrie. Reste à reprendre la ville de Rome, sous pouvoir du pape. Garibaldi, en s'exclamant « *O Roma o morte* » (ou Rome ou la mort), résume bien les sentiments des Italiens.
– ***1858 :*** Cavour rencontre Napoléon III à Plombières ; on discute de la future Italie.
– ***1859 :*** Napoléon III conduit avec Victor-Emmanuel II les armées franco-piémontaises. Après la victoire de Solferino, Cavour intègre la Lombardie au Piémont, puis les duchés d'Italie centrale. Nice et la Savoie seront rattachées à la France après plébiscite.
– ***1860 :*** c'est la montée du *Risorgimento*. L'expédition des Mille, ou Chemises rouges, conduite par Garibaldi, achève le mouvement de l'unité italienne.
– ***1866 :*** guerre austro-prussienne. La Vénétie devient italienne suite à l'échec autrichien à Sadowa face aux Prussiens.
– ***1870 :*** avec la défaite de la France face à l'Allemagne tombe le dernier obstacle pour faire de Rome la capitale du royaume d'Italie. Le pape n'est plus protégé par Napoléon III et les *Garibaldini* entrent dans Rome par la brèche de porta Pia : Pie IX doit capituler. La Ville éternelle devient donc première ville du jeune royaume. Le Mezzogiorno voit son retard économique et social s'accentuer, et le Nord sa prédominance (économique en tout cas) s'affirmer.
– ***1918 :*** la paix donne à l'Italie Trieste, le Trentin, le Haut-Adige et l'Istrie.
– ***1922 :*** la « Marche sur Rome » de Mussolini ouvre l'ère fasciste.
– ***1924 :*** dictature fasciste de Mussolini.
– ***1929 :*** l'État italien et le Saint-Siège trouvent un terrain d'entente ; la papauté recouvre sa souveraineté sur le Vatican, et l'État italien se trouve un bel allié.
– ***1945 :*** exécution de Mussolini et de ses ministres.
– ***1946 :*** plébiscite pour la République italienne, caractérisée par une forte instabilité ministérielle.
– ***1960 :*** les J.O. à Rome.
– ***1962-1965 :*** concile de Vatican II.
– ***1970 :*** « fondation » des Brigades rouges par Renato Curcio.
– ***1978 :*** Aldo Moro, enlevé par les Brigades rouges, est assassiné. Lois sur le divorce et l'avortement, qui marquent une forte évolution des mentalités.
– ***1980 :*** attentat néofasciste à la gare de Bologne, qui fait plus de 85 morts. Le cabinet de Francesco Cossiga tombe.
– ***1981 :*** tentative d'assassinat du pape Jean-Paul II, le 13 mai. Début des arrestations des chefs historiques des Brigades rouges, ce qui stabilise la vie politique.
– ***1987 :*** aux élections législatives, le parti socialiste de Bettino Craxi obtient 15 % des voix, son meilleur score depuis 15 ans. La démocratie chrétienne reste largement le premier parti italien (34 %) tandis que le PCI recule (26,6 %) et perd la plu-

part des grandes villes italiennes qu'il administrait depuis 10 ans. Les Verts entrent au Parlement avec 13 députés.
– ***1989 :*** historique ! Le PCI annonce le début de sa transformation en Parti démocratique de la gauche (PDS) sans la mention du mot « communiste ».
– ***1992 :*** élections législatives avec une émergence de la « Ligue lombarde ». Démission du président Francesco Cossiga, qui laisse le pays sans chef pendant plusieurs mois. Assassinat des juges Falcone et Borsellino à Palerme.
– ***1993 :*** l'enquête « Mains propres » sur la corruption liée aux partis politiques met en cause Bettino Craxi, secrétaire du Parti socialiste, et plus de 150 autres politiciens. Elle provoque aussi la démission de plusieurs ministres.
– ***1994 :*** « révolution » en Italie avec le retour de la droite au pouvoir. Démission de Berlusconi en décembre suite à une manifestation géante dans les rues de Rome.
– ***1995 :*** apparaît une « nouvelle » droite fascisante et pour le moins inquiétante (la ligue du Nord) avec Umberto Bossi comme leader.
– ***Avril 1996 :*** première véritable alternative depuis 1946. Victoire de la coalition de gauche, au nom prometteur de l'Olivier, conduite par Romano Prodi.
– ***1998 :*** l'Italie entre le 1er mai dans le club très fermé de l'euro à la suite des restrictions budgétaires menées par Prodi. Massimo d'Alema succède à Romano Prodi en octobre.
– ***2000 :*** élections régionales remportées par la droite, autour de Silvio Berlusconi ; démission de Massimo d'Alema. Giuliano Amato lui succède.
– ***2001 :*** en mai, les élections législatives et sénatoriales donnent une majorité confortable à la Maison des Libertés, la coalition menée par Berlusconi. Ce dernier est nommé président du Conseil.
– ***2002 :*** grèves et manifestations en mars et avril, en opposition à la politique libérale de Berlusconi.
– ***2003 :*** Berlusconi se range aux côtés de George W. Bush lors de la guerre en Irak.
– ***2005 :*** décès du pape Jean-Paul II le 2 avril. Ainsi s'achèvent 26 ans de pontificat, l'un des plus longs de l'histoire. Ses obsèques attirent plus d'un million de pèlerins. Quelques jours plus tard, le conclave élit en un temps record le cardinal Ratzinger, pape sous le nom de Benoît XVI. Berlusconi est mis en minorité aux élections régionales. La coalition de gauche (l'Olivier) rafle tout aux élections régionales, et 10 régions sur 13 passent à gauche.
– ***Avril 2006 :*** élections législatives et sénatoriales des plus rocambolesques ! L'équipe de Romano Prodi l'emporte de justesse au Sénat et à la Chambre des députés.
– ***Mai 2006 :*** élection du sénateur centre gauche, Giorgio Napolitano, au poste de président de la République. Il est le premier président issu du Parti communiste italien (PCI).
– ***2008 :*** chute du gouvernement Prodi et annonce d'élections générales anticipées les 13 et 14 avril. Berlusconi est largement élu, cette fois contre l'ancien maire de Rome, Walter Veltroni. Dans la foulée, Gianni Alemanno, du parti berlusconien, souffle la mairie de Rome à Francesco Rutelli, le candidat de gauche désigné pour succéder à Walter Veltroni.
– ***2009 :*** terrible tremblement de terre dans les Abruzzes dans la nuit du dimanche 5 au lundi 6 avril à l'Aquila, faisant près de 300 morts et des dizaines de milliers de sans-abri.
– ***2010 :*** frasques multiples de Berlusconi.

LITTÉRATURE

On peut estimer que la littérature romaine commence avec ***Plaute,*** poète comique de l'Antiquité, qui s'inspira des textes helléniques pour donner à ses contemporains des comédies de mœurs en latin telles que *Amphitryon,* qui influença largement Molière, ou *La Marmite,* qui devint *L'Avare.* La plupart de ses œuvres débutaient par un résumé de l'intrigue (parfois totalement invraisemblable) raconté par le personnage de Prologus, d'où nos « prologues » d'aujourd'hui. ***Horace*** le jugea grossier et préféra, pour sa part, les odes, les épîtres et les satires. Il se cantonna pourtant à des sujets légers, n'ayant pas un statut social suffisamment élevé pour se permettre de moquer les politiques. On lui doit le fameux « *carpe diem* » (profite du temps présent), tant repris depuis.

À 22 ans près, ***Virgile*** manqua Jésus-Christ, et, même s'il ne vécut pas beaucoup à Rome, il en a raconté les origines légendaires dans le plus fameux poème épique de toute la littérature latine : *L'Énéide.* Pourtant, il en souhaitait la destruction, comme ouvrage inachevé, ce que ne permit pas l'empereur Auguste qui le fit publier après la mort du poète.

Grand bond dans le temps pour passer à ***Pier Paolo Pasolini,*** taxé de pornographie à la sortie de son premier roman, *Les Ragazzi,* tout comme le sera son premier film, *Mamma Roma.* Il collabore également avec Fellini sur *Les Nuits de Cabiria.* Dès 1955, à l'âge de 33 ans, il fait la connaissance d'Elsa Morante, avec qui il fonde une revue littéraire. Ils voyagent beaucoup ensemble, notamment en Inde. Malgré ses succès cinématographiques, Pasolini ne cesse d'écrire, des romans, des nouvelles, des pièces de théâtre, des essais... dont beaucoup choquent. En 1975, il est assassiné dans des conditions restées encore mystérieuses aujourd'hui. Quant à ***Moravia,*** c'est à l'âge de 22 ans qu'il publie son premier roman, *Les Indifférents,* une vision déjà très mature de l'existence. En trame de fond, la difficulté pour l'individu de trouver sa place dans une société régie par le pouvoir et l'argent. Son épouse, ***Elsa Morante,*** offre une vision plus mystérieuse du monde en la faisant souvent se répercuter dans les yeux d'un enfant, comme dans le cas de son chef-d'œuvre, *La Storia,* qui retrace avec brio les années 1941-1947 à Rome.

MÉDIAS

Votre TV en français : TV5MONDE

TV5MONDE est reçue partout dans le monde par câble, satellite et sur Internet. Voyage assuré au pays de la francophonie avec films, fictions, divertissements, sport, informations internationales et documentaires.

En voyage ou au retour, restez connecté ! Le site internet • *tv5monde.com* • et sa déclinaison mobile • *m.tv5monde.com* • offrent de nombreux services pratiques et permettent de prolonger ses vacances à travers des blogs et des visites multimédia.

Demandez à votre hôtel sur quel canal vous pouvez recevoir TV5MONDE et n'hésitez pas à faire vos remarques sur le site • *tv5monde.com/contact* •

FRANCE 24

Chaîne d'information en continu, FRANCE 24 apporte 24h/24 et 7 j./7 un regard nouveau sur l'actualité internationale.

Diffusée en trois langues (français, anglais, arabe) dans plus de 160 pays, FRANCE 24 est également disponible sur Internet et votre mobile sur • *france24.com* •, pour vous accompagner tout au long de vos voyages.

Journaux et livres

Deux grands quotidiens nationaux se partagent le gâteau : *Il Corriere della Sera* et *La Repubblica.* Mais il existe une myriade de journaux locaux, parfois pour toute une région (*La Stampa* dans le Nord, par exemple) mais aussi simplement pour une ville. La presse spécialisée talonne de près ces journaux généralistes puisque *La Gazzetta dello Sport* arrive en troisième position des ventes (sur près

de 90 titres pour un lectorat qui oscille entre 5 et 6 millions) avec plus de 450 000 exemplaires. De même, le quotidien économique *Il Sole 24 Ore* diffuse à près de 400 000 exemplaires.
Dans les kiosques, les librairies françaises et les centres culturels, vous trouverez une sélection des quotidiens et hebdomadaires français. Certaines librairies, dans les grands centres, ont un rayon d'ouvrages en français, avec un choix de livres de poche. On trouve dans les grandes villes des librairies françaises ainsi que des centres culturels proposant des expositions, des conférences, des projections de films et des bibliothèques de prêt.

Radio

Il existe plus de 1 300 stations de radio, pour la plupart locales, réparties sur tout le territoire. La radio d'État, la *RAI (Radio televisione Italiana),* est toute puissante, mais on compte des dizaines de radios libres plus originales. De plus, sur les grandes ondes, selon l'endroit où l'on se trouve, on peut parfois capter certaines stations françaises telles que *RMC* (216 kHz), *Europe 1* (183 kHz) *ou France Inter* (162 kHz), etc. La réception n'est pas fameuse cependant. *Radio Vaticana* diffuse des informations en français plusieurs fois par jour.

Télévision

On aurait pu quasiment glisser ce chapitre au niveau pollution visuelle, vu l'état actuel de la télévision italienne. Difficile de parler de celle-ci sans évoquer le groupe Fininvest de Silvio Berlusconi. Le monopole d'État ayant été levé en 1975, les chaînes privées ont envahi le petit écran. C'est en 1970 que Silvio Berlusconi a pris le contrôle de *Canale 5,* puis, au début des années 1980, il s'est porté acquéreur de *Italia 1* et de *Retequattro,* regroupés sous Mediaset.

DES PLANTES ET DES JEUX

Les « veline » sont ces potiches pulpeuses qui ont envahi les plateaux de la télévision italienne, grâce à Berlusconi. Avec leur forte poitrine, leur décolleté ouvert jusqu'au nombril et leur jupe courte, elles n'ont généralement pas droit à la parole. Ce sont les reines des jeux débiles. L'une d'entre elles est quand même devenue ministre (de l'Égalité des chances !).

PASTA (LES PÂTES)

Premiers producteurs de pâtes sèches, les Italiens en sont aussi les premiers consommateurs avec pas moins de 28 kg par personne et par an.

PETITE HISTOIRE DE LA PASTA

La fin du mythe de Marco Polo « introducteur des pâtes en Italie »

Combien de fois avons-nous entendu ou lu pareille ineptie ! Les pâtes se consommaient, en effet, depuis belle lurette. Comble de l'ironie, un document notarial de 1279 mentionne à Gênes la fabrication de pâtes, 20 ans avant la publication du *Livre des merveilles du monde.*
L'Antiquité nous fournit ainsi bon nombre de preuves, comme le bas-relief de Cerveteri (célèbre nécropole étrusque au nord de Rome), représentant différents instruments nécessaires à la transformation de la *sfoglia* en tagliatelle, ou bien le livre de cuisine d'Apicius, où nous retrouvons l'ancêtre de la lasagne, la *patina.*

Au travers de ces témoignages étrusque et romain, les *macaronis* pourraient revendiquer la paternité de la *pasta.* Mais cet italianisme n'est pas si incontestable que cela. La Sicile arabe (IXe-XIe s) n'est pas pour rien, en effet, dans l'introduction de la *pasta secca* en Italie. Le savoir-faire aurait ensuite rayonné à travers l'Italie.
Avalant les siècles goulûment, nous voici à la fin du XIXe s à Naples, qui peut être considérée par bien des côtés comme la patrie de la *pasta secca.* C'est ici qu'une véritable industrie se mit en place, favorisant la diffusion à travers toute l'Italie des pâtes sèches... qui voyagent mieux – il va sans dire – que la *pasta fresca.* Pâtes sèches, pâtes fraîches : la frontière entre le sud et le nord de l'Italie se trouve là, le Nord étant réputé dans la fabrication de pâtes fraîches aux œufs faites à partir de farine de blé tendre, le Sud dans la fabrication de pâtes sèches faites à partir de semoule de blé dur.

Pâtes et sauce tomate : une grande histoire d'amour

Pendant des siècles, les pâtes furent l'apanage des tables royales et aristocratiques. Il fallut attendre l'invention des pâtes sèches pour qu'elles se démocratisent véritablement et passent au rang d'aliment populaire. Sain, simple et nourrissant, le plat de pâtes mit néanmoins du temps à conquérir son public. C'est seulement à la fin du XVIIIe s, quand on eut l'idée d'associer pâtes et tomates, que les pâtes connurent le succès. Il faut dire que l'alchimie est parfaite. La tomate, pourtant rapportée des Amériques depuis le XVIe s, fit du même coup une entrée fracassante dans la cuisine italienne (le clergé européen l'avait, jusque-là, taxée de tous les maux : trop bon, trop rouge, ce ne pouvait être que le fruit du diable ! pire, du poison...). La magie de la sauce tomate, c'est qu'elle est la seule à s'accorder à toutes les pâtes, longues ou courtes, lisses ou striées, plates ou tarabiscotées. Ce qui n'est pas le cas des autres sauces car, en Italie, il est une affirmation qui pourrait passer au rang de proverbe, de dicton : « À chaque sauce sa pâte ! » Tout est une question d'adhérence de la sauce. Voilà pourquoi les *maccheroni,* qui furent longtemps servis accompagnés de trois fois rien, beurre, fromage sec râpé, sucre... connurent par la suite tant de diversité.

POURQUOI TOMATE SE TRADUIT PAR « POMODORO » ?

Les grands navigateurs découvrirent la tomate, chez les Aztèques, au Mexique. Elle avait bien la forme d'une pomme et valait le prix de l'or parce qu'elle était particulièrement difficile à conserver, d'où son nom « pomme d'or ». Assez fade au départ, il fallut plus d'un demi-siècle pour savoir l'accommoder en cuisine.

LES GRANDES FAMILLES DE PÂTES

Les macaronis *(maccheroni)*

Par ce mot d'origine grec (*macarios* signifiant « heureux »), on désigne l'ancêtre de toutes les pâtes, un peu comme le mot « nouille » chez nous. D'ailleurs, le sens figuré de *maccherone* (nigauds à la tête vide) n'est guère plus gentil et ne manquera pas de nourrir l'humeur caustique des Français. Car pour ces derniers, il a longtemps désigné l'ensemble des Italiens (c'est du même tonneau que « rosbif » pour les Anglais et « grenouilles » pour les Français). En Italie du Sud, *maccheroni* désignait aussi l'ensemble des pâtes sèches, d'où la fréquente confusion entre *maccheroni* et macaronis, ces derniers étant à ranger définitivement dans la famille des pâtes courtes.

Les pâtes courtes

Il en existe une grande variété, surtout depuis l'invention des pâtes sèches industrielles, les machines permettant toutes sortes de fantaisies.

Ainsi, les ***fusilli*** (originaires de Campanie) sont le résultat d'évolutions techniques considérables. Au début, les *fusilli* étaient des cordons de pâte de blé dur enroulés en spirale autour d'une aiguille de fer. L'aiguille était retirée une fois la pâte sèche. On pourrait également citer les ***farfalle*** (ou papillons), ces derniers étant originaires de la région de Bologne.

Plus traditionnels : ***penne, maccheroni, tortiglioni, giganti, bombardoni*** (à noter que les ***penne rigate*** représentent à elles seules près du quart du marché de la pâte sèche, juste derrière les spaghettis)...

Les pâtes courtes et grosses, comme les ***orecchiette,*** les ***trofie,*** aiment les sauces à base d'huile (par exemple le *pesto*) ou de légumes, tandis que les courtes et creuses comme les ***rigatoni*** ou les ***conchite*** aiment les sauces plus épaisses à la viande.

Les spaghettis, ou les pâtes longues

Qui n'a pas un faible pour les spaghettis ? Cette forme de pâtes se consomme depuis belle lurette dans toute l'Italie. Garibaldi et sa fameuse expédition des Mille en 1860 n'y seraient pas pour rien. Remontant du sud vers le nord, il aurait en effet fortement contribué à la généralisation des pâtes sèches et des spaghettis en particulier. L'Unité par *la pasta* !

Pourtant, certaines, faciles à faire à la main, à la maison, remontent aux origines même des pâtes... Encore faut-il savoir ce que l'on entend par pâtes longues. On les classe en fonction de leur largeur.

– Les larges et plates : comme les ***lasagnette,*** les ***fettuccine,*** les ***tagliatelle...*** À utiliser de préférence avec des sauces au beurre, à la crème, aux coulis de courgettes, de poivrons, de tomates...

– Plus larges encore : les ***pappardelle*** jusqu'aux ***lasagne*** (que l'on fait cuire au four).

– Les longues et fines : comme les ***linguine,*** les ***linguinette,*** les ***fettuccelle*** et, bien sûr, les ***spaghetti...*** Elles raffolent des sauces à base d'huile mais sont finalement assez polyvalentes...

– Les ultra-fines : les ***vermicelli, capelletti*** (dites également ***capellini,*** c'est-à-dire « fins cheveux »), ***capelli d'angelo*** (cheveux d'ange), que l'on utilise principalement en soupe et en bouillon.

– Les ***bigoli*** ou les ***bucatini,*** très populaires à Rome *(bucatini all'amatriciana),* sont des pâtes bâtardes, à la fois spaghettis creux et macaronis longs. On les réserve volontiers aux sauces à la viande. Les plus gros sont les ***ziti.***

L'art et la manière

Les grandes recettes à base de spaghettis sont originaires du sud de l'Italie et de la région de Rome.

Aux plus petits, il est conseillé l'usage de la cuillère. Les autres devront se contenter d'une fourchette. Cette dernière, à quatre dents, serait d'ailleurs apparue à la cour de Naples pour faciliter la dégustation des spaghettis. Les plus démunis pourront toujours imiter les Napolitains d'antan qui les mangeaient à la main, la tête renversée et le bras en l'air. Et surtout, ne vous avisez pas de les couper avant de les manger !

Les pâtes farcies

Tortellini, tortelli, ravioli, anolini, agnoli, cannelloni... À chaque région sa taille, sa forme, sa farce et sa sauce...

PATRIMOINE CULTUREL

PEINTURE ET ARCHITECTURE

Aucune ville au monde ne peut s'enorgueillir d'une histoire aussi longue, aussi riche. Peuplée sans discontinuité depuis l'âge de bronze, chaque époque s'est superposée à la précédente. Ce qui caractérise Rome, c'est, bien sûr, cet entassement de couches architectoniques (entre 4 et 22 m !) mais surtout leur intime entremêlement... Les Romains cultivent depuis toujours un goût évident pour la récup'. Pas un palais, pas une maison, antique ou classique, qui n'ait réemployé les matériaux, les fondations, les plans des époques précédentes... La *piazza Navona* reprend ainsi la structure et donc la forme du stade de Domitien, le château Saint-Ange s'assoit sur le mausolée d'Hadrien, le palais Renaissance des Orsini s'installe dans le théâtre Marcellus, la *via di Grotta Pinta,* toute courbée, se contente de suivre la *cavea* (les gradins) de l'ancien théâtre de Pompée... et quand Michel-Ange dessine les plans de l'église *Santa Maria degli Angeli,* il se contente finalement de rénover la grande salle des thermes de Dioclétien...

La Rome antique

Dans la Rome primitive, on ne peut pas encore parler d'art romain mais plutôt d'un simple empilement de traditions régionales et étrangères. Et qu'elles soient étrusques ou grecques, il ne s'agit que de perpétuer des techniques et des traditions existantes. Bien sûr, la ville se développe sous la République, la *via Appia* relie bientôt Rome à Capoue et les temples commencent à pousser un peu partout, notamment sur le Forum et au pied de l'Aventin. Entre le IIIe et le IIe s av. J.-C., Rome commence à s'imposer dans toute la Méditerranée. Elle découvre l'art grec après la prise de Syracuse en 212 av. J.-C. Les riches Romains décorent leur maison de statues et de mosaïques grecques, et tant pis s'il s'agit de vulgaires copies... On admire le génie grec, mais on n'en saisit pas encore toutes les subtilités.

La ville se modifie sous la pression économique et démographique. La classe aisée se fait construire une *domus,* richement décorée, tandis que l'on construit les premières *insulae,* ancêtres des HLM. On bâtit également de nombreuses basiliques (qui ont à l'origine une vocation judiciaire et économique, et pas du tout religieuse) et autres bâtiments publics. C'est de cette époque que date le *Tabularium* (qui surplombe le Forum et abritait les archives), l'un des tout premiers ouvrages en ciment. C'est surtout le premier exemple d'arcades et de voûtes pouvant supporter le poids d'un édifice, libérant ainsi l'architecte de toutes ses contraintes antérieures. Les architectes romains relèguent la colonne à un simple rôle d'ornementation, permettant toutes les audaces, à commencer par la coupole...

César a de grands projets pour Rome, qu'Auguste poursuivra après lui. Quand Auguste prend le pouvoir et instaure la paix, art et politique font cause commune et ne poursuivent plus qu'un même but : la glorification du *Pontifex maximus.* Littérature, sculpture et peinture sont là pour rappeler qu'Auguste et César, membres de la *gens Julia,* descendent tous deux d'Énée, le fondateur de Rome... On ira jusqu'à les diviniser. L'avènement d'Auguste correspond donc à l'avènement de l'art romain. Il est bien entendu que l'art plébéien, beaucoup plus modeste, ne s'embarrasse pas de telles considérations. Toujours est-il que Rome connaît à cette époque un développement, un rayonnement sans précédent. Auguste, avec l'aide de son gendre Agrippa, dote la ville des infrastructures qu'elle mérite : temples, ponts, thermes publics, théâtres, Panthéon. À cette époque, les murs de la *domus* se parent de fresques somptueuses comme, par exemple, celles du Palatin ou de la maison de Livie (que l'on peut admirer au palais Massimo). Toute cette propagande, cette effervescence artistique, n'ayant pour autre but que d'asseoir Auguste sur le trône et de légitimer son pouvoir et sa succession. Dès lors, chaque empereur désireux de laisser un nom cherchera à laisser d'abord des traces...

Néron, frappé après sa mort de *damnatio memoriae,* laisse peu de témoignages de son œuvre puisque tout souvenir de lui a été, par définition, effacé... Et pourtant, la physionomie de la ville change radicalement sous son règne à la suite du grand incendie de 64. Il doit reconstruire toute une partie de la ville. Il se fait notamment bâtir une demeure fastueuse, la *domus Aurea* (la maison Dorée), appelée ainsi car elle était recouverte d'or et de pierres précieuses. La colossale statue représentant Néron subsistera néanmoins et donnera même, au Moyen Âge, son nom de Colisée à l'amphithéâtre *Flavium.* Après lui, l'accession de Vespasien au titre d'empereur marque une rupture car l'on décide d'abandonner le classicisme augustéen pour un style plus naturaliste, plus esthétique, sans doute en réaction à la légendaire mégalomanie de Néron.
Au IIe s, le rayonnement de l'Empire, de Trajan à Hadrien, est à son apogée. Celui-ci fait construire le dernier grand forum impérial, le plus grand aussi. Pour cela, il fait raser une partie de la Rome républicaine. Apollodore de Damas, qui participe au projet, est l'un des premiers architectes à laisser un nom dans l'histoire, notamment pour sa fameuse colonne Trajane. Celle-ci est l'un des derniers exemples de l'influence hellénistique dans l'art romain. Dans la période qui suit, l'art officiel rejoint définitivement l'art plébéien.
Les thermes de Caracalla constituent sans aucun doute la réalisation architecturale la plus remarquable de ce début du IIIe s. Ce gigantesque complexe sportif était recouvert de mosaïques somptueuses dont certaines sont conservées au Vatican. L'art de la mosaïque n'avait cessé d'être perfectionné par les Romains depuis son importation de Grèce. D'abord réservée au revêtement des sols, avec des motifs plus ou moins abstraits, compliqués et colorés, la mosaïque avait fini par recouvrir les murs des palais. Les musées et sites archéologiques comme Ostie nous laissent entrevoir quel degré de perfection avaient atteint les Romains, de la simple mosaïque bicolore de galets aux minuscules cubes en pâte de verre imitant la peinture.

LE PREMIER LOGO DE L'HISTOIRE ?

Lors de vos déambulations romaines, vous ne manquerez pas de noter sur les plaques d'égout, au coin des rues et sur les monuments et bâtiments publics, le mystérieux sigle « S.P.Q.R. ». C'est en fait l'abréviation de « Senatus Populusque Romanus » qui signifie « Le Sénat et le peuple romain ». La République, puis l'Empire romain apposèrent leur devise un peu partout, un peu comme une marque de fabrique ou un logo. Pour l'anecdote, sachez que dans la version italienne de notre célèbre Astérix, *la devise de l'Empire est détournée en :* Sono Pazzi Questi Romani, *soit « Ils sont fous ces Romains » !*

Mais déjà, les Barbares sont aux portes de l'Empire. S'ensuit une profonde crise politique, économique et sociale. Constantin est obligé de quitter Rome pour Constantinople, la nouvelle capitale impériale. Les monuments, tombés en désuétude, sont abandonnés, recyclés... Rome devient chrétienne...

La Rome chrétienne et médiévale

En 313, l'édit de Milan accorde la liberté de culte aux chrétiens. Il précède de peu la conversion de l'empereur Constantin et l'interdiction du paganisme par Théodose en 392. La religion nouvelle sort du cadre domestique où elle était jusqu'alors confinée. On bâtit les premières églises (en récupérant le plus souvent temples païens et basiliques romaines). Les autorités ecclésiastiques se substituent peu à peu à l'ancienne administration impériale. Dès lors, l'art se concentre sur la diffusion de la foi chrétienne, mais il s'inspire encore directement des traditions populaires romaines. Il n'est donc pas rare de retrouver des bacchanales et autres allégories antiques sur les premières mosaïques (il est vrai que le culte chrétien est en partie calqué sur le rite dionysiaque, notamment pour tout ce qui concerne la symbolique du vin). Les thèmes mythologiques sont bien sûr évincés au profit de la vie du Christ, des saints et des apôtres, encore vêtus à la mode romaine... La mosaïque absidiale devient l'élément fondamental de la décoration des églises de la fin du IVe s... et cette tradition dure jusqu'au XIXe s.

La ville chrétienne se développe d'abord en périphérie (le domaine de Latran, les cimetières-catacombes de la via Appia), et il faut attendre pratiquement le Ve s pour que soit réinvesti le centre antique. Il ne reste que très peu d'églises paléochrétiennes, la plupart des églises actuelles ayant été construites sur les fondations des premières. L'exemple le plus frappant étant *Santi Giovanni e Paolo* dans le Célius ou encore *San Clemente*.

Avec les invasions barbares et la chute de l'Empire romain en 476, l'Église reprend les choses en main et peu à peu, le pape, chef spirituel, s'impose comme personnage hautement politique. Ce Ve s voit l'iconographie chrétienne s'émanciper totalement de la tradition antique, même si l'architecture continue à appliquer les enseignements romains. Par exemple, la basilique *Santa Babina,* de structure on ne peut plus classique (c'est-à-dire avec une nef centrale, une abside demi-circulaire et deux nefs latérales), nous laisse la première représentation connue du Christ crucifié. Il n'est pas rare cependant de voir représenté le Christ assis sur un trône à la manière des empereurs romains, avec sa mère à ses côtés. C'est aussi l'époque des premiers papes bâtisseurs. *Santa Maria Maggiore* est édifiée sous le pontificat de Sixte III, qui embellit également la basilique de Latran. Des influences byzantines et orientales commencent à se répandre en Italie. Le Christ perd sa dimension terrestre et humaine pour une représentation plus céleste, plus divine. Les visages s'allongent, les postures se « hiératisent », le culte des martyrs se développe, les figures sont surmontées d'auréoles, sur fond bleu, puis sur fond or.

Forte de son alliance avec les Carolingiens, l'Église connaît une période particulièrement faste et florissante jusqu'à la mise à sac de la ville par les Sarrasins en 846. La ville se retranche derrière de solides remparts. Aux XIIe et XIIIe s, l'Église ressent le besoin de montrer sa puissance (et par là d'affirmer la suprématie du pape sur l'empereur) en enrichissant la décoration de ses églises. Rome, sur ce point, connaît une particularité de taille : la qualité de ses pavements dits « cosmatesques », du nom des célèbres marbriers Cosma, ou Cosmati selon les versions (on a appris depuis que ces pavements n'étaient pas une exclusivité des Cosma mais l'œuvre d'une soixantaine d'artistes). Les marbres polychromes récupérés dans les bâtiments antiques (Forum, Colisée, etc.) étaient assemblés en motifs géométriques, articulés le plus souvent autour d'un rond (en fait, une rondelle de colonne !).

On a vu, avec les invasions sarrasines, que l'Église n'était pas la seule à pouvoir changer la physionomie de la ville (c'est encore plus vrai pendant la « captivité des papes » en Avignon). Depuis le Xe s, Rome avait pris un aspect défensif, militaire. Les grandes familles avaient érigé un peu partout châteaux et forteresses. Il est intéressant de noter qu'au XIIIe s, le style gothique qui se développe depuis plus d'un siècle en Occident fait une entrée très timide en Italie. Ce gothique restera de toute façon « viscéralement » romain (voire byzantin) et ne cédera jamais au flamboyant.

Quelques artistes marquent le Moyen Âge romain : Pietro Cavallini (auteur des mosaïques de *Santa Maria in Trastevere*), Iacopo Torriti et Arnolfo Di Cambio. Sans oublier Giotto et Filippo Rusuti, plus florentins que romains ; ils n'en eurent pas moins une grande influence sur les pratiques artistiques de leurs contemporains puis celles des artistes de la Renaissance.

La Rome de la Renaissance

Le Quattrocento est une époque bénie pour l'art italien. Bien sûr, cette révolution culturelle, philosophique, scientifique et sociale germe d'abord à Florence, la grande rivale. Mais le retour des papes à Rome, en 1417, ne tarde pas à inverser les choses. Le pape Martin V, de la famille des Colonna, doit rétablir son autorité. Il doit aussi reconstruire la ville. Pour cela, il fait appel à tout ce que l'Italie compte de talents. La ville sort peu à peu de sa torpeur et devient le lieu de convergence de tous les artistes. On restaure à grands frais les églises, à commencer par Saint-Jean-de-Latran (cathédrale de Rome) et le palais pontifical. Le pape suivant, Nicolas V, décide pourtant de quitter le Latran et de traverser le Tibre. Il fait restaurer Saint-Pierre et s'installe dans le palais du Vatican, agrandi et fortifié. Il veut faire de Rome une capitale moderne, au rayonnement international. Il ne reste malheureusement rien des commandes faites à Fra Angelico par le pape, à part les quelques (magnifiques) peintures de la chapelle Niccolina. Elles témoignent néanmoins d'une réelle rupture avec l'art médiéval.

S'il est vrai que nombre de ces innovations ont été favorisées par l'invention de la peinture à l'huile et la généralisation de la toile et du chevalet, la rupture n'en est pas moins totale. Les effets de transparence et la profusion des couleurs sont une totale nouveauté, ainsi que l'utilisation de la perspective et du clair-obscur. Le corps se dénude, se fait plus voluptueux, le sujet plus profane, plus léger, plus mythologique. Paradoxalement, bien que l'art soit toujours religieux, l'homme devient le centre du tableau (et du monde). Même le Christ, selon la conception thomiste, revêt une double nature : il est à la fois homme et Dieu. Quant à la Vierge, elle se fait plus maternelle, plus tendre. Et l'on délaisse peu à peu le surnaturel pour s'intéresser enfin à la nature humaine, même si la beauté et l'harmonie priment sur le réalisme. C'est une toute nouvelle vision du monde qui est proposée à l'époque, un goût pour les voyages, un certain exotisme, un regain d'intérêt pour le passé, avec la redécouverte de l'art et la littérature antiques et notamment des « grotesques » et des stucs de la *domus Aurea*. Les paysages deviennent un élément important du tableau, même s'ils restent secondaires, en arrière-plan. Comme si l'on prenait le temps d'observer, de réfléchir... Évidemment, ce genre de vagabondage intellectuel n'est pas innocent. Bientôt, Dante révolutionnera la poésie et réinventera la satire politique tandis qu'un certain Colomb prétendra trouver de nouvelles voies navigables, pour finalement (re)découvrir l'Amérique... Luther n'hésitera pas à remettre en cause certaines pratiques de l'Église, jusqu'à un certain Copernic qui émettra l'idée saugrenue que la Terre pourrait être ronde et tourner autour du Soleil !

On est encore loin de tous ces chamboulements quand le pape Sixte IV convoque le Pérugin et Botticelli pour la décoration de la nouvelle chapelle (Sixtine) qu'il souhaite dédier à la Vierge. Jules II, son neveu et successeur, poursuit la décoration de la chapelle et fait appel à Michel-Ange pour le plafond. Il semble prendre très à cœur son rôle de mécène car, au même moment, il fait aussi venir auprès de lui le jeune Raphaël, tandis que l'architecte Bramante transforme le Vatican en un palais digne des plus grands princes. Les chantiers sont pharaoniques et certains de ces travaux ne seront jamais achevés. Le sac de Rome en 1527, mais surtout le mépris du nouveau pape Adrien IV pour l'art en général et l'Antiquité en particulier, mettent un terme, dès les années 1520, à une tradition de mécénat bien établie. Les artistes désertent Rome peu à peu. Ils ne reviendront vraiment, malgré une parenthèse maniériste, que sous le pontificat de Paul III Farnèse. S'impose alors un style assez pompeux, dont le palais Farnèse est un parfait exemple. Michel-Ange participe au projet, tout comme à la décoration du château Saint-Ange, ou encore à la conception de la place du Capitole où Paul III parvient à imposer, malgré les refus de l'artiste, la présence de la statue équestre de Marc Aurèle. Paul III cultive un certain goût pour tout ce qui peut lui rappeler l'Empire et le grandir... Son neveu Alexandre a heureusement meilleur goût et s'entoure des plus grands artistes de son temps : Titien, le Greco, Della Porta...

En 1564, le divorce est prononcé entre catholiques et protestants et, comme pour donner raison à ces derniers, l'humanisme se fait vertu rare à la cour papale. Les arts en pâtissent, forcément. Avec ce que l'on va appeler la « Contre-Réforme », les jésuites et autres ordres religieux prennent le contrôle de l'art... On n'hésite pas à détruire les chefs-d'œuvre des époques précédentes, car jugés moralement corrompus et pernicieux. Grégoire XIII et Sixte V, « le pape des obélisques », se montrent heureusement moins intransigeants et repensent l'urbanisation de Rome. Trop tard, déjà le monde change, s'inquiète. L'esprit de la Renaissance n'est plus...

La Rome baroque

On oppose souvent les deux courants artistiques du XVIIe s, le baroque et le classicisme. Malgré des différences évidentes de langage, de conception, ils s'inscrivent tous deux dans la même dynamique. Le classique se veut modéré, harmonieux, appliquant des règles strictes de composition héritées des Anciens. Le sujet est souvent grandiose, volontiers historique ou mythologique, toujours moral... La Renaissance avait montré un homme capable de dominer la nature, le XVIIe s insiste plutôt sur le côté fragile de la nature humaine. À l'inverse, le baroque, mouvement amorcé en architecture, naît à Rome vers 1630, dans un contexte politico-religieux des plus mouvementé. Jésuites et partisans de la Contre-Réforme continuent à prôner un art triomphant. La peinture est donc essentiellement monumentale et décorative, elle recouvre les murs et les plafonds des palais. Il faut éblouir, surprendre, exacerber passions et émotions, donner une impression de vertige. Illusions d'optique et trompe-l'œil, fusion des arts cassent les limites et les repères. Annibal Carrache, en 1600, avec sa voûte de la galerie Farnèse, se pose à la fois en nostalgique de Michel-Ange et de Raphaël et en précurseur du baroque. Pierre de Cortone, le Bernin, Borromini sont les autres grands artistes du baroque romain. Quant au Caravage, il est un courant à lui tout seul...

Mais on ne saurait traiter du baroque romain sans évoquer Scipion Borghèse. Mécène audacieux et passionné, féru d'art antique, il souhaitait montrer que Rome pouvait égaler, voire surpasser en tout point l'Antiquité. Pour cela, il s'entoure des meilleurs artistes dont le jeune Bernin, qui lui offrira quelques-unes de ses plus belles statues. Pour abriter son impressionnante collection, il fait aménager une somptueuse villa (la galerie Borghèse !)... On lui doit tout simplement l'essor du baroque qui devait sous peu révolutionner l'art de l'Europe entière. Le pape Urbain VIII Barberini, qui lui aussi protège et fait travailler le Bernin, n'est pas en reste... C'est même lui qui contribuera à donner au baroque son caractère universel.

Il est frappant de constater que cette Rome baroque nous est finalement parvenue quasiment intacte. La physionomie que nous lui connaissons n'est guère différente de la Rome du XVIIIe s. Tout simplement parce que l'occupation napoléonienne et les guerres d'indépendance ont relégué Rome à un rang secondaire, mettant un terme quasi définitif à son rayonnement culturel. Après l'indépendance, le *Risorgimento* favorisa finalement l'essor des autres capitales régionales. Milan devint ainsi le nouveau centre politique, économique et, par contrecoup, artistique. Ni industrialisation, ni modernisme ne viendront vraiment perturber le paysage romain. On ne trouve à Rome que quelques très rares exemples d'architecture Art nouveau *(Liberty)*, un peu d'Art déco, comme par exemple le quartier de l'EUR, la gare de Termini et quelques autres verrues fascistes, mais rien de marquant en architecture contemporaine. Avec son côté fourmilière hyperactive, on ne saurait parler pour autant d'une ville-musée. Rome est une ville vivante, éternelle.

QUELQUES GRANDS NOMS DE L'ART ROMAIN

Michel-Ange (1475-1564)

Michel-Ange exprime, voire incarne ce bouleversement que l'on appellera plus tard la Renaissance. Il commence son apprentissage de sculpteur à l'âge de 13 ans dans l'un des ateliers les plus prestigieux de l'époque. Il a 15 ans quand Laurent le Magnifique le prend sous son aile, lui allouant une rente des plus conséquente pour l'époque, preuve de la grande estime dans laquelle les Médicis tenaient déjà le jeune artiste. À Florence, il étudie et copie à loisir les statues antiques ainsi que ses maîtres favoris, Giotto, Donatello... Puis il part pour Rome... Sitôt arrivé, il réalise son premier chef-d'œuvre, la *Pietà*. Le pape Jules II lui commande ce qui devait être l'œuvre de sa vie, un tombeau grandiose sur le site de Saint-Pierre. Malheureusement, ce projet ne vit jamais le jour, malgré toute l'énergie que Michel-Ange y déploya... S'ensuivent d'incessants allers-retours entre Rome et Florence... ces deux villes et leurs mécènes se disputant ses faveurs. C'est une grosse source d'amertume, de frustration pour l'artiste, car cela l'oblige souvent à abandonner ou à bâcler le travail en cours... Mais, malgré un caractère de cochon, il a su se rendre indispensable... Le seul problème, c'est qu'il n'aime pas peindre... lui ne se voit qu'en sculpteur et architecte... Malchance ! En 1508, le même Jules II lui ordonne de repeindre le plafond de la chapelle Sixtine... Il s'exécute à contrecœur. On connaît la suite... Vingt ans plus tard, le nouveau pape, Clément VII, le fait revenir à Rome pour une nouvelle fresque, le *Jugement dernier*. Ce qui est sûr, c'est qu'en sculpture comme en peinture, Michel-Ange continue à nous éblouir, à nous étonner par sa modernité, l'extrême force, voire l'extrême violence qui se dégage de ses œuvres, par ses éblouissantes connaissances anatomiques et cette façon dont il contorsionne les corps et fait saillir les muscles...

Les plus beaux détours sur les traces de Michel-Ange

Nombre de ses œuvres se trouvent au ***Vatican*** (*chapelle Sixtine, Jugement dernier* et *chapelle Pauline*), à ***Saint-Pierre*** (la *Pietà* et la *coupole*), au ***Capitole,*** dont il dessina la place et les façades, à ***Santa Maria degli Angeli,*** où il décide de conserver la structure antique...

Raphaël (1483-1520)

Quand Raffaello Sanzio disparaît à l'âge de 37 ans, le jour de son anniversaire, un Vendredi saint qui plus est, il plonge toute une ville dans le chagrin... Car, contrairement à Michel-Ange, Raphaël avait su se faire aimer de tous. L'épitaphe inscrite sur sa tombe au Panthéon est particulièrement éloquente : « Ci-gît Raphaël, qui toute sa vie durant fit craindre à la Nature d'être dominée par lui, et, lorsqu'il mourut, de mourir avec lui. »
Cet ancien élève du Pérugin, comme tout artiste un peu ambitieux à l'époque, quitte Florence pour Rome où travaillent déjà Michel-Ange et Léonard de Vinci. Il avait précocement intégré toutes les ruptures liées au Quattrocento. Pourtant, toute sa vie, il restera influencé par son maître, ainsi que par la peinture flamande, par Léonard de Vinci ou par Michel-Ange. Le génie de Raphaël réside peut-être dans cette harmonieuse synthèse à laquelle il est parvenu... un don évident de la composition, un esprit universel qui le rend accessible à tous... Il se dégage de ses tableaux une beauté, une douceur des plus troublante et une expression psychologique rare pour l'époque. Cette plénitude tient sans doute au fait qu'il n'a pas pour but l'idéalisation du sujet, tout au plus son exaltation... La seule chose qui l'intéresse au fond, c'est de rendre compte de la grâce et de la beauté. Il ose même peindre une Madone humble parmi les humbles, à mille lieues de l'iconographie officielle.

DEUX GÉNIES AU CARACTÈRE OPPOSÉ

Michel-Ange est un célibataire endurci, platonicien, fuyant les femmes et les richesses. Pire, il est colérique, violent, sûr de lui et de son génie. De plus, ironie du sort pour celui qui restera associé aux fresques de la chapelle Sixtine, il n'aime pas peindre ! Tout l'inverse de Raphaël, qui se donne entièrement à la peinture et aime les femmes avec excès, en particulier la belle boulangère du Trastevere, la célèbre Fornarina. Une constitution fragile, une vie agitée et la malaria semblent avoir raison de sa santé, s'opposant à l'ascétisme de son rival Michel-Ange. Ce dernier meurt à l'âge de 89 ans tandis que Raphaël disparaît à 37 ans.

Dès son arrivée à Rome, il travaille pour Jules II, qui lui a passé commande pour une série de fresques dans le palais du Vatican, tandis que Michel-Ange termine son plafond dans la chapelle voisine. Raphaël a su très vite s'imposer comme le peintre officiel de la cour pontificale. Il a donc, plus que tout autre, influencé les goûts de l'époque. Mais pas uniquement par son œuvre. En effet, le pape l'avait également chargé d'inventorier et de protéger le patrimoine culturel de Rome. On lui doit donc beaucoup pour la connaissance des monuments antiques (ce qui n'empêcha nullement Jules II de se servir du Forum comme carrière de marbre et autres cailloux pour ses grands travaux !).

Les plus beaux détours sur les traces de Raphaël

Même si l'on se contente des chefs-d'œuvre, la liste est déjà longue. On trouve de nombreuses œuvres à la ***galerie Borghèse*** *(La Dame à la licorne, La Déposition du Christ)*, à la **pinacothèque du Vatican** (*La Transfiguration,* ainsi que des retables et des tapisseries), au ***Vatican*** *(Chambre de la Signature, Chambre d'Héliodore, L'Incendie de Burgo).* La **galerie Barberini** abrite la célèbre et sensuelle *Fornarina,* tandis que les murs et les plafonds de la ***villa Farnesina*** sont recouverts des sublimes fresques que sont *Le Triomphe de Galatée* et *La Galerie de Psyché.*

Le Caravage (1571 ?-1610)

Né Michelangelo Merisi et surnommé Caravaggio d'après le village d'origine de sa famille, on sait peu de chose de ce peintre maudit et torturé, à la carrière brève et tumultueuse, un peu à la manière des artistes romantiques. La légende de ses excès, de son caractère violent et belliqueux, et de ses déboires avec la justice (qui l'obligèrent à quitter Rome) est bien arrivée jusqu'à nous... Mais il s'agit là du caractère de l'homme, et non de celui de l'artiste ! Cependant, tous admettent qu'il y a un « avant » et un « après » Caravage. En effet, ses innovations bouleverseront l'art occidental. Et s'il n'a jamais fondé d'école, nombre d'artistes après lui (Vélasquez, Georges de La Tour, Rubens, Van Dyck, Jordaens... jusqu'à David et Géricault) se réclameront du caravagisme ou admettront en tout cas avoir été fortement inspirés par son œuvre. Il est toujours considéré par beaucoup de spécialistes comme l'un des pères de la peinture moderne. L'absence de dessin préparatoire, l'utilisation de couleurs sombres contrastant avec des figures centrales mises en valeur par un éclairage latéral, ses compositions d'une grande simplicité, sa conception du sacré, révolutionnaire, à la limite iconoclaste, sont en totale contradiction avec le maniérisme qui règne en cette toute fin de Renaissance. Sa franchise, son réalisme, son art du clair-obscur dramatique, son goût pour les scènes de vie quotidienne qui le rapprochent des naturalistes, choquent énormément, d'autant qu'il n'hésite pas à peindre crûment la laideur. De ce point de vue, une rivalité légendaire l'oppose à Annibal Carrache. Pourtant, si artistiquement tout paraît les séparer, il semblerait qu'ils aient eu une grande estime mutuelle, chose étonnante au vu du caractère irascible du Caravage. Il pourra heureusement compter sur la fidélité de plusieurs protecteurs haut placés, qui le mettront un temps à l'abri des querelles et des polémiques. Plusieurs de ses tableaux furent cependant refusés *(La Madone avec le serpent ou des palefreniers, La Mort de la Vierge)...* La raison en serait plus politique qu'artistique car, malgré ses mœurs scandaleuses pour l'époque, ses déboires et sa disgrâce – suite à une accusation de meurtre au cours d'un duel –, il resta, même en pleine polémique, étonnamment coté et copié... Il meurt probablement de la malaria (à moins qu'il n'ait été assassiné), à moins de 40 ans, alors qu'il tente de rentrer en Italie et dans les bonnes grâces du pape.

Les plus beaux détours sur les traces du Caravage

Incontournable pour l'amateur éclairé que vous êtes, la ***galerie Borghèse*** offre une belle collection de ses chefs-d'œuvre : *Le Jeune Bacchus malade, Le Jeune Garçon à la corbeille de fruits, La Madone des palefreniers, Saint Jérôme à son écritoire,*

David à la tête de Goliath... Au ***musée du Capitole,*** *La Diseuse de bonne aventure* (une de ses premières grandes œuvres, à la palette lumineuse ; le Louvre en possède une autre version). Au ***palais Barberini,*** l'impressionnante *Judith décapitant Holopherne,* où la tension dramatique touche à son comble. L'église ***Santa Maria del Popolo*** abrite deux tableaux réalisés sur commande pour cette église, toujours en place : la *Crucifixion de saint Pierre* et la *Conversion de saint Paul.* Un détour par la ***galerie Pamphilj,*** et c'est un pur chef-d'œuvre qui s'offre au visiteur : *Le Repos au cours de la fuite en Égypte,* étonnamment tendre et coloré, même si le peintre n'a pu s'empêcher de confronter la jeunesse à la vieillesse ; également *Marie Madeleine pénitente.* Et si le Caravage est si cher au cœur des Français, c'est probablement que l'église ***Saint-Louis-des-Français*** renferme plusieurs toiles, dont la *Vocation de saint Matthieu,* où le Christ est représenté comme un simple homme du peuple. Pour rester dans le registre religieux, une *Mise au tombeau* est exposée à la ***pinacothèque du Vatican.*** Bien d'autres de ses œuvres sont encore disséminées un peu partout dans Rome : un seul guide ne suffirait pas à en faire le tour !

UN BREF PASSAGE EN CLAIR-OBSCUR

Le Caravage s'exile à Malte en 1607 suite à un homicide commis à Rome. Le mercure en fut-il responsable ? D'après une chercheuse italienne, le Caravage aurait mis au point la chambre noire imaginée par Léonard de Vinci. Éclairant ses modèles sous une lumière zénithale (d'où son goût du clair-obscur ?), il projetait leur image à travers une lentille sur une toile enduite d'éléments sensibles, le temps de les peindre à grands traits. La chercheuse en veut pour preuve le grand nombre de gauchers dans ses œuvres, signe que la lentille de l'époque inversait l'image ! Or, d'après elle, le mercure contenu dans ses préparations l'aurait peut-être rendu colérique, voire poussé à commettre le crime qui provoqua son exil maltais !

Le Bernin (1598-1680)

Gian Lorenzo Bernini est de la même génération que Borromini, autre grand artiste romain et éternel rival. Son père, Pietro, Florentin d'origine, était déjà sculpteur et, s'il n'a pas laissé son prénom dans l'histoire, il était à l'époque très apprécié. C'est donc tout naturellement que le jeune Bernin intègre l'atelier familial. Très vite, ses dons prodigieux attirent l'attention du cardinal Scipion Borghèse, le neveu du pape, qui lui confie la décoration de son palais. Tous deux avaient une très haute idée de l'art, l'un en tant que mécène et l'autre en tant qu'artiste. Le Bernin a joué un rôle fondamental dans l'histoire de l'art, car il incarne mieux que quiconque l'esprit et la spiritualité baroques. S'il semble dominer le marbre comme d'autres la pâte à modeler, il est cependant techniquement loin de l'orthodoxie de l'époque : peu ou pas de dessins d'étude, quasiment aucun modelage préparatoire... ce qui le conduit parfois à des couacs : blocs de marbre un poil trop petits pour achever une chevelure, etc. Avec l'aide de son ami, Pierre de Cortone, il cherche à faire une synthèse des arts, dans le but avoué de glorifier le pape, d'exalter la magnificence de l'Église et la foi chrétienne... Pourtant, nul sculpteur n'a su transmettre autant de vie à la pierre. L'effet est toujours aussi stupéfiant. On a tout dit de la transparence des marbres, de l'incroyable effet dramatique, du mouvement, aérien, gracieux... Mais à chaque fois, quel choc ! Certains lui reprochèrent le côté théâtral, presque indécent, tant on a l'impression de prendre les personnages sur le vif, en pleine intimité... Et ils n'ont pas vraiment tort, puisqu'il concevait ses sculptures pour qu'elles soient vues depuis un point précis et unique, depuis lequel l'élan et l'essence de l'œuvre se faisaient évidence... Mais, encore une fois, son but était bien de provoquer une émotion, une ferveur, une exaltation mystique... On peut tout aussi bien en retenir l'extrême sensualité...

Le Bernin bâtisseur est beaucoup moins sensuel (mais c'est valable pour l'architecture baroque en général)... En revanche, en cherchant en permanence à faire un lien entre l'objet artistique et l'objet urbain, il s'impose comme un véritable architecte, voire un urbaniste. Pour un projet aussi grandiose que Saint-Pierre, s'inscrire dans la ville était évidemment une contrainte. Il réussit pourtant à donner une dynamique à l'espace. En cela, la colonnade de Saint-Pierre avec ses deux bras qui se referment autour des fidèles rassemblés sur la place est une franche réussite. Le jeu d'ellipses, de perspectives est un chef-d'œuvre d'intelligence, d'ingéniosité... Il faut y voir bien plus qu'un symbole ou un simple décor et comprendre que l'architecture est ici une véritable mise en scène. Le pauvre perdra son titre d'architecte du Saint-Siège, à la suite de lézardes apparues sur les murs de la basilique. Cela donnera l'occasion de prendre sa revanche à Borromini, qui se voit confier la construction de l'église Sant'Agnese in Agone.

Les plus beaux détours sur les traces du Bernin

Le Bernin fut tellement prolifique à Rome qu'il est impossible de citer toutes les églises qu'il a décorées, toutes les fontaines qu'il a dessinées... Sachez que les plus belles œuvres se situent à la ***galerie Borghèse*** (avec quelques impressionnantes œuvres de jeunesse, mais surtout *L'Enlèvement de Proserpine,* son *David* et, plus encore, *Apollon et Daphné*). Si l'on ne devait citer qu'une seule fontaine, ce serait bien sûr celle de la ***piazza Navona,*** la *fontaine des Quatre-Fleuves,* et une seule église, ce serait ***Santa Maria della Vittoria*** pour son *Extase de sainte Thérèse.* Sans oublier, bien sûr, la ***basilique Saint-Pierre*** (et cet extravagant *tombeau d'Alexandre VII*) et sa colonnade (c'est-à-dire le parvis), dont il fut le principal architecte. À proximité, les statues qui bordent le ponte San Angelo (ce ne sont que des copies). Dans les Castelli Romani, la place du palais papal de ***castel Gandolfo*** et l'église qui la flanque.

PETITE CHRONOLOGIE ARTISTIQUE

Avant J.-C.

– ***616 :*** premier *circus maximus* construit par Tarquin l'Ancien, avec des gradins en bois, selon la tradition.

Après J.-C.

– ***72 :*** l'empereur Vespasien commence les travaux du Colisée.
– ***80 :*** les travaux du Colisée se terminent, sous Titus.
– ***118 à 125 :*** construction du Panthéon actuel sous Hadrien.
– ***216 :*** construction des thermes de Caracalla.
– ***326 :*** l'empereur Constantin fait construire, sur le lieu supposé du martyre de saint Pierre, la basilique.
– ***1386 :*** naissance de Niccolò Bardi, dit Donatello, à Florence.
– ***1401 :*** naissance de Giovanni Di Mone Cassai, dit Masaccio, à San Giovanni Valdano.
– ***1433 :*** Donatello arrive à Rome.
– ***1441 :*** Donatello et Michelozzo réalisent ensemble le Tabernacle du Saint-Sacrement dans la basilique Saint-Pierre.
– ***1444 :*** naissance de Sandro Filipepi, dit Botticelli, à Florence. Naissance de Donato Di Pascuccio Di Antonio, dit Bramante, dans le duché d'Urbino.
– ***1450 :*** Fra Angelico termine ses fresques à la chapelle Niccolina (palais du Vatican).
– ***1466 :*** mort de Donatello à Florence.
– ***1475 :*** naissance de Michel-Ange Buonarroti à Caprese.
– ***1478 :*** fresques du Pérugin à la chapelle Sixtine.

– ***1481 :*** Botticelli arrive à Rome et, le 27 octobre, signe un contrat avec le pape Sixte IV, qui l'engage à la peinture de fresques dans la chapelle Sixtine.
– ***1483 :*** naissance de Raffaello Sanzio, dit Raphaël, à Urbino.
– ***1499 :*** Michel-Ange termine la *Pietà,* construite en un seul bloc de marbre. Bramante arrive à Rome.
– ***1504 :*** construction du cloître de l'église Santa Maria della Pace (Bramante).
– ***1505 :*** *Jeune Femme à la licorne* (ou *Madeleine Strozzi*) de Raphaël.
– ***1506 :*** le pape Jules II charge Bramante d'agrandir la basilique Saint-Pierre. Il ne construira que les quatre grandes colonnes.
– ***1509 :*** Raphaël arrive à Rome, sous recommandation de Bramante.
– ***1512 :*** toile de *La Madone de Foligno* de Raphaël.
– ***1514 :*** mort de Bramante. Fresques de *Saint Pierre délivré par l'ange* de Raphaël.
– ***1520 :*** mort de Raphaël à Rome.
– ***1535 :*** Michel-Ange commence le *Jugement dernier* à la chapelle Sixtine.
– ***1541 :*** le *Jugement dernier* est terminé.
– ***1563 :*** Michel-Ange entame le chantier de l'église Santa Maria degli Angeli.
– ***1564 :*** mort de Michel-Ange, qui laisse la coupole de Saint-Pierre inachevée.
– ***1571 :*** naissance de Michelangelo Merisi, dit le Caravage.
– ***1588 :*** le Caravage arrive à Rome.
– ***1591 :*** la coupole de la basilique Saint-Pierre est terminée par Giacomo Della Porta.
– ***1598 :*** naissance de Gian Lorenzo Bernini, dit le Bernin.
– ***1599 :*** naissance de Francesco Castelli, dit Borromini.
– ***1600 :*** *Vocation de saint Matthieu* du Caravage.
– ***1605 :*** *David* du Caravage.
– ***1610 :*** le Caravage meurt de malaria à Porto Ercole.
– ***1619 :*** *Apollon et Daphné* du Bernin.
– ***1624 :*** baldaquin du Bernin à la basilique Saint-Pierre.
– ***1626 :*** le pape Urbain VIII consacre la basilique Saint-Pierre.
– ***1640 :*** fontaine du Triton, au palais Barberini, du Bernin.
– ***1650 :*** église Saint-Yves-de-la-Sapience de Borromini.
– ***1652 :*** fontaine des Fleuves, sur la piazza Navona, du Bernin.
– ***1667 :*** mort de Borromini.
– ***1680 :*** mort du Bernin.
– ***1757 :*** naissance d'Antonio Canova à Possago (Treviso).
– ***1779 :*** Canova arrive à Rome.
– ***1791 :*** tombeau de Clément XIII de Canova à la basilique Saint-Pierre.
– ***1804 :*** Pauline Borghèse en *Vénus victorieuse,* par Canova.
– ***1822 :*** mort de Canova à Venise.
– ***1947 :*** le palazzo del Quirinale devient la résidence officielle du président de la République italienne.
– ***2007 :*** découverte de la grotte supposée où Romulus et Rémus avaient été allaités par une louve, sur le mont Palatin.

PERSONNAGES

– ***Francesco de Gregori :*** ce *cantautore* italien (un auteur chantant !) naît à Rome en 1951. Sa discrétion, malgré son succès, est telle qu'elle lui vaut le surnom du *Principe* (le prince) de la chanson italienne. Il s'inspire de chanteurs tels que Bob Dylan, Leonard Cohen ou Simon et Garfunkel, et compose de jolies ballades aux paroles poétiques. Très connu en Italie mais peu exportable, car ses atouts sont les textes de ses chansons. À écouter pour les italophones...
– ***Domenico de Sole :*** un Romain de souche à la tête de la célébrissime maison *Gucci* dont le chiffre d'affaires a tout simplement quadruplé depuis qu'il en a repris la direction en 1994. Il a barré la route de l'Italie à Bernard Arnault (M. Vuitton ;

groupe LVMH), créant un renouveau « nationaliste » chez les grands couturiers italiens, pour ensuite mieux se jeter dans les bras de François Pinault (groupe Pinault-Printemps-La Redoute)... L'industrie du luxe faisant grise mine depuis le 11 septembre 2001, les tourtereaux seront peut-être conduits à se séparer : le feuilleton Gucci continue !

– ***Federico Fellini :*** quand on lui demande où il aurait aimé vivre, il répond : « Cinecittà » ! Il travaille longtemps avec Roberto Rossellini, en tant que coscénariste, notamment du film *Roma, citta aperta (Rome, ville ouverte).* Avec le succès international de *La Strada* en 1954, il passe dans la cour des grands. Il impose définitivement son style et son univers avec *La Dolce Vita* (1960). Suivra une suite ininterrompue de longs-métrages, œuvres audacieuses et éloignées de la narration classique, jusqu'à la mort du maestro, en 1994.

– ***Famille Fendi :*** une maison créée en 1925 à Rome par Edoardo et Adele Fendi, et développée par leurs cinq filles (avec le concours de Karl Lagerfeld, qui y a débuté sa carrière dans les années 1960). À l'origine, *Fendi* est spécialisée dans la fourrure et le cuir. Mais le succès de son sac fétiche, créé en 1997 par Silvia Venturini, héritière de la maison, et vendu à plus de 600 000 exemplaires, a propulsé *Fendi* dans le peloton de tête des grandes griffes du luxe.

– ***Marcello Mastroianni :*** né en 1924 à Fontana Liri, près de Rome, et mort en 1996. Il a fait l'histoire du cinéma italien d'après-guerre. De lui, on retient sa collaboration intense avec Fellini, qui nous laissera des films tels que *La Dolce Vita, 8 ½* (*Huit et Demi,* 1963) et *La Città delle donne* (*La Cité des Femmes,* 1980), mais aussi des films tournés avec son amie Sophia Loren dans *Matrimonio all' italiana* (*Mariage à l'italienne,* 1964) de Vittorio De Sica ou *Una giornàta particolare* (*Une journée particulière,* 1977) d'Ettore Scola, qui raconte comment, en une journée de fête pour la venue d'Hitler à Rome, se rencontrent dans un immeuble déserté un homosexuel et une femme résignée.

– ***Alberto Moravia :*** définitivement l'une des principales personnalités littéraires et culturelles de l'Italie contemporaine. Écrivain précoce, il publie *Les Indifférents* (un roman qui fit l'effet d'une bombe en pleine Italie fasciste), à l'âge de 22 ans. Sa ville natale lui inspira plusieurs récits : *La Belle Romaine, Le Conformiste, La Ciociara,* popularisés par le cinéma ; et aussi *Nouvelles romaines* et *Autres Nouvelles romaines* qui, en quelque sorte, anticipent sur la Rome des *Ragazzi* de Pasolini (voir « Livres de route » dans « Rome utile »). Dans les années 1960, Moravia commence à voyager. Curieux, il largue les amarres régulièrement, à destination de l'Afrique, de l'Inde, de la Chine, et d'autres pays du « tiers monde », mais voyage peu dans les pays riches. Paris est l'exception à la règle ; l'écrivain s'y sent chez lui. S'il fallait dresser une « géographie moravienne », Rome en serait le premier point fixe, suivi de Milan et de Paris. Mais son véritable univers restait finalement celui de l'ailleurs. Il est mort le 26 septembre 1990 à Rome.

– ***Nanni Moretti :*** sûr qu'on lui fait plaisir en le comparant à Woody Allen. À l'exception près que Woody est plutôt génétiquement handicapé question sport, alors que Moretti est un as du water-polo. En 1976, son premier long-métrage a un titre qui est tout un programme : *Io somo un autarchico (Je suis un autarcique).* Viennent ensuite, entre autres, *Rêves d'or* (*Sogni d'Oro,* 1981), *La messa é finita* (*La messe est finie,* 1986) et *Palombella Rosa* (1989). On peut se repaître de ses interviews car, dans son pays, il n'est pas très loquace et fuit la gent plumitive, c'est-à-dire les journalistes. Ses tergiversations faussement candides d'auteur-réalisateur-acteur dans *Caro Diario (Journal intime)* lui rapportent une Palme de la meilleure mise en scène à Cannes en 1994. Nanni Moretti sur sa *Vespa* est devenu une scène d'anthologie jouissive. Il a fondé sa propre maison de production, la *Sacher Film,* et possède un cinéma à Rome, le *Nuovo Sacher.* En 1998, *Aprile,* pourtant bien accueilli par la critique, n'a pas produit dans le public les sensations escomptées. La consécration viendra avec *La Stanza del figlio (La Chambre du fils),* film récompensé par la Palme d'or à Cannes en 2001, dans lequel Moretti joue encore mais où il s'éloigne de son propre personnage. En réalisant *Il Caimano (Le Caïman),* son film le plus récent (2006) évoquant la carrière de Silvio Berlusconi, Moretti a pour la première fois renoncé à jouer le rôle principal. Acteur dans *Caos Calmo* d'Antonio Luigi Grimaldi (sorti en Italie en 2008), une scène sulfureuse avec sa partenaire Isabella Ferrari lui a valu les foudres du Vatican...

– ***Pier Paolo Pasolini :*** tour à tour peintre, homme de lettres et poète, puis professeur des écoles et journaliste à Rome. Fasciné par une banlieue à la fois violente et audacieuse, il la dépeint dans les romans *Ragazzi di vita* et *Una vita violenta.* L'originalité de son style et du langage qu'il emploie crée l'intérêt de la communauté intellectuelle, mais aussi de la justice... qui l'accuse de pornographie (il sera acquitté). Pasolini touche à tout, écrit pléthore de scénarios pour le cinéma, entre autres pour Fellini *(Le Prisonnier de la montagne).* En 1960, il enfile la casquette de réalisateur en tournant son premier film, *Accattone.* Puis viendront *Mamma Roma* (également dénoncé pour pornographie), *La Ricotta, La Rabbia, Edipore, Medea, Il Decameron, Teorema, Salò o le autorenti giornate di Sodomà,* etc. Il écrira également un certain nombre d'ouvrages critiques (notamment *Empirismo eretico,* essai sur la langue et le cinéma) et plusieurs pièces de théâtre. Pasolini est assassiné en 1975, dans des circonstances encore non élucidées.

– ***Isabella Rossellini :*** une grande personnalité tout comme son ascendance, Ingrid Bergman et Roberto Rossellini, dont l'idylle fut dénoncée en haut lieu. Martin Scorsese, David Lynch et Gary Oldman étaient dans son entourage direct. Depuis que *Lancôme* a décidé de la faire disparaître de notre shopping quotidien, cette Romaine de naissance a pris la vice-présidence de *Lancaster,* mais elle se réserve encore le droit d'exposer sa magnifique silhouette devant l'objectif. Y'a intérêt !

– ***Alberto Sordi :*** sans conteste un des monuments de la Ville éternelle. Avec plus de 200 films tournés à son actif, dont un *Néron* dont on se souvient encore, Alberto Sordi a incarné mieux que personne le Romain moyen, avec ses qualités mais aussi ses vices et mesquineries (*Un Américain à Rome* de Steno) ! Sa mort, en février 2003, a endeuillé le monde du spectacle italien.

RESTAURANTS

Où manger ?

Le routard risque d'être désorienté les premiers jours devant la variété des enseignes : *snack-bar, caffè, rosticceria, tavola calda, pizzeria, enoteca, trattoria, osteria, ristorante...* Les voici classés du plus populaire au plus chic. Sachez également que dans les trois dernières catégories, vous paierez systématiquement le couvert (certaines pizzerias l'appliquent aussi). Dans ces types d'établissements, vous trouverez souvent des menus à midi (en semaine) ou vous pourrez vous contenter d'un *antipasto* et d'un plat, ou bien d'un *primo* et d'un dessert. Mais le soir venu, il est très mal vu d'aller au resto pour ne manger qu'un plat de pâtes et une eau minérale pour deux. Certes, on vous donne une carte et vous pouvez choisir ce qui vous plaît, mais les habitudes italiennes (et d'autres pays aussi) veulent que l'on commande en général une entrée ou un *primo,* puis un plat principal et un accompagnement (servis et payés séparément). Le snack-bar et le *caffè* vendent des gâteaux, des paninis et des *tramezzini* (pain de mie en triangles). Parfait pour un en-cas rapide avant ou après une visite culturelle un peu longue ; cependant, ce n'est pas si bon marché car vous risquez de payer souvent le même prix qu'un menu servi le midi. Sans parler des cafés avec terrasse stratégique... là, gare au portefeuille !

– La *rosticceria,* qui correspond au traiteur français, vend des plats à emporter, mais on peut se restaurer sur place (quelques tables).

– La *tavola calda* (une sorte de cantine ou self) est un endroit où l'on sert une restauration rapide, offrant un nombre assez limité de plats déjà cuisinés (souvent depuis plusieurs jours, surtout dans les grandes villes) à un prix très abordable.

– Dans une *pizzeria,* vous pourrez manger... des pizzas, voyons ! Les vraies *pizzerie* ne possèdent qu'un four à pizzas et il n'est guère possible de consommer autre chose, hormis quelques petites fritures en entrée. Au sud du Pô, on ne mange la pizza que le soir, à l'exception des grandes villes où on les trouve aussi au déjeuner. Souvent, les restaurants font aussi *pizzerie,* de manière à diversifier l'offre ; sachez cependant que leur four n'est généralement allumé que le soir. Il y a des *pizzerie* où l'on consomme assis et d'autres où l'on emporte. À noter aussi que l'on peut acheter des pizzas dans certaines boulangeries *(panetterie).*
– On trouve également des *enoteche,* des bars à vins, qui proposent aussi de bons produits régionaux à déguster sur place. Le cadre est souvent très soigné et les prix sont plutôt raisonnables, selon l'emplacement.
– La *trattoria* est un restaurant pas trop cher à gestion (théoriquement) familiale. Comparable au bistrot du coin français, la trattoria propose une cuisine faite maison (*casareccia* ou *casalinga*). Tendance depuis quelques années : la trattoria chic avec une déco recherchée, souvent rustique, avec tables carrées et nappes à carreaux. Attention : la carte n'offre pas un grand choix de plats (une poignée d'entrées, quatre plats de pâtes, trois ou quatre viandes), mais ceux-ci peuvent se révéler très goûteux.
– Tout comme l'*osteria* qui, à l'origine, était un endroit modeste où l'on allait pour boire et qui proposait un ou deux plats pour accompagner la boisson... L'appellation a été reprise par des restaurateurs (parfois en ajoutant un *h* – *hosteria* – pour faire plus chic) pour donner un goût d'antan tout en appliquant des tarifs plus élevés... On peut le comparer à nos brasseries.
– Enfin, le *ristorante* correspond au resto gastronomique. Dans cette catégorie, on trouve tout et son contraire, surtout la note salée en fin de repas. C'est souvent le cas des établissements en bord de mer, proposant du poisson au poids ou des spécialités locales.

Cafés et bars

Excepté certains endroits touristiques (piazza Navona, campo dei Fiori, piazza della Rotonda), les terrasses sont rares et, en dehors de la belle saison, il est parfois difficile de trouver un établissement avec tables et chaises. Les Italiens consomment plutôt debout au comptoir après avoir acquitté le montant de leur boisson à la caisse à l'entrée. On économise ainsi le service. Si vous êtes assis à une table, le prix de la consommation est toujours largement majoré !
Un petit détail enfin : certains bars et cafés sont dépourvus de w-c, ou alors il faut en demander la clé au comptoir – clé qui, soit dit en passant, est un peu remise à la tête du client. Ainsi, les w-c sont souvent *guasto* (hors service) si l'on demande cette fameuse clé avant de commander à boire !

Enoteca

L'on y mange et l'on y boit. Les œnothèques s'enorgueillissent de leur riche sélection de vins, servis au verre ou à la bouteille, mais leur choix de fromages et de charcuteries est tout aussi rigoureux. Certaines s'avèrent être de véritables restos. D'autres accueillent les œnophiles à l'heure de l'apéro, pour grignoter au comptoir, un verre à la main. On a repéré pour vous quelques bonnes adresses (voir plus loin « Où manger ? »).

SAVOIR-VIVRE ET COUTUMES

Tenues dans les églises

Une tenue correcte et un minimum de discrétion semblent parfois échapper à certains visiteurs. Comment peut-on avoir si peu de respect de soi (ne parlons même pas des autres) pour s'afficher en short et marcel par exemple dans la basilique Saint-Pierre, simplement parce que l'on est en vacances ?... Un gardien est là pour vous le rappeler et il n'a aucune indulgence pour ce qui est considéré comme indécent (à savoir shorts pour les hommes et débardeurs ou robes découvrant les épaules ou les genoux pour les femmes...).

Gentillesse *alla romana*

C'est assez étonnant pour être souligné. On est dans une capitale touristique, avec, pense-t-on, tous les inconvénients inhérents à la grande ville : stress, gens pressés, tentatives d'abus en tout genre... Eh bien, pas du tout ! On est rapidement frappé par la gentillesse des Romains. Pour demander son chemin, régler un petit problème, demander une traduction sur la carte d'un resto... Étonnant de trouver tant de gens ouverts et souriants, prêts à vous accorder un peu de leur temps. Ce sont également ces petits détails qui font qu'un séjour à Rome est inoubliable.

La *pennichella*

La sieste (*il pisolino* ou, à Rome, *la pennichella*) fait partie des traditions depuis l'Antiquité. L'été surtout, la ville s'endort après le déjeuner. Les boutiques ferment, la circulation ralentit et les travailleurs de la sixième heure (sieste vient de *sexta hora*) sont l'exception. Alors, dit le proverbe romain, « seuls les chiens et les Français se promènent ». Le plus sage, après tout, serait pour le visiteur de suivre ce rythme réputé reconstituant pour l'esprit et le corps. Mais un effort est actuellement entrepris par les autorités pour transformer les habitudes. L'exemple vient de haut puisque Jean-Paul II, le premier pape non italien depuis la Renaissance, avait habitué ses collaborateurs à se passer de sieste. Comme quoi, y'a des stakhanovistes partout !

SITES INSCRITS AU PATRIMOINE MONDIAL DE L'UNESCO

Pour figurer sur la liste du Patrimoine mondial, les sites doivent avoir une valeur universelle exceptionnelle et satisfaire à au moins un des dix critères de sélection. La protection, la gestion, l'authenticité et l'intégrité des biens sont également des considérations importantes. Le patrimoine est l'héritage du passé dont nous profitons aujourd'hui et que nous transmettons aux générations à venir. Nos patrimoines culturel et naturel sont deux sources irremplaçables de vie et d'inspiration. Ces sites appartiennent à tous les peuples du monde, sans tenir compte du territoire sur lequel ils sont situés. Pour plus d'informations : • *http://whc.unesco.org* •

– Le ***centre historique*** de Rome, les ***biens du Saint-Siège*** et ***Saint-Paul-hors-les-Murs*** (1980, 1990), la ***villa d'Hadrien*** (Tivoli, 1999), la ***villa d'Este*** (Tivoli, 2001), les nécropoles étrusques de ***Cerveteri*** et de ***Tarquinia*** (2004).

UNITAID

UNITAID a été créé pour lutter contre le VIH/sida, le paludisme et la tuberculose, principales maladies meurtrières dans les pays en développement. Le financement d'UNITAID provient principalement d'une contribution de solidarité sur les billets d'avion. UNITAID intervient en facilitant l'accès aux médicaments et aux diagnostics, en en baissant les prix, dans les pays en développement. En France, la taxe est de 1 € (ce qui correspond à deux enfants traités pour le paludisme) en classe économique. En moins de 3 ans, UNITAID a perçu près de 900 millions de dollars, dont 70 % proviennent de la taxe sur les billets d'avion. Les financements d'UNITAID ont permis à près de 200 000 enfants atteints du VIH/sida de bénéficier d'un traitement et de délivrer plus de 11 millions de traitements. Moins de 5 % des fonds sont utilisés pour le fonctionnement du programme, 95 % sont utilisés directement pour les médicaments et les tests. Pour en savoir plus : ● *unitaid.eu* ●

ROME

**Pour se repérer, voir le plan général
et le plan centre de Rome en fin de guide.**

INFORMATIONS ET ADRESSES UTILES

Arriver – Quitter Rome

Aéroport de Fiumicino

✈ ***Fiumicino-Leonardo-da-Vinci :*** *à 26 km au sud-ouest de Rome. Rens :* ☎ *06-65-951 (24h/24) ou* ● *adr.it* ● Fréquenté par les avions des compagnies régulières *(Air France, Alitalia, British Airways, Lufthansa...).* Points d'informations touristiques dans les halls d'arrivées (tlj 9h-18h30) des terminaux.

Liaisons Fiumicino/centre-ville

En train

Le moins cher et le plus pratique. Les terminaux sont reliés à la gare de l'aéroport par des passerelles couvertes (compter 5 mn de trajet). Achat du billet aux guichets classiques, au comptoir de l'office de tourisme, dans les kiosques ou aux bornes automatiques (simples d'emploi, instructions en français, CB acceptées).
Dans le sens retour, notamment si vous arrivez à Termini en taxi, faites-vous déposer à l'entrée des *Ferrovie Laziali* (trains régionaux), via Giovanni Giolitti, afin d'éviter de traverser toute la gare à pied (long !). Il y a des distributeurs automatiques à proximité du quai du Leonardo Express (espèces seulement pour ce dernier) et même un guichet dans la journée.
Attention ! les horaires et tarifs, évolutifs, sont donnés à titre indicatif. Pour être sûr de votre coup, consultez ● *ferroviedellostato.it* ●, appelez le ☎ *89-20-21* ou demandez le dépliant *Collegamento Fiumicino-Termini* des *Ferrovie dello Stato (FS),* notamment aux guichets de Termini.
➢ ***Le train direct Leonardo Express*** (direction Termini) ***:*** le plus rapide mais... le plus cher. Dans les 2 sens, 6h-23h env, départs ttes les 30 mn ; depuis l'aéroport, à 5 et 35 mn après l'heure ; sens inverse à 22 et 52 mn après l'heure ; env 30 mn de trajet. Tarif : env 11 €.
➢ ***Le train régional Fiumicino-Orte*** (FR1) ***:*** env 2 fois plus lent... et 2 fois moins cher. Fonctionne tlj 5h-23h env, départs ttes les 15 mn aux heures de pointe, sinon ttes les 30 mn env. Dessert les gares de Trastevere, Ostiense, Tuscolana et Tiburtina qui permettent les correspondances avec le métro. Prix du billet : 5,50 €. Prévoir 30 mn jusqu'à Ostiense (proche du Testaccio), d'où on rejoint facilement Termini (env 30 mn supplémentaires, transfert compris) par le métro (ligne B, 4 stations slt) direction Rebibbia. L'arrêt Trastevere peut intéresser ceux qui vont dans le quartier du même nom ou vers le Vatican (continuer en train FR5 jusqu'à la station de San Pietro, ou en taxi).

En bus

➢ ***Bus Fiumicino-Piazza Cavour-via Marsala (Termini) :*** *par* Sitbus Shuttle. *Rens : ☎ 06-59-16-826 ou 06-59-23-507.* • *sitbusshuttle.it* • 8h30-0h30 env (sens retour, 5h-20h30 env) ; départs ttes les 30 mn à 1h30 env. Tarif : aller simple 8 € ; aller-retour, env 15 €.

➢ ***Bus Fiumicino-Termini-Tiburtina :*** *géré par la compagnie* Cotral (Atral), ***c'est la seule à fonctionner après minuit.*** *Rens : ☎ 800-174-471.* • *cotralspa.it* • Attention : avec cette compagnie, les bagages trop volumineux peuvent aussi payer leur place. Faites-vous discret ! Départs à 1h15, 2h15, 3h30, 5h, 10h55, 12h, 15h30 et 19h. Dans le sens retour, départ de Tiburtina (ligne de métro B) à 0h30, 1h15, 2h30, 3h45, 9h30, 10h30, 12h35 et 17h30. Arrêt à Termini env 5 mn plus tard, mais **attention de bien le repérer :** minuscule pancarte sur la *piazza dei Cinquecento,* à proximité du *palazzo Massimo,* au niveau du quai « O ». Tarif : env 5 € (plus cher à bord). Trajet : env 1h.

➢ ***Bus Fiumicino-Magliana :*** *par* Cotral *(voir ci-dessus). Magliana (ligne B) est à 8 stations de métro de Termini.* 5h-21h env (sens retour 6h15-21h45 env), départs env ttes les 30 mn à 1h30. Tarif : env 3 € (2 fois plus cher à bord). Env 45 mn de trajet jusqu'au métro.

➢ ***Bus Fiumicino-Cornelia :*** *par* Cotral *(voir ci-dessus). Cornelia (ligne A) est à 9 stations de métro de Termini.* Fréquences et tarifs à peu près identiques à ceux de Fiumicino-Magliana. Env 1h20 de trajet jusqu'au métro.

En taxi

À partir de 4 personnes, il peut être plus judicieux de prendre un taxi. Forfait d'env 40 € pour Rome intra-muros, identique au retour. Mais un voyageur averti en vaut deux :

– Évitez les faux taxis qui vous accostent à l'arrivée. Les vrais sont blancs (ou rarement jaunes) et disposent d'un taximètre... qu'ils ne doivent d'ailleurs pas mettre en route sous risque d'arnaque, puisqu'il y a un forfait.

– Ne pas prendre les taxis de la commune de Fiumicino. Ils demandent env 20 € de plus parce qu'ils doivent rentrer à vide (ils n'ont pas le droit de prendre de passagers à Rome).

Aéroport de Ciampino

✈ ***Ciampino :*** *à 15 km au sud-est de Rome. C'est ici qu'arrivent les charters. Rens : ☎ 06-65-951 (24h/24).* • *adr.it* • Point d'informations touristiques aux arrivées internationales. Tlj 9h-18h30.

Liaisons Ciampino/centre-ville

➢ ***Bus Ciampino-Termini :*** *par la compagnie* Cotral (Atral). *Rens : ☎ 800-174-471.* • *cotralspa.it* • *(voir ci-dessus).* 6h30-minuit env (dès 4h30 dans le sens retour), départs ttes les 30 à 50 mn. Env 45 mn de trajet. Tarif : aller simple 5 € ; aller-retour, env 8 €.

➢ ***Bus Ciampino-via Marsala (Termini) :*** *par* Sitbus Shuttle. *Rens : ☎ 06-59-16-826 ou 06-59-23-507.* • *sitbusshuttle.it* • 7h45-23h15 (sens retour 4h30-21h30), départs ttes les 30 mn à 1h env. Tarif : aller simple 6 € ; aller-retour, env 8 €.

➢ ***En taxi :*** le forfait officiel pour se rendre en ville est d'env 30 € quels que soient le taxi et le point de chute (éviter seulement les taxis non déclarés ; voir les conseils plus haut sous « Fiumicino », « En taxi »).

➢ ***En train :*** les bus Cotral/Schiaffini font la liaison ttes les 30 mn avec la gare de Ciampino Città (Ciampino ville). Tarif : env 1 € ; 5 mn de trajet env. De là, trains réguliers FR4 pour Termini : 5h-minuit env, départs env ttes les 20 mn. De Termini à Ciampino, prendre les trains en direction des Colli Romani (Frascati, Albano Laziale, Velletri...). Tarif : env 2 €.

INFORMATIONS ET ADRESSES UTILES

Liaisons entre les aéroports de Fiumicino et Ciampino

➢ ***Bus Schiaffini Travel :*** *☎ 800-700-805. • schiaffini.com •* 12h-16h30 env depuis Fiumicino et 11h-15h30 depuis Ciampino, plusieurs bus/j. (théoriquement, les contacter à l'avance). Tarif : env 5 €. Compter 45 mn de trajet.

En train

Gare de Termini *(plan général E3) :* *rens sur les horaires et prix des billets,* ***Trenitalia*** *☎ 89-20-21 (n° unique pour tte l'Italie), • trenitalia.it • ou auprès du guichet situé sur la plate-forme 1.* L'énorme gare de Rome concentre, dans une agitation et un va-et-vient incessant, TOUT ce dont le voyageur peut avoir besoin : douches au sous-sol (pas données), cafés, cafétérias, distributeurs de billets, supermarchés, magasins de jouets, parfumerie, pharmacies, consignes à bagages (au sous-sol) et bien évidemment un office de tourisme. La gare est également le point de jonction entre les 2 lignes du métro romain ainsi que le lieu de départ et d'arrivée du bus n° 64 (prudence, il y a parfois des pickpockets), qui traverse le centre historique et aboutit au Vatican. L'arrêt de celui-ci se trouve sur l'esplanade devant la gare, à env 100 m.
– ***Consignes à bagages*** *(Deposito Bagagli ; plan général E3) :* *au sous-sol. Accès : par les trottoirs roulants (suivre l'icône « valise ») ou, directement, par un ascenseur côté via Giovanni Giolitti (au niveau de l'office de tourisme). Tlj 6h-23h50. Compter 4 € les 5h et 0,60 €/h supplémentaire (20 kg/bagage max).* Attention aux récup' lors des w-e et fêtes, il peut y avoir de longues files d'attente.
– ***Location de voitures :*** *gare de Termini (le long de la via Giovanni Giolitti) mais aussi à l'aéroport de Fiumicino. Horaires habituels, tlj 8h-20h (w-e 18h).* Vous y trouverez toutes les *grandes agences* (Avis, Hertz, Europcar, Budget...).

En bus

Stazione Tiburtina *(hors plan général par G2-3) :* *en face de la gare ferroviaire Tiburtina.* La principale gare routière de Rome. Station Tiburtina à proximité (ligne B du métro) et bus n° 492 (pour rallier Termini). C'est ici que vous arriverez probablement si vous venez en bus de l'étranger, avec ***Eurolines*** *(☎ 06-66-62-31-56 ; • eurolines.it •)* en particulier.

En voiture

Les lecteurs qui viennent du nord de Rome (autoroute en provenance de Florence) auront tout intérêt à entrer dans Rome du bon côté... et par la bonne route. Sachez par ailleurs qu'il faut une ***autorisation spéciale (délivrée aux riverains et à toutes sortes de services : livraisons, urgences) pour pénétrer dans le cœur de Rome.*** Restez bien dans les zones délimitées (les axes) et renseignez-vous auprès de votre hôtel pour connaître le parking le plus proche.
– Les zones du ***Vatican*** et de ***Prati*** sont facilement accessibles par la via Aurelia, entrée n° 1 du GRA (le périphérique de Rome). Au bout de celle-ci, il faudra prendre dans son prolongement la via Gregorio VII, puis la via di Porta Cavalleggeri, à deux pas de Saint-Pierre. En cas de difficultés de circulation, tentez de contourner le Vatican par l'arrière.
– Pour atteindre la ***piazza del Popolo*** ou la ***piazza di Spagna,*** l'entrée dans Rome se fait en empruntant la via Salaria (n° 8). Une fois arrivé piazza Fiume, longer la muraille d'Aurélien en prenant le corso d'Italia puis le viale del Muro Torto, qui conduit directement piazza del Popolo.
– Pour se rendre à proximité de la ***piazza Navona*** et du ***campo dei Fiori,*** prendre de préférence la via Aurelia. Il faudra simplement traverser le Tibre au niveau du ponte Pr. Amedeo Savoia Aosta pour rejoindre le corso Vittorio Emanuele II.

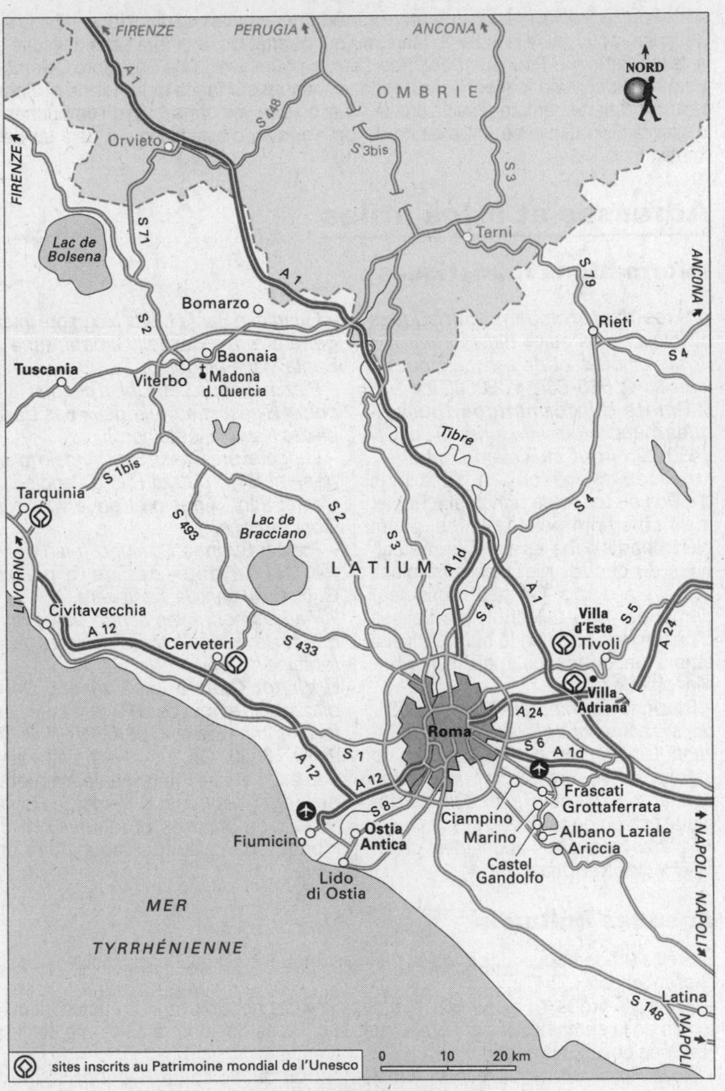

LE LATIUM

– Pour gagner les parages de ***Termini,*** suivre l'option 2 (via Salaria). Une fois piazza Fiume, se diriger vers la porta Pia avant de prendre sur la droite le viale Castro Pretorio.

– Les environs du ***Colisée,*** du ***Testaccio,*** de l'***Aventin,*** de ***Saint-Jean-de-Latran*** et du ***Trastevere*** sont facilement accessibles par la via Cristoforo Colombo (n° 27). Pour l'*Aventin,* le *Testaccio* et le *Colisée,* il faudra quitter la via Cristoforo Colombo au niveau du viale Guglielmo Marconi avant de prendre sur la droite la via Ostiense, qui conduit vers porta San Paolo. Pour l'approche finale, il sera utile de prévoir un plan. Pour le *Trastevere,* faire comme précédemment mais, au lieu de prendre la via Ostiense, poursuivre le viale G. Marconi, qui permet de rejoindre sans difficulté le viale di Trastevere. Pour *Saint-Jean-de-Latran,* poursuivre la via Cristoforo Colombo jusqu'au bout. Une fois porta Ardeatina, continuer sur la via delle Terme di Caracalla et glisser légèrement sur la droite. Ainsi on parvient sans (trop d') embûches à la piazza San Giovanni in Laterano. Si on y arrive, c'est qu'on est déjà un peu romain !

Adresses et infos utiles

Informations touristiques

ℹ ***Sites d'informations touristiques officiels :*** *rens sur • turismoroma.it • Résas d'hôtels et de services touristiques au ☎ 060-608. • 060608.it •*

ℹ **Points d'informations touristiques** (*punti informativi turistici*) *: ouv tlj 9h30-19h (sauf indication contraire) ; adresses ci-dessous.* Il n'y a plus d'*office de tourisme* principal à Rome, mais différents points d'infos, plutôt bien répartis dans les endroits stratégiques du centre-ville. Conseils, plans et *pass* à dispo. On peut aussi leur demander une sélection d'adresses d'hébergement selon le budget désiré et la situation voulue, mais ils n'assurent pas de résas.

– *Stazione Termini (plan général E3) : dans le bâtiment de la gare, côté via Giovanni Giolitti (proche des agences de location de voitures et du quai du train* Leonardo Express*). Tlj 8h-23h.* Stratégique et bien documenté.

– *Palazzo delle Esposizioni (plan général D3) : via Nazionale.*

– *Quartier e Santa Maria Maggiore (plan général E4) : via dell'Olmata, face à Santa Maria Maggiore.*

– *Piazza Cinque Lune (plan centre C3) : corso Rinascimento (à deux pas de la piazza Navona, côté nord).*

– *Lungotevere Castel Sant'Angelo (plan général B3) : piazza Pia, à l'angle du Castel Sant' Angelo et de la via della Conciliazione.*

– *Piazza Sydney Sonnino (plan centre C4) : à deux pas de la piazza G. G. Belli, dans le Trastevere.*

– *Via Minghetti (plan centre D3) : presque sur la via del Corso, à deux pas de la fontaine de Trevi.*

ℹ ***Visitor Centre*** *(plan général D4) : piazza del Tempio della Pace, à côté des forums impériaux. ☎ 06-67-97-702. Tlj 9h30-18h30.* On y trouve notamment une expo et une intéressante maquette des forums impériaux. Vente du *Roma Pass,* nombreuses brochures, et un kiosque dans la cour pour boire un verre.

Agendas culturels

Pas évident de trouver des infos en français, mais il n'est pas trop difficile de saisir l'essentiel en v.o. !

– *Roma c'è :* tous les mercredis. • *romace.it* • Cet hebdo propose l'actualité culturelle de la semaine, des critiques (restos, endroits où sortir, etc.) et une section résumée en anglais à la fin.

– *Trova Roma :* tous les jeudis ; supplément du quotidien *La Repubblica.* Plein d'infos sur ce qu'il y a à voir et à faire à Rome.

– Éditées en partenariat avec la ville de Rome, quelques brochures gratuites, comme *L'Evento,* sont disponibles dans les points d'informations touristiques. Pour les horaires de musées les plus à jour, se procurer le livret *Musées de Rome* (malheureusement pas toujours disponible en français).

Découvrir Rome autrement

■ ***Visiterome :*** *☎ 334-340-86-93. • visiterome.com •* Des guides ultra compétents et hyper sympathiques vous proposent des visites guidées, en français et à la carte, de la ville, de ses musées et même de ses expositions temporaires. Leur statut de guide officiel leur permet un accès prioritaire aux sites (ce qui est déjà en soi un atout non négligeable). Surtout, ils sont tous spécialisés en histoire de l'art, en archéologie, en histoire... Les visites sont bien plus pointues que les visites guidées ordinairement proposées, sans être rebutantes pour autant. Elles s'adaptent aussi à vos besoins, à vos envies. Ainsi, vous pouvez opter pour une visite classique en petit groupe (de 6 à 10 personnes), selon un calendrier préétabli *(3h de visite ; à partir de 20 €/pers ; forfaits famille et réduc enfants).* Ou, encore mieux, pour une visite privée (en couple, en famille) sur un thème de votre choix *(3h ; 130 € pour 1-6 pers).* Résa conseillée le plus tôt possible, surtout si vous souhaitez avoir accès à des sites habituellement fermés. Passionnant. Indispensable même, pour bien comprendre la ville.

■ ***Sophie Benezech – Rome à volonté :*** *☎ 06-70-45-15-56. 📱 33-97-89-66-59. • soleil@romeavolonté.com • romeavolonté.com •* Cette guide-conférencière indépendante (et française) vous propose d'explorer les différents quartiers de la ville. Excellentes infos, délivrées avec intelligence sans être jamais barbantes. La petite et la grande histoire romaine prennent tout leur sens. Sophie possède aussi un charmant *B & B* dans le quartier de Saint-Jean-de-Latran (voir « Où dormir ? »).

■ ***Patricia Fogli :*** *☎ (0039) 338-698-12-35. • patriciafogli@libero.it •* Guide agréée de la ville de Rome, Patricia a d'abord grandi et étudié en Alsace avant de remonter progressivement vers ses sources italiennes, sans renier sa double culture. Elle adapte à merveille son érudition et son goût de la balade tous azimuts aux attentes des visiteurs qu'elle entraîne dans ses pas. Pas de ton magistral ici mais plutôt des approches originales ou spécialisées, susceptibles de créer un véritable échange.

■ ***Enjoy Rome*** *(plan général E-F3)* ***:*** *via Marghera, 8a. ☎ 06-44-51-843. • enjoyrome.com • Non loin de la gare. Lun-ven 8h30-19h ; sam 8h30-14h.* Centre privé d'informations touristiques, réputé surtout pour les visites guidées à thème (à pied, à vélo – fourni – ou en bus touristique) qu'il propose, uniquement en anglais malheureusement *(27-50 €/pers ; réduc moins de 26 ans).* Donne aussi, bien sûr, des renseignements et peut se charger de vous trouver une chambre d'hôtel ou même un appartement si vous êtes à Rome pour quelque temps.

■ Vous pouvez également vous renseigner auprès du ***centre culturel français*** à ***Saint-Louis-de-France*** (voir plus loin), qui organise parfois des balades accompagnées mais surtout qui est en contact avec plusieurs associations de guides francophones. Citons encore ***Rome et son histoire*** *(• romehistoire.com •)*, une association culturelle franco-italienne qui organise des visites guidées en français, et ***Artùroma*** *(• arturoma.com •).*

➢ Pour un aperçu général des principaux édifices de la Ville éternelle, ou tout simplement pour prendre ses repères, il est possible de faire le tour de Rome en ***bus touristique.*** On peut descendre et reprendre le bus suivant. Bon, en haute saison, c'est la grande foule, et les bus ne respectent pas toujours les fréquences de départ...

■ ***Trambus Open (n° 110) :*** *rens et résas au ☎ 800-281-281 (n° Vert), sur • trambusopen.com • ou au kiosque du quai C de la gare routière de Termini. Départ principal ttes les 20 mn (théoriquement) depuis la piazza dei Cinquecento (devant Termini), 8h30-20h. Billets en vente à cet endroit, dans les points d'infos touristiques de la ville (voir plus haut) ou encore aux autres arrêts (paiement à bord, en liquide slt) : env 20 €/pers ; réduc ;* Roma Pass. *Ticket couplé avec l'*Archeobus *: env 30 € ; réduc ; valable 2 j.* Compagnie municipale de bus à impériale à ciel ouvert. Montée et descente à sa guise tout au long des 11 arrêts qui desservent les principaux sites touristiques du centre de Rome (2h pour le tour complet sans descente).

■ ***Archeobus :*** *même concept, même*

lieu de départ et mêmes coordonnées que le Trambus. *Départ ttes les 30 mn 9h-16h. Durée du tour : 1h45. Compter env 15 €/pers ; réduc ;* Roma Pass. *Valable 1 j. Combinable avec le* Trambus (voir ci-dessus). 14 arrêts desservant des sites moins centraux comme la via Appia et les catacombes !

➢ Pour ceux qui recherchent une tout autre approche, on peut également découvrir la ville à 450 m d'altitude grâce à un vol touristique panoramique assuré par un bimoteur de 9 places de la société ***Cityfly,*** *pour env 80 € les 20 mn de vol. Départ de l'aeroporto dell'Urbe, situé au nord de Rome, via Salaria, 825. Rens et résas : ☎ 06-88-333. • cityfly.com •*

Argent, banques

On peut retirer de l'argent liquide dans la plupart des banques sur présentation de la carte internationale *Visa* et du passeport. Ouvertes du lundi au vendredi de 8h30 à 13h30 et de 14h30 (voire 15h pour certaines) à 16h ou 16h30, et samedi matin (pour certaines). Voir la rubrique du même nom « Rome utile », en début du guide. Sinon, on trouve des distributeurs automatiques un peu partout.

■ ***American Express*** *(plan général D3) **:** piazza di Spagna, 38. ☎ 06-67-641. Lun-ven 9h-17h30 ; sam 9h-12h30.*

Poste

✉ ***Poste centrale*** *(plan général D3) **:** piazza San Silvestro, 19. Lun-ven 8h-19h ; sam 8h-13h15.* Mêmes horaires pour la poste de *via Marsala, 39.*
– ***Autres bureaux de poste centraux :*** *en général, lun-ven 8h30-14h et sam 8h30-13h, comme pour ceux de via Arenula, 4 (près du Trastevere), corso Vittorio Emanuele II, 330 et de la gare de Termini.*

✉ ***Poste vaticane*** *(plan général A3) **:** piazza San Pietro. Lun-sam 8h30-18h30.* Lettres et cartes peuvent être déposées dans les boîtes postales bleues sur la place Saint-Pierre et à côté des musées du Vatican. La poste du pape est réputée être plus efficace et plus rapide, même si la poste italienne a fait des efforts énormes !

Représentations diplomatiques

L'une des curiosités de Rome est la présence de deux représentations diplomatiques de chaque État étranger... L'un auprès de l'Italie, puisque Rome en est la capitale, l'autre auprès du Vatican. Ci-dessous, les ambassades auprès de l'Italie, bien sûr.

■ ***Ambassade de France*** *(plan centre C4, **1**) **:** palais Farnèse, piazza Farnese, 67. ☎ 06-68-60-11. • ambafrance-it.org •* Possibilité de visiter le palais les lundi et jeudi à 15h, 16h et 17h (durée : 45 mn). Visites (20 pers max) gratuites et commentées par le guide de l'ambassade. Attention, ***réservation impérative 3 à 4 mois à l'avance,*** sur Internet seulement, ou par courrier, tant la demande est forte. Les visites sont interrompues pendant les vacances d'été et celles de Noël. *Pour plus d'infos et inscriptions : ☎ 06-68-89-28-18. • visitefarnese@france-italia.it •*

■ ***Consulat de France*** *(plan centre C4, **7**) **:** via Giulia, 251. ☎ 06-68-60-15-00 ou 06-68-60-11. • consulat-rome@france-italia.it • Lun-ven 9h-12h30 ; ap-m, slt sur rdv 14h-16h. Le sam mat, slt pour les urgences.* Le consulat peut vous assister dans vos démarches juridiques en cas de problème (comme, par exemple, vous fournir une liste d'avocats francophones).

■ ***Ambassade de Belgique*** *(plan général C1) **:** via dei Monti Parioli, 49. ☎ 06-36-09-511. • diplomatie.be/romefr • Au nord de la piazza del Popolo. Lun-ven 8h30-12h30, 14h-15h.*

■ ***Ambassade du Canada*** *(plan général C1)* ***:*** *via Salaria, 243. ☎ 06-85-44-41. • canada.it •*

■ ***Consulat du Canada*** *(plan général F2)* ***:*** *via Zara, 30. ☎ 06-85-44-42-911 (infos enregistrées) et ☎ 06-85-44-41 (permanence téléphonique en cas d'urgence). Services généraux lun-ven 9h-12h ; service d'urgence jusqu'à 16h.*

■ ***Ambassade de Suisse*** *(hors plan général par D1)* ***:*** *via Barnaba Oriani, 61 (quartier des Parioli, au nord de la villa Borghèse). ☎ 06-80-95-71. • eda.admin.ch/roma • Lun-ven 8h-17h. Joignable en cas d'urgence (assistance aux ressortissants suisses en difficulté) w-e et j. fériés 8h-18h.*

Institutions

■ ***Académie de France*** *(plan général D2)* ***:*** *villa Medici, viale Trinità dei Monti, 1. ☎ 06-67-611. • villamedici.it • Voir également « Villa Médicis » dans la rubrique « À voir ».* En dehors des visites guidées des jardins, l'organisation d'intéressantes manifestations est la seule occasion pour le grand public de découvrir ce palais splendide à l'écart du temps et des vicissitudes de la vie. On envie les pensionnaires ! Bon courage pour obtenir ce statut qui permet de se consacrer à sa passion artistique ou littéraire, tout en étant payé environ 2 700 € par mois, logement à l'œil.

■ ***Centre culturel Saint-Louis-de-France*** *(plan centre C3,* ***9****)* ***:*** *largo Toniolo, 20-22. ☎ 06-680-26-26. • saintlouisdefrance.it • Bureaux ouv lun-jeu 10h-18h ; ven 10h-13h30. Médiathèque : lun-ven 12h-18h ; sam 10h-14h. ☎ 06-680-26-37.* En fait, c'est le centre culturel de l'ambassade de France « près du Saint-Siège ». On peut, entre autres, consulter gratuitement à la médiathèque la presse française du jour (qui arrive à 14h) et se connecter sur Internet gratuitement (limité à 1h). Organise aussi des concerts, des spectacles ainsi que des projections de films et des cours de théâtre. Fait office de centre linguistique, en lieu et place de l'Alliance française. Ils ont aussi un listing avec quelques offres d'emploi.

■ ***Centre pastoral d'accueil des pèlerins et touristes d'expression française Saint-Louis-des-Français*** *(plan centre C3,* ***10****)* ***:*** *via Santa Giovanna d'Arco, 10. ☎ 06-68-19-24-64. • centpastrome@hotmail.com • saintlouis-rome.org • Lun-ven 10h-12h30, 14h30-17h (16h-19h l'été).* Ce centre se chargera de vous trouver un hébergement dans une institution religieuse (mais nous en indiquons aussi quelques-unes dans « Où dormir ? »). Le centre et son équipe de bénévoles peuvent également se charger de réserver des places pour les audiences et cérémonies pontificales, fournir divers renseignements culturels et vous mettre en relation avec des associations qui organisent des visites guidées de Rome et de ses monuments.

Librairies

Il est difficile de trouver un bon choix de livres en français en dehors de la *Librairie française.*

■ ***Librairie française de Rome*** *(plan centre C3,* ***3****)* ***:*** *piazza San Luigi dei Francesi, 23. ☎ 06-68-30-75-98. • librairiefrancaiserome.com • Juste à droite de l'église Saint-Louis-des-Français. Lun-sam 9h30-19h30.* À deux pas du centre culturel français, cette librairie française de 130 m² ravira nos bibliophiles et les autres, par l'importance et la diversité de son choix. De plus, le personnel y est accueillant et compétent. Beaucoup de livres liés à l'Italie : littérature, histoire de l'art, cuisine...

■ ***Librairie Herder*** *(plan centre C3)* ***:*** *piazza di Montecitorio, 120. ☎ 06-67-94-628. • herder.it • Juste à côté de la Chambre des députés. Lun-sam 9h30-13h30, 15h-19h30.* Une section francophone, mais sur des sujets assez pointus.

■ ***Librairie Feltrinelli International*** *(plan général E3,* ***4****)* ***:*** *via Vittorio Ema-*

nuele Orlando, 84-86. ☎ *06-48-27-878.* ● *lafeltrinelli.it* ● *Lun-sam 9h-20h ; dim (fermé en août) 10h30-13h30, 16h-20h.* Grand rayon de livres en français ainsi que des films en v.o. 6 autres adresses (titres italiens essentiellement) : *V. E. Orlando, 78-81, juste à côté de la précédente ; via del Babuino, 39-40, à deux pas de la piazza del Popolo ; largo Torre Argentina, 11 (également des CD ; jusqu'à 21h, voire 23h sam, 20h dim) ; galleria Alberto Sordi, piazza Colonna, 31-35 (dim-jeu 10h-21h, ven-sam jusqu'à 22h) ; via Giulio Cesare, 88 (encore des CD ; lun-ven 10h-20h, sam 10h-21h ; dim 10h-13h30, 16h-20h) ; viale Marconi, 190 (ici aussi, des CD ; tlj 10h-20h, pause 14h-16h dim).*

■ ***International Bookshop « Borri Books »*** *(plan général E3)* **:** *dans le grand hall de la gare de Termini (côté piazza dei Cinquecento).* ☎ *06-48-28-422.* ● *Tlj 7h30-23h.* Au dernier étage, le rayon français aligne quelques romans et ouvrages touristiques (dont votre guide préféré !). Au rez-de-chaussée également, large sélection de plans de Rome et du reste du pays.

Internet

– Se munir impérativement d'une ***pièce d'identité*** pour surfer depuis un cybercafé. C'est la réglementation italienne.

– ***Les cybercafés*** sont nombreux dans les quartiers touristiques. Il est difficile d'indiquer des adresses fiables parce qu'ils ouvrent et ferment rapidement. Les moins chers se trouvent dans le quartier cosmopolite de Termini, autour de la gare même et dans les rues avoisinantes. Ils se nichent parfois dans des points multiservices, faisant aussi épicerie et... laverie. Une bonne idée d'utiliser le temps pendant qu'on lave son linge !

Wifi

Ce type d'accès à Internet existe dans pas mal d'hôtels et quelques cafés. Nous l'indiquons autant que possible dans nos adresses. Il est parfois limité en temps et le plus souvent payant. Les amateurs les plus nomades se consoleront éventuellement avec :

@ ***Romawireless :*** *réseau gratuit (1h/j. par internaute pour l'instant). Repérer les signes identifiant les hotspot sur le plan et la liste figurant sur le site.* ☎ *06-69-19-07-20.* ● *romawireless.it* ● Cette belle initiative municipale a commencé par couvrir le parc de la villa Borghèse avant de s'étendre progressivement au centre historique (fontaine de Trevi, colonne de Trajan, Champ-de-Mars, piazza di Spagna, etc.), puis, théoriquement, à nombre d'autres lieux d'intérêt archéologique ou artistique. ***Attention :*** son utilisation nécessite une carte SIM italienne valide pour finaliser l'inscription préalable.

Téléphonie

Pour faire des économies sur la réception d'appel (alors gratuite !) et les communications locales, les malins qui disposent d'un téléphone débloqué achèteront une carte SIM italienne. Pour cela, munissez-vous d'une pièce d'identité et rendez-vous à l'adresse ci-dessous ou (plus cher en général) dans les cybercafés-centres d'appels proches de la gare de Termini. Attention : le numéro ne s'active que le lendemain de l'achat et à minuit au plus tard.

■ ***Smartphone*** *(plan général E3)* **:** *au rdc de la galerie commerciale de la gare de Termini.* ☎ *06-47-82-31-28. Tlj 8h-22h.* Spécialisé en téléphonie, ils pratiquent les meilleurs tarifs sur les cartes SIM italiennes (à partir de 10 € avec un peu de crédit inclus).

Divers

■ ***Objets trouvés :*** *☎ 06-58-16-040 (services municipaux).* Si vous avez perdu quelque chose dans le bus ou le tram, ou ailleurs dans Rome.

Comment se déplacer ?

Deux lignes de métro (À et B) dessinent une sorte de grand X sur la commune de Rome. Insuffisantes, elles sont complétées par de nombreuses lignes de bus, de trams mais aussi de trains au parcours plus ou moins urbains. Il n'est pas toujours facile de s'y retrouver. Une bonne paire de chaussures s'avère donc indispensable pour arpenter les quartiers de Rome, notamment dans le centre historique, seulement desservi par quelques minibus électriques.

Instruments de navigation

– ***Agence du transport de la Commune de Rome (ATAC) :*** *rens au ☎ 06-57-003 (lun-sam 8h-20h).* ● *atac.roma.it* ● On y trouve plans et horaires du réseau, planificateur d'itinéraire, infos sur les parkings, les vélos en libre-service, le covoiturage etc. Dommage que toutes les pages du site ne soient pas accessibles en version anglaise. Encore un effort !

Où trouver un plan des transports en commun ?

Pour de courts séjours, vous pourrez probablement vous contenter de la documentation distribuée dans les points touristiques mentionnés plus haut. Par contre, on n'y trouve plus de plan bien détaillé d'*ATAC,* il n'existe plus que sur le site ● *atac.roma.it* ● Bien ! Pour le télécharger et l'imprimer... partir de la version italienne, cliquer sur *« progetti »,* puis *« biglietti e mappe »,* puis *« Mappe e linee »,* puis le pdf *« Roma Centro ».* Alternative payante : en acheter un dans un kiosque à journaux. Mais ils ne sont ni pratiques (très grand format) ni donnés (environ 6 €).

Où acheter un billet de bus, tram, train urbain ou métro ?

Tout simplement dans les bureaux de tabac, les kiosques à journaux et aux guichets et billetteries automatiques des stations de métro. Attention d'ailleurs, il est souvent impossible d'acheter un billet à l'intérieur des bus et tram, à l'exception des minibus électriques qui parcourent le centre historique et des véhicules de dernière génération.

Quel billet acheter ?

Une bonne nouvelle : les billets ci-dessous sont valides pour tout type de transports en commun à Rome.
Le ***billet normal*** *(biglietto a tempo ; **BIT,** 1 €),* valable 75 mn pour le bus mais limité à un seul trajet pour le métro et le train urbain, est finalement le plus utilisé, puisqu'à Rome on se déplace beaucoup à pied. Le ***billet journalier*** *(biglietto giornaliero ; **BIG,** 4 €)* sera utile selon votre programme. Pour un séjour de moins de 4 j., penser au ***billet valable 3 j.*** *(biglietto turistico integrato ; **BTI,** 11 €).* Quant au ***billet hebdomadaire*** *(carta integrata settimanale ; **CIS,** 16 €),* il concerne ceux qui restent au moins 4 j. et se déplacent un minimum. Enfin, rappel : les *Roma Pass* et *Roma & Più Pass* comprennent chacun un *BTI,* valable 3 j. (voir « Musées, sites et monuments » dans « Rome utile »).
N'oubliez pas, enfin, de composter vos billets... sinon, vous risquez une amende *(multa)* d'environ 50 €, en plus du prix du billet. D'autant que les contrôles ont été renforcés, même le dimanche.

Le métro

➢ *Voir le plan détachable en fin de guide. Fonctionne 5h30-23h30 (0h30 ven-sam), env un train ttes les 7-10 mn ; env 3 mn entre chaque station du centre. Accès partiel aux personnes handicapées.*
Malheureusement limité à deux lignes (A et B, seul point de jonction à ***Termini***), il est quand même pratique pour traverser la ville de part en part ou changer de quartier.
Quant à la ligne C du métro qui reliera la villa Borghèse à la vigna Clara (nord de Rome vers la Cassia... par le centre historique), elle n'est pas près de voir le jour. Les travaux sont bloqués par le « ministère des Biens culturels », essentiellement pour des raisons archéologiques : ici, dès qu'on soulève un pavé, on tombe sur des vestiges... Alors continuons à l'appeler la *futura linea C* !

Le bus et le tramway

– ***Horaires des bus : lignes normales,*** *env 5h30-minuit ; puis une vingtaine de* ***lignes spéciales de nuit*** **(linee notturne),** *indiquées en noir sur les panneaux de l'ATAC et distinguées par la lettre « N ».*
Attention, à l'intérieur des « vieux » bus, rien n'indique au voyageur la progression du trajet. Mais, de plus en plus, un dispositif « moderne » annonce le prochain arrêt. De même que certains arrêts de bus, sur certaines lignes (dont la n° 64), indiquent le temps d'attente, ce qui donne une bonne idée de la fréquence, souvent des plus fantaisiste... tout comme les modifications impromptues de l'itinéraire. Une chose ne change pas : l'arrêt de bus (ou « Fermata ») n'indique que des directions, il donne l'itinéraire mais pas de noms précis aux arrêts. Ainsi, si vous voyez indiqué « Corso », cela signifie seulement que le bus emprunte cette voie. Un chiffre accolé indique le nombre d'arrêts dans une même rue. Les bus express, par définition, marquent beaucoup moins d'arrêts.
– ***Le tramway :*** les 6 lignes de tramway quadrillent la ville en des points stratégiques. Elles circulent généralement à quelques minutes près entre 5h30 et minuit.
– Ligne 2 : piazza Risorgimento – piazza Mancini.
– Ligne 3 : stazione Trastevere – piazza Thorwaldsen.
– Ligne 5 : piazza Gerani – stazione Termini.
– Ligne 8 : via del Casaletto – via Torre Argentina.
– Ligne 14 : via P. Togliatti – stazione Germini.
– Ligne 19 : piazza del Gerani – piazza Risorgimento.

La voiture

– ***Le GRA :*** il faut entendre par « GRA » le *Grande Raccordo Anulare,* grand périphérique de Rome construit de 1951 à 1961.
À la limite de celui-ci et au-delà commence l'Agro Romano – la campagne romaine. À l'intérieur, vous êtes dans la commune de Rome qui couvre environ 40 000 ha... contre 12 500 pour Paris (intra-muros, il est vrai). Les trois quarts des habitants de Rome résident dans les *quartiers* situés entre le GRA et la muraille d'Aurélien.
Entrées et sorties du GRA : numérotées de 1 à 27, les entrées et sorties du GRA vous permettront, selon votre gré, d'entrer ou de sortir de Rome. Chacune d'entre elles porte un nom qui évoque une page d'histoire : n° 1, Aurelia ; n° 6, Flaminia ; n° 23, Appia. Elles correspondent bien souvent aux anciennes voies consulaires.
Les *circonvallazioni,* Gianicolense (sud-ouest), Tiburtina (sud-est), Nomentana (nord-est), et autres *via del Foro-Italico* (nord), *Olimpico* (nord-ouest) dessinent un périphérique nettement plus petit... mais tout aussi encombré.
– ***La muraille d'Aurélien :*** construite sous Aurélien au IIIe s apr. J.-C., elle sépare le centre de Rome du reste de la ville. De part et d'autre de cette muraille, des voies de circulation, comme le corso d'Italia ou le viale del Muro Torto, au nord, entre la porta Pia et la porta del Popolo notamment, dessinent un troisième axe concentrique très, très fréquenté.

– ***Lungotevere :*** les boulevards le long du Tibre portent tous le nom de *lungotevere.* Ces grands boulevards – toujours à sens unique – sont d'un grand secours pour les automobilistes – romains ou non – qui n'ont pas le *Permesso Centro Storico* (l'autorisation de circuler dans le centre historique). Ils seront souvent l'unique moyen de vous rapprocher du centre historique en voiture... sans outrepasser vos droits. Depuis peu, l'horodateur a remplacé le *parcheggiattore,* à qui vous remettiez vos clés après avoir garé votre voiture.

– ***ZTL :*** « zone de trafic limitée » ou *fascia blù* (zone bleue). **Tout véhicule ne possédant pas le *Permesso Centro Storico* (c'est-à-dire le vôtre...) ne peut pas circuler, grosso modo, aux horaires suivants** (vérifier les dernières évolutions sur • *atac.roma.it* •) : lun-ven 6h30-18h et sam 14h-18h (dans le Trastevere, lun-sam 6h30-10h), ainsi que (dans certains quartiers) les ven-sam soir 23h-3h (21h-3h dans le Trastevere).

La ZTL correspond à peu près au centre historique, délimité à l'ouest par le Tibre, au nord par la muraille d'Aurélien, à l'est par la colline des Jardins et au sud par la place de Venise. Mais la *fascia blù* a gagné également sur d'autres parties du centre : entre la via XX Settembre et la via Cavour, et dans une grande partie du Trastevere (à l'exception du viale di Trastevere, artère principale du quartier). Le permis est délivré gratuitement aux résidents de la zone. Vu la complexité de la situation, renseignez-vous auprès de votre hôtel pour savoir si vous avez le droit d'y accéder en voiture.

– ***Fourrière... ou parking :*** si votre voiture disparaît, deux possibilités. Le vol, surtout pour les « étrangères », ou les *rimozioni auto* (fourrières). La seconde option vous pend au nez si vous ne respectez pas le code local (au mieux, ce sera la *multa,* l'amende). Dans ce cas, restez calme et téléphonez au *corpo della polizia municipale* (☎ *06-67-691*). Ils vous indiqueront dans quelle fourrière vous rendre (en général au *deposito Farnesina,* ☎ *06-33-220-527*). Il vous en coûtera environ 100 € + la TVA pour l'enlèvement de votre véhicule, et 5 € + la TVA pour chaque jour de gardiennage.

Quoi qu'il en soit, suivez les conseils de ce guide, garez-vous en lieu sûr : dans les ***parkings gardés,*** même s'ils ne sont pas très nombreux et souvent chers, comme celui de la villa Borghèse (entrée viale del Muro Torto) ou de la gare de Termini (entrée via Paolina, à deux pas de Santa Maria Maggiore ; un autre via Giolitti, le long de la gare). Le plus intéressant de tous reste de loin le parking communal d'Ostiense (en face d'une des gares ferroviaires de Rome, à côté de la porte Saint-Paul), situé piazzale dei Partigiani. Sous la colline du Janicule, un grand parking a été construit, un des mille travaux herculéens entrepris pour le *Giubileo 2000.*

– Pour les voyageurs arrivant en voiture, voir « Arriver – Quitter Rome. En voiture ».

Le taxi

Les taxis officiels sont blancs (ou rarement jaunes) et ont un compteur. Pas de paranoïa, si vous avez peur d'être roulé comme un bleu – ce qui, heureusement, n'arrive quand même pas trop souvent –, il y a dans chaque taxi une fiche bien lisible (portant le numéro de taxi) dressant la liste (un peu longue, comme toujours !) des différents suppléments à ajouter au prix indiqué par le compteur. En gros, compter de 6 à 15 € pour une course dans le centre-ville et un forfait de 40 € pour l'aéroport de Fiumicino et 30 € pour celui-ci de Ciampino. Vous pouvez estimer le coût de votre trajet sur • *worldtaximeter.com/rome* • Ça marche assez bien !

Il n'est pas toujours facile de trouver un taxi à Rome en dehors de certaines heures. La nuit, par exemple, sachez que vous avez quelques chances d'en trouver un piazza dei Cinquecento (devant la gare de Termini), piazza Venezia, largo Torre Argentina, corso Rinascimento ou piazza di Tor Sanguina (à côté de la piazza Navona), piazza del Popolo, piazza del Risorgimento (Prati)... mais rien place Saint-Pierre, alors qu'en pleine journée les voitures blanches y grouillent.

Quelques numéros : ☎ *06-49-94 ;* ☎ *06-35-70 ;* ☎ *06-66-45 ;* ☎ *06-55-51 ;* ☎ *06-88-22.*

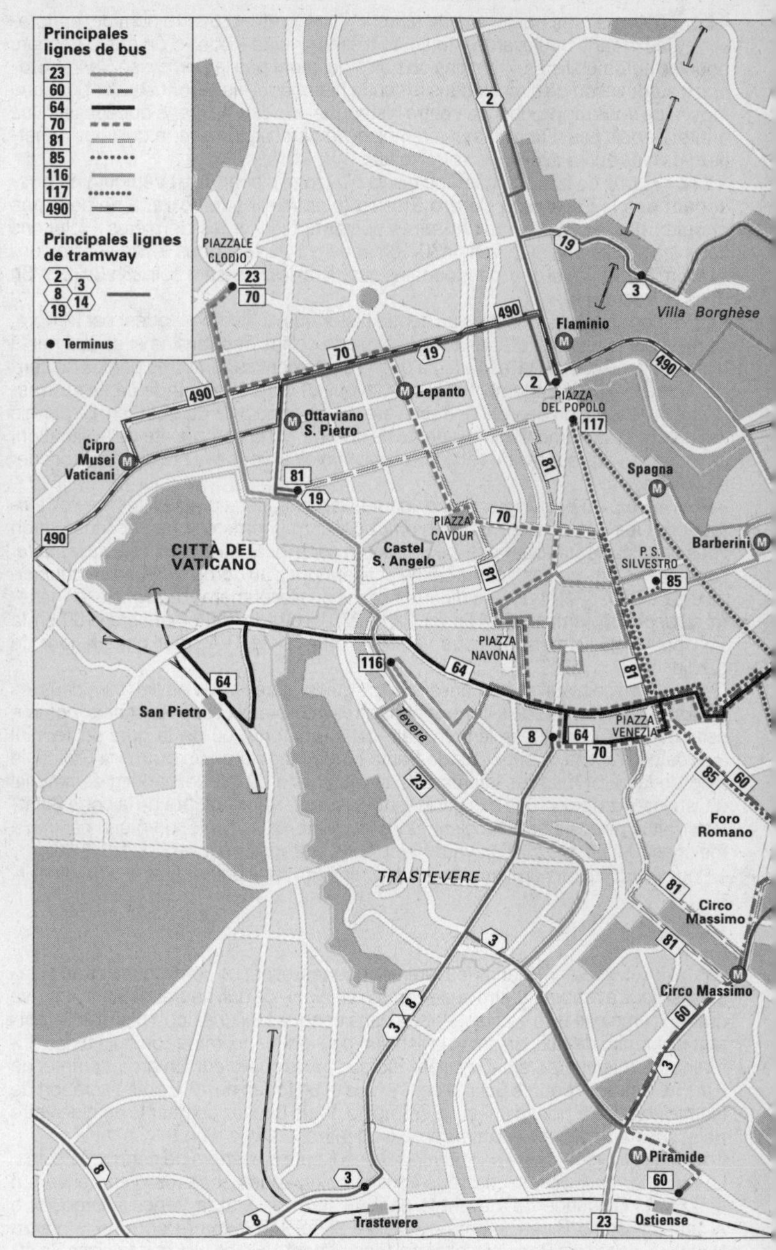
Principales lignes de bus
23
60
64
70
81
85
116
117
490
Principales lignes de tramway
2
3
8
14
19
Terminus
PIAZZALE CLODIO
Flaminio
Villa Borghèse
Lepanto
Ottaviano S. Pietro
PIAZZA DEL POPOLO
Cipro Musei Vaticani
Spagna
PIAZZA CAVOUR
Barberini
CITTÀ DEL VATICANO
Castel S. Angelo
P. S. SILVESTRO
PIAZZA NAVONA
San Pietro
PIAZZA VENEZIA
Tevere
Foro Romano
TRASTEVERE
Circo Massimo
Circo Massimo
Piramide
Trastevere
Ostiense

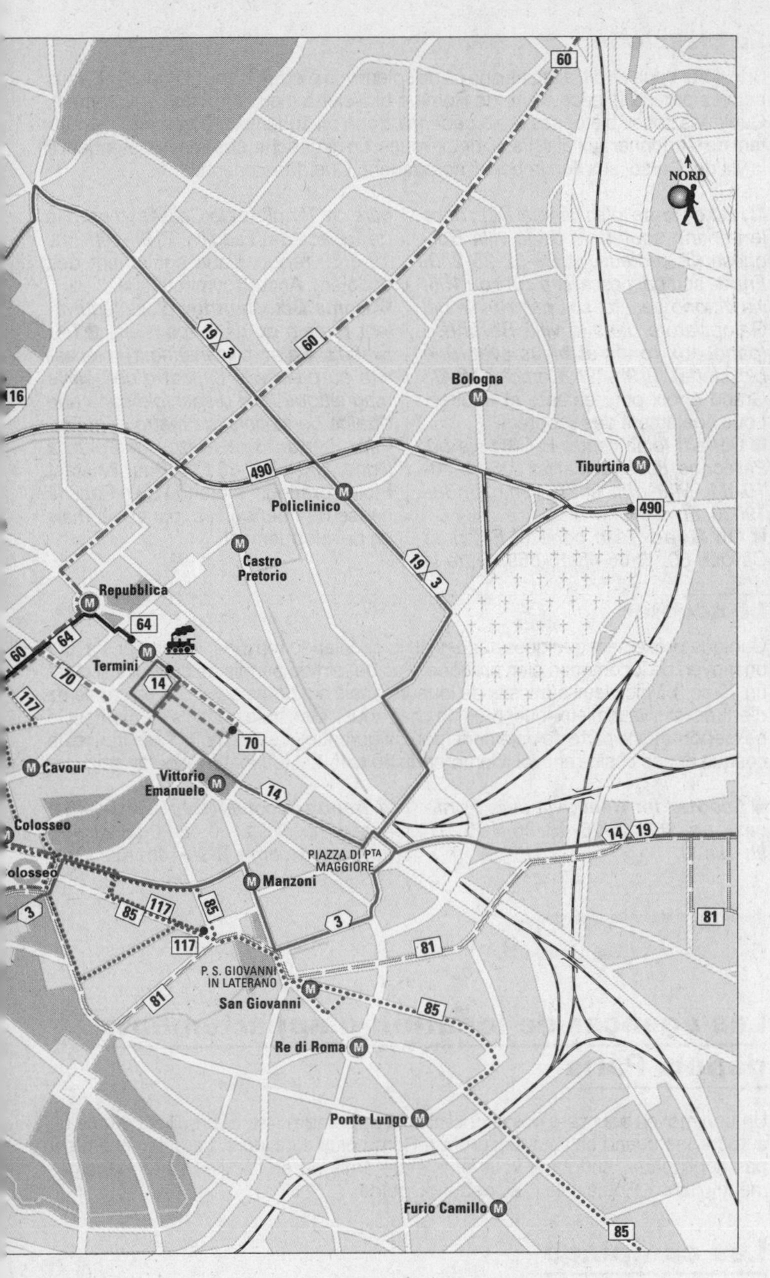

LES LIGNES DE BUS ET DE TRAMWAY

La bicyclette

Si le cœur vous en dit, à moins que ce ne soient vos pieds qui vous l'imposent, vous pouvez partir à la découverte de Rome à bicyclette (heu ! attention, ça monte !). Quelques zones piétonnes (*isole pedonali,* zone du Tridente, notamment) permettent de s'adonner aux plaisirs du deux-roues. Le dimanche, ces zones s'étendent à la via del Corso, aux *Fori Imperiali* notamment. Quelques loueurs :

■ ***I Bike Rome*** *(plan général D2)* **:** *dans le parking souterrain de la villa Borghèse (3e secteur).* ☎ *06-32-25-240. Entrée soit par l'escalier à côté du 156, via Vittorio Veneto, soit par le viale del Galoppatoio dans la villa Borghèse (panneaux ronds et bleus avec une bicyclette). Tlj 9h-19h. Compter 10 €/j.* Grand choix pour enfants et adultes. Loue également des scooters.

■ ***Collalti*** *(plan centre B-C4)* **:** *via del Pellegrino, 80a/82.* ☎ *et fax : 06-68-80-10-84. Mar-dim 8h30-13h, 15h30-19h30. Env 10 €/j.*

■ ***On Road*** *(plan général E4)* **:** *via Cavour, 80.* ☎ *06-48-15-669. Entre la gare de Termini et le Colisée, tt proche de la place de l'Esquilin. Tlj 9h-19h. Env 15 €/j. ; réduc.* Loue également des scooters. Accueil sympathique.

■ ***Roma Bikesharing*** **:** *c'est l'équivalent romain du Vélib' parisien.* ☎ *06-57-003.* ● *atac-bikesharing.it* ● *Nécessite au préalable l'achat d'une carte magnétique (5 €) disponible dans une dizaine de stations de métro dont Termini, Lepanto et Piazza di Spagna (ligne A). Puis 0,30 €/h.* Pour l'instant moins pratique et étendu qu'à Paris (à cause des dénivelées, paraît-il !) mais en développement.

Le scooter

Quoique présentant quelques risques vu la circulation romaine, le scooter s'avère un moyen de locomotion bien pratique. Pas besoin de permis de conduire si c'est un 50 cc !). Voici deux adresses de loueurs, mais nul doute que vous en croiserez d'autres (et il vaut mieux louer près de chez vous). Généralement, ils demandent le passeport et une carte de paiement (pour la garantie). Le prix inclut l'assurance, le casque et une chaîne antivol. Compter de 30 à 45 €/j. (du matin jusqu'au soir).

■ ***Scooter for Rent*** **:** *via della Purificazione, 84.* ☎ *06-48-85-485. Tlj 9h-19h30.*

■ ***Treno e Scooter Rent*** **:** *situé devant la gare de Termini.* ☎ *06-48-90-58-23.* ● *trenoescooter.com* ● *Tlj 9h-14h, 16h-19h.*

OÙ DORMIR ?

Les agences de location d'appartements depuis Paris

Un bon moyen pour faire des économies et apprendre à se débrouiller comme un autochtone quand on veut séjourner à Rome plusieurs jours. La différence n'est pas négligeable, surtout si vous êtes entre amis ou en famille ! Voir « Hébergement » dans « Rome utile », au début du guide.

Les campings

⛺ ***Camping Flaminio*** **:** *via Flaminia Nuova, 821.* ☎ *06-33-32-604.* ● *info@villageflaminio.com* ● *villageflaminio.com* ● ♿ *À 8 km au nord de Rome, sur* *la route de Terni (c'est le plus proche du centre). En voiture, prendre la sortie d'autoroute Rome Nord, suivre la direction Flaminia/Salaria, puis emprunter la sortie n° 6 (Centro/Flaminio) et faire 3 km env. En bus, de la gare de Termini, prendre le n° 910 (ou le n° 280 depuis le Vatican) jusqu'au terminus, piazza Mancini, puis le n° 200 jusqu'au camping (via Flaminia Nuova) ; bus 24N à partir de minuit. Entrée face au centre commercial* Euclide. *Passerelle pour traverser la 4-voies. Fermé en fév. Pas de résas pour les tentes. Selon saison, taille et équipement env 9,50-13,30 €/pers, 4,50-7,30 € par tente ; bungalows avec sdb et terrasse 52-112 €/2 pers. Internet.* Vraiment à l'écart (et à l'abri !) de la route, les nombreux arbres (ombre assurée) et le terrain vallonné en font un vrai coin de campagne. Sanitaires rutilants en marbre, très bien équipés, vastes et propres. Épicerie, laverie, resto, bar et piscine.

⛺ ***Camping Tiber :*** *via Tiberina, km 1,4, route de Terni, pas loin du* Flaminio. *☎ 06-33-61-07-33. • info@campingtiber.com • campingtiber.com • ♿ De la station de métro Flaminio (ligne A), prendre le train jusqu'à Prima Porta, où un bus-navette du camping (gratuit) passe en principe ttes les 30 mn 8h-23h en saison. Sinon, pas facile à trouver. En voiture, prendre le GRA (le périph' de Rome) jusqu'à la sortie n° 6 (Flaminia-Prima Porta), puis suivre les indications pour Terni. Ouv slt avr-fin oct. Selon saison, taille et équipement : env 9-11 €/pers, 4,50-5,50 € par tente ; mobile homes sans/avec sdb 30-55 €/2 pers. Réduc de 10 % sur le camping sur présentation de ce guide.* Bien équipé (piscine, bar, resto, supermarché...) et ombragé par des peupliers. On peut y obtenir un plan de la ville avec les principaux monuments, ainsi que les horaires des trains et des bus y conduisant. Inconvénient : le dernier train pour rentrer au camping est à 22h44.

⛺ ***Roma Camping :*** *via Aurelia, 831. ☎ 06-66-23-018. • campingroma@ecvacanze.it • ecvacanze.it • ♿ À 4 km du Vatican. En voiture, prendre la sortie d'autoroute n° 1 (Via Aurelia). Face au supermarché* Panorama *(pas simple si vous venez du centre de Rome : faire demi-tour à la 1re sortie après Panorama). En transport en commun : rejoindre la station de métro « Cornelia » (ligne A), puis bus n° 246 (jusqu'à minuit), arrêt en face du camping (passerelle pour traverser). Du Vatican, prendre le bus n° 247 (jusqu'en face du camping). Tte l'année 24h/24. Selon saison : 9,30-10,50 €/pers et 4,30-5 € par tente. Bungalows 3 pers à partager à prix intéressant : 18 €/pers, avec AC et frigo. Internet.* Bien tenu, sanitaires corrects quoique un peu insuffisants, supérette, snack-bar, piscine, etc. mais gros bémols : très proche de la route, emplacements, bungalows à touche-touche, et cruel manque d'ombre en été.

⛺ ***Camping Internazionale di Castelfusano :*** *via Litoranea, 132. ☎ 06-56-23-304. • info@romacampingcastelfusano.it • romacampingcastelfusano.it • ♿ Le camping le plus éloigné du centre (à 30 km), situé à Lido di Ostia, au bord de la mer, à 5 km d'Ostia Antica. En voiture, sortie via C. Colombo, puis direction « via Litoranea » vers le sud. Depuis la gare de Termini, ligne B jusqu'à la station C. Colombo, puis bus n° 7 (ttes les 15 mn en hte saison) direction Castelporziano, arrêt juste devant le camping. Tte l'année. Selon saison : 19-30 €/2 pers, avec tente et voiture ; bungalows et une voiture, sans/avec sdb 36-77 €/2 pers (max 7). Internet, wifi.* Pas de piscine, mais la plage est à deux pas. Petit resto, épicerie (pour dépanner seulement), sanitaires très propres. Emplacements ombragés agréables. Seul bémol : compter 1h en transport en commun pour rallier Rome.

Les institutions religieuses

Loger dans l'une des nombreuses institutions religieuses, quoi de plus « naturel » dans la ville du pape ? Avantages : leur situation souvent centrale, à l'intérieur ou à proximité du centre historique, leurs tarifs souvent raisonnables étant donné les prix pratiqués à Rome, et enfin leur calme et leur propreté. Inconvénients : il faut réserver le plus tôt possible, voire des mois en avance pour les périodes de fêtes religieuses, sans parler du couvre-feu de certaines petites institutions et la simplicité souvent monacale, comme il se doit, de ce type d'hébergement, même si le confort reste généralement très honorable. Nous vous en signalons donc quelques-unes dans le centre-ville. Pour de plus amples informations ou si tout semble complet, contacter le centre pastoral d'accueil Saint-Louis-des-Français (lire ci-dessous), qui vous dirigera avec gentillesse et efficacité vers les couvents qu'il recommande et se mettra en quatre pour vous trouver de la place.

Centre pastoral d'accueil Saint-Louis-des-Français *(plan centre C3, **10**) : via Santa Giovanna d'Arco, 10. ☎ 06-68-19-24-64. Fax : 06-68-32-324. • accueil@saintlouis-rome.net • saintlouis-rome.net • Lun-ven 10h-12h30, 14h30-17h (16h-19h l'été).* Ce centre (français, et qui dépend de l'ambassade de France « près du Saint-Siège ») vous aidera à trouver un hébergement dans une institution religieuse, chez l'habitant ou dans une pension, en échange d'une participation (environ 13 € par personne). À condition de faire une demande écrite par fax ou par e-mail le plus tôt possible, vous pourrez trouver des chambres à partir de 40-50 € par personne la nuit, et des doubles à partir de 80 €, avec petit déjeuner et salle de bains privée. Ce service s'adresse à tous, aussi bien pour un séjour touristique, en famille ou en petits groupes, que pour un séjour étudiant Erasmus. Ils organisent également des visites accompagnées de certains sites.

Casa Procura Suore Catechiste di Sant'Anna *(plan général D4, **302**) : piazza Madonna dei Monti, 3. ☎ 06-48-57-78. • santannasrm@yahoo.it • Ⓜ Cavour (ligne B). Repérer le petit panneau bleu et sonner à l'interphone. Env 55 €/pers, 80 €/2 pers et 110-120 €/3 pers ; avec petit déj. CB refusées.* C'est une petite institution religieuse ukrainienne proposant une bonne vingtaine de chambres, toutes simples mais propres, dont la moitié donne sur une adorable placette (parfois bruyante dès l'heure de l'*aperitivo*). On aime bien ce secteur du quartier des Monti. Chambres avec salle de bains et téléphone. Atmosphère un poil austère et couvre-feu à 23h en hiver (minuit en été).

Ostello Marello *(plan général E4, **62**) : via Urbana, 50 (2e et 3e étages). ☎ 06-48-82-120. • hostelmarello@yahoo.it • Ⓜ Cavour (ligne B). Sans/avec sdb 23-30 €/pers ; café et jus de fruit offerts (mais pas le reste du petit déj). CB refusées.* À l'exception des couples mariés, hommes et femmes dorment ici séparément dans des chambres de 2 à 4 lits, pas très grandes et sans superflu mais bien tenues. Sanitaires communs impeccables. Cuisine à disposition avec frigo et micro-ondes. Et l'on peut profiter de Rome *by night* puisqu'il n'y a pas de couvre-feu...

Istituto Santa Giuliana Falconieri *(plan centre C4, **42**) : via San Giuseppe Calasanzio, 1. ☎ 06-68-80-33-44. • s.giulianafalconieri@virgilio.it • Env 47 €/pers, 81 €/2 pers, 116 €/3 pers et 150 €/4 pers (ajouter 5 € pour la sdb privée).* Cette accueillante institution occupe un palais du début du XXe s stratégiquement situé, avec une chapelle tout de suite à droite en entrant. Seulement quelques chambres très simples avec salle de bains, les autres avec lavabo et bidet. Bon accueil.

Istituto Immacolata Concezione N. D. Lourdes *(plan général D3, **58**) : via Sistina, 113. ☎ 06-47-45-324. Fax : 06-47-41-422. Ⓜ Spagna (ligne A). Double avec sdb env 80 €, avec petit déj. CB refusées.* Judicieusement située entre la Trinité-des-Monts et la piazza Barberini, cette bonne vieille institution catholique nichée dans un beau bâtiment (notez les jolies fenêtres géminées et trilobées) propose 25 chambres fort simples mais bien tenues. Autre avantage, les groupes n'y sont pas acceptés (donc moins de bruit). En revanche, réservation par fax indispensable le plus tôt possible. Et le couvre-feu est à 22h !

Casa di Santa Francesca Romana *(plan centre C5, **17**) : via dei Vascellari, 61. ☎ 06-58-12-125. • istituto@sfromana.it • sfromana.it • Double 119 €, triple 156 € et quadruple 185 € ; avec petit déj.* C'est la version chic des institutions religieuses. Idéalement située dans l'agréable quartier du Trastevere, c'est l'ancien palais de la famille Ponziani où santa Francesca Romana, épouse de Lorenzo de Ponziani aurait, dit-on, accompli quelques miracles au XVe s. Belle cour aux tons orangés et parsemée justement... d'orangers. Les chambres sont un peu inégales (demandez si possible à en voir plusieurs) et la décoration est un rien désuète, mais le tout est fort bien tenu et le confort général de bon aloi (clim', téléphone, TV). La n° 218, par exemple, est assez spacieuse avec son petit salon séparé. Très bon accueil. Et ici, pas de couvre-feu ! Tant mieux, car ce serait vraiment dommage de ne pas se balader le soir dans les jolies ruelles du Trastevere...

☗ ***Casa per ferie « Santa Maria alle Fornacci »*** *(plan général A4,* ***310****) : piazza S.Maria alle Fornacci, 27. ☎ 06-39-36-76-32. ● trinitaridematha.it ● cffornaci@tin.it ● Entrée sur la gauche de l'église. Accès : depuis Termini, bus n° 64 ; alternative depuis l'aéroport, train FR1 jusqu'à Trastevere, puis FR3 ou FR5, descendre à San Pietro. Doubles avec sdb 80-95 € ; petit déj compris. Internet, wifi. Pas de couvre-feu.* Émanation de l'ordre de la Sainte-Trinité dont la mission était de libérer les croisés devenus esclaves, ce grand établissement propose des chambres monacales mais dotées de l'essentiel. La grande majorité est équipée de 2 petits lits, mais il y a quelques doubles avec lit *queen size,* des simples et des triples. Réception, salle TV, coin canapé et salle pour le petit déj se partagent un vaste entresol bien éclairé. Accueil très courtois et professionnel.

Les auberges de jeunesse

Seule la première de ces adresses est une AJ officielle, les suivantes sont des structures privées proposant le même type d'hébergement en dortoirs, à des prix relativement démocratiques et dans une atmosphère conviviale. Ce type d'adresses pullule à Rome, et notamment autour de la gare de Termini. Si vous vous retrouvez en carafe, bref que tout est plein dans notre sélection, vous n'aurez pas grand mal à en trouver d'autres. Mais attention en haute saison ! Vous pouvez également vous rendre sur le site ● *hostelworld.com* ● et comparer les prix, les promos en cours ainsi que les indices de satisfaction !

☗ ***Ostello per la gioventù del Foro Italico A. F. Pessina*** *(hors plan général par A1) : viale delle Olimpiadi, 61. ☎ 06-32-36-267. ● info@ostellodiroma.it ● ostellodiroma.it ● De la station de métro Ottaviano (ligne A), bus n° 32 sur la via Barletta jusqu'au 6e arrêt (Lungovetere Cadorna : le symbole de l'AJ est indiqué sur le panneau de l'arrêt). Tte l'année 7h-minuit. 19 €/pers, avec petit déj. Carte des AJ exigée et séjour de 6 j. max. Internet.* Gigantesque AJ : 400 lits répartis dans des dortoirs basiques pour 6 à 12 personnes. À l'intérieur, vous pourrez prendre vos repas dans un snack, consulter vos e-mails à la réception (plusieurs postes) et regarder la TV dans le coin salon. À l'extérieur, un jardin (pas très bien entretenu cela dit) pour oublier le bruit et la chaleur des chambrées. Accueil et bon rapport qualité-prix dans l'ensemble, malgré quelques critiques : obligation de libérer les chambres de 10h à 14h pour le ménage (pas de grasse mat !), cadenas nécessaire pour les casiers et environnement pas glorieux, le long d'une voie rapide.

Autour de la gare de Termini

☗ ***Funny Palace Hostel*** *(plan général F3,* ***301****) : via Varese, 31-33. ☎ 06-44-70-35-23. ● info@hostelfunny.com ● hostelfunny.com ● Selon saison : lits 15-25 €, doubles 55-100 € ; sdb à partager, petit déj compris. CB refusées.* En découvrant la réception dans une laverie-cybercafé, on imagine le pire. Que nenni ! C'est au contraire une AJ soignée, dont les différentes chambres, certes très simplement équipées (TV, ventilo), se révèlent impeccables et non dénuées de caractère. Bon entretien général. La répartition des chambres dans plusieurs appartements est un avantage : moins d'entassement ou de queue devant la salle de bains, plus de tranquillité. En revanche, il n'y a pas d'espace commun. Accueil dynamique et serviable.

Freedom Traveller Hostel *(plan général E3,* ***26****) : via Gaeta, 23-25. ☎ 06-478-23-862. • info@freedom-traveller.it • freedom-traveller.it • Selon confort et saison : 17-35 €/pers en dortoir ; doubles sans/avec sdb 45-75/55-85 € ; petit déj (basique) inclus. Internet. CB refusées.* Une bonne valeur dans le quartier pour son atmosphère gentiment routarde. Les dortoirs et les chambres (clim' partout) sont propres, plutôt bien entretenus et parfois mignons, comme ceux du rez-de-chaussée dont les plafonds voûtés sont ornés de fresques. Également des triples et quadruples. Le véritable plus ici, c'est la courette-jardin avec tables et chaises, attenant à la (petite) cuisine. Dans le genre « à l'AJ, tout est gratuit », signalons, outre l'accès Internet, les visites guidées de Rome, l'usage de la cuisine et la consigne à bagages. Accueil routinier.

Hôtel des Artistes *(plan général F3,* ***11****) : via Villafranca, 20. • hostelrome.com • hoteldesartistes.com •* Cité ici pour ses options dortoirs et doubles avec salles de bains communes. Pour plus de détails, voir sous « Les hôtels et pensions ».

Alessandro Palace *(plan général E3,* ***61****) : via Vicenza, 42. ☎ 06-44-61-958. • palace@hostelsalessandro.com • hostelsalessandro.com • Réception et check-in 24h/24. Selon saison : lits en dortoir (4-8 pers) 18-40 € ; doubles sans/avec sdb 55-110/65-135 € ; petit déj compris. Internet, wifi.* Atmosphère internationale pour cette auberge toujours bondée ! L'accueil trilingue (italien, espagnol et anglais) y est sans doute pour quelque chose, mais c'est la qualité des prestations qui fait la différence : chaque dortoir dispose d'une salle de bains, les espaces communs sont agréables et conviviaux (comme le bar bien kitsch avec ses fausses colonnes hilarantes) et les petits plus ne manquent pas (clim', casiers, petit frigo, salle Internet, café...). Si c'est complet, on vous redirigera vers l'auberge jumelle, juste de l'autre côté de la gare : **Alessandro Down Town** *(via C. Caetano, 23 ; ☎ 06-44-34-01-47).* Un peu moins léchée dans l'ensemble (on y trouve quand même une cuisine équipée et un coin TV), mais l'esprit est le même.

Hostel Beautiful *(plan général E4,* ***57****) : via Napoleone III, 35 (2e étage ; ascenseur). ☎ 06-44-65-890. • beautifulhostel@yahoo.it • hostelworld.com • Selon saison : 15-30 €/pers en dortoir 4-6 lits.* Relativement bien située, cette petite AJ privée offre l'essentiel : des dortoirs très corrects, une petite cuisine, un salon commun avec TV et pas de couvre-feu. Rien d'inoubliable, mais pour une fois on ne s'entasse pas et l'atmosphère est vraiment sympa. À noter que leur adresse sœur *(via Milazzo, 8 ; ☎ 06-44-70-39-27)* est un peu mieux (dortoirs avec salle d'eau privée !) mais plus chère. Une bonne option.

Hotel-pensione Papa Germano *(plan général E3,* ***66****) :* cet hôtel (voir sous « Les hôtels et pensions » pour plus de détails) propose des dortoirs pour 4 à lits jumeaux, pour une atmosphère plus tranquille que dans une grosse AJ.

Dans le quartier des Monti *(quartiere dei Monti)*

Mona Lisa Hostel *(plan général D4,* ***15****) : via Palermo, 13. ☎ 06-474-22-93. • info@backpackers.it • monalisahostel.it • Sous le porche d'entrée, porte de droite, puis 2e étage. Lits 15-25 € en dortoir (8-10 pers) ; quadruple env 30 €/pers. Internet.* Mieux vaut ne pas être trop exigeant. Car il s'agit d'une toute petite structure routarde en diable : à peine 2 dortoirs avec sanitaires communs, une chambre à 4 lits dotée de sa propre salle de bains, et une cuisine-salle commune-accueil pas bien grande non plus mais plutôt joliment arrangée. Au final, on s'entasse dans la bonne humeur, mais l'intimité est à oublier !

Vatican – Prati

■ ***Pensione Ottaviano*** *(plan général B3,* ***44****)* ***:*** *via Ottaviano, 6 (2e étage).* ☎ *06-39-73-81-38.* ● *info@pensioneottaviano.com* ● *pensioneottaviano.com* ● *Selon saison : env 20-30 €/pers en dortoir 4-8 lits. CB refusées. Internet.* Génération après génération, cette petite auberge privée a toujours les faveurs des jeunes routards. D'abord pour son ambiance fraternelle, ensuite pour ses dortoirs convenables, certains avec salle de bains à l'intérieur... Pas de quoi en faire une tartine non plus, on regrette d'ailleurs l'absence d'espace commun et de cuisine. Reste un bon point de chute.

■ ***Hotel Colors*** *(plan général B3,* ***45****)* ***:*** *via Boezio, 31.* ☎ *06-68-74-030.* ● *hotelcolors@gmail.com* ● *colorshotel.com* ● Ⓜ *Lepanto ou Ottaviano (ligne A). Selon saison : 20-40 €/pers en dortoir (réservé aux 18-35 ans, petit déj et serviette en supplément) ; doubles avec ou sans sdb, petit déj compris, 70-135 €, slt sur résa Internet. Internet, wifi.* Un vrai *boutique hostel* ! Le lieu, très coloré, est gai et son atmosphère conviviale... à l'image de sa clientèle de jeunes fêtards. Jolies petites chambres et dortoirs agréables, aux tons harmonieux et acidulés. Propreté garantie. De plus, cuisine équipée, lave-linge et terrasse géniale au calme. Inutile de préciser que c'est souvent complet. Un seul bémol : pourquoi n'y a-t-il pas de serrure aux portes des dortoirs ?

Les hôtels et pensions

– Il est difficile de trouver un hôtel ou une pension bon marché à Rome. Les prix sont extrêmement fluctuants d'une saison à l'autre et, de plus, souvent sujets, en temps réel, à la loi de l'offre et de la demande.
– Les meilleurs établissements étant très convoités, nous vous conseillons de réserver bien avant votre arrivée. Un simple coup de fil suffit parfois (d'autant que le versement d'un acompte n'est pas toujours exigé), mais il est préférable d'appeler quelques jours avant votre séjour pour sécuriser la réservation (on n'est jamais trop prudent). Faites-vous préciser tout ce qui doit l'être afin d'éviter tout malentendu (ou mauvaise surprise).
– Si vous n'avez pas réservé, armez-vous de patience une fois sur place. Et surtout, ne suivez pas les pseudo-rabatteurs qui peuvent vous aborder et vous suggérer de les accompagner... pour mieux vous dépouiller ensuite.
– Dernière chose, si les prix indiqués incluent généralement les taxes ET le petit déj, il faut savoir que ce dernier se limite souvent à une simple collation, genre café-croissant (souvent sous cellophane).

LE QUARTIER DE LA GARE DE TERMINI
(quartiere della stazione Termini)

Beaucoup de pensions et de petits hôtels, parmi les moins chers de la ville, se situent dans ce quartier, où il convient d'être vigilant comme aux abords de toutes les gares du monde. Notre préférence va au quartier de la via Palestro (à droite en sortant de la gare), plus aéré, agréable et mieux doté que le quartier de la via Principe Amedeo (à gauche en sortant de la gare). Ce dernier présente toutefois l'avantage d'être plus proche du centre historique. Sinon, le service de réservation de chambres d'hôtel de la gare vous dépannera sans peine. La plupart des hôtels et pensions ayant entrepris d'importants travaux de rénovation, nous avons constaté une nette amélioration des prestations... mais aussi une nette hausse des prix. Les chambres avec salle de bains communes se font rares... dommage pour les petits budgets.

Via Palestro et autour (via Palestro e dintorni)

Bon marché

Locanda Otello Rossi *(plan général E3,* ***63****) : via Marghera, 13 (4e étage). ☎ 06-49-03-83. • info@locandaotello.com • locandaotello.com • Doubles 50-60 € selon confort (sdb ou lavabo) ; pas de petit déj. CB refusées. Internet. Réduc de 10 % nov-fév (sf fêtes) sur présentation de ce guide.* À deux pas de la gare, ce petit établissement familial fait plus « chambres chez l'habitant » qu'hôtel traditionnel. Réparties sur 2 niveaux et aussi dans un autre immeuble à 5 mn en voiture, les chambres, très spartiates, sont bien tenues et figurent parmi les moins chères de la ville, surtout en haute saison. Accueil charmant de la signora Rossi.

Hotel Virginia *(plan général E3,* ***64****) : via Montebello, 94. ☎ 06-49-77-48-74. • hotelvirginiaroma@libero.it • hotelvirginiaroma.com • Réception au 1er étage. Selon saison : doubles avec sdb 50-100 € ; petit déj compris (servi dans un bar voisin).* Petites chambres aux tonalités rouge et saumon, correctement tenues et équipées (TV, coffre, frigo). Petit déj pas terrible, mais ça, c'est un grand classique. Également des triples et quadruples. Compte tenu des tarifs, c'est une des bonnes adresses du quartier malgré ses petits défauts. Résa très conseillée.

Hotel Katty et Katty 2 *(plan général E3,* ***68****) : via Palestro, 35. ☎ 06-49-00-79 ou 06-44-41-216. • info@hotelkatty.it • hotelkatty.it • Selon saison : doubles avec sdb 45-85 € ; pas de petit déj. Internet, wifi.* Pension modeste très bien tenue par une petite dame. Belles chambres, pas très grandes et fort simples mais calmes, proprettes et de bon confort : frigo, AC et TV. 2 chambres familiales ont de beaux plafonds peints. Dans le même immeuble, des chambres plus simples et un poil moins chères. Une vraie ambiance de pension de famille et des tarifs compétitifs pour Rome.

De bon marché à prix moyens

Hotel Welrome *(plan général E3,* ***55****) : via Calatafimi, 15-19. ☎ 06-47-82-43-43. • welrome.it • ♿ Résa conseillée. Doubles avec sdb 70-110 € selon saison ; pas de petit déj. Wifi. Réduc de 10 % sur présentation de ce guide.* Petit hôtel pimpant aux 7 chambres immaculées, fonctionnelles et bien dotées : double vitrage, TV, frigo, sèche-cheveux, coffre, téléphone, bouilloire (thé et café à dispo) et petite table « bistrot ». Cerise sur le gâteau, l'accueil de Maria, la patronne francophone, toujours soucieuse du bien-être de ses hôtes et de très bon conseil. Recommandé !

B & B Holiday Rome *(plan général E-F3,* ***65****) : via Palestro, 49. ☎ 06-44-53-024. • holidayrome@yahoo.it • holiday-rome.com • Réception escalier B, au 2e étage. Résa impérative (préciser votre heure d'arrivée). Doubles sans/avec sdb 55-75/65-110 € ; petit déj compris (servi dans la chambre). CB refusées. Internet, wifi. Réduc de 10 % sur les chambres en janv-fév et août-nov sur présentation de ce guide.* Dans ce bâtiment où chaque étage semble accueillir un *B & B*, celui-ci, au calme, propose de bien jolies chambres, impeccables et bien dotées : sanitaires fonctionnels, frigo, téléphone, TV et clim'. Sur le même palier, des chambres plus simples tout aussi bien tenues. Très bon accueil. Tout simplement une bonne adresse.

Hotel Cervia et Pensione Restivo *(plan général F3,* ***67****) : via Palestro, 55. ☎ 06-49-10-57 (Cervia) ou 06-44-62-172 (Restivo). • info@hotelcerviaroma.com • info@hotelrestivo.com • hotelcerviaroma.com • Doubles avec sdb ou lavabo 50-130 € ; petit déj inclus (pour l'hôtel Cervia slt). Réduc de 10 % sur les chambres sur présentation de ce guide.* Réunies ici parce que ces 2 pensions n'en font en réalité qu'une, à quelques détails près ! Les chambres sont très simples, sans charme mais propres. Les meilleures se trouvent aux 1er et 2e étages (nos 201 et 207). Quelques bouquins à disposition dans les corridors. Accueil sympathique, et en français. Une adresse efficace.

Hotel Stella *(plan général E3,* ***27****) : via Castelfidardo, 51. ☎ 06-44-41-078. • info@hotelstellaroma.it • hotelstellaroma.it • Selon type et saison : doubles avec sdb env 60-150 € ; petit déj inclus.* Rassurez-vous, les chambres ont bien meilleure mine que la réception. Rien d'inoubliable non plus (tailles inégales, déco conventionnelle) mais elles sont propres, et toutes avec TV, téléphone, minibar et sanitaires agréables. Si les supérieures sont plus soignées, privilégiez d'abord les chambres sur cour, sous peine de laisser le pub du coin troubler vos nuits ! Petit déj pas terrible.

Hotel Marisa *(plan général F3,* ***60****) : via Marsala, 98. ☎ 06-49-14-13. • hotelmarisa.net • Selon saison : doubles 70-150 € ; petit déj compris.* La marquise colorée de l'entrée donne le ton de ce petit hôtel bourgeois traditionnel un poil vieillot, comme en attestent le mobilier, les tentures à l'ancienne et les épais couvre-lits. L'ensemble demeure de bon confort : clim', double vitrage, TV écran plat, bureau en bois et profond fauteuil. Accueil poli.

Hotel Milazzo *(plan général E-F3,* ***59****) : via Milazzo, 3. ☎ 06-44-52-283. • info@hotelmilazzo.com • hotelmilazzo.com • Doubles 50-120 € selon saison ; petit déj compris (servi dans un bar voisin).* Un passage pas très engageant mène à l'escalier qui dessert ce petit hôtel bien tenu et suffisamment confortable dans sa catégorie. Chambres assez petites et classiques, sans mauvaise surprise ni caractère particulier. Quand c'est plein, on vous dirige vers deux *B & B* voisins, gérés par le même patron et aux prestations identiques. Accueil serviable et amical.

Hotel-pensione Papa Germano *(plan général E3,* ***66****) : via Calatafimi, 14. ☎ 06-48-69-19. • info@hotelpapagermano.com • hotelpapagermano.com • Selon saison : dortoir 4 lits sans sdb 23-30 €/pers ; doubles sans/avec sdb 55-85/65-110 € ; petit déj compris (option sans petit déj en basse saison, réduc env 5 €/chambre). Internet.* Petit hôtel bien situé dont les 4 étages comptent une vingtaine de chambres inégales, assez petites mais convenables au regard des prix pratiqués. Équipement décent, au moins pour les plus chères (placards, clim', TV satellite). Parfois un peu bruyant quand, selon la demande, certaines des quadruples sont transformées en dortoirs. Accueil efficace.

Hotel Continentale *(plan général E-F3,* ***65****) : via Palestro, 49. ☎ 06-44-50-382. • info@hotel-continentale.com • hotel-continentale.com • Selon saison : doubles avec sdb 60-120 € ; petit déj compris. Wifi. Réduc de 10 % sur présentation de ce guide.* Petit hôtel aux chambres convenables, classiques et de bon confort (TV, téléphone et AC). Accueil sympa, en français qui plus est. Un autre bon choix, vu la situation.

De prix moyens à plus chic

Hotel Camelia *(plan général E3,* ***64****) : via Goito, 36. ☎ 06-44-36-13-80. • info@hotelcameliarome.com • hotelcameliarome.com • Selon saison : doubles avec sdb 75-175 € ; petit déj compris (buffet). Internet, wifi.* Chambres de taille correcte avec parquet, mobilier et literies récents, tout comme l'équipement, complet : frigo, coffre, TV et téléphone. Sanitaires joliment carrelés, certains avec baignoire. Quelques grandes chambres mansardées et un peu sombres sont transformables en triples. Parties communes nettes et fonctionnelles. Accueil charmant et francophone. Nickel !

Hotel des Artistes *(plan général F3,* ***11****) : via Villafranca, 20. ☎ 06-44-54-365. • info@hoteldesartistes.com • hoteldesartistes.com • Selon confort et saison : lit en dortoir sans petit déj 22-26 € ; doubles sans/avec sdb 55-100/60-200 €, petit déj (servi dans un bar voisin) compris. Internet, wifi. Réduc de 10 % sur présentation de ce guide, hors offres spéciales.* Maintenant étendu jusqu'à l'annexe voisine du même immeuble bourgeois, cet établissement a un double visage : côté pile, un hôtel élégant aux chambres coquettes et confortables (tentures, tapis, mobilier agréable) ; côté face, une auberge de jeunesse aux dortoirs sans prétention mais très corrects, des doubles bon marché, plusieurs salles de bains communes et une salle TV. À chacun son étage selon son budget... Si certains tarifs vous paraissent élevés, des offres spéciales y remédieront. D'ailleurs, tout le monde se retrouve au petit bar ou sur la terrasse géniale sur le toit. Avec ses transats, ses fleurs et son auvent, c'est l'irrésistible bonne surprise de la maison ! Accueil très plaisant.

Hotel Romæ *(plan général E3,* ***65****) : via Palestro, 49. ☎ 06-446-35-54. ● info@hotelromae.com ● hotelromae.com ● Selon confort et saison : doubles avec sdb 60-200 € ; petit déj compris (dans un bar voisin).* Un établissement très sympathique qui propose deux types de chambres : les rénovées, dans un style minimaliste (murs blancs, moquette gris perle...), ou les anciennes, très classiques mais fort convenables. Au final, l'entretien est bon partout, de même que le niveau de confort. Excellent accueil.

Hotel Aphrodite *(plan général F3,* ***60****) : via Marsala, 90. ☎ 06-49-10-96. ● info@accommodationinrome.com ● accommodationinrome.com ● Selon saison : doubles avec sdb 70-160 € ; petit déj inclus. Wifi. Réduc de 10 % sur présentation de ce guide.* Rénové récemment jusqu'à donner l'impression du neuf dans une tonalité générale moderne, cet hôtel possède de nombreux atouts : situation à quelques mètres de la gare, chambres confortables et plaisantes (parquet, mobilier, mosaïques dans les bains), petite terrasse sur le toit pour le petit déj, tarifs très compétitifs, surtout en période creuse, et qualité de l'accueil. Certes, tout cela reste bien plus standard que réellement charmant. Mais enfin...

Via Principe Amedeo et autour

(via Principe Amedeo e dintorni)

Les pensions ici n'ont de cesse de se rénover, équipant toutes leurs chambres de salles de bains, et, obligé, augmentant leurs prix d'autant ! Sauf que le service reste souvent celui d'une pension... Attention aussi, dans ce coin très animé, les chambres sur rue s'avèrent souvent bruyantes, mais cela reste très supportable lorsqu'elles sont équipées de double vitrage.

Bon marché

Hotel Millerose *(plan général E3,* ***56****) : via Daniele Manin, 58 (6e étage, ascenseur). ☎ 06-48-80-817. ● info@hotelmillerose.it ● hotelmillerose.it ● Doubles avec sdb 65-85 € ; petit déj compris. CB refusées.* Hôtel perché au 6e étage d'un immeuble bourgeois. Pas de panique, il y a un ascenseur ! Chambres très convenables, toutes différentes, des plus sobres aux couleurs pastel à celles tapissées de mille fleurs, certaines avec balconnet sur la rue (double vitrage). Salles de bains nickel (et avec sèche-cheveux). Accueil très gentil, en italien exclusivement.

Hotel di Rienzo *(plan général E3,* ***13****) : via Principe Amedeo, 79a (1er étage). ☎ 06-44-67-131. ● info@hoteldirienzo.it ● hoteldirienzo.it ● Doubles sans/avec sdb 30-70/35-80 € ; petit déj en option.* Gentille pension sans prétention, tenue par un patron adorable aidé de sa famille. 20 chambres très simples sur 3 niveaux. Les nos 10 et 12 sont les plus agréables, la no 12 possède même un balcon. Bien sûr, on vous remet toutes les clés pour rentrer à l'heure qui convient. Mieux que chez papa-maman... Adresse au caractère familial bien marqué et à la réjouissante régularité, elle est aussi très bien placée niveau prix, surtout si on ne prend pas le petit déj (à préciser dès votre arrivée) qui est trop cher. Mieux vaut le prendre directement au café voisin !

De prix moyens à plus chic

🏨 ***B & B 58*** *(plan général E3, **16**) : via Cavour, 58 (4e étage). ☎ 06-48-23-566. • info@58viacavour.it • lerealdeluxe.com • Selon saison : doubles 70-130 € ; petit déj compris. CB refusées.* Dans le quartier des hôtels, où le pire voisine avec le meilleur, ce *B & B* est une bonne surprise. Compte tenu de la qualité des prestations (bon accueil et emplacement, chambres très bien tenues et tout confort : clim', TV écran plat...), c'est même un bon rapport qualité-prix. Cela dit, le professionnalisme se paye, et l'on est nettement plus dans l'esprit d'un petit hôtel que d'une chambre d'hôtes.

🏨 ***Hotel Mariano*** *(plan général E4, **311**) : piazza Manfredo Fanti, 19. ☎ 06-44-66-147. • info@hotelmariano.com • hotelmariano.com • Selon taille et saison : doubles avec sdb 60-170 € ; petit déj compris.* Réparties sur 4 étages, les chambres sont plus ou moins grandes mais toutes bien pourvues (TV, téléphone, sèche-cheveux, double vitrage). Des tentures damassées leur donnent un cachet ultra classique. Vue sur cour ou sur la place, occupée par un jardin et l'insolite aquarium du XIXe s reconverti en maison de l'architecture (expo, librairie et café). Accueil très pro et anglophone.

🏨 ***Hotel Orlanda*** *(plan général E3, **14**) : via Principe Amedeo, 76 (3e étage). ☎ 06-48-80-124. • info@hotelorlanda.com • hotelorlanda.com • Selon saison : doubles avec sdb env 70-110 € ; petit déj compris. Internet, wifi. Parking payant.* Une vingtaine de chambres fonctionnelles au style très standard (pour ne pas dire basiques) mais claires et d'un bon niveau de confort (TV, téléphone, sèche-cheveux). Quelques-unes avec AC (en supplément). Le tout vraiment propre. Accueil jeune et dynamique. Bref, un hôtel sans charme mais sans mauvaise surprise, avec une seule originalité : pour éviter les bouchons au petit déj-buffet, il faut préciser la veille l'horaire choisi, quasiment comme à la galerie Borghèse !

🏨 ***Hotel Milo*** *(plan général E3, **14**) : via Principe Amedeo, 76 (1er étage). ☎ 06-47-40-100. • hotelmilo@fastwebnet.it • hotelmilo.com • Selon saison : doubles avec sdb 85-130 € ; petit déj inclus.* Un modeste hôtel qui offre de petites chambres sans histoire, décorées dans les tons brun clair, bien équipées (double vitrage, téléphone, TV), et dotées d'un balconnet pour certaines. En revanche, tout le monde a accès à la terrasse pour le petit déj. Rien de folichon, mais accueil serviable et ensemble très bien tenu. Une bonne adresse.

🏨 ***Hotel Teti*** *(plan général E3, **14**) : via Principe Amedeo, 76 (2e étage). ☎ 06-48-90-40-88. • hotelteti@iol.it • hotelteti.it • Doubles avec sdb 70-140 € ; petit déj compris. Internet.* Intéressant surtout hors saison. Petit hôtel calme et sans histoire, tout comme sa déco passe-partout. Chambres confortables (double vitrage, TV satellite, téléphone, AC et coffre-fort) et bien tenues. Accueil souriant et francophone.

Piazza Vittorio Emanuele II

Un peu au sud de la via Principe Amedeo, cette immense place rectangulaire, qui abrite un grand jardin public, est un quartier éminemment populaire... et assez bruyant, il faut bien le reconnaître. Le secteur est largement cosmopolite, la preuve en est : on y trouve le Chinatown romain.

De bon marché à prix moyens

🏨 ***Adone House*** *(plan général F4, **30**) : via Foscolo, 17. ☎ 06-45-49-30-53. • info@adonehouse.com • adonehouse.com • Réception au 1er étage. Selon saison : 16-25 €/pers en dortoir de 8 lits ; doubles sans sdb 50-80 € ; petit déj inclus (servi dans un café voisin). Serviettes de toilette en sus. CB refusées (sf résa Internet).* Nichée dans une rue adjacente à la grande place, cette petite adresse toute simple propose des chambres et dortoirs répartis dans différents appartements. Climatisés, ils sont peints de motifs graphiques, ce qui change de l'ordinaire. Accueil plaisant.

Domus Victoria B & B *(plan général E4,* ***31****) : piazza Vittorio-Emanuele II, 138. ☎ 06-96-04-30-64. • info@domusvictoria.com • domusvictoria.com • Au fond de la cour à gauche ; 3e étage (ascenseur). Selon saison : doubles avec sdb 60-160 € ; petit déj inclus (servi dans un café voisin). Internet, wifi. Réduc de 10 % sur présentation de ce guide, sf fêtes ainsi que w-e hte saison.* Vous serez accueilli par Flavia, la sympathique patronne qui s'occupe impeccablement des 5 chambres de cette bonne petite adresse. Primo, celles-ci sont spacieuses ; deuzio, elles sont vraiment nickel avec leur carrelage en camaïeu marron, leur mobilier récent en bois foncé et tout le confort ad hoc : salle de bains, double vitrage, ventilo et TV. Petit déj copieux servi en chambre.

Les quartier des Monti et de l'Esquilin *(quartiere dei Monti e Esquilino)*

De prix moyens à plus chic

Hotel Perugia *(plan général D4,* ***18****) : via del Colosseo, 7. ☎ 06-67-97-200. • info@hperugia.it • hperugia.it • Selon saison : doubles avec sdb 85-145 € ; petit déj inclus.* Le principal atout de ce petit hôtel familial, c'est son emplacement à deux pas du Colisée, dans le charmant quartier des Monti, et dans la non moins charmante (et peu passante !) via del Colosseo. Pour le reste, une douzaine de chambres distribuées sur 4 étages, propres et fonctionnelles mais sans ascenseur ni réel charme (déco simple et datée). Accueil très agréable et francophone.

Hotel Artorius *(plan général D4,* ***35****) : via del Boschetto, 13. ☎ 06-48-21-196. • info@hotelartorius.com • hotelartorius.com • Selon saison : doubles env 130-200 € ; petit déj inclus.* « Vertu et travail », telle est la louable devise du chevalier romain ayant inspiré le nom de cet hôtel. De facture nettement plus récente... il arbore un joli décor au style 1900, dont l'ascenseur et les vitraux sont les fleurons. Les 10 chambres, plutôt spacieuses (c'est un luxe à Rome), sont très confortables : belle moquette, salle de bains nickel, clim', téléphone et TV. Deux d'entre elles disposent même de balcons. Petit déj servi dans la courette aux beaux jours (et sous une tente en hiver !). Bref, si ce n'est pas le *Ritz*, pour une fois on a quand même le droit à un peu de charme dans cette catégorie. Accueil efficace et souriant.

Le quartier San Lorenzo *(quartiere San Lorenzo)*

Ce quartier populaire excentré à l'est de Termini n'est pas à priori le coin qu'on recherche pour se loger. En fait, son caractère bien marqué plaira surtout à ceux qui veulent s'insérer dans une authentique vie sociale romaine sans s'exiler pour autant à la Garbatella.

Hotel Laurentia *(plan général F4,* ***12****) : largo degli Osci, 63. ☎ 06-44-50-218. • hotellaurentia.com • Juste en face du petit marché local. Selon saison : doubles avec sdb 100-155 € ; petit déj compris (buffet). Parking payant. Internet, wifi.* Dès le joli hall d'entrée (marbre, stucs, plantes vertes), on flaire l'hôtel agréable et bien tenu. Impression confirmée dans les chambres très classiques mais confortables, plaisantes et généralement spacieuses. Trois d'entre elles (réserver longtemps à l'avance) profitent d'une super terrasse surplombant les toits, avec vue sur une église. Accueil parfait.

LE CENTRE HISTORIQUE *(centro storico)*

Les hôtels et pensions abondent dans cette partie de la cité mais ils offrent rarement un rapport qualité-prix convenable, ou tout simplement comparable à celui qu'on trouve du côté de Termini ou dans le Trastevere. Le prix à payer pour rêver au cœur de la Ville éternelle... Quelques exceptions néanmoins, que nous ne manquons pas de vous signaler.

Autour de la piazza di Spagna

Prix moyens

Hotel Boccaccio *(plan général D3, **22**) : via del Boccaccio, 25 (1er étage). ☎ 06-48-85-962. • hotelboccaccio2000@yahoo.it • hotelboccaccio.com • À deux pas de la piazza Barberini. Doubles env 80-100 € selon confort (lavabo ou sanitaires privés) et saison ; pas de petit déj. Réduc de 10 % en janv-fév sur présentation de ce guide.* Petite pension toute simple qui propose une dizaine de grandes chambres, propres et pas mal arrangées. Entrée très cosy : meubles anciens, bibelots et lumière tamisée. Terrasse qui donne sur une jolie courette garnie de plantes vertes. Enfin, la patronne est charmante et serviable, ce qui ajoute à la qualité du lieu.

Pensione Panda *(plan général C-D3, **28**) : via della Croce, 35 (2e étage, avec ascenseur). ☎ 06-67-80-179. • info@hotelpanda.it • hotelpanda.it • Entre la piazza di Spagna et la via del Corso. Doubles avec/sans sdb 80-110 € ; pas de petit déj. Wifi. Sur présentation de ce guide, réduc de 10 % sur les doubles déc-fév (sf Noël et Nouvel An).* Une petite pension très bien tenue, dont les chambres se révèlent plutôt charmantes. Certains plafonds exhibent de belles poutres, voire des fresques, et quelques familiales profitent de leur belle hauteur sous plafond pour installer un 3e lit en mezzanine. Assez calme aussi, bien qu'à quelques mètres seulement de l'agitation piétonne (les chambres donnant pour la plupart sur une cour intérieure). Salles de bains modernes mais format poche ! Accueil gentil. Pas de TV, on est là pour se reposer !

De prix moyens à plus chic

Hotel-pensione Parlamento *(plan général C3, **23**) : via delle Convertite, 5 (3e étage). ☎ 06-69-92-10-00. • hotelparlamento@libero.it • hotelparlamento.it • Au fond de la cour à droite par l'ascenseur (1er étage). Selon saison : doubles et suites avec sdb 90-190 € ; petit déj compris. Internet, wifi.* Entre les deux plus célèbres places de Rome (la piazza di Spagna et la piazza Navona), cette adresse installée sur 2 étages tout biscornus d'un vieux palais romain des XVIIe-XVIIIe s propose des chambres agréables de tailles variables, certaines avec poutres apparentes. Côté rue, le quadruple vitrage des doubles fenêtres ne laisse vraiment rien passer. Les chambres avec balcon ou sur cour (par exemple la no 108, grande et claire, avec terrasse) sont bien évidemment les plus chères. Pour les budgets serrés, 2 chambres plus petites et de même confort (les nos 90 et 92), abordables même en haute saison. Et la no 109 est plutôt mignonne avec son Jacuzzi et son escalier façon duplex. Évitez les nos 74, 76 et 110, moins bien placées et donc plus bruyantes. Aux beaux jours, on peut prendre le petit déj sur la terrasse qui surplombe le quartier. Excellent accueil, parfois francophone.

Okapi Rooms *(plan général C2, **54**) : via della Penna, 57. ☎ 06-32-60-98-15. • info@okapirooms.it • okapirooms.it • Juste derrière la piazza del Popolo ; accès par la via dell'Oca qui devient la via della Penna. Doubles avec sdb env 90-180 € selon saison. Wifi. Réduc de 10 % déc-fév (sf Noël) sur présentation de ce guide.* À deux pas de la jolie piazza del Popolo, cette élégante maison du XVIIIe s, rénovée avec soin, abrite une poignée de chambres pas bien grandes mais bien refaites. Bois sombre pour une petite touche design, TV écran plat, double vitrage, clim', etc. La n° 13 possède quelques marches menant à un agréable balcon. Un bon point de chute à l'atmosphère intimiste.

Plus chic

■ ***Daphne Inn*** *(plan général D3,* ***22****)* ***:*** *via degli Avignonesi, 20. ☎ 06-87-45-00-86. • info@daphne-rome.com • daphne-rome.com • Selon taille et saison : doubles sans/avec sdb env 100-150/130-220 € ; petit déj compris. Internet.* Avec cette adresse discrète nichée dans une rue qui ne l'est pas moins, à proximité de la piazza Barberini, on est plus proche du *B & B* que de l'hôtel : c'est une bonne nouvelle ! L'originalité du lieu, ce sont ces belles chambres très design, pour ne pas dire sophistiquées. Très bonne literie, quelques toiles contemporaines ici ou là, clim', etc. Fruits frais et viennoiseries au petit déj. Ici, on peut lire très facilement ses mails : il y a des Mac partout. On vous prête même un portable pendant votre séjour ! Pas de télévision en revanche, c'est volontaire... Également une annexe à proximité, le *Daphne Veneto,* via di San Basilio, 55. Bon accueil, très personnalisé.

■ ***Hotel Suisse*** *(plan général D3,* ***25****)* ***:*** *via Gregoriana, 54 (3e étage, ascenseur). ☎ 06-67-83-649. • info@hotelsuisserome.com • hotelsuisserome.com • Fermé en août. Doubles env 140-170 € ; petit déj compris (servi en chambre). AC en supplément (10 €/j.). Internet, wifi.* Dans une maison de maître, ce petit hôtel est en réalité un ancien appartement familial réaménagé. Plutôt une maison d'hôtes donc, mais de luxe. Ses 12 chambres au charme bourgeois sont impeccables : mobilier classique, beau parquet verni, murs immaculés et moulures au plafond. Seuls les bains sont un peu datés. Clientèle tranquille, qui apprécie le couvre-feu à 2h. Idéal pour ceux qui aspirent à une certaine sérénité dans un cadre douillet ou qui tiennent à résider à proximité de la piazza di Spagna (où n'abondent pas les hôtels convenables à prix raisonnables). Penser tout de même à confirmer sa réservation. Accueil charmant, en français.

Très chic

■ ***Hotel Scalinata di Spagna*** *(plan général D3,* ***21****)* ***:*** *piazza Trinità dei Monti, 17. ☎ 06-69-94-08-96. • info@hotelscalinata.com • hotelscalinata.com • Résa impérative. Selon saison, vue et standing : doubles 170-250 € ; petit déj compris. Parking payant (hors de prix). Internet, wifi.* Surplombant les marches de la piazza di Spagna, on ne peut rêver meilleur emplacement. Difficile également de trouver plus charmant cocon pour abriter une nuit d'amour, à condition d'apprécier un style très classique. Des chambres plus ou moins spacieuses mais toujours somptueuses avec un élégant mobilier, du tissu broché tendu aux murs et des lustres de Murano, de belles salles de bains et tout l'équipement moderne. Pour parfaire le tableau, on prend son petit déj sur une véranda et une terrasse dominant Rome. Certaines chambres profitent d'ailleurs de la même vue, les autres donnent sur une ruelle. Si on ajoute l'accueil, courtois et dévoué sans être guindé, voici une excellente adresse intime et pleine de charme...

■ ***Hotel Gregoriana*** *(plan général D3,* ***49****)* ***:*** *via Gregoriana, 18. ☎ 06-67-94-269. • info@hotelgregoriana.it • hotelgregoriana.it • Selon vue (avec balcon) et saison : doubles env 190-290 € ; petit déj compris.* Derrière cette façade rose, tout l'univers des années 1930, version raffinée et grand luxe : depuis les marqueteries des parquets jusqu'aux têtes de lit, en passant par les armoires et les lustres, rien ne détonne. Seules les salles de bains, impeccables et tout confort, relèvent d'une époque heureusement plus contemporaine. La lumière et la vue se gagnent d'étage en étage, jusqu'à la plus belle et la plus haute chambre de l'hôtel. Pas de mystère, il s'agit aussi de la plus chère : depuis son balcon, la ville s'étend à vos pieds... Une petite folie, certes, mais qui vaut la peine, d'autant que la rue est paisible et l'accueil très gentil.

Hors catégorie !

■ **Hotel d'Inghilterra** *(plan général C-D3, **29**) : via Bocca di Leone, 14. ☎ 06-69-98-11. ● reservation.hir@royaledemeure.com ● royaldemeure.com ● Selon saison et catégorie : doubles 370-560 €.* Ce très beau palace, très XIXe s, doit l'essentiel de sa renommée aux hôtes célèbres qui descendirent ici le temps d'une nuit, d'un séjour ou d'un amour... Depuis, on s'y presse toujours, espérant sans doute retrouver leurs traces ou, qui sait, capter un peu de leur génie... Liszt, Mendelssohn, Hemingway, sans oublier Henryk Sienkiewicz – l'auteur de *Quo Vadis,* célèbre et palpitant roman qui devait lancer la mode du péplum, et pour lequel il reçut le prix Nobel de littérature – y avaient donc leurs habitudes... À part ça, on doit vous avouer que l'on ne craque pas pour la déco, cossue mais hyper classique, quoique différente pour chaque chambre, ni pour l'atmosphère un brin compassée. Bien sûr, le confort est total, le service impeccable, avec son personnel en tenue, mais... on trouve juste que ça manque un peu de charme. Et à ce prix-là, on peut faire la fine bouche, non ?

Pantheon – piazza Navona

Plus chic

■ **Hotel Navona** *(plan centre C4, **32**) : via dei Sediari, 8 (1er étage). ☎ 06-68-21-13-92. ● info@hotelnavona.com ● hotelnavona.com ● ♿ Selon saison : doubles avec/sans douche et w-c 90-145 € ; petit déj inclus. Wifi. Parfois des promos sur Internet et réduc de 10 % en basse saison (hors promos) sur présentation de ce guide.* Un des hôtels les plus proches de la piazza Navona. Presque une affaire quand on songe qu'il s'agit d'une demeure du XVe s. Belles chambres, plutôt petites mais tout confort et bien tenues (AC, salles de bains impeccables, TV écran plat...). Certaines ont encore leur plafond décoré de fresques quand les autres doivent se contenter de poutres anciennes ou de stucs décoratifs. Déco globalement classique. Également une annexe, la *Residenza Zanardelli,* à deux pas. Résultat : un de nos meilleurs rapports qualité-prix.

■ **Pantheon View B & B** *(plan centre C3, **19**) : via del Seminario, 87. ☎ 06-69-90-294. ● pantheon.bnb@tiscali.it ● pantheonview.it ● Résa conseillée. Doubles 100-140 € selon saison ; petit déj continental compris. L'appartement est au 3e étage (par l'ascenseur, habillé de formica vert).* Son principal avantage, c'est sa situation : à deux pas du Panthéon, perché dans un vénérable bâtiment. Après une minuscule entrée un peu baroque, une poignée de chambres convenables : sobres et agréables, toutes avec salle de bains et ventilo (mais pas d'AC). En revanche, la vue sur le Panthéon est virtuelle pour certaines chambres... à moins d'en obtenir une avec balcon ! Quant au petit déj, il est servi dans une salle microscopique. Il n'est donc pas rare de devoir patienter. Accueil affable et bien rodé. Au vu de sa situation privilégiée, un rapport qualité-prix correct.

Très chic

■ **Albergo Abruzzi** *(plan centre C3, **33**) : piazza della Rotonda, 69. ☎ 06-67-92-021. ● info@hotelabruzzi.it ● hotelabruzzi.it ● Doubles 140-220 € avec sanitaires ; petit déj compris. Internet.* Idéalement situé, sa façade ocre fait face au Panthéon. Un peu *caro* tout de même, mais c'est le quartier qui veut ces tarifs. Les chambres, situées en haut d'un escalier un peu raide (ascenseur à partir du 1er étage), sont plutôt petites et décorées de manière classique et élégante. Bon confort : TV, coffre, minibar, AC et double vitrage (tant mieux, la place est très fréquentée !). Et avec vue sur le Panthéon pour la plupart. Nickel ! C'est d'ailleurs ce qui justifie le choix de l'hôtel. Accueil charmant.

Hotel Portoghesi *(plan centre C3, **36**) : via dei Portoghesi, 1. ☎ 06-68-64-231. • info@hotelportoghesiroma.com • hotelportoghesiroma.com • Selon saison : doubles avec sdb 170-210 € ; petit déj compris (buffet). Parking payant. Wifi.* Gestion familiale pour ce charmant 3-étoiles situé au nord de la piazza Navona, dans une rue qui doit son nom à l'église nationale portugaise adjacente. Les chambres, toutes différentes, à l'ameublement classique, sont arrangées avec goût (petites gravures égayant les murs) et évidemment tout confort (wifi...), avec de belles salles de bains. Appréciable terrasse garnie de plantes où l'on peut prendre le petit déj. Accueil un peu trop routinier toutefois.

Hotel Teatro Pace *(plan centre C3, **314**) : via del Teatro Pace, 33. ☎ 06-68-79-075. • info@hotelteatropace.com • hotelteatropace.com • Doubles 140-210 € ; petit déj compris. Nombreuses promos sur Internet, qui mettent les tarifs des chambres régulièrement autour de 120 €.* La demeure, au cœur de la vieille ville, a plusieurs siècles au compteur, mais on lui a redessiné des habits tout neufs, lui donnant aujourd'hui ses plus beaux atours. Le superbe et généreux escalier à vis mène aux belles chambres aux poutres apparentes ; l'une d'elles possède même un petit balcon sur la ruelle. Elles ne sont pas bien grandes (comme souvent à Rome) mais sont parfaitement équipées : AC, coffre, TV écran plat... Judicieux équilibre entre tradition et design. On regrette que le petit déjeuner ne se prenne qu'en chambre.

Campo dei Fiori – corso Vittorio Emanuele II

De prix moyens à plus chic

Hotel-pensione Barrett *(plan centre C4, **37**) : largo Torre Argentina, 47 (sous la voûte à gauche, puis au 2e étage). ☎ 06-68-68-481. • michele@pensionebarrett.com • pensionebarrett.com • Doubles avec sdb 110-140 € (plus 10 € pour la clim') ; petit déj non compris. CB refusées. Internet.* Ce bel immeuble bourgeois planté sur une place classique ne prépare pas au spectacle réjouissant de la pension *Barrett*. Une fois la porte franchie, on découvre une salle voûtée... assez remarquable en son genre. Un lieu assez extravagant, abritant une vingtaine de chambres. Le petit salon commun est surchargé de mobilier et de bibelots d'un kitsch assumé, mêlant faux antiques et antiques faux, baroque, dorures, marbres en tout genre... Les chambres sont plutôt petites et un peu plus sages (avec tout de même des fresques et de fausses colonnes !), très bien équipées (four et cafetière par exemple) et fort bien tenues. Toutes avec douche à jets, coffre, AC... Pas de mauvais rêves en perspective, mais habillez-vous correctement, la maison accueille fréquemment des députés et des magistrats... À noter encore, le fauteuil massant accessible gratuitement. Une de nos meilleures adresses dans le secteur, au personnel toujours aussi aimable.

Hotel Smeraldo *(plan centre C4, **38**) : vicolo dei Chiodaroli, 9. ☎ 06-68-75-929. • albergosmeraldoroma@tin.it • smeraldoroma.com • ♿ Selon saison : doubles avec sdb 90-145 € ; petit déj compris.* Hors saison, probablement l'un des meilleurs rapports qualité-prix du coin. Un ensemble de 50 chambres pas bien grandes mais classiques et élégantes, de très bon aloi. Excellente tenue, ascenseur et confort moderne à tous les étages ! Équipées en outre de TV satellite, téléphone, double vitrage et AC lorsque la situation le requiert. Annexe à deux pas, dans la via dei Chiavari : même type de confort et mêmes prix, avec une petite touche Art déco en prime. En revanche, le plus ici, c'est la petite terrasse au dernier étage, avec vue sur les toits.

Hotel Primavera *(plan centre C4,* ***39****) : piazza San Pantaleo, 3. ☎ 06-68-80-31-09. • hotel.primavera-sena@libero.it • hotelprimavera-roma.it • Réception au 1er étage. Doubles env 95-125 € selon confort et saison. CB refusées. Wifi.* On y accède par un ascenseur rétro très élégant. Bien située, cette adresse simple doit beaucoup à la gentillesse de Maria Sena, qui a travaillé dur avant de devenir l'actuelle propriétaire. Malgré son nom, on est plus proche du *B & B* que de l'hôtel. Les 24 chambres, réparties sur plusieurs étages, offrent des conforts différents. Les nos 11 et 12, au 5e étage, figurent parmi les moins chères (avec salle de bains commune) et bénéficient d'une jolie vue sur la ville. Les plus chères ont leur propre salle de bains. Toutes ont la clim' et la TV (et la wifi !). Certes, la déco est sans fioritures et un rien désuète, mais la situation et la qualité de l'accueil compensent largement.

Residenza San Pantaleo *(plan centre C4,* ***39****) : piazza San Pantaleo, 3. ☎ 06-68-30-11-66. 📱 (0)-333-23-89-396. • info@residenzasanpantaleo.com • residenzasanpantaleo.com • Résa impérative (et prévenir de son heure d'arrivée). Selon saison : doubles 70-140 € ; petit déj compris (à prendre à l'extérieur). Wifi.* L'endroit relève plus de la chambre d'hôtes que de l'hôtel. Il s'agit d'un appartement coquet (dans un immeuble bourgeois) comprenant tout juste 5 chambres, claires, joliment décorées, équipées d'une minuscule douche pour les 3 plus petites, de salles de bains plus confortables pour les 2 plus grandes. Accueil international (anglais, français et espagnol), plutôt pro et agréable. Un bon rapport emplacement-qualité-prix. La maison possède une autre adresse à deux pas, piazza della Cancelleria, 17. Il s'agit d'un autre appartement réaménagé, aux chambres à la déco soignée et colorée. Tarifs similaires.

Hotel Arenula *(plan centre C4,* ***43****) : via S. Maria dei Calderari, 47. ☎ 06-68-79-454. • info@hotelarenula • hotelarenula.com • En plein quartier du Ghetto, dans une rue perpendiculaire à la via Arenula, au niveau de la piazza B. Cairoli. Selon saison : doubles avec bains 100-135 € ; petit déj compris.* À l'inverse de la belle cage d'escalier menant à la réception, les chambres de cet hôtel sur 4 niveaux se révèlent un tantinet tristounes et datées. Elles sont néanmoins spacieuses, confortables (TV satellite, téléphone), propres et insonorisées côté rue. AC sur demande. Accueil neutre.

Maison Giulia *(plan centre C4,* ***313****) : via Giulia, 189/a. ☎ 06-68-80-83-25. 📱 39-39-66-25-89. • info@bestconfort.it • bestconfort.it • Selon saison : doubles 90-180 € et une suite 120-180 € ; petit déj compris. Nombreuses et fréquentes promos sur Internet.* Dans la très calme et élégante via Giulia abritant de nombreux palais, voici un établissement entre la chambre d'hôtes et le petit hôtel. Une poignée de chambres seulement, assez petites mais très confortables, dotées d'un beau plafond avec poutres apparentes, AC, double vitrage, coffre... Coquettes salles de bains toutes jaunes. Dans la partie commune, il y a même une salle de fitness et un sauna (compris dans le tarif). Une jolie adresse donc, qui devient particulièrement attractive en basse saison. Un reproche tout de même : la salle du petit déjeuner, au sous-sol, sans fenêtre, est vraiment riquiqui.

Très chic

Hotel Teatro di Pompeo *(plan centre C4,* ***70****) : largo del Pallaro, 8. ☎ 06-68-72-812 ou 06-68-30-01-70. • hotel.teatrodipompeo@tiscali.it • hotelteatrodipompeo.it • Selon saison : doubles 180-210 € ; petit déj compris. Promos fréquentes sur Internet.* Cette maison étroite, anodine à priori, occupe une partie de l'emplacement exact de l'ancien théâtre de Pompée... vous aurez d'ailleurs remarqué la courbe étrange que dessinent les façades de cette rue. Les historiens dans l'âme seront sans doute ravis, mais on apprécie surtout l'endroit pour son atmosphère calme et intime, le confort de ses chambres lumineuses, parfois mansardées avec poutres apparentes, et les caves voûtées pleines de cachet où est d'ailleurs servi le petit déj. Préférez donc les chambres du bâtiment principal à celles de l'annexe (même confort, mais un peu moins de cachet). Accueil agréable et efficace.

Casa Banzo *(plan centre C4,* ***24****) : piazza del Monte di Pietà, 30. ☎ 06-68-33-909. (0)-338-338-72-84. • elptomas@tin.it • casabanzo.it • Selon saison : doubles 100-130 € sans petit déj ; appart 4 pers 160-180 €.* Une très belle adresse, version maison d'hôtes. Dans ce superbe palais des XVe-XVIe s organisé autour d'une cour, le hall dallé en marbre blanc et noir ne fait que mieux mettre en valeur le bleu légèrement passé de l'édifice. Chambres toutes très différentes. Les trois du rez-de-chaussée sont bien agréables mais évidemment pas très lumineuses. L'une d'elles est un vrai appartement pour 4-5 personnes (avec cuisine). Celles à l'étage possèdent une vue dégagée (les demander). Pas de petit déjeuner servi, mais les chambres avec cuisine permettent de le préparer. Toutes avec AC (sauf une) et TV écran plat. Si l'édifice est ancien, le confort est bien actuel (belles salles de bains) ! Pour parfaire le tout, accueil courtois et chaleureux... Inutile de vous préciser que nous sommes tombés sous le charme.

Hotel Campo dei Fiori *(plan centre C4,* ***41****) : via del Biscione, 6. ☎ 06-68-80-68-65. • info@hotelcampodefiori.com • hotelcampodefiori.com • En basse saison : doubles et appartements env 120-220 €, passant à 180-340 € en hte saison ; petit déj-buffet compris. Wifi.* Ce bel édifice, vieux de 2 siècles, a été restauré pour lui redonner le lustre de sa splendeur passée. C'est une réussite. Sur 6 étages (avec ascenseur !), on loge dans de belles chambres tout confort, quoique un peu petites pour les standard (mais bon, c'est Rome). Quant à l'aménagement, il faut reconnaître que le décorateur s'en est donné à cœur joie ! Un brin baroque, l'hôtel est joliment personnalisé : des cadres dorés viennent relever ici un miroir, là un écran de TV plasma... Du haut de gamme, très bien fini, équipé dernier cri. Les chambres sont dotées d'un balcon, sans oublier la terrasse-jardin sur le toit pourvue d'un agréable solarium et d'une jolie vue sur Rome ! Également quelques studios et appartements à proximité pour 2 à 6 personnes, à prix proportionnellement plus abordables. Accueil pro. En basse saison, un rapport qualité-situation-prix vraiment intéressant.

VATICAN – PRATI

À deux pas de Saint-Pierre se trouve le quartier bien agréable de Prati, situé à guère plus de 15 mn de la via del Corso. Bien desservi par le métro (stations Lepanto et Ottaviano-San Pietro, ligne A), ainsi que par le bus.

De bon marché à prix moyens

Hotel Colors *(plan général B3,* ***45****) : via Boezio, 31. ☎ 06-68-74-030. • info@hotel-colors.com • colorshotel.com •* Propose quelques chambres à prix raisonnables. Voir plus haut « Les auberges de jeunesse. Vatican – Prati ».

Marta Guest House *(plan général B3,* ***48****) : via Tacito, 41. ☎ 06-68-89-29-92. • martaguesthouse@iol.it • martaguesthouse.com • Tt près de la piazza Cavour, carrefour privilégié des autobus. Selon confort et saison : doubles avec sdb 60-130 €. Appart pour 4 pers env 180 €. AC et parking payants. Réduc de 10 % sur présentation de ce guide.* Aux 1er et 3e étages d'un palais du XVIIIe s, ce *B & B* propret se distingue par ses chambres lumineuses, spacieuses et calmes, particulièrement les n°s 2, 3 et 5. Elles ne manquent pas de coquetterie avec leurs meubles chinés chez les brocanteurs. Évidemment, comme il s'agit d'un appartement aménagé, l'insonorisation est parfois discutable. Ses tarifs acceptables justifient toujours le séjour, même si l'atmosphère des débuts est aujourd'hui devenue plus... hôtelière. Dommage.

De prix moyens à plus chic

Pensione Paradise *(plan général B2,* ***47****) : viale Giulio Cesare, 47. ☎ 06-36-00-43-31. • info@pensioneparadise.com • pensioneparadise.com • Ⓜ Lepanto (ligne A). Par l'escalier de droite au fond de la courette, 3e étage (ascenseur). Selon saison : doubles sans/avec sdb 95-105/115-155 €.* Cet hôtel est peut-être au 3e étage, mais on est encore loin du paradis... Une dizaine de chambres simples (avec TV), à la déco sobre, nette et pas désagréable. Celles sans bains ont un lavabo mais surtout un lit... d'une place et demie (120 cm) pour amateurs de collé-serré ! Une adresse modeste tout à fait convenable, d'autant qu'elle est située à deux pas du métro.

Il Capitello B & B et appartement « Casa Laura » *(plan général B3,* ***312****) : via dei Gracchi, 32 (B & B), et (très proche), 163, via Cola di Rienzo (appart). ☎ 06-77-25-05-43. • info@accommodationrome.it • accommodationrome.it • italialodging.com/est/casalaura • À 5 mn à pied du Vatican.* B & B *fermé en août (pas l'appart). Selon saison : doubles avec sdb 80-100 € ; appart 140-200 € en fonction du nombre de pers (2-6).* Le *B & B* se niche à l'étage d'un des beaux immeubles typiques du quartier, dans l'appartement qui servait de cabinet au proprio, un médecin retraité parfaitement francophone, tout comme sa fille. 3 chambres immaculées et de superficies adéquates, aménagées de manière bourgeoise, sans chichis de déco : parquet à chevrons, tonalités douces et agréables, quelques tableaux, TV et téléphone. Bon petit déj servi dans la petite cuisine. On se sent ici un peu comme à la maison, sentiment encore plus fort à *Casa Laura*. Situé au 5e étage (ascenseur), cet autre appartement familial très bien équipé se loue d'un bloc : quasi 100 m², cuisine complète, deux salles de bains dont une avec hydromassage, salon, TV et équipement hifi, etc.

Hotel Beldes *(plan général B2,* ***40****) : via degli Scipioni, 239. ☎ 06-32-65-10-36. • info@guesthousebeldes.com • guesthousebeldes.com • Ⓜ Lepanto (ligne A). Selon saison : doubles env 80-150 € ; petit déj compris.* L'hôtel de charme par excellence : une vingtaine de chambres à peine, un accueil aux petits soins et surtout une décoration intérieure digne des magazines spécialisés. Les chambres ont tout de la bonbonnière, en version élégante et très bien équipée (TV, minibar, coffre-fort...). Un vrai cocon !

Orange Hotel *(plan général B3,* ***300****) : via Crescenzio, 86. ☎ 06-68-68-969. • info@orangehotelrome.com • orangehotelrome.com • Selon saison : doubles 90-200 €. Internet, wifi.* Un hôtel *natural chic* ? Dans le jargon, *natural* signifie qu'on s'efforce ici de respecter la nature, en utilisant notamment des chauffe-eau solaires... Et *chic* alors ? Nous, on dirait plutôt branché, car l'*Orange Hotel* ne triche pas. C'est la couleur dominante, de l'éclairage des salles de bains aux fauteuils, en passant par une vespa qui orne le salon cosy. Très pop ! Belles chambres design, confortables et originales. Terrasse panoramique avec Jacuzzi, bar et resto. Accueil très plaisant.

Hotel Amalia *(plan général B2-3,* ***46****) : via Germanico, 66. ☎ 06-39-72-33-56. • info@hotelamalia.com • hotelamalia.com • Selon saison : doubles avec bains 100-200 € ; petit déj compris. Internet, wifi. Parking payant. Réduc de 10 % sur présentation de ce guide sf périodes de fêtes.* Établissement de bonne facture (un peu salée cependant, mais négociable...). Atmosphère feutrée et décoration cossue dans les chambres. Le confort moderne n'est pas négligé : salle de bains irréprochable, TV... Accueil vraiment charmant et très pro. À noter, la fort jolie vue sur le dôme du Vatican depuis les chambres du dernier étage.

TRASTEVERE

Depuis le Jubilé, le Trastevere concentre à lui seul pas mal de bonnes adresses à prix honnêtes, même si vous n'y trouverez aucun lieu véritablement bon marché.

L'autre excellente raison de jeter son dévolu sur ce quartier est qu'il ne manque pas d'animation le soir et qu'il demeure assez central et bien desservi.

De prix moyens à plus chic

Maria-Rosa Guesthouse *(plan centre C5,* ***17****) : via dei Vascellari, 55. L'appartement est au 3e étage. 338-77-00-067. • info@maria-rosa.it • maria-rosa.it • Doubles 70-85 €. Pas de petit déj, mais il y a une super adresse pas chère juste en bas de l'immeuble. Wifi dans l'appart et même un ordi à dispo pour les hôtes.* Certes, l'appartement n'est pas bien grand, mais il est idéalement situé et l'accueil de Sylvie (une Française tombée amoureuse de Rome il y a longtemps !) fait la différence : souriante et dynamique, elle a toujours plein de bons conseils en réserve pour faciliter le séjour de ses hôtes pour lesquels elle se met en quatre. D'ailleurs, elle vous donnera une brochure très bien faite avec tous ses bons plans. Quant aux 2 chambres, elles sont impeccables, meublées chaleureusement et se partagent une salle de bains. L'ensemble se révèle pimpant et décoré de jolies photos (réalisées par Sylvie). Petit plus : la possibilité de se préparer un bon thé qu'on prend dans le petit salon commun. Bref, ici, on est vraiment comme à la maison ! Une adresse pour vivre à la romaine. Location de vélos sur demande.

Hotel Trastevere *(plan centre C5,* ***50****) : via Luciano Manara, 24a-25. ☎ 06-58-14-713. • info@hoteltrastevere.net • hoteltrastevere.net • Double env 105 € avec sdb ; triple et quadruple respectivement 130 et 155 € ; petit déj compris (buffet). Wifi.* Au cœur du Trastevere, ce petit hôtel à taille humaine affiche une belle santé derrière sa façade jaune. On y trouve d'abord un accueil charmant et serviable. Ensuite, un cadre agréable, bien tenu, et des chambres sobres mais tout à fait convenables : vastes, lumineuses et bien équipées (clim', TV, téléphone, wifi), celles du 1er étage donnant pour la plupart sur la piazza San Cosimato. Le double vitrage évite d'écourter vos nuits. En effet, le sympathique marché voisin commence de bonne heure. Notons tout de même l'absence de lumière pour les chambres du rez-de-chaussée (il faut se contenter d'un vasistas). Éviter la chambre n° 12, sans fenêtre (simple ouverture donnant sur le couloir). Une adresse plaisante et très régulière en qualité. L'hôtel loue également 3 appartements (à la nuit ou à la semaine), situés à côté : une bonne formule pour joyeux drilles.

Villa della Fonte *(plan centre C4,* ***51****) : via della Fonte dell'Olio, 8. ☎ 06-58-03-797. • info@villafonte.com • villafonte.com • Selon saison : doubles avec bains 80-180 € ; petit déj compris. Wifi. Réduc de 10 % en hte saison sur présentation de ce guide.* Cette charmante petite structure installée dans un bâtiment du XVIIe s est une adresse plus proche de la chambre d'hôtes que de l'hôtel : elle abrite seulement une poignée de chambres, bien arrangées et tout confort (jolies salles d'eau, minibar, TV satellite, téléphone, wifi, coffre). Une certaine classe et une grande tranquillité. Cerise sur le gâteau, le petit déj est servi sur une petite terrasse aux beaux jours.

Hotel Cisterna *(plan centre C5,* ***52****) : via della Cisterna, 7-8-9. ☎ 06-58-17-212. • prenotazione@cisternahotel.it • cisternahotel.it • Doubles avec bains env 100-140 € ; quelques triples ; petit déj compris.* Un 3-étoiles installé dans un palais du XVIIIe s, qui propose des chambres toutes différentes les unes des autres. Pas extraordinaires (car classiques et sans réel charme) mais impeccables et pourvues de toutes les commodités. Deux d'entre elles, au rez-de-chaussée, se partagent une terrasse de poche : à l'abri du soleil, elles sont d'une agréable fraîcheur l'été mais plus sombres l'hiver. Petit espace assez convivial au rez-de-chaussée et terrasse intérieure où prendre, à la belle saison, le petit déj. Un peu cher tout de même (mais importantes promotions en août). Bon accueil.

Domus Tiberina *(plan centre C5,* ***34****) : via in Piscinula, 37. ☎ 06-58-13-648. • info@hoteldomustiberina.it • hoteldomustiberina.it • Selon saison : doubles 70-150 € (et parfois même encore moins cher lors de certaines pro-*

mos Internet) ; petit déj compris. Wifi. Mêmes proprios que l'Antico Borgo Trastevere *et mêmes tarifs.* Dans une vieille maison trastévérine ont été aménagées 10 chambres avec salle de bains et TV, voire un frigo. Bien sûr, elles sont vraiment petites (impossible de pousser les vieux murs), mais la rénovation est réussie. Déco mignonne, avec meubles peints et jolies étoffes pour certaines. Les chambres du rez-de-chaussée ont même conservé au sol leurs céramiques du XVIIIe s. Une adresse convenable, qui vaut surtout pour son excellent emplacement.

Hotel Antico Borgo Trastevere *(plan centre C4,* ***69****) : vicolo del Buco, 7. ☎ 06-58-83-924. • info@hotelanticoborgo.it • hotelanticoborgo.it • Selon saison : doubles 70-150 € ; petit déj compris. Wifi.* Au cœur du Trastevere, dans une ruelle mignonne et calme, voici un hôtel d'une dizaine de chambres, aménagé dans un charmant petit palais du XVIIIe s. Il est donc particulièrement bien situé. En revanche, les chambres (toutes avec AC), certes propres et joliment aménagées, sont dans l'ensemble très petites (la no 3 ne possède même pas de vraie fenêtre et doit se contenter d'un genre de puits de lumière !). On nous signale également quelques soucis de temps à autre sur les réservations (pensez à confirmer).

Très chic

Hotel Santa Maria *(plan centre C4,* ***53****) : vicolo del Piede, 2. ☎ 06-58-94-626. • info@hotelsantamaria.info • hotelsantamaria.info • ♿ Selon période et confort : doubles standard 100-260 € ; petit déj compris. Wifi. Réduc de 10 % sur présentation de ce guide (en réservant en direct, évidemment).* Un ancien cloître du XVIe s aménagé en hôtel de charme, autour de deux petites cours adorables plantées d'orangers : le petit déj y est servi aux beaux jours. Sinon, magnifique salle prévue à cet effet. De quoi avoir envie de casser sa tirelire... Les chambres, jolies et fraîches, sont bien sûr très confortables (salle de bains, TV écran plat, téléphone). Certaines sont plus lumineuses que d'autres. En revanche, elles profitent de la quiétude du cloître (avantage appréciable dans un quartier aussi animé !). Certaines suites sont mansardées et peuvent accueillir jusqu'à 5 personnes. Vélos à disposition et accès Internet gratuit. Accueil sympa, plutôt décontracté au regard des tarifs.

Buonanotte Garibaldi Guesthouse *(plan centre B4,* ***20****) : via Garibaldi, 83. ☎ 06-58-33-07-33. • info@buonanottegaribaldi.com • buonanottegaribaldi.com • Doubles 200-280 €, avec petit déj. Wifi. Réduc hors saison.* C'est un endroit différent. Lorsqu'on pousse la porte de cette maison, on découvre avec ravissement un havre de paix en pleine ville : une cour intérieure arborée, une terrasse où les chaises longues tendent les bras aux visiteurs fourbus... C'est le domaine de Luisa Longo, une artiste dont les peintures sur soie ornent les différentes pièces de la demeure. Inutile de dire que la déco est soignée jusque dans les chambres très cosy, équipées de tout le confort (clim', wifi, coffre...). Du charme à revendre...

Relais Le Clarisse *(plan centre C5,* ***315****) : via Cardinale Merry del Val, 20. ☎ 06-58-33-44-37. • info@leclarisse.com • leclarisse.com • Doubles 135-290 €.* 5 chambres seulement (dont 2 suites) composent ce bel établissement organisé autour d'une courette. Elles sont spacieuses et de bon confort, avec salle de bains très classe. Un ensemble de grande élégance qui tranche un peu avec ce coin du Trastevere, plutôt populaire. Si les prix s'envolent quelque peu en haute saison (surestimés à cette période), on peut profiter de tarifs bien plus attractifs à surveiller sur Internet. Accueil charmant et en français.

SAN GIOVANNI IN LATERANO (Saint-Jean-de-Latran)

Curieusement, ce quartier n'est pas très riche en hôtels. À l'écart de l'agitation de la gare, il n'est pourtant pas si loin du Colisée et du Capitole. Atmosphère populaire et tranquille.

Prix moyens

Chambres d'hôtes Rome à Volonté *(plan général F4,* ***316****) : via Balilla, 13. ☎ 06-70-45-15-56. 📱 33-97-89-66-59. • soleil@romeavolonté.com • romeavolonté.com • 3 chambres à 85 € pour 2 pers et 95 € pour 3 pers. Également un appart « Bleu de mer » pour 4 ou 5 pers 150-160 € ; petit déj compris. En hiver sf Noël et fin d'année, 15 € de moins pour les chambres.* Sophie, française de naissance et guide de profession, propose 3 belles chambres chaleureuses, colorées et chargées d'objets chinés, d'affiches de films et de plein de jolies trouvailles. On s'y sent vite comme à la maison. La chambre « Rayée » est la plus grande, avec sa généreuse bibliothèque murale. « L'Étrusque » est bien agréable également, quant à « La Palatine », elle peut accueillir 3 personnes. Une bonne idée : toutes disposent d'un écran plat et d'un lecteur DVD pour voir ou revoir les chefs-d'œuvre du cinéma tournés à Rome *(Vacances Romaines, La Dolce Vita, Une journée particulière...)*, qui sont mis à votre disposition. L'appartement « Bleu de mer » est lui aussi adorable. Pas bien grand mais fonctionnel et là encore très chaleureux et tout équipé : cuisine, lave-vaisselle, bains à remous dans la petite salle de bains... Bien pour une famille. On y met votre petit déjeuner à disposition dans le réfrigérateur. Pour les chambres, il est servi. Et pour tout le monde, une terrasse ravissante où l'on peut prendre le frais à la belle saison. Votre hôte, Sophie, pourra vous donner plein de tuyaux sur la ville et, si cela vous intéresse, vous embarquera dans une virée dans Rome puisque c'est une guide-conférencière de qualité.

Bed and Breakfast Il Giardino dell'Arte *(plan général F4,* ***318****) : via Balilla, 2a. ☎ 06-45-43-35-17. 📱 33-58-41-64-14 • francesca.valenza@fastwebnet.it • giardinodellarte.it • Doubles 55-80 €, avec sdb extérieure pour la plupart.* C'est un petit *B & B* très familial et tout simple, dans une rue bien au calme. Déco minimum, sans recherche particulière. Le vrai plus ici, c'est le tarif attractif. Une chambre a un petit balcon donnant sur le jardin. Également une familiale, avec lits superposés.

Plus chic

Bed and Breakfast San Juan *(plan général F5,* ***317****) : via Francesca Berni, 7. ☎ 06-70-08-543. • info@sanjouan.it • sanjouan.it • Selon saison : doubles 80-120 € ; petit déj inclus (mais que l'on prend dans une cafétéria à deux pas du* B & B *– ce qui est un peu curieux pour un* B & B *!) ; sur Internet, souvent des tarifs particulièrement attractifs en* last minute. *Wifi.* Dans une courette, au rez-de-chaussée d'un immeuble, donc très au calme. 6 chambres classieuses, décorées chaleureusement avec beaucoup de bois et quelques objets d'art. Elles donnent toutes sur un patio couvert qui fait office de salon. Certaines chambres ont une vraie fenêtre ouvrant sur une courette. Pour d'autres, il s'agit d'une simple porte-fenêtre qui donne sur le salon, autant le savoir. Choisir de préférence les premières. Toutes sont fort bien équipées : AC, coffre, lecteur DVD. Thé et café à disposition. Accueil discret.

OÙ MANGER ?

La nourriture est ici au centre de toutes les préoccupations. Les Romains aiment les produits frais et de qualité. Pour cela, ils ont des marchés partout en bas de chez eux. Ce qui ne les empêche pas d'aller souvent au resto. Ici, c'est simple, tout se célèbre et se décide autour de la table. Vous l'aurez compris, si vous voulez connaître Rome, vous devrez aussi visiter ses restos ! Pour cela, un petit coup d'œil à la rubrique « Budget » de « Rome utile » ne sera pas inutile...

Sur le pouce

Vous rencontrerez des *tavole calde* et autres snacks aux quatre coins de Rome. On y trouve grosso modo toujours les mêmes choses : *panini, tramezzini, pizzette, supplì di riso...* Mais parfois de vrais plats, comme chez *Volpetti* (voir « Testaccio »). Formule idéale pour déjeuner. À consommer debout au comptoir ou à emporter... Parfois quelques tables et chaises pour soulager vos jambes fatiguées... Autre bon plan, quoique un peu plus cher, les épiceries pleines de bons produits et pouvant vous confectionner un délicieux sandwich.
Deux petits conseils :
– Les sandwichs italiens sont incontestablement meilleurs réchauffés, le plaisir du pain toasté et du fromage fondant valant bien quelques minutes de patience.
– Ils font un délicieux petit déj : *caffè, tramezzino prosciutto-mozzarella,* orange pressée, vous voilà prêt à partir à l'assaut de Rome !

Piazza Navona

Lo Zozzone *(plan centre C3,* ***73****) : via del Teatro Pace, 32. ☎ 06-68-80-85-75. Lun-ven 10h-21h ; sam 10h-23h ; ouv dim aux beaux jours. Sandwich env 3,50 € à emporter mais 6-7 € sur place !* Ce n'est pas parce que le « garçon sale » (traduction de *Lo Zozzone*) a tout d'un bistroquet pour gavroches qu'il faut bouder ses sandwichs délicieux. Sa spécialité : du pain à *pizza bianca* (pizza blanche) tout juste sorti du four, garni de toutes sortes d'ingrédients. Selon l'humeur, on choisit parmi les sandwichs types énumérés sur le menu, ou bien on compose le casse-croûte de ses rêves. Une formule efficace, copieuse et goûteuse ! En revanche, on évitera de s'asseoir en salle ou en terrasse sous peine de voir les prix s'envoler.

Campo dei Fiori

Antico Forno *(plan centre C4,* ***72****) : piazza Campo dei Fiori, 22. ☎ 06-88-06-662. Tlj sf dim 7h30-14h30, 16h30-20h.* Une institution sur la place, qui possède 2 boutiques, de part et d'autre de la via dei Cappellari : avant tout, une boulangerie savoureuse (boules de campagne...), mais aussi des *pizze, focaccie,* etc., au poids ou à la pièce. Pas le moins cher du quartier mais probablement le meilleur !

Pizza Art *(plan centre C4,* ***75****) : via Arenula, 75-76. ☎ 06-68-73-160. Tlj jusqu'à 23h. Env 3 €.* Stratégiquement située en plein centre-ville, cette petite pizzeria *al taglio* est impeccable pour satisfaire une petite faim à toute heure. D'autant que les pizzas à pâte bien levée et légère sont copieusement garnies de produits frais et surtout de première qualité.

Pantheon – Trevi

Pizza Zaza *(plan centre C3,* ***71****) : piazza San Eustacchio, 49. ☎ 06-68-80-13-57. Tlj sf dim jusqu'à 22h30. Part env 3 €. Zaza* fait bien les choses : préparations à base de produits bio, sans ajout de graisse animale. C'est même un credo ! Alors, puisque c'est bon pour la santé, on ne se privera pas en prenant une 2e tournée de ses bonnes pizzas à pâte croustillante ! Et, une fois n'est pas coutume dans ce type d'adresse, on pourra même déguster assis (une poignée de tables en terrasse).

Forno *(plan centre D3,* ***79****) : piazza di Trevi, 8. Tlj 7h-21h. Env 3 € le sandwich.* Ce petit magasin d'alimentation juste à côté de la célèbre fontaine vend des *panini* frais et variés, ainsi que des pizzas. Rien d'inoubliable, mais le tout est fort convenable et bon marché. De plus, pas d'arnaque, les boissons sont aussi à prix raisonnables.

Corso – Popolo

La Baguette *(plan général C3, **84**) : via Tomacelli, 24. ☎ 06-68-80-77-27. • labaguette@hotmail.it • À deux pas du mausolée d'Auguste. Tlj 9h-19h. Plats env 5-12 € ; brunch le w-e env 20 €.* Dans un joli cadre rustico-chic (tables en bois et armoires campagnardes), cette boulangerie-salon de thé propose quantité de viennoiseries, tartines salées et sucrées, salades, *pizze, panini,* ainsi que quelques plats chauds, servis sur place ou à emporter. Mais tout cela n'est pas donné, quartier chic oblige...

Termini – Repubblica – Viminale

Vyta *(plan général E3, **89**) : dans la galerie centrale de la gare, côté via Marsala. Tlj. Panini env 3 €.* Une surprenante boulangerie hyper design qui en dépannera plus d'un : d'abord, parce que les *panini* et les pizzas à la coupe sont très convenables (à défaut d'être maison), ensuite parce que pour une fois on peut s'asseoir et boire un verre (voire une demi-bouteille de vin !) en attendant son train. Très pratique.

Peccati di Gola *(plan général D3, **86**) : via Genova, 15-17. ☎ 06-478-26-222. Tlj sf dim 8h30-17h (parfois 16h). Env 4 € la part (au poids).* À l'heure du coup de feu de midi, dur, dur de se frayer un passage tant cette petite pizzeria *al taglio* a de succès ! Pas étonnant, même si le décor est d'une grande banalité (quelques tables et tabourets hauts tout de même), car la pizza est vraiment fraîche et croustillante. Également des *focaccie*.

Oasies *(plan général F3, **11**) : via Villafranca, 1A. En face de* l'hôtel des Artistes. *☎ 06-45-44-42-08. Tlj 7h30-2h. Midi 5-6 €. Wifi.* Petite cafétéria sans prétention, à l'accueil anglophone, serviable et souriant. Formules budget à midi : lasagne et verre de vin, maxipizza et bière ou encore « pasta-water-coffee ». Au petit déj, café et croissant à prix plancher, ça peut dépanner quand il n'est pas inclus avec l'hébergement. Le soir, vient l'heure des cocktails et shots. Jeux de plateaux à dispo.

San Lorenzo

Super Pizza *(plan général F4, **76**) : largo degli Osci, 67. ☎ 06-49-12-85. Sur la place du marché, voisin de l'hôtel* Laurentia. *Tlj 12h-minuit. Env 2-4 € la part.* Déco fonctionnelle : murs blancs carrelés, quelques tabourets pour se poser et tableau avec le prix des pizzas au poids. Fraîches et bonnes, à la pâte fine comme on les aime, on les commande « al taglio » (à la coupe) et... on en redemande, au milieu d'autres affamés.

Arco degli Aurunci *(plan général F4, **124**) : voir aussi dans « Restaurants », plus loin, pour plus de détails. Panini* en tout genre, à emporter ou à consommer sur place, et *tavola calda* vraiment abordable.

Trastevere

Il Forno La Renella *(plan centre C4, **77**) : via del Moro, 15. ☎ 06-58-17-265. Tlj 9h-21h. Pizzas 3-4 € la part.* Des portions de pizza vendues au poids, mais comme la pâte est lourde, les prix grimpent vite (pizzas aux herbes, à la tomate, aux anchois, aux artichauts, etc.). Bien tout de même pour caler des ventres affamés. Mais l'adresse est surtout connue pour son excellent pain, considéré par beaucoup comme le meilleur du quartier, cuit au feu de bois (ça devient rare). L'idéal pour se confectionner un bon casse-croûte. En cas d'affluence, pensez à prendre un ticket dès votre arrivée. Au fond, un comptoir et quelques tabourets.

Pizza Pazza *(plan centre C4,* ***87****) : piazza Trilussa, 42. ☎ 06-58-33-39-24. Tlj 8h-3h. Env 3-4 € la part.* Une autre *pizzeria al taglio* dont la particularité est de confectionner ses *pizze* avec de la farine de soja sans ajout de graisse animale. En ces temps de vache folle, OGM et autres Monsanto, ça ressemble presque au paradis originel. De plus, elles sont délicieuses, légères et croustillantes. Une dizaine de *pizze* différentes chaque jour, mais le patron, qui a fait l'objet de coupures de presse (celles qui ne blessent pas) et qui a remporté quelques trophées, en maîtrise environ 200. Si vous êtes en joie, faites comme tout le monde : actionnez la cloche en partant ! Propose également quelques petits plats le midi, comme des lasagnes.

Cecere *(plan général C5,* ***78****) : via B. Musolino, 25-33. ☎ 06-58-95-014. Tlj 7h-20h (14h dim).* La pâtisserie la plus économique du Trastevere. Aux heures des repas, plein de bonnes choses à emporter pour une pause salée, *tramezzini* et *pizze* au poids notamment, pour une poignée de centimes.

I Supplì *(plan centre C5,* ***80****) : via San Francesco a Ripa, 137. Tlj sf dim 9h-22h.* Minuscule échoppe qui fait également rôtisserie. À emporter, de très bons *supplì*, bien sûr, ces boulettes fourrées au fromage, et des *pizze al taglio*. L'affluence est telle en début de soirée qu'il faut s'accrocher ferme pour atteindre le comptoir !

Également de super viennoiseries, *ciabatta, calzone, panini* et *tramezzini* au **café Settimiano** *(tlj sf dim)* situé, comme son nom l'indique, juste en dessous de la porte Settimiana. Petite terrasse et bonne atmosphère de quartier général à l'intérieur. Et des sandwichs à la *porchetta* à emporter, chez ***Mordi & Via,*** *via della Lungaretta, 90f.*

OÙ MANGER ?

Vatican

Divine Bontà *(plan général A3,* ***74****) : via di Porta Cavalleggeri, 25. Compter 3-9 €.* Cafétéria toute simple aux couleurs toniques. Quelques tables, un comptoir pour les pressés et une petite terrasse. Pizzas, *panini* et autres snacks *(sfizi)*, cafés et boissons. Fait l'affaire dans son genre, pour reprendre des forces et tous ses esprits tout près de la place Saint-Pierre.

Alice *(plan général B3,* ***88****) : via delle Grazie, à l'angle de la via di Porta Angelica. Repérable à son enseigne « Pizza al taglio ». Fermé le soir et dim. Env 3-4 € la part.* Une minuscule pizzeria *al taglio* très appréciée des jeunes, où les pizzas sont réellement fraîches et croustillantes. Bon plan pour grignoter pas cher à proximité du Vatican. À emporter uniquement.

Pizzarium *(plan général A3,* ***83****) : via della Meloria, 43. ☎ 06-39-74-54-16. Tlj sf dim 12h-21h. Env 2-3 € la part.* Nichée dans un quartier quelconque, cette petite échoppe vaut néanmoins le détour. D'abord parce qu'elle n'est située qu'à 5 mn à pied des musées du Vatican, ensuite parce qu'elle confectionne des pizzas à la coupe aussi bonnes qu'originales. Chaque visite est une surprise : pizzas aux légumes, au fromage... et même aux tripes ! Bref, c'est selon l'inspiration du chef.

Mondo Arancina *(plan général B2,* ***90****) : via Marcantonio Colonna, 38. ☎ 06-97-61-92-13. • info@mondoarancina.it • Tlj 8h-minuit. Env 2-3 € la part.* La star ici, c'est l'*arancina.* Élevée au rang de spécialité gastronomique (AOC sicilienne s'il vous plaît !), c'est une boule de riz fourrée frite à l'huile d'olive. Énorme, elle fond pourtant dans la bouche dès qu'on la croque ! Génial ! Ne reste plus qu'à faire son choix entre les classiques (épinards et ricotta) et les plus audacieuses (tous les ingrédients sont permis !). Également de très bonnes pizzas à la coupe (légères et croustillantes) et un comptoir pour avaler un café, histoire de faire passer tout cela. Cadre coloré très sympa, avec des tablettes pour s'accouder (à condition d'en trouver une de libre, car c'est souvent bondé).

Mastrogusto *(plan général B2,* ***91****) : via dei Gracchi, 193. ☎ 06-32-60-03-77. • info@mastrogusto.it • Tlj sf dim 9h-15h, 17h-20h30. Env 4 € le panino.* Une très belle épicerie fine de quartier, connue pour l'excellence de ses produits. La bonne surprise, c'est qu'on y prépare à la commande des *panini* avec ce qui vous fait plaisir : mozzarella (DOP bien sûr), *prosciutto crudo,* pancetta, *polpette di manzo...* Qu'il est difficile de faire son choix parmi toutes ces merveilles !

Franchi *(plan général B3,* ***81****) : via Cola di Rienzo, 200. ☎ 06-68-74-651. • info@franchi.it • Tlj sf dim 9h-20h30.* Difficile de résister au fumet des faisceaux de saucissons, des mottes de fromage ou des cassolettes débordant de petites choses hyper appétissantes... Car cet épicier-traiteur, apprécié de longue date (plus de 50 ans !), connaît son métier : à toute heure, on y croise du monde dévorant au comptoir des *supplì* bien fondants, des assiettes composées savoureuses, des pâtes fraîches et des sandwichs du matin. De quoi satisfaire petites et grosses faims dans un décor qui plairait bien à notre Obélix national. On peut aussi emporter un souvenir culinaire (scellé sous vide si nécessaire). Et... compléter par un café ou d'autres produits de choix, juste à côté chez *Castroni* (rubrique « Où boire un verre ? » et « Où faire ses achats ? »).

OÙ MANGER ?

Testaccio

Volpetti *(plan général C6,* ***82****) : via Marmorata, 47 (angle via Alessandro Volta). ☎ 06-57-42-352. • info@volpetti.com • ♿ Lun-sam 8h-14h, 17h-20h15. Plat env 8 €, repas 15 €.* Avant toute chose, c'est l'épicerie fine-*salumeria Volpetti* qui est fameuse dans tout Rome, avec ses jambons suspendus, ses roues de fromages, ses pâtes fraîches... miam ! Ils ont eu la bonne idée d'ouvrir juste à l'angle de la rue une *tavola calda* à prix très abordables (voir ci-dessous). Les produits proviennent pour la plupart d'Ombrie, dont les Volpetti sont originaires. Bon, c'est tout de même assez cher, mais nom d'une pizza, que c'est bon !

Volpetti Più *(plan général C6,* ***82****) : via Allessandro Volta, 8, dans la rue à l'angle de* Volpetti. *☎ 06-57-44-306. Tlj sf dim 10h30-15h30, 17h30-21h30.* L'épicerie *Volpetti* a ouvert ce resto sous forme de self-service afin de compléter son offre. On y trouve d'innombrables *supplì* et *fritti* (*fiore di zucca, baccalà,* etc.) à manger sur place ou à emporter. Bonnes pizzas également. On paie au poids. Carte en français qui change tous les jours. On peut parfaitement y faire un repas léger à prix doux.

Restaurants *(trattorie, ristoranti, pizzerie, osterie)*

Ils servent généralement de 12h à 15h et de 19h à 23h (les Romains ont cependant l'habitude de déjeuner à partir de 13h et de dîner vers 21h). Dans les endroits qui drainent du monde, la réservation *(prenotazione)* est conseillée le samedi soir, jour de grande affluence, ainsi que les dimanche et lundi soir (fermeture hebdomadaire de nombreux restos). Enfin, sachez qu'au mois d'août (et notamment la semaine du 15 août !) il est parfois difficile de trouver un resto ouvert (période de congés annuels : *chiuso per ferie*).

LE CENTRE HISTORIQUE (centro storico)

Piazza Navona

Coin très touristique certes, mais, dans l'abondance de restos inodores et tape-à-l'œil que recèle le quartier, on peut malgré tout trouver son bonheur... Un conseil tout de même, ne vous arrêtez pas n'importe tout !

De bon marché à prix moyens

*Trattoria da Tonino (plan centre C3, **136**) : via del Governo Vecchio, 18-19. Attention, aucune enseigne à l'extérieur, mais tous les habitués connaissent. 33-35-87-07-79. Tlj sf dim. Fermé en août.* Primi *et plats 7-10 €.* Simplissime petit resto de quartier comme on les aime, sans prétention, avec sa clientèle locale et son atmosphère bon enfant. Pour éviter la foule, arrivez en début de service car c'est souvent bondé, surtout le soir. Bonne cuisine traditionnelle et copieuse. Excellentes *polpette* et *trippa*. Pour les aficionados de la *baccalà* (morue), c'est le vendredi qu'il faut venir. Aucune déco sur les murs, on est là pour manger, pas pour lécher les murs. Une bonne adresse couleur locale.

***La Montecarlo** (plan centre C4, **103**) : vicolo Savelli, 13. ☎ 06-68-61-877. • info@lamontecarlo.it • Tlj sf lun jusqu'à minuit (1h sam). Fermé 2 sem en août. Pizzas et* pasta *5-9 €. CB refusées.* Turbulente et échevelée, *La Montecarlo* est l'un des grands classiques de la vieille ville. On y vient pour la réputation des pizzas. Ma ! les queues démentes parlent d'elles-mêmes ! Les savoureuses pâtes fines et croustillantes méritent bien un peu d'attente. Bon, même si on les a trouvées très bonnes, ça reste des pizzas. Plus calme au déjeuner. Partout, les photos des copains à la mine réjouie attestent de l'atmosphère festive... même si, les soirs de surchauffe, la camaraderie cède la place à un service efficace certes, mais trop expéditif, sans compter parfois les approximations sur la note finale.

***Baffetto 2** (plan centre C4, **155**) : piazza del Teatro di Pompeo, 18. ☎ 06-68-21-08-07. Tlj sf mar. Fermé 1 sem en août. Pizzas env 5-9 €. CB refusées.* Décor d'une grande banalité et accueil quelconque, mais les pizzas y sont tout aussi excellentes et tout aussi fines qu'au *Baffetto* original, dont vous entendrez sans doute parler... Ce dernier, indéboulonnable institution (et pourtant on la déboulonne), a tout de même un gros problème avec l'accueil ! Quant à *Baffetto 2,* il nous a régalés avec des pizzas comme on les aime et des *antipasti* de qualité. Terrasse bien agréable.

***Antica Taverna** (plan centre C3, **331**) : via Monte Giordano, 12. ☎ 06-68-80-10-53. Tlj midi et soir, jusqu'à assez tard.* Primi *6-8 € ;* secondi *8-12 €.* La taverne est bien située, à l'écart de la bruyante via Vittorio Emanuelle II, avec sa petite terrasse bienvenue dès les beaux jours. La salle rustique et chaleureuse est également fort sympathique. Cuisine régulière, d'un excellent rapport qualité-prix, qui compense le petit manque de raffinement. Vraiment copieux, tant pour les pâtes que pour la simple bruschetta, ce qui attire le midi une importante clientèle de cols blancs du quartier et quelques touristes égarés.

De prix moyens à un peu plus chic

***Osteria del Pegno** (plan centre C3, **144**) : vicolo di Montevecchio, 8. ☎ 06-68-80-70-25. • info@osteriadelpegno.com • Slt sur résa. Tlj sf mer nov-fin mars. Fermé 2 sem en janv et 1 sem mi-août. Carte env 30 €.* Limoncello *offert sur présentation de ce guide.* Resto très coquet où l'on convierait bien son cher (ou sa chère) et tendre. À la lumière de la bougie et dans une atmosphère douce et raffinée, on se régale d'une cuisine traditionnelle (raviolis et *pasta* maison) à base de produits du terroir soigneusement sélectionnés. Nos lecteurs en sortent toujours ravis.

***Gino** (plan centre C3, **98**) : vicolo Rosini, 4. ☎ 06-68-73-434. Dans une ruelle qui débouche sur la piazza del Parlamento. Tlj sf dim. Fermé en août. Carte env 25-30 €.* Une adresse bien typique, pas dans le sens touristique du terme (bien qu'on y croise quelques étrangers), mais parce qu'elle a tout de ces petits restos familiaux hermétiques aux effets de mode. Cadre à l'ancienne et cuisine romaine traditionnelle, simple, sans chichis et sans tromperie (*carbonara, polpetine, baccàla con patate,* tous excellents), qui fait le bonheur des nombreux Romains venus en voisins. Ambiance amicale, comme l'accueil.

I●I ***Da Francesco*** *(plan centre C3,* ***139****) : piazza del Fico, 29. ☎ 06-68-64-009. Tlj sf mar oct-Pâques. Buffet d'*antipasti *env 8 €,* primi *7-9 €,* secondi *9-15 €. CB refusées.* Le petit resto de quartier comme on les aime, avec un décor sans fioritures, des serveurs sympas et le buffet d'*antipasti* avec ses plats en inox trônant au fond de la salle. Bonne cuisine familiale et romaine (artichauts, tripes, abats, *spaghetti all'amatriciana,* etc.) et bonnes pizzas. La cuvée maison ne se défend pas mal non plus.

I●I ***La Pollarola*** *(plan centre C4,* ***155****) : piazza Pollarola, 24-25. ☎ 06-68-80-16-54. • info@lapollarola.it • Tlj sf dim.* Antipasti *et* primi *env 6-9 €,* secondi *9-15 €.* Une institution du quartier à deux pas du sympathique marché du campo dei Fiori. Cadre élégant, clair, composé de murs en brique et de bouteilles, agrémenté de quelques photos en noir et blanc. Jolies tables de bois, verres à vin très classes... Aux beaux jours, petite terrasse sur rue. Ici, la cuisine est restée fidèle à sa réputation et garde le cap en terme de qualité. À la carte, un bon *antipasto rustico,* ou encore les cannellonis à la viande, tomate et mozzarella, et la *tagliata con pomodorini e rughetta,* des lamelles de bœuf avec des tomates et de la roquette, une spécialité romaine. Parfait pour se restaurer confortablement. Service efficace sans être bousculé.

I●I ***Obikà Mozzarella-Bar*** *(plan centre C3,* ***93****) : via dei Prefetti, 28. ☎ 06-68-32-630. • roma@obika.it • Tlj 12h-23h30. Plat env 12 € ; assiettes dégustation 18-40 €. Brunch le w-e et* aperitivo *tlj 19h-21h.* Dans la série « je cherche un resto branché », voici un concept très new-yorkais basé sur la mozzarella à tous les étages, ou plutôt dans toutes les assiettes. Le lieu ravira les tifosi de la *bufala campana,* jusqu'à la mozzarella fumée, au goût si fort et particulier. On a bien aimé aussi le décor design parsemé de colonnes au style antique (un bel éclectisme, comme au musée de la centrale Montemartini). Seul bémol : pourquoi diable certains restos branchouillo-design se croient obligés d'être un peu froids ? Est-ce le côté élitiste ou l'influence du métal sur la psychologie humaine ?

Très, très chic !

I●I ***Il Convivio Troiani*** *(plan centre C3,* ***102****) : vicolo dei Soldati, 31. ☎ 06-68-69-432. • info@ilconviviotroiani.com • Lun-sam, slt le soir. Fermé 10 j. en août. Résa conseillée. Menu 80 €, menu dégustation (7 plats) 98 €, carte 120 €. Apéritif maison offert sur présentation de ce guide.* Une adresse pour les routards les plus fortunés. Sans contestation possible, un des meilleurs restos romains : atmosphère raffinée, service irréprochable et cuisine gastronomique créative de grande classe.

Campo dei Fiori

Situé de l'autre côté du corso Vittorio Emanuele II par rapport à la piazza Navona, ce quartier ne manque pas non plus de restos à tous les prix.

De bon marché à prix moyens

I●I ***Filetti di Baccalà*** *(Dar Filettaro a Santa Barbara ; plan centre C4,* ***150****) : largo dei Librari, 88. ☎ 06-68-64-018. Tlj sf dim 17h-22h30. Plats 5-6 €.* Cette minuscule gargote toujours bondée est réputée pour ses délicieux filets de morue, à faire passer avec un gouleyant *vino bianco della casa.* Évidemment, le cadre est plus que basique et ce n'est absolument pas une étape gastronomique, mais un bon plan devenu une petite institution romaine qui tient bon !

On peut aussi se contenter de l'option filets de morue à emporter.

Settimio *(plan centre B-C4,* ***153****) : via del Pellegrino, 117. ☎ 06-68-80-19-78. Situé dans une rue parallèle au corso Vittorio Emanuele II. Tlj sf mer. Fermé 1 sem à Noël, 1 sem en janv, 1 sem à Pâques, fin juil-début sept. Résa conseillée. Carte env 35 €. Digestif offert sur présentation de ce guide.* Petite trattoria familiale à la clientèle d'habitués, qui se préserve de la foule par une entrée discrète. Pas de carte, on vous annonce oralement les plats du jour, toujours frais et bien sentis. Parmi les classiques de la maison, citons les *fettuccine al pomodoro* (le dimanche seulement), les *polpette* (boulettes de viande), le *baccalà* (le vendredi évidemment) et la *pasta e ceci* (soupe aux pâtes et pois chiches). Une valeur sûre.

Trattoria der Pallaro *(plan centre C4,* ***332****) : largo del Pallaro, 15. ☎ 06-68-80-14-88. Tlj midi et soir (sf quand la mama veut se reposer un peu !). Plats 10-15 € ; menu complet intéressant à 25 €, comprenant* antipasti, pasta, carne, contorno, dolce, *eau et vin !* Une adresse familiale en diable. Cuisine romaine authentique, préparée depuis des décennies par la mama. La terrasse sur la place est bien agréable, au cœur de la Rome historique. On aime bien cette adresse qui ronronne tranquillement sans chercher à appâter le touriste. Même si les habitués remplissent bien la salle, les nouvelles têtes sont les bienvenues.

Chic

Ristorante Ditirambo *(plan centre C4,* ***333****) : piazza cella Cancelleria, 74-75. ☎ 06-68-71-626. Tlj sf lun midi.* Antipasti *10 €, plats 10-17 € et toujours quelques plats du jour, à demander au patron, Dado.* À l'entrée, on voit la *pasta fresca* se faire sous nos yeux. Cuisine plus italienne que typiquement romaine, parfaitement maîtrisée. Les produits sont de saison, les viandes d'une grande tendreté et les préparations impeccables. La salle est petite, à la manière d'une taverne de poche, élégante et romantique à la fois (plancher et plafond de bois, expo photos sur les murs...). Dans l'assiette, les *testaroli della lugiana* ou le *soufflé di pere e gorgonzola* font merveille. Excellent *zabaione* en dessert (sabayon).

Pierluigi *(plan centre B-C4,* ***159****) : piazza dei Ricci, 144. ☎ 06-68-61-302 ou 06-68-68-717. • info@pierluigi.it • Tlj sf lun.* Antipasti *et* primi *env 10 €,* secondi *12-20 €.* Donne sur une superbe petite place en plein cœur du *centro storico*, envahie à la belle saison par la vigne vierge. Autant dire que les places en terrasse s'arrachent. À l'intérieur, succession de salles décorées de peintures et de toiles de Mastroianni, le frère du regretté Marcello. Côté cuisine, *Pierluigi* et ses seconds couteaux ont du répondant. La carte, généreuse et variée, affiche de nombreuses et séduisantes spécialités : *antipasti di mare, pasta e broccoli con arzilla, pasta e fagioli, risotto alla crema di scampi*, ou encore (côté *secondi*) *stracetti con rughetta* et *tagliata di mare con rughetta*. Bon choix de vins. Une adresse chic, à l'image de la clientèle de quadras et de quinquas.

Al Bric *(plan centre C4,* ***158****) : via del Pellegrino, 51. ☎ 06-68-79-533. • info@bric.it • Tlj sf lun, slt le soir, plus dim midi. Fermé 2 sem en août. Résa conseillée. À la carte, env 40-45 € ; assiettes de dégustation (19h30-20h30) env 13-19 €.* Cette maison où un grand ami de la dive bouteille – le fromage – tient le haut du pavé pratique avec talent l'art de la dégustation... On vous recommande par conséquent leurs *happy hours*, sorte d'*aperitivo* autour d'une assiette de fromage et de charcuterie. La cuisine est en revanche nettement plus élaborée. Côté *primi*, des pâtes surtout *(gnocchi fatti a mano con roquefort e peperoncini...)*, tandis que les *secondi* insistent davantage sur la viande... Bon, ce n'est pas toujours aussi créatif que ça prétend l'être et, globalement, c'est quand même assez cher. Heureusement, il n'y a que l'embarras du choix pour accompagner le repas d'une belle bouteille (plus de 800 étiquettes). Service plutôt pro quoique vite débordé.

Pantheon – Argentina

De bon marché à prix moyens

|●| ***Enoteca Corsi*** *(plan centre C4,* ***128****) : via del Gesù, 87-88. ☎ 06-67-90-821. Trattoria slt 12h-15h, tlj sf dim.* Enoteca *ouv 8h30-13h, 17h-20h. Fermé en août.* Primi *env 8 €,* secondi *env 11 €, repas complet 20-25 €.* Un petit établissement à l'ancienne mode, avec la vieille *enoteca* d'un côté et la salle de resto de l'autre. Cadre très simple, à l'image de l'ardoise qui égrène des plats du jour sans chichis mais très bien faits. Et ça change tous les jours. Très bien, propre et garant de la tradition. Une halte typique, impeccable pour le midi. Les œnophiles pourront également acheter de beaux flacons de qualité.

Ghetto – île Tibérine (isola Tiberina)

Coincé entre le Tibre au sud, la via Arenula à l'ouest, la via delle Botteghe Oscure au nord et la via del Teatro di Marcello à l'est, le quartier, sans être vaste, concentre quelques bonnes adresses dont certaines sont connues de beaucoup de Romains.

De bon marché à prix moyens

|●| ***Sora Margherita*** *(plan centre C4,* ***146****) : piazza delle Cinque Scole, 30. ☎ 06-68-74-216. • zirolivan@vodafone.it • C'est sur une petite place à deux pas de la via Arenula. Pas d'enseigne : entrée juste à droite de l'église S. M. di Pianto. Ouv le midi (sf lun) 12h30-15h, et ven-sam soir 20h-21h50. Fermé en août. Résa conseillée le soir. Carte 20-25 €.* Connue de longue date, cette petite cantine fait toujours salle comble. On laisse d'ailleurs quelques chaises dehors pour faire patienter les clients, qui ont pris soin au préalable de s'inscrire sur la liste d'attente. Accueil charmant et vivant en diable. La carte se résume à une simple feuille gribouillée au feutre, et pour cause : chaque jour de la semaine a ses spécialités, lesquelles, faites maison, sont simples mais très appréciables (goûtez, entre autres, aux *fettuccine al agnaletto* ou bien encore aux *polpette aliciotte con l'indivia*). Les mardi et vendredi : du poisson frais (sole et friture notamment), mais attention, facturé au poids, il revient assez cher. Enfin, les tartes et *crostate* complètent le repas...

Chic

|●| ***Dal Pompiere*** *(plan centre C4,* ***164****) : via Santa Maria dei Calderari, 38. ☎ 06-68-68-377. Tlj sf dim. Repas 35-40 €.* Une fois passée l'entrée un peu énigmatique, grimpez donc l'escalier pour découvrir une enfilade de belles salles. Hauteur sous plafond, tableaux aux murs : un cadre très Renaissance romaine pour savourer une cuisine tout aussi romaine : artichauts à la juive, croustillants à souhait, tripes bien relevées, délicates fleurs de courgette en beignet ou la *saltimboca.* Au final, cette adresse du circuit gastronomique juif reste très valable, même si elle est de plus en plus rattrapée par son succès. Certains soirs, l'accueil comme la qualité des plats s'en ressentent un peu.

|●| ***Piperno*** *(plan centre C4,* ***92****) : monte dei Cenci, 9. ☎ 06-68-80-66-29. • info@restaurantepiperno.it • Tlj sf dim soir et lun. Fermé en août. Résa conseillée. Env 35-40 € à la carte (poissons au poids, beaucoup plus chers).* Situé dans une petite rue du Ghetto faisant le lien entre la piazza dei Cenci et la piazza delle Cinque Scuole, ce resto, chic et cher, sert le meilleur de la cuisine « hébraïco-romaine ». Vous y découvrirez – ou retrouverez – tous les classiques (à commencer par les fritures) : *carciofo alla giuda, fiori di zucca* (fleurs de cour-

gette farcies de mozzarella et d'anchois), *filetto di baccalà* (filet de morue), ainsi que de nombreux abats (tripes à la romaine et autre queue de bœuf *(coda di bue)* et le délicieux agneau *(abbacchio)*. Cadre élégant et service irréprochable. Une valeur sûre.

Piazza di Spagna – piazza del Popolo – quartier du Parlement (quartiere del Parlamento)

Les restos sont légion dans cette zone mais souvent envahis par les touristes, si bien qu'on évitera soigneusement la piazza di Spagna et ses enseignes « Bon marché », dévouées à la bouffe à la chaîne. Du coup, nos adresses préférées s'inscrivent plutôt dans les catégories « Prix moyens » et « Plus chic ». Elles se démarquent pour la qualité de la cuisine et leur clientèle plus locale.

Bon marché

Pizza Re *(plan général C2,* ***94****) : via di Ripetta, 14. ☎ 06-32-11-468. Lun-ven 13h30-15h30, 19h30-minuit ; le w-e en journée continue. Fermé certains j. fériés et 2e-3e sem d'août. Pizzas 7-10 €.* Rien d'extraordinaire, on y vient pour se nourrir dans un quartier cher où les adresses fréquentent plutôt la catégorie « Chic ». Salle banale, et pizzas napolitaines (à pâte épaisse) honorables sans être inoubliables. Ses principaux atouts, c'est qu'on peut poser ses fesses pour pas cher à des horaires élastiques.

Caffè Canova *(plan général C2,* ***160****) : piazza del Popolo, 16/17. ☎ 06-36-12-227. • info@canovapiazzadelpopolo.it • Tlj jusqu'à 15h. Plats 7-13 €.* Côté face, c'est un café chic aux prix... chic, dont la terrasse stratégique se déploie sur la place. Alors ? C'est donc côté pile qu'on découvre la perle rare, avec cette cafétéria aux lignes contemporaines dissimulée dans l'arrière-salle (dépasser le comptoir, c'est tout au fond à gauche). Cuisine du jour très honnête, plébiscitée par les nombreux habitués qui ont flairé l'aubaine. Un bon plan.

Pizzeria Al Leoncino *(plan général C3,* ***95****) : via del Leoncino, 28. ☎ 06-68-67-757. Tlj sf mer, slt le soir le w-e. Fermé 15 j. en août. Pizzas env 6-10 €. CB refusées.* Nichée dans une rue discrète du quartier chic, cette petite adresse n'a quasiment pas bougé depuis un quart de siècle : cadre très simple, pizza toujours croustillante et cuite dans un vrai four à bois, *bruschetta* préparée avec du pain maison, gâteaux appétissants et addition douce. Pourquoi changer ? Parfait le midi, même si le service peut être longuet et l'accueil pas toujours des plus folichon. Plus tristounet le soir.

Prix moyens

Otello alla Concordia *(plan général C-D3,* ***97****) : via della Croce, 81. ☎ 06-67-91-178. Tlj sf dim. Plats env 8-13 €.* Au fond d'une cour pavée, sous la treille, vous découvrirez une véranda qui ne désemplit pas le midi et où bruit l'animation de tout un chacun occupé à se remplir la panse. Quand il vivait dans le quartier, Fellini en avait fait une de ses cantines. Mais on suppose qu'il préférait les petites salles à l'ancienne avec leurs élégantes traces de fresques et leurs arcades. Qui dit cantine dit cuisine de cantine. La tambouille est donc toute simple mais fort honnête, du style artichauts à la romaine, tripes idem, abats ou encore tout un choix de pâtes dont les incontournables *rigatoni all'amatriciana* (pâtes avec lardons et sauce tomate). Bref, de quoi passer un petit moment agréable et sans prétention dans une bonne ambiance, évidemment très touristique. Qui plus est, les serveurs sont sympas.

|●| ***Hostaria al 31*** *(plan général C-D3, **85**)* **:** *via Carrozze, 31. ☎ 06-67-86-127. Tlj sf dim 12h15-15h, 19h15-22h30. Carte env 20 €.* Deux petites salles en enfilade, à la déco banale, où l'on sert des classiques de la cuisine romaine et quelques spécialités d'Ombrie. Les suggestions du jour sont inscrites sur une ardoise près de l'entrée. Mets savoureux et copieux dont quelques préparations à la truffe. Vin de la casa très correct. Vrais desserts maison, tel ce diabolique tiramisù, onctueux à souhait, pour conclure en beauté ! Service efficace et discret. Une bonne petite adresse sans entourloupe.

|●| ***Babette*** *(plan général C2, **320**)* **:** *via Margutta, 1. ☎ 06-32-11-559. • babette@babetteristorante.it • Fermé en août et 1 sem début janv. Buffet au déjeuner, mar-ven slt 13h-15h, 12,50 €, plus 3,50 € pour un 2e tour ! Resto catégorie chic le reste du temps.* Lové dans le coude d'une élégante petite rue, *Babette* se compose d'une belle salle mariant touches rétro et contemporaines (expos d'artistes) et d'un patio orné de citronniers, à l'arrière. Si l'alléchante carte le classe dans les adresses chic, nous le mentionnons ici pour son buffet très fréquenté. Il permet de goûter, à prix doux, bien des délices salés et sucrés variant au rythme des saisons, produits d'une cuisine italienne créative et savoureuse.

Plus chic

|●| ***'Gusto*** *(plan général C3, **99**)* **:** *piazza Augusto Imperatore, 9. ☎ 06-32-26-273. • info@gusto.it • Sur la place où trône le mausolée d'Auguste. Tlj (jusqu'à minuit pour le resto, 1h pour la pizzeria et 2h pour l'*enoteca*). Résa conseillée. Le midi en sem, buffet env 10 € ; le soir,* aperitivo *8 € ; pizza env 10 € ; service en sus (15 %) ; le w-e (12h-15h30), brunch à volonté 20 €. Côté resto, plats à partir de 13-14 € env.* Double allusion au goût et à Augusto (celui du mausolée en face), *'Gusto* multiplie les espaces design dédiés à la bonne chère et au vin. Jugez plutôt : à l'est de la place, un resto de poisson et de plats végétariens ; au nord, une pizzeria, une *enoteca* (concert de jazz les mardi et jeudi soirs), un *ristorante* et une librairie culinaire, diffusant aussi linge, vaisselle, etc. ; sans oublier l'*osteria* et la fromagerie située à l'arrière, via della Frezza... Faites votre choix ! En terrasse ou en salle, la cuisine *slow food* développe d'amusantes associations de goûts, la qualité étant dans l'ensemble au rendez-vous. Atmosphère branchouille, limite m'as-tu-vu.

Barberini – Trevi

Ici tout autant que dans le quartier précédent, les touristes pullulent, ce qui n'est pas sans avoir une certaine incidence, souvent néfaste, sur la qualité des prestations. Très peu d'adresses valables, alors autant changer de quartier ou bien se contenter d'un grignotage vite fait (voir « Sur le pouce » à Trevi au début de « Où manger ? »).

Chic

|●| ***Le Colline Emiliane*** *(plan général D3, **101**)* **:** *via degli Avignonesi, 22. ☎ 06-48-17-538. Tlj sf dim soir et lun. Fermé en août. Résa conseillée. Repas env 35-40 €.* Situé à deux pas de la piazza Barberini, ce resto sert, dans un cadre de bois agréable, des recettes et des produits venus tout droit d'Émilie-Romagne (la région de Bologne) : salami et viandes froides, *tagliatelle* et *tortellini,* viandes bouillies... et vins du pays pour faire bonne mesure ! Qualité fort constante et service soigné en font une adresse très courue.

AUTOUR DES MONTI (Monti e dintorni)

Forum et Colisée

De bon marché à prix moyens

|●| ***Il Bocconcino*** *(plan général E5,* ***157****) : via Ostilia, 23. ☎ 06-77-07-91-75. Tlj sf mer. Plats 10-15 € ; env 25-30 € à la carte.* Trouver une adresse valable dans le secteur du Colisée relève du défi... mais en voici une. Et une excellente ! Car les sympathiques propriétaires ont trouvé la bonne formule : dans un cadre à l'ancienne (nappes à carreaux, quelques gravures discrètes), ils privilégient les recettes typiques de Rome et du Latium en général. Rien de branché ni de tape-à-l'œil ici, mais une cuisine de marché à l'ardoise, ou des spécialités incontournables à la carte, proposées pour certaines à tour de rôle (les tripes, c'est le samedi !). *Bucatini all'amatriciana, tortino di baccala con olive, osciotto di agnello...* C'est bon et servi avec le sourire.

– Juste derrière cette adresse, *Divin Ostilia* est un bon petit bar à vins abordable. Voir « *Enoteche* (bars à vins) ».

|●| ***La Piazzetta*** *(plan général D4,* ***336****) : vicolo del Buon Consiglio, 23/a. ☎ 06-69-91-640. Ouv midi et soir, sf dim. Menus 10-14 €.* Ils sont tout à fait satisfaisants et servis midi et soir (mais il faut les demander). Petite terrasse également. Le resto, tout blanc, avec nappes et serviettes en épais coton, dégage une certaine élégance. Beau buffet d'*antipasti* et desserts maison. Une jolie table donc, qui propose une carte courte mais des plats réalisés avec précision. *Polpette* goûteuse, *pasta alla vongole* réussie. Une petite perle, située dans un quartier qui en compte très peu.

|●| ***Hostaria Nerone*** *(plan général D-E4,* ***337****) : via Terme Tito, 96 (angle largo Polveriera). ☎ 06-48-17-952. Tlj sf dim.* Primi *10 €,* secondi *12-15 €.* À 200 m du Colisée, on peut considérer cette adresse comme presque miraculeuse, parvenant à sortir son épingle du jeu de massacre culinaire qui entoure le Colisée. Familial, prolongé par une mignonne terrasse sur le trottoir (assez calme étonnamment) et tables nappées de jaune. On prépare ici une cuisine romaine de bon aloi, régulière en qualité, comme le *saltimbocca alla romana*, les *aliciotti fritti* (anchois frits) ou le *baccalà in unido*. Si les prix des plats sont globalement doux, bien noter que le service (10 %) est ajouté d'office, ce qui est un peu agaçant. Carte en plusieurs langues. Sur la terrasse, amusant, un des aïeux de la famille veille à ce que tout se passe bien.

Esquilin – Viminal – Monti – Termini
(Esquilino, Viminale, Monti, Termini)

Il faut se méfier des nombreux restos situés dans la zone de la gare de Termini. Affichant des menus touristiques à 10-14 €, ils servent une nourriture digne des cafétérias de nos supermarchés. Ici et là, cependant, quelques heureuses exceptions dont nous mentionnons l'existence. L'Esquilin, de son côté, a davantage de restos de qualité à offrir pour des prix parfois très bas.

Bon marché

|●| ***Da Valentino « Birra Peroni »*** *(plan général D4,* ***104****) : via del Boschetto, 37. ☎ 06-48-80-643. Se repère à la publicité* « Birra Peroni » *en façade. Tlj sf dim. Fermé en août. Salade env 6 €, plats 6-12 €.* N'hésitez pas à franchir la porte de cette petite cantine de quartier qu'on aime bien, à l'abri du flot touristique et des regards, derrière ses rideaux. Elle a gardé son charme d'antan avec ses tables et ses chaises bistrot, ses vieilles cartes postales et ses habitués à la volubilité toute romaine. Cuisine comme à la maison : bon choix de sala-

des, *antipasti* et viandes, *primo* du jour, légumes délicieux et très variés. Spécialité de la maison, la *scamorza* (un cousin de la mozzarella, ici fumée) est servie en tranches passées au grill puis fourrées de divers ingrédients. Bon choix de vins, exposé sur les étagères.

|●| ***Al Forno della Soffitta*** *(plan général E2,* ***154****) : via Piave, 62-66. ☎ 06-42-01-11-64. Tlj sf sam et dim midi. Fermé 2 sem en août. Env 6-10 €.* Fatigué des romaines ? Essayez donc les napolitaines ! Après tout, ce sont les originales, et cette pizzeria ouverte depuis les années 1920 par une famille du pays les prépare toujours dans les règles : pâte fine au centre, épaisse sur les bords, et de bons ingrédients pour napper le tout. Le plus sympa, ce sont les grandes à partager à 2 ou 4, divisées en autant de sections et de goûts. Atmosphère conviviale, accueil agréable, cadre sympa, c'est définitivement une bonne adresse.

|●| ***Pizzeria Ricci*** *(Est ! Est ! ! Est ! ! ! ; plan général D-E3,* ***116****) : via Genova, 32. ☎ 06-48-81-107. Tlj sf lun et slt le soir (19h-minuit). Fermé en août. Résa conseillée (demander la 1re salle ou la terrasse). Pizzas et* pasta *env 5-12 €.* L'une des plus anciennes pizzerias de Rome. La cave à vins d'origine, fondée en 1888 par Ambrogio Ricci, s'est mise à la pizza napolitaine en 1900, et c'est toujours la spécialité maison. Quant au fameux « *Est ! Est ! ! Est ! ! !* » du nom, il provient d'un évêque qui envoya son domestique noter les meilleurs vins du Montefiasco, vers Viterbe, au nord de Rome. Il avait pour instruction d'écrire « Est ! » pour un vin honorable, « Est ! Est ! ! » pour un bon vin et « Est ! Est ! ! Est ! ! ! » pour un vin exceptionnel. Eh oui, le latin mène aussi à l'œnologie... En tout cas, on aime bien le décor d'époque, surtout la 1re salle avec son vieux zinc et ses boiseries en châtaignier. Côté cuisine, c'est plus inégal. Excellents *carciofi sott'olio,* honnêtes pizzas, mais les pâtes sont décevantes. Bref, on y vient surtout pour l'atmosphère et la terrasse bien agréable, située au fond d'une impasse.

|●| ***Da Luciano*** *(plan général E3,* ***112****) : via Giovanni Amendola, 73. ☎ 06-48-81-640. Tlj sf sam soir et dim 11h30-21h (dernier service à 20h30) ; fermé les 3 dernières sem d'août. Menu 11,50 € ; carte env 15 €.* Dans ce secteur peu enthousiasmant sur le plan culinaire, cette toute petite cantine de quartier vraiment pas chère (visez les prix) se distingue par une cuisine très simple, sans autre prétention que de nourrir correctement le routard de passage. Pas mal d'affluence évidemment, de sorte qu'il vaut mieux éviter de se pointer au beau milieu de l'heure des repas (le service risque d'être un peu expéditif).

|●| ***Al Fagianetto*** *(plan général E3,* ***321****) : via Filippo Turati, 21. ☎ 06-44-67-306. Tlj en continu. Menus 10-15 €, plats 8-16 €.* Grand resto de quartier sans raffinement décoratif ni gastronomique mais typique et délivrant d'honorables plats : *saltimbocca a la romana, scaloppina al limone* ou *al marsala* (escalopes au citron ou à la liqueur), *abbacchio* (agneau) ainsi qu'une gamme complète de pâtes et pizzas. On suggère la carte plutôt que les menus. Ouvert le dimanche, il donne l'occasion de côtoyer les familles à rallonge réunies autour d'un copieux déjeuner ! Service efficace et souriant, pousse-café souvent offert.

|●| ***Trattoria La Reatina*** *(plan général E-F3,* ***322****) : via San Martino della Battaglia, 17. ☎ 06-49-40-768. Tlj sf dim. Plats 6-9 €.* Aux antipodes du clinquant touristique, une « plus authentique tu meurs » cantine de quartier tenue par un pittoresque duo de sexagénaires à la mise impeccable (cravate-gilet-tablier !). Tripes à la romaine, escalope de veau au marsala, *spaghetti alla matriciana...* tous les incontournables sont sur la carte, mais ne négligez pas les suggestions du jour (panneau dehors). Côté vin, pas de casse-tête, il est maison et rouge ou blanc. Amusant pour ceux qui logent dans le quartier.

Prix moyens

|●| ***Trattoria Morgana*** *(plan général E4,* ***148****) : via Mecenate, 19-21. ☎ 06-48-73-122. • info@trattoriamorgana.com • Tlj sf mer. Carte env 25 €.* Cette petite adresse sort de l'ordinaire. Pas tant pour son cadre, simple et sans

prétention, que pour les spécialités qu'on découvre en consultant la carte. Ceux qui ont une grand-mère romaine seront aux anges, car ils retrouveront toutes sortes de recettes oubliées, comme les *lumache alla romana* ! Une version locale des escargots de Bourgogne ! Comme il n'y en a pas en toute saison, on se rabattra sur les excellentes pâtes maison et les plats de viandes traditionnels. Beaucoup d'habitués, on s'en doute.

|●| ***La Vecchia Roma*** *(plan général D4,* ***323****) : via Leonina, 10. ☎ 06-47-45-887. • vecchiaroma@colosseo.org • Tlj sf dim. Plats 7-15 €.* Un vrai petit resto de quartier, aux murs couverts de tableaux (cherchez le chef-d'œuvre... !) et de bibelots en tout genre. Pizzas, pâtes et plats de viande à la romaine sont cuisinés par Fabio, figure locale à la toison d'argent ! Comme tout est bon, les habitués de tous âges sont légion. Service sympa et pas pousse-conso malgré l'affluence. Un conseil : arriver tôt ou réserver le soir !

|●| ***Pasta Love*** *(plan général D3,* ***324****) : via Palermo, 63. ☎ 06-47-40-171. • info@pasta-love.it • Tlj sf sam et dim midi. Plats 10-20 €.* Petite salle à la déco un brin hétéroclite mêlant nappes aux couleurs vives, reproductions abstraites, souvenirs de Sidi Bou Saïd (le jovial patron y a vécu) et surtout... plein de caisses de vin ! Dans l'assiette, de généreuses portions de pâtes, des pizzas et une petite prédilection pour les produits de la mer. Accueil charmant, décontracté et francophone.

|●| ***Trattoria Fulvimari*** *(plan général E3,* ***325****) : via Principe Amedeo, 7. ☎ 06-47-40-626. Tlj sf dim. Menu 15 €, plats 6-14 €.* Une vraie petite trattoria familiale à l'ambiance tranquille et un brin désuète. Carte alignant les classiques *(abacchio al forno, saltimboca alla romana...)*. Service très gentil. Un choix sans risque.

|●| ***Ristorante Pizzeria Andrea*** *(plan général E3,* ***326****) : via Castelfidardo, 30. ☎ 06-48-68-48. Tlj sf ven. Carte 20-30 €.* Honnête cuisine romaine dans un décor à la fois typique et soigné : murs plaqués de bois verni jusqu'à mi-hauteur, tableaux, étagères de bouteilles et petites tables « duo » à nappes jaunes qui se collent ou s'éloignent au gré des convives. Spécialités : pizzas au feu de bois, poissons grillés, viandes braisées et crêpes génoises *(farinata genovese)*. Du classique certes, mais bien mené et avec le sourire.

Chic

|●| ***Da Vincenzo*** *(plan général E2-3,* ***118****) : via Castelfidardo, 6. ☎ 06-48-45-96. ♿ Tlj sf dim. Fermé en août. Menu 30 € ; carte 35-40 €. Apéritif offert sur présentation de ce guide.* Resto de quartier réputé depuis plus de 35 ans, comme l'atteste la file d'attente pour une place en terrasse et l'affluence en salle. Tout comme le cadre (nappes immaculées et serveurs en veston), la cuisine est classique, tendance vieille école : spécialités bien tournées à base de produits frais et de qualité, accordant la part belle aux pâtes et aux poissons. Oh ! pas une grande cuisine, mais suffisante pour fidéliser une nombreuse clientèle locale, malgré les prix un peu élevés. Carte des vins alléchante.

|●| ***Urbana 47*** *(plan général E4,* ***327****) : via Urbana, 47. ☎ 06-47-88-40-06. • info@urbana47.it • Tlj matin-minuit (voire plus tard). Plats 10-20 €. Brunch le dim.* Dans la mouvance *slow food* et bio, la carte privilégie les produits locaux (d'où le label « kilomètre zéro » affiché à l'entrée) à travers une petite sélection de plats réactualisée au fil des saisons et un bon choix de vins. Belle salle tout en longueur, à l'éclairage doux et à la déco bohème composée de guirlandes de chapeaux, de mobilier vintage et d'une cuisine vitrée. Ambiance plutôt branchée et service sympa.

Au nord de Termini *(à l'est des jardins Borghèse)*

Quelques adresses au sortir des jardins Borghèse, dans un quartier calme et cossu où se trouvent un grand nombre d'ambassades ainsi que le MACRO (musée d'art contemporain).

|●| ***Birreria Peroni*** *(plan général E2,* ***145****) :* *via Brescia, 24.* ☎ *06-854-81-55. Tlj sf dim et lun midi, 12h30-minuit. Fermé 2 sem en août. Menu 25 € ; env 30 € à la carte.* Derrière cette élégante façade en pierre de taille se cache le restaurant de la famille Mizzoni, ouvert depuis les années 1930. Le décor n'a quasiment pas changé (sobre et sans prétention) et les deux sœurs Mizzoni se chargent encore et toujours de cultiver l'atmosphère qui fait la réputation du lieu depuis cette époque. La carte propose une savoureuse cuisine en provenance du Tyrol italien (escalope, goulasch...). Le tout reste simple et fréquenté par une clientèle essentiellement romaine, ce qui est bon signe.

|●| ***La Cantinola da Livio*** *(plan général E2,* ***115****) :* *via Calabria, 16.* ☎ *06-42-82-05-19. Tlj sf dim. Fermé 3 sem en août. Carte env 30-40 €. Digestif offert sur présentation de ce guide.* Petite trattoria au cadre chaleureux (quelques bibelots et des rayonnages de vin suffisent à la déco), fréquentée le midi par les employés et cadres qui travaillent dans le coin (beaucoup moins vivant le soir). Service très efficace, orchestré avec entrain par le sympathique patron. Spécialités de poisson. Bons *antipasti* maison, composés surtout de fruits de mer du jour, et *spaghetti alle vongole veraci*. Intéressant choix de vins.

Saint-Jean-de-Latran *(San Giovanni in Laterano)*

|●| ***Pastarito Pizzarito*** *(plan général F5,* ***149****) :* *via Emanuele Filiberto, 182.* ☎ *06-77-25-03-90.* ● *info@pastarito.it* ● ♿ *Juste en face de la basilique. Tlj 12h-minuit (mais pas de pizzas entre 15h30 et 19h30). Pizzas et pâtes env 6-12 €.* Cette chaîne de restos développée dans toute l'Italie a eu la bonne idée d'installer une succursale dans ce quartier encore peu fourni en bonnes adresses. Malgré le décor standard, mais pas désagréable, on y trouve à des prix raisonnables des pâtes de bonne qualité. Chacun choisit d'abord ses pâtes, puis sa sauce. Cuisine ouverte impeccable, ce qui permet d'admirer le ballet des cuisiniers en attendant les plats. Également des *risotti,* des pizzas et des salades, le tout plus que convenable.

|●| ***Hostaria I Buoni Amici*** *(plan général E-F5,* ***334****) :* *via Aleardo Aleardi, 4-6-8.* ☎ *06-70-49-19-93. Tlj sf dim jusqu'à 23h-23h30.* Resto familial pour une cuisine qui ne l'est pas moins, copieuse et savoureuse. Autour des tables aux épaisses nappes à carreaux, on trouve les habitants du quartier, quelques cols blancs mais aussi, et c'est toujours bon signe, quelques moines et curés qui viennent s'y repaître avec plaisir. Pour un repas plus léger (quoique !), on choisira la belle assiette d'*antipasti della casa* qui suffit. Large variété de plats romains bien préparés. Le *fritto misto* n'est pas mal non plus. Atmosphère populaire, pas guindée pour un sou. Une halte hautement recommandable durant la visite du secteur.

|●| ***Ristorante LaSolFa*** *(plan général F4,* ***335****) :* *via G. Sommeiller, 19-21 (presque à l'angle de Santa Croce de Gerusalemme).* ☎ *06-70-27-996. Tlj sf sam midi et dim. Menu le midi 10 € ; sinon compter 18-20 €.* Gentille petite adresse de quartier : plancher en bois, mur de bouteilles et service adorable. Plat du jour selon la tradition romaine, que les habitués avalent en toute confiance. On ne traverse pas forcément la ville pour venir ici, mais c'est une halte sympathique quand on est dans le quartier.

San Lorenzo

Situé au sud-est de la cité universitaire et bordé par les fortifications qui longent les voies de la gare de Termini, San Lorenzo est un peu enclavé et pas très bien desservi. En bus, liaisons avec le centre par la ligne n° 71 (et N11 la nuit) ; à pied, on peut emprunter les tunnels sous voie depuis la via Giovanni Giolitti qui longe la gare.
Ce quartier autrefois populaire est en train de finaliser sa mue : toujours fréquenté par les intellectuels et surtout les étudiants, il regorge aujourd'hui d'adresses bran-

chées ou décalées qui tendent vers une « boboïsation » progressive de l'espace. Il reste quand même un des bastions de la contestation sociale à Rome, proximité de la fac oblige, et au final, un des quartiers les plus sympas pour sortir entre amis.

Bon marché

I●I ***Formula Uno*** *(plan général F4,* ***119****) : via degli Equi, 13. ☎ 06-44-53-866. Ts les soirs sf dim 18h30-0h30. Pizzas env 5-7 €.* Véritable institution locale, rassemblant toutes les générations, des étudiants aux familles, cette grande taverne très simple porte bien son nom : affiches à la gloire des Senna et consorts pour un service ultra-rapide ! Pour assurer cette perf, la maison s'est spécialisée en pizzas (une vingtaine de sortes, toutes bonnes) à accompagner de bière à la pression ou en bouteille. Ambiance chaleureuse et animée, bruyante comme dans un paddock.

I●I ***Arco degli Aurunci*** *(plan général F4,* ***124****) : via degli Aurunci, 42. ☎ 06-44-54-425. • arcoaurunci.it • Donne sur la piazza della Immacolata. Tlj sf lun 8h-minuit. Snacks et petits plats 5-10 € ; buffet* aperitivo *19h-21h, 10 € avec boisson. Wifi.* Ce vaste et lumineux établissement « multitâche » mélange voûtes et briques rouges à une déco industrielle. Les étudiants, notamment, s'y attablent dès le matin devant café et ordi portable, déjeunent pas cher d'un plat ou d'un sandwich, s'activent à l'heure de l'*aperitivo*, voire y dînent ou trinquent autour d'une bonne bouteille en fin de soirée ! Résultat : animé à toute heure, sans oublier la belle terrasse.

I●I ***Trattoria Colli Emiliani*** *(plan général F4,* ***328****) : via Tiburtina, 70. ☎ 06-44-53-622. Plats 6-10 €.* Derrière la large devanture vitrée de cette adresse très populaire, une grande salle style cantine (éclairage au néon et match de foot à la télé !) et une autre plus petite, moins illuminée et donc plus intime. Plats traditionnels sans grande fantaisie mais goûteux, bien servis et très abordables, tout comme le vin. Clientèle locale et chamarrée.

I●I ***Pizzeria Maratoneta*** *(plan général F4,* ***123****) : à l'angle de via dei Sardi, 20 et via dei Volsci. ☎ 06-49-00-27. Tlj sf dim 19h-0h30. Pizzas 4-7 €.* Effectivement, les pizzaïolos ne chôment pas à la *Maratoneta* ! Ils endurent une vraie course de fond pour alimenter en bonnes pizzas au feu de bois la clientèle de tout âge, familiale et de quartier, qui s'y retrouve au coude à coude. Salle rudimentaire, quelques tables sur le trottoir. Accueil à la bonne franquette.

Prix moyens

I●I ***Da Franco ar Vicoletto*** *(plan général F4,* ***122****) : via dei Falisci, 1a-2. ☎ 06-49-57-675. Tlj sf lun 13h-15h, 20h-23h30. Fermé les 3 dernières sem d'août. Menus 18-27,50 € servis midi et soir (min 2 pers), vin compris.* Vous tenez là l'un des restos de poisson et fruits de mer les plus populaires de Rome. Son secret ? Des menus dégustation à tarifs démocratiques. Certes, ce n'est pas de la haute gastronomie, mais les plats sont nombreux, copieux (*antipasto misto*, gambas et toutes sortes de poissons), bien frais et au final fort bons. D'autant que la demi-bouteille de vin est comprise ! Beaucoup de monde en fin de semaine ; jetez donc un œil sur la cuisine, vitrée sur la ruelle, à gauche de l'entrée : ça ne chôme pas ! Service efficace et sans chichis.

I●I ***Il Pulcino Ballerino*** *(plan général F4,* ***163****) : via degli Equi, 66. ☎ 06-49-41-255. • info@pulcinoballerino.com • Tlj, slt le soir.* Primi *6-10 €,* secondi *10-18 €. Café offert sur présentation de ce guide.* Le « poussin en ballerines » est sans aucun doute un danseur étoile ! Car chaque soir, la foule des grands jours investit les 2 salles, grappillant la moindre table libre et emplissant l'espace d'un joyeux brouhaha de conversations. Il faut reconnaître qu'on mange fort bien dans cette mignonne auberge conviviale : plats traditionnels impeccables (paupiettes de bœuf au lard de Colonatta), osso buco, pâtes de haute volée (délicieux *spaghetti carbonara* aux copeaux d'artichauts grillés), viandes de 1er choix, plats de légumes tentants et desserts gourmands. Si l'on ajoute l'accueil, souriant, et l'intéressante liste des vins, on comprend mieux pourquoi le « poussin » joue souvent à guichet fermé !

Chic

I●I ***Tram-Tram*** *(plan général G4,* ***121****) : via dei Reti, 44.* ☎ *06-49-04-16. Tlj sf lun. Fermé 1 sem en août. Résa ultra conseillée en sem, obligatoire le w-e. Repas complet env 35 €.* Le tram passant dans la rue a donné ce nom au resto dont certaines chaises proviennent même de vieux wagons. Dans un cadre de bistrot à l'ancienne (comptoir-bar et salle adjacente) habilement mis en scène, l'authentique cuisine familiale à base de produits de qualité (cuisine *slow food*) mélange avec bonheur les parfums et saveurs des grands-mères italiennes. On se régale de sardines grillées, de pâtes « orechiette » et autres « papardella », de roulades de veau, d'abats et de poisson, le tout arrosé d'un bon vin de derrière les fagots. Parfois très animé, l'endroit est plutôt branché, ce qui influe un peu sur les tarifs.

I●I ***Da Pommidoro*** *(plan général G3,* ***120****) : piazza dei Sanniti, 44.* ☎ *06-44-52-692. Tlj sf dim ; le soir, sur résa slt. Fermé en août.* Antipasti *et* primi *7-12 €,* secondi *10-14 €. Viandes et poissons plus chers, facturés au poids. Ristorante* chaleureux tenu par Anna et Aldo, qui rapportent les produits de base (huile, vin, fruits, salade...) de leur village natal, tout comme le gibier en période de chasse (parfois tiré par Aldo lui-même). Passé la porte, un vaste gril bien en vue attend les belles pièces de viande exposées à côté. Sinon, cuisine familiale traditionnelle de qualité, servie généreusement *(minestrone, pasta alla carbonara, trippa alla romana)*. Le caractère rustique et authentique plaît beaucoup aux habitués, parfois célèbres... Terrasse couverte (et chauffée l'hiver) sur la placette.

OÙ MANGER ?

Via Appia Antica

I●I ***Hostaria Antica Roma*** *(hors plan général par E6) : via Appia Antica, 87.* ☎ *06-51-32-888.* ● *hostaria@anticaroma.it* ● *Au sud de Rome. Tlj sf lun. Repas env 30-40 €.* Après une visite des catacombes, on sombre avec ravissement dans ce resto, l'un des plus vieux de Rome (il date de 1798). Sa cour repose sur les ruines de salles sépulcrales d'une maison patricienne qui aurait appartenu à Auguste. On y est entouré de petites niches, chacune contenant des fragments d'amphores qui renfermaient les cendres d'esclaves attachés à la maîtresse de maison. Ambiance, ambiance ! La nuit, on y brûle des bougies d'ambre (cela dit, on y va plutôt le midi, car le retour n'est pas évident, sauf en taxi). Côté fourneaux, on a tendance à remettre au goût du jour de vieilles recettes romaines (spécialités de grand-mère pour certaines, carrément antiques pour d'autres !). Très bonne grillade mixte de poissons aussi, et *tiramisù* maison. Évidemment, l'adresse est très touristique...

TESTACCIO

Les amateurs d'abats y trouveront leur bonheur, car c'est la spécialité du coin ! Normal, les abattoirs y étaient installés. En outre, le quartier possède, comme San Lorenzo, une forte identité culturelle. Après ou avant une petite visite au MACRO-Future, quelques haltes populaires et étonnantes, que seuls les touristes un peu aventureux vont explorer. Tant mieux. Une autre façon de sentir battre le cœur romain.

De bon marché à prix moyens

I●I *Pizzeria Remo* *(plan général C5, **108**) : piazza Santa Maria Liberatrice, 44. ☎ 06-57-46-270. Tlj sf dim 19h-1h. Pizzas 5,50-8 €.* Oubliez vos bonnes habitudes, ici, c'est comme à la maison ! Les habitués choisissent leurs tables sans façons, changent eux-mêmes la nappe en papier et inscrivent leur commande comme des grands. Une formule on ne peut plus conviviale et populaire qui plaît, si l'on en juge par le défilé ininterrompu (et la queue à l'extérieur !) des amateurs venus profiter des bonnes pizzas à pâte fine de la maison. Évidemment, l'intimité n'est pas à l'ordre du jour ! Une adresse romaine, pas touristique pour un sou.

I●I *Osteria degli Amici* *(plan général C6, **114**) : via Nicola Zabaglia, 25. ☎ 06-57-81-466. Tlj sf mar. Plats env 8-16 €.* Enfin un resto un peu intime dans ce quartier ! Le cadre chaleureux, l'éclairage assez doux (petites bougies le soir), les tables plutôt aérées sont propices aux tête-à-tête ou aux discussions tranquilles. À la carte se retrouvent de bons classiques, romains ou non, copieusement servis (ces *paste* !), avec en prime des présentations soignées. Une jolie adresse, donc, reposante qui plus est.

I●I *L'Oasi della Birra* *(plan général C5, **105**) : piazza Testaccio, 41. ☎ 06-57-46-122. Tlj 17h-minuit (dim 19h) pour le resto. Pour la boutique, tlj sf dim, 8h-13h30 et 16h30-minuit. Résa conseillée le w-e. Assortiment de fromages, salamis ou jambons 16-19 €.* Voici un endroit qui, à Rome, sort de l'ordinaire... Une boutique-*enoteca* où l'on trouve des flacons intéressants, mais aussi, plus insolite, jusqu'à 500 sortes de bières du monde entier. Alors on s'attable sans hésiter au milieu des bouteilles du rez-de-chaussée, sous les voûtes fraîches de la cave ou sur la petite terrasse sur rue aux beaux jours, pour déguster ces jolies choses avec l'une de plus de 50 sortes de *bruschette* (qui paraissent chères mais qui sont énormes), ou des assortiments de fromages ou de charcuterie (pas moins de 170 variétés de fromages et 70 de charcuterie).

Prix moyens

I●I *Agustarello a Testaccio* *(plan général C5-6, **113**) : via Giovanni Branca, 98-100. ☎ 06-57-46-585 ou 320-707-37-66. Tlj sf dim 12h30-15h, 19h30-minuit. Fermé en août.* Primi *10 €, plats 12-18 €. CB refusées.* N'affichant que son nom sur sa devanture, protégé derrière des vitres opaques, on ne peut pas dire que le patron cherche à attirer la clientèle. Mais pourquoi se casser la tête quand son resto fait déjà le plein ? Et pour s'attacher sa clientèle, fidèle et gourmande, il a bien compris le truc : des recettes simples et authentiques, copieusement servies, parfaite expression du terroir romain. C'est sûr, on n'y vient pas pour la déco !

I●I *Trattoria-pizzeria da Bucatino* *(plan général C5, **106**) : via Luca della Robia, 84-86. ☎ 06-57-46-886. À l'angle de la via Vanvitelli. Tlj sf lun. Fermé 2 sem en août. Repas env 20-25 €.* Une grosse trattoria de quartier, dont les nombreuses salles ne désemplissent pas. Beau buffet d'*antipasti*, tous savoureux, et un joli choix de *pasta* et de *secondi* à dominante romaine, comme le *baccalà* (savoureuse et fondante), le *pollo a la romana e peperoni*, les tripes, bien sûr, mais aussi, plus rare, de la *coratella* (fressure d'agneau). *Pizze* et *bruschette* uniquement le soir, moins intéressantes. Quelques desserts savoureux (vous nous direz des nouvelles du *tortino al cioccolate*), et *vino de la casa* honnête et peu onéreux. Ah oui ! avertissement (de taille !) : tout cela est fort copieusement servi ! Une valeur sûre.

I●I *Da Felice* *(plan général C6, **109**) : via Mastro Giorgio, 29. ☎ 06-57-46-800. Tlj midi et soir sf dim soir jusqu'à 23h. Plats 8-15 € ; carte env 25 €.* Pas d'enseigne, juste un nom gravé discrètement sur la porte. Ce qui n'empêche pas cette trattoria de faire salle comble en soirée ! Cadre coquet et lumineux, avec murs en brique, quelques croûtes aux murs et des vitres opaques pour gagner la tranquillité de la rue. Nappes en tissu, serveurs stylés et jolie atmosphère. La cuisine n'a rien de sophistiqué ni de chichiteux, mais privilégie une palette de plats traditionnels vraiment savoureux qui font le bonheur des habitués. Et ça change tous les jours (jetez un coup d'œil à la liste en vitrine) : essayez, notamment, le *pollo alla romana*, l'*abbacchio al forno* ou encore le *bollito misto*.

|●| « Da Oio » a Casa Mia *(plan général C6, **107**) **:** via Galvani, 43-45. ☎ 06-57-82-680. Tlj sf dim. Fermé 2 sem en août. Carte env 30 €.* Cadre tout simple, aéré, avec quelques tables recouvertes de nappes à carreaux et quelques photos des amis punaisées aux murs. Service plutôt nonchalant, voire routinier, mais vous goûterez ici la vraie *cucina romana povera* (enfin, plus si pauvre car les prix ont bien augmenté depuis !) : *coda alla vaccinara, pagliata alla cacciatora* (bonne sauce parfumée), *rigatoni al sugo di coda...* Oh ! certes, ce n'est pas d'un grand raffinement, mais c'est une cuisine solide qu'on ne peut détacher de son atmosphère conviviale bien dans l'esprit du quartier !

|●| Perilli *(plan général C6, **82**) **:** via Marmorata, 39. ☎ 06-57-10-28-46. Tlj sf mer jusqu'à 23h. Fermé en août. Résa impérative. Pâtes env 10 €, plats du jour 12-14 €.* Un grand classique de la cuisine testaccienne, caché derrière ses verres dépolis. Ne vous avisez pas de vous pointer sans réserver, vous n'auriez même pas droit à un regard. Décor de trattoria à l'ancienne, version rustique : voûtes, bois verni, fresques champêtres, patron bourru. Clientèle d'habitués qu'on dérange un peu. Atmosphère animée et bruissante. Cuisine familiale bien mijotée et spécialités locales, parmi lesquelles on peut citer les *rigatoni alla carbonara* et les *bucatini all'amatriciana*, servies dans d'énormes assiettes.

Chic

|●| Checchino dal 1887 *(plan général C6, **111**) **:** via Monte Testaccio, 30. ☎ 06-57-43-816 ou 06-57-46-318. • checchino_roma@tin.it • ♿ Tlj sf dim et lun. Fermé en août et 1 sem à Noël. Service midi et soir (jusqu'à 23h45). Résa conseillée. Menus 47 et 65 €, plats 15-20 € à la carte.* Situé au cœur du Testaccio, à deux pas des anciens abattoirs, *Checchino* est une référence à Rome. C'est une jolie maison rouge, juste en face du MACRO-Future. Une adresse incontournable pour les amateurs d'abats et de viande en général. Si vous voulez du poisson, passez votre chemin ! Le resto prétend être le plus vieux de la ville. En tout cas, il est toujours resté entre les mains de la famille Mariani. Simple débit de boissons à l'origine, l'*albergo dell'Olmo* (« l'auberge de l'Orme », l'arbre faisant de l'ombre au resto) fut transformé en *osteria* en 1925. Comme le patron de l'époque avait une silhouette trapue, il fut surnommé « Checco »... puis « Checchino » (diminutif de *Checco*). Après la Seconde Guerre mondiale, *Checchino* devint un endroit de plus en plus fréquenté par la bonne société romaine. Grande salle voûtée tout en longueur, plaisante et confortable, avec quelques lustres et des boiseries pour réchauffer le tout. Service pro. Côté nourriture, c'est un endroit idéal pour découvrir une certaine cuisine romaine. *I piatti della tradizione*, la grande spécialité de la maison, a toujours satisfait son monde. La *pasta* n'est pas en reste avec les inoubliables *rigatoni con pagliata*. Les fromages, ô combien variés, sont exceptionnels (pourquoi pas accompagnés de *puntarella* ?). Et puis, essayer aussi le *misto picante* ! Enfin, très bonne carte des vins.

Au sud du Testaccio : la Garbatella et l'EUR

De bon marché à prix moyens

|●| Moschino *(hors plan général par C6) **:** piazza Benedetto Brin, 5. ☎ 06-51-39-473. À 10 mn du métro Garbatella. En sortant de la station, sui-*

vre le vicolo della Garbatella jusqu'à la petite piazza Pantera ; prendre ensuite à droite la via Guglielmotti (qui monte) ; c'est à 250 m de là, sur la piazza B. Brin. Tlj sf dim. Repas 25-30 €. Cette petite adresse au cadre très simple (salle voûtée et nappes à carreaux) vous fera découvrir un des quartiers méconnus de Rome : la Garbatella. Chez *Moschino* (notez l'architecture originale de l'édifice), la cuisine est familiale et traditionnelle. On y sert notamment les *nervetti* (nerfs de bœuf en sauce !) qu'on ne trouve pratiquement nulle part ailleurs, sauf dans les marmites des *mamme* et des *nonne* romaines. Extraordinaires *polpette di bollito-fritte* (boulettes de bœuf bouilli-frites), *rigatoni alla gricia,* etc. Le patron est en revanche un tantinet bourru. Ceux qui ont de l'humour apprécieront le personnage, les autres n'auront pas intérêt à le prendre à rebrousse-poil.

TRASTEVERE

L'un des quartiers de la ville les plus riches en restos et bars en tout genre... Beaucoup, beaucoup de monde et d'ambiance les vendredi soir et samedi soir, lorsque certaines rues piétonnes se retrouvent prises par des embouteillages de Romains en goguette ! Évitez globalement la via Lungaretta dans sa portion comprise entre la piazza Santa Maria in Trastevere et le viale di Trastevere : les adresses, à touche-touche, se suivent et se ressemblent mais pas pour le meilleur ! Beaucoup d'adresses ici ne sont ouvertes que le soir.

Bon marché

|●| ***Ai Marmi*** *(plan centre C5,* ***132****) : viale Trastevere, 50-53. ☎ 06-58-00-919. Tlj sf mer 18h30-2h30. Tt env 7 €. CB refusées.* On a connu plus romantique pour une soirée en amoureux que cette grande cantine très vivante qui possède surtout le charme de son animation. Un vrai condensé de la Rome populaire ! On y va pour le folklore, pour l'atmosphère qu'insufflent les habitants du quartier et goûter un bon repas traditionnel, sans fioritures, composé par exemple de *suppli,* de *fagioli all'uccelleto* (haricots blancs avec des oignons crus, du céleri et de l'huile d'olive). Il y a d'ailleurs plusieurs plats à base de haricots en grains. Pizzas au feu de bois qui régalent son petit monde. En saison, *fiori di zucca* (beignets de fleurs de courgette). Ensemble typique et pas mauvais du tout, même si ce n'est pas le comble du raffinement. Grande terrasse aux beaux jours, mais autant le savoir, c'est l'artère la plus passante et donc la plus bruyante du Trastevere !

|●| ***Trattoria da Enzo*** *(plan centre C5,* ***133****) : via dei Vascellari, 29. ☎ 06-58-18-355. Tlj midi et soir sf dim. Résa indispensable le soir.* Antipasti *env 6 €,* primi *8-10 €,* secondi *8-12 €.* Dans un des coins restés populaires du quartier, une minuscule cantine qui draine une clientèle d'artisans locaux (doreurs, encadreurs...) et quelques bobos du coin. Sa cuisine est familiale, sans frime, copieuse, et on se régale. Bien sûr, des spécialités locales, bien mitonnées avant tout : *coda alla vaccinara, pollo con peperoni,* osso buco, *trippa,* délicieuses *seppie con piselli,* etc. On arrose le tout d'un frais *cabernet del Friuli* ou d'un gouleyant *greco di tufo.* Petite terrasse sur la ruelle, évidemment prise d'assaut. C'est d'ailleurs le problème : le soir, attendez-vous par principe à faire la queue et à un accueil moins souriant (voire un peu dépassé) que le midi. Pour être tranquille, venez pour le déjeuner.

|●| ***Ristorante Mario's*** *(plan centre C4,* ***167****) : via del Moro, 53-55. ☎ 06-58-03-809. ● ristorante.marios@katamail.com ● Tlj sf dim. Fermé en août. Plats env 6-12 € ; menu à 14 € plutôt complet.* Si vous cherchez une trattoria de quartier bon marché et servant une véritable cuisine traditionnelle romaine, vous l'avez trouvée. Dans un décor un rien désuet avec poutres, cartes postales et dessins sur les murs, on vous servira selon les jours des plats pas toujours faciles à trouver ailleurs. Des

feuilles blanches sont collées un peu partout dans le resto, indiquant les préparations du jour : *coratella di abbachio con carciofi* (fricassée d'abats d'agneau de lait aux artichauts), *coda alla vaccinara* (queue de vache bien grasse), *saltimbocca* (dés de mouton), *filetti baccalà e puntarelle* (morue à la chicorée) ou encore *fagioli e cotiche* (haricots à la peau de cochon !). Simple et délicieux. Et vraiment pas cher. Bien sûr, le service est comme le décor, sans fioritures mais pas hostile du tout. Bref, on est bien contents d'avoir dégoté cette petite adresse familiale ouverte depuis 1936.

IOI ***Il Ponentino*** *(plan centre C4,* ***338****) : piazza del Drago, 10. ☎ 06-58-30-19-39. Tlj 12h30-23h30 en continu, ce qui est assez rare pour être noté. Deux menus attractifs 16-20 € servis tout le temps.* L'avenante terrasse ouvrant sur cette petite *piazza* est une invitation à prendre place tranquillement. Ce n'est pas une grande adresse, certes, mais franchement, on est ressorti repu et content, pour un tarif net et sans supplément. Une bonne petite affaire dans le quartier, surtout si une fringale vous prend en plein milieu d'après-midi, quand tous les autres restos sont fermés.

IOI ***Bir & Fud*** *(plan centre C4,* ***166****) : via Benedetta, 23. ☎ 06-589-40-16. Tlj sf lun, slt le soir. Fermé 1 sem en août. Pizzas 8-12 €.* Il y a des enseignes qui ne laissent planer aucun doute : ici, on sert effectivement une sélection des meilleures bières d'Italie, de fabrication artisanale essentiellement, et les pizzas pour les accompagner ne font pas que de la figuration, loin s'en faut ! Elles sont même hors norme. La pâte est bien levée, cuite au feu de bois, et garnie en quantité inaccoutumée des meilleurs produits. Certes, c'est un peu plus cher qu'ailleurs, mais ô combien meilleur et nourrissant. Évidemment, ça marche fort, et la queue est de mise ! Ambiance décontractée, comme le service (mieux vaut ne pas être trop pressé).

IOI ***Dar Buttero*** *(plan centre C4,* ***138****) : via della Lungaretta, 156. ☎ 06-58-00-517. Tlj sf dim. Env 20-25 € à la carte.* Il y a d'abord cette porte en verre dépoli franchement vieillotte qui ne laisse rien deviner. On hésite, puis on entre tout de même... et on fait bien ! Car cette petite adresse à l'ancienne est sympa comme tout, avec ses habitués qui se délectent de plats typiques à prix doux. Rien de gastronomique, bien sûr, mais des pâtes généreuses, de bons plats de viandes traditionnels et des desserts sans chichis, le tout servi avec le sourire. Leur plus grande réussite (à notre avis), *tagliatelle ai funghi porcini*, un délice.

IOI ***Da Olindo*** *(plan centre B4,* ***135****) : vicolo della Scala, 8. ☎ 06-58-18-835. Tlj sf dim. Fermé en août. Plats 8-12 €.* Une adresse représentative des adresses du coin. Agréable terrasse envahissant la chaussée à la belle saison, service familial et cuisine savoureuse, modicité des prix. On n'en ressort pas fâché.

IOI ***Ai Spaghettari*** *(plan centre C5,* ***151****) : piazza S. Cosimato, 57-60. ☎ 06-58-00-450. • aispaghettari@tiscali.it • Tlj midi et soir.* Pizze *7-9 €,* primi *env 9 €,* secondi *15 €.* Resto de quartier ouvert depuis plus d'un siècle. Une clientèle nombreuse d'habitués en a fait sa cantine. Aux murs, d'ailleurs, les photos des copains qui deviennent fébriles les soirs de match. Au menu, bonnes *pizze* (le soir) et plats de pâtes plutôt copieux, tout simplement. Terrasse sur la place.

IOI ***Da Paolo*** *(plan centre C5,* ***129****) : via S. Francesco a Ripa, 92. ☎ 06-58-12-393. Tlj sf dim 12h30-15h30, 19h-minuit. Menu 25 €. CB refusées.* Une toute petite trattoria familiale qui accueille ses habitués et quelques touristes égarés. Salle très claire (et très éclairée), nappes à carreaux, quelques bibelots. L'accueil est un peu bourru mais pas désagréable. Cuisine familiale sans chichis.

IOI ***Pizzeria Dar Poeta*** *(plan centre B-C4,* ***130****) : vicolo del Bologna, 45-46. ☎ 06-58-80-516. Tlj sans interruption 12h-1h du mat. Pizzas 6-9 €.* La carte se résume à trois choses : salades (copieuses), plusieurs sortes de *bruschette* et évidemment des pizzas. Ni de Rome, ni de Naples, les pizzas sont... à la façon de *Dar Poeta*. Une définition suffisamment floue pour limiter les risques ! Mais, pas de panique, la pâte des pizzas, un peu épaisse, moelleuse et goûteuse, est bien garnie. Pas étonnant qu'elles fassent l'unanimité.

D'ailleurs, il y a toujours foule, et l'atmosphère est animée et bruyante. Accueil jeune et sympa, ce qui ne gâte rien. Le petit bout de terrasse dans la rue piétonne est évidemment très prisé dès les beaux jours.

|●| ***Popi-Popi*** *(plan centre C5,* ***165****) : via delle Fratte di Trastevere, 45.* ☎ *06-58-95-167. Tlj sf jeu, slt le soir. Pizzas 6-9 €,* primi *env 6-10 €,* secondi *10-12 €.* Deux salles sobres (dont une très vaste) accueillent une bonne partie des affamés du Trastevere, en particulier le vendredi et le samedi (ne venez pas trop tard sous peine de faire la queue). Ce sont surtout les larges et bonnes *pizze,* rouges ou blanches, à la pâte fine bien garnie quelle que soit leur couleur, qui attirent les foules. Mais la *pasta* se défend très bien aussi, tout comme les *supplì* et autres *fritti*. Bref, populaire, économique et revigorant.

|●| ***Ivo a Trastevere*** *(plan centre C5,* ***143****) : via S. Francesco a Ripa, 158.* ☎ *06-58-17-082. Tlj sf mar. Pizzas env 6-9 €, proposées en deux tailles.* L'une des institutions du Trastevere. Les soirs de sorties, les queues s'allongent devant cette vaste cantine composée de nombreuses petites salles, connue pour son ambiance festive (certes, un tantinet brouillonne) et ses pizzas à pâte fine typiques du coin. Simples et très bonnes, blanches ou rouges. Accueil souriant.

|●| ***Roma Sparita*** *(plan centre C5,* ***339****) : piazza di Cecilia, 24.* ☎ *06-58-00-757. Tlj sf dim soir et lun. Plats 10-15 € ; carte env 20-25 €.* Sur cette place particulièrement tranquille, à l'écart de la partie touristique du Trastevere. Au rez-de-chaussée, une salle bleu et crème, et une autre à l'étage, dans les gris doux. Tables nappées et serveurs qui semblent avoir grandi dans les murs. Une adresse classique du quartier, toujours essentiellement fréquentée par les seuls Romains. La cuisine est d'ailleurs classiquement romaine, fort bien faite. On a craqué pour leur spécialité, les *taglioni cacio e pepe,* de belles pâtes maison servies dans une croûte de parmesan, saupoudrées de *pecorino* et de poivre du moulin. Superbe. Sinon, *bucatini all'amatriciana* de bon aloi et *riso ai fiori di zucca.*

Prix moyens

|●| ***Il Boom*** *(plan centre C5,* ***152****) : via dei Fienaroli, 30a.* ☎ *06-58-97-196.* ● *inforist@ilboom.it* ● *Ouv slt le soir jusqu'à 0h30. Fermé 15 j. en août. Env 30 € à la carte.* Fièrement rétro, ce resto à la déco décalée rend hommage au film éponyme de Vittorio de Sica ainsi qu'à la culture des années 1960. Chaises multicolores en moleskine, affiches du film, photos de stars de l'après-guerre... Dans un coin, un vieux juke-box enchaîne les tubes d'époque et une télé noir et blanc diffuse des clips hors d'âge. La cuisine aux accents du sud de l'Italie revendique la fraîcheur de ses aliments. Les plats végétariens tiennent le haut de l'affiche, mais viandes et desserts sont aussi au programme. Au box-office, selon les saisons : la *torta di zucca,* les *fagottini di bufala,* emballés dans des feuilles de citronnier, et la *zuppa di fave e cicoria.* Une petite myrte (liqueur sarde) devrait garantir un happy end à votre repas. Accueil attentionné.

|●| ***Le Fate*** *(plan général B5,* ***141****) : viale di Trastevere, 130-134.* ☎ *06-58-00-971.* ● *info@lefaterestaurant.it* ● *Tlj, slt le soir. Fermé en août.* Antipasti *6-10 €,* primi *9-10 € et* secondi *12-20 €.* En se penchant sur son berceau, les fées *(fate)* ont donné au patron le goût du vin et de la cuisine. Il passe des heures à choisir ses produits, à élaborer des recettes tout en rêvant déjà aux prochaines. C'est pourquoi on n'hésitera pas à faire un petit détour dans ce coin perdu du Trastevere pour découvrir sa cuisine, généreuse, raffinée, qui n'utilise que des produits de saison. Il ne cherche pas tant à innover qu'à réhabiliter les recettes oubliées et à faire du repas un moment magique, jusque dans l'accueil (en français). D'ailleurs, il propose aux plus motivés des cours de cuisine ! Bonne carte des vins.

|●| ***Le Mani i Pasta*** *(plan centre C5,* ***340****) : via dei Genovesi, 37.* ☎ *06-58-16-017. Tlj sf lun.* Primi *10 €,* secondi *13-20 € ; repas complet env 30 €.*

Encore une belle adresse dans ce quartier qui en compte pas mal. C'est même un établissement référence dans une gamme « chico-populaire », pourrait-on dire. On travaille ici aussi bien les poissons que les viandes et c'est indistinctement pour les uns ou pour les autres que les habitués s'y attablent. La salle n'est pas bien grande, dotée même d'une minuscule mezzanine, mais les serveurs en chemise blanche s'emploient à se faufiler adroitement entre les tables. Personne n'en ressort déçu.

Chic

I●I ***Il Ciak*** *(plan centre C4,* ***140****)* ***:*** *vicolo del Cinque, 21.* ☎ *06-58-94-774. Ts les soirs sf lun. Fermé début juil-début sept. Résa conseillée. Carte env 35 €. CB refusées.* Le décor est celui des *osterie* toscanes (prédominance du bois, rusticité, sobriété). L'endroit est réputé pour la qualité de sa *bistecca* et de son gibier (il n'y a qu'à voir la tête de sanglier façon trophée de chasse). À part ça, vous y retrouverez les classiques de la cuisine florentine : *crostini* en tête, la fameuse *ribollita,* les *pappardelle* (nouilles sauce sanglier) qu'il faudra prendre *al sugo di cinghiale,* les délicieux *porcini* (cèpes)... Côté desserts, la carte propose, outre la *panna cotta,* certaines douceurs typiquement toscanes. Et toujours la *torta del giorno*. Enfin, côté vins, les étiquettes de montalcino (*rosso* ou *brunello*) et de chianti (*classico* ou non) se taillent la part du lion.

I●I ***La Gensola*** *(plan centre C4,* ***137****)* ***:*** *piazza della Gensola, 15.* ☎ *06-58-33-27-58.* ● *osterialagensola@yahoo.it* ● *Tlj sf dim en été et certains j. fériés. Fermé 15 j. en août.* Antipasti *env 9 €, pâtes 9-12 €,* secondi *à partir de 11 € ; env 50 € le repas à la carte ; menu 41 € ; menu dégustation 39 €, vin compris ; menus gastronomiques.* Une antique *osteria* du XVIe s quasiment située sur la piazza in Piscinula, dont on hésite à pousser la porte tant elle est discrète. Si l'intérieur rustique est des plus classique, la cuisine s'avère en revanche très raffinée. Le chef a fréquenté quelques tables prestigieuses avant de s'installer à son compte dans ce joli recoin du Trastevere. Il élabore une cuisine sicilienne de haute volée, délicieuse, principalement à base de poisson (qui arrive en direct de Sicile), ce qui ne l'empêche pas de concocter quelques spécialités traditionnelles romaines pour les inconditionnels. Vins à prix doux.

Très chic

I●I ***Checco er Carettiere*** *(plan centre C4,* ***142****)* ***:*** *via Benedetta, 10.* ☎ *06-58-17-018.* ● *info@checcoercarettiere.it* ● *Tlj. Carte env 50 €.* Venez donc goûter la cuisine romaine d'une véritable institution locale. Rien que du frais, rien que du traditionnel. Beaucoup de viandes et d'abats, et les maraîchers approvisionnent chaque jour la maison en légumes frais. Résultat, on se régale d'une cuisine saine, généreuse et savoureuse. Certains soirs, avec la musique, la grande salle rustique prend des airs de gargote à touristes, mais il faut savoir se méfier des apparences. Certes, comme toute institution, il peut y avoir des déceptions sur certains plats et dans le service (d'ailleurs souvent quelconque). Entre deux plats, on pourra jeter un œil aux nombreuses photos en noir et blanc des stars qui fréquentent l'établissement. Mais il suffit de venir un dimanche midi pour voir que le *Checco* a toujours autant la cote auprès des familles romaines. Et ce malgré une addition pas vraiment douce.

I●I ***Antico Arco*** *(plan général B5,* ***110****)* ***:*** *piazzale Aurelio, 7.* ☎ *06-58-15-274.* ● *anticoarco.it* ● *Ts les soirs sf dim. Fermé 1 sem à Noël et 1 sem en août. Résa obligatoire. Quand même 60 € pour la totale (sans les vins).* Cadre élégant et moderne, service courtois et efficace, le tout au service d'une cuisine créative de haute volée. Carte des vins bien montée. Considéré aujourd'hui comme l'un des meilleurs restos de Rome. À découvrir sans tarder.

VATICAN – PRATI – BORGO

Hyper touristique le jour, désert le soir, le quartier du Vatican ne regorge pas vraiment de bonnes adresses. Si vous dormez dans le coin, sachez qu'il existe, notamment via Scipioni, quelques pizzerias qui allument leur four à bois le soir (surveillez « *forno al legno* »). C'est toujours bon à prendre.

De bon marché à prix moyens

|●| ***La Pratolina*** *(plan général B2,* ***147****) : via degli Scipioni, 248-250. ☎ 06-36-00-44-09. Tlj sf dim 19h-minuit. Pizzas env 6-10 €.* La réservation s'impose ! Évidemment, le petit nombre de bonnes tables dans le coin y est pour quelque chose, mais cette excellente adresse ne doit son succès qu'à elle-même : le cadre est agréable (façon petite auberge avec ses nappes à carreaux), l'accueil souriant, et les pizzas sortent de l'ordinaire. D'allure rustique, avec leur forme ovale, elles se révèlent étonnamment légères et croustillantes après avoir cuit dans le four à feu de bois. Et puis, pour une fois, les desserts sont très bons (parce qu'ils sont maison, pardi !).

|●| ***L'Angoletto ai Musei*** *(plan général A3,* ***96****) : via Leone IV, 2a. ☎ 06-39-72-31-87. • info@angolettoaimusei.com • À l'angle de la via S. Veniero. Tlj sf mar 12h30-15h, 19h30-minuit. Plats et pizzas env 8-15 € ; service en sus (15 %). CB refusées.* D'accord, on ne traverse pas Rome pour cette petite adresse touristique (du moins en saison, situation stratégique oblige), mais c'est une option intéressante si on cherche à se poser à deux pas du Vatican. Pizzas convenables et plats classiques sans surprise. Accueil affable.

|●| ***Ragno d'Oro*** *(plan général B2,* ***329****) : via Silla, 26. ☎ 06-32-12-362. • info@ragnodoro.org • Tlj sf lun midi et dim. Carte env 15-25 €.* La petite entrée ne laisse pas deviner cet intérieur où « l'Araignée d'Or » déploie sa toile à son aise, dans une grande salle agréable et tout en longueur. Sans déroger au classique, la cuisine témoigne d'une recherche simple mais certaine. Au menu (avec quelques photos), les spécialités au nom des proprios, Marco e Fabio, ne vous décevront pas (*antipasti,* pâtes, assortiment de petits gâteaux). Le reste non plus, comme ces *calamari ripieni* (farcis aux crevettes), poissons (turbot au four, loup de mer, etc.), légumes (délicieux « artichauts à la juive ») et viandes. Prix très raisonnable et service souriant, ponctué de français. Un des meilleurs choix du quartier.

|●| ***Alberto e Graziella da Spinozi*** *(plan général B3,* ***330****) : via del Mascherino, 60. ☎ 06-68-32-663. Tlj sf dim et certains soirs (selon l'humeur...). Carte env 15 €.* Y venir d'abord pour le côté *comedia dell'arte* du vieux couple de proprios, pimenté par un soupçon d'autoritarisme et sublimé par une déco kitsch comme il se doit. Puis, malgré d'éventuelles astuces d'addition de Signore Alberto (en aucun cas une exclusivité maison...), on se souviendra qu'on a assez bien et généreusement mangé, et pour pas cher, dans ce quartier touristique ou un mauvais cappuccino peut atteindre 4 € ! Nous vous suggérons de vous cantonner aux pizzas et pâtes (généreuses lasagnes) et d'y venir plutôt pour le déjeuner.

Chic

|●| ***Il Matriciano*** *(plan général B3,* ***126****) : via dei Gracchi, 55. ☎ 06-32-13-040. ♿ Tlj sf mer en hiver et sam en été. Fermé en août. Carte env 40 €.* Resto on ne peut plus classique : à la fois pour son cadre vieille école (qui a deux générations de retard !) et sa cuisine traditionnelle réalisée dans les règles : *tagliolini alla barcarola* ou *con funghi porcini,* agneau rôti ou poisson grillé... Pas de déception. Bref, un bon repas en perspective, surtout si l'on dégote une table en terrasse (la rue est relativement tranquille).

Enoteche (bars à vins)

– ***Côté vin :*** vous y trouverez un choix intéressant, voire considérable de bouteilles (la palme revenant au *Cul de Sac* !), l'offre au verre étant évidemment plus limitée.
– ***Côté nourriture :*** on y sert charcuteries et fromages, bien sûr ! Mais aussi d'autres plats chauds et froids, en quantité variable selon que l'établissement tire vers le resto ou pas.
– ***L'aperitivo*** permet de goûter un p'tit vin gouleyant tout en se restaurant d'amuse-gueules, voire de buffets variés – c'est alors une véritable alternative au dîner classique. Un must !

Piazza Navona – campo dei Fiori

🍷 |●| ***Cul de Sac*** *(plan centre C4, **182**) : piazza Pasquino, 73. ☎ 06-68-80-10-94. • enoteca.culdesac@libero.it • Tlj 12h-16h, 18h-0h30. Plats env 7-12 €.* Ce vieux bar à vins, l'un des premiers du genre à Rome, est toujours une référence pour les amateurs de bons crus. Il est idéalement situé sur une charmante place où le fameux « Pasquin » monte la garde. Le peuple romain avait coutume d'afficher sur le socle de la statue des couplets satiriques contre le gouvernement et ses représentants. Forcément, la petite terrasse est toujours prise d'assaut, mais la salle tout en longueur est également impeccable pour les plaisirs bachiques. L'endroit, plein de caractère, propose une carte des vins phénoménale (pas moins de 1 500 étiquettes !) et une intéressante sélection de vins au verre. Côté restauration, c'est beaucoup plus simple : on trouve tout de même quelques petits plats bien ficelés, mais ce sont surtout les excellentes assiettes de charcuteries (pâtés maison) et de fromages qui seront le compagnon idéal pour votre nectar préféré. Une adresse qui fait l'unanimité, d'autant que l'accueil est resté sympa et sans prétention.

🍷 |●| ***Vinoteca Novecento*** *(plan centre C3, **200**) : piazza delle Coppelle, 47. ☎ 06-68-33-078. • vinotecanovecento@libero.it • Tlj 11h-14h30 (sf lun-mer), 17h30-1h. Fermé 1 sem en août, 15 j. en nov et 15 j. en janv. CB refusées.* Malgré un comptoir rustique et une petite poignée de tonneaux pour poser son verre, la *vinoteca Novecento* n'est pas un bar à vins rudimentaire. Bien au contraire, c'est plutôt une œnothèque chic où le serveur est en réalité un vrai sommelier. Ses conseils sont justes... mais se paient ! Le verre ou la bouteille sont ici un peu plus chers qu'ailleurs, qualité oblige. Bonnes assiettes de charcuterie et de fromage pour accompagner la dégustation.

🍷 |●| ***Il Piccolo*** *(plan centre C3, **183**) : via del Governo Vecchio, 74-75. ☎ 06-68-80-17-46. Tlj sf sam midi 12h-15h, 17h-2h.* Minuscule et adorable bar à vins à l'atmosphère jazzy, situé dans une rue pittoresque qui commence au niveau de la piazza Pasquino. Vous y trouverez évidemment de bons crus d'Italie à prix raisonnable, ainsi que quelques vins étrangers pour surfer sur la mode. Assortiments de fromages, tourtes et quiches, histoire de combiner les saveurs. À la belle saison, on sort 3 ou 4 tables dehors. Bon accueil, jeune et dynamique.

🍷 |●| ***Il Goccetto*** *(plan centre B4, **187**) : via dei Banchi Vecchi, 14. ☎ 06-68-64-268. Tlj sf dim 11h-14h, 18h30-minuit. Fermé en août. Assiettes froides très simples à partir de 7 €.* L'un des bars à vins les plus chaleureux de Rome. Là aussi, un ancien *vino e olio* qui s'est contenté de disposer une poignée de tables pour accueillir les invités. Décor fait uniquement de bouteilles, du sol au plafond. Vieux comptoir en bois à côté de la vitrine des fromages. Le choix de vins, sans être considérable, est largement suffisant et de grande qualité (d'autant que la sélection change tous les 10 jours). Possibilité de manger un morceau, mais on vient plutôt ici pour prendre un verre entre amis et il faut souvent s'installer sur le trottoir à cause de l'affluence. Excellente atmosphère, décontractée et festive.

🍷 |●| ***L'Angolo Divino dal 1948*** *(plan*

*centre C4, **188**) : via dei Balestrari, 12-14. ☎ 06-68-64-413. • angolo.divino@tiscali.it • Tlj sf dim et lun en juil-août. Fermé les 2 dernières sem d'août. Plats 8-12 €. CB refusées.* L'enseigne de ce bistrot en angle est une amusante entrée en matière : « angle divin » ou « angle du vin » ? Les deux, puisqu'un bon cru est toujours un petit miracle ! Une devinette pour initiés, mais tout le monde se rattrape autour des bons vins de la maison, servis au verre pour certains, et d'un plat du jour très correct, ou plus simplement d'une assiette de charcuterie et de fromage. Pas donné et accueil un rien difficile, ce qui est suffisamment rare pour être souligné.

🍷 🍽 Voir aussi plus haut, dans « Où manger ? », ***Al Bric** (plan centre C4, **158**)*, ou l'***Enoteca Corsi** (plan centre C4, **128**)*, assez sympas pour l'*aperitivo*.

Corso – piazza di Spagna

🍷 🍽 ***Buccone** (plan général C2, **189**) : via di Ripetta, 19-20. ☎ 06-36-12-154. • info@enotecabuccone.com • Ts les midis sf dim ; le soir slt ven et sam. Plats 6-10 €.* Le célèbre caviste (voir plus loin « Où faire ses achats ? ») nous a sorti le grand jeu. Non seulement on a droit à un large choix de vins au verre, mais le petit en-cas qui les accompagne est digne d'éloges. Pour un prix raisonnable, une succulente sélection de charcuteries, de fromages, et des légumes grillés exceptionnels à déguster au milieu des vieux rayonnages et des nombreux objets faisant référence à l'univers bachique. Également quelques plats du jour à l'ardoise. Bref, une excellente adresse.

🍷 🍽 ***Hole in One** (plan général D3, **194**) : rampa Mignanelli, 10. ☎ 06-69-20-02-58. Tlj sf dim jusqu'à 22h30. Entrée dans un escalier qui donne sur la pl. Mignanelli, située aussitôt à droite de la pl. d'Espagne. Buffet 15 € le midi, le soir plats 10-18 €.* On ne le dirait pas, mais ce magnifique bar à vins est installé dans une ancienne chapelle. Des fidèles d'un nouveau genre s'y attablent au milieu des rayonnages modernes et du mobilier design. De plus en plus nombreux, ils sont attirés notamment par la belle fraîcheur et l'excellent rapport qualité-prix du buffet : grand choix de légumes, charcuteries et fromages, un petit plat chaud et un verre de vin. Le soir, c'est plus cher, mais on a accès à la magnifique carte des vins, à découvrir avec une jolie sélection d'*antipasti*.

🍷 🍽 ***Vini e Buffet** (plan général C3, **184**) : piazza della Torretta, 60. ☎ 06-68-71-445. Tlj sf dim jusqu'à 23h. Plats 8-11 €.* Au-dessus de la porte de ce petit estaminet, l'inscription *« Vino e olio »* s'estompe doucement. Trois petites salles carrelées en enfilade, avec des tables en bois et des ventilateurs au plafond. Au milieu, le coin *mescita* (débit de boissons). Et pour se remplir la panse, la maison propose de nombreuses salades (portions congrues ou *giganti*), des *crostini*, différents pâtés et fromages... Mais aussi quelques plats chauds simples et agréables. Côté *vini*, belle petite carte avec des vins de toute l'Italie, notamment du Latium (*colle picchioni*, et nombreux *frascati – villa simone* notamment). Adresse idéale pour le déjeuner.

🍷 🍽 ***Enoteca Antica di Via della Croce** (plan général C3, **185**) : via della Croce, 76b. ☎ 06-67-90-896. • enoteca.antica@tiscalinet.it • À deux pas de la piazza di Spagna. Tlj jusqu'à 1h. Plats 8-15 €.* Vieux bar à vins soigneusement restauré, composé de deux parties bien distinctes : un grand et magnifique bar en bois et marbre en forme d'arc, et une salle dans le fond avec poutres apparentes. À table, rien de vraiment notable (salades, pâtes, pizzas et plats du jour convenables), mais ce bel endroit demeure un bon point de chute par grosse chaleur. Les amateurs de vin (servi au verre) auront droit par ailleurs à une intéressante sélection et ne seront pas déçus.

🍷 🍽 ***Palatium Enoteca Regionale** (plan général C-D3, **195**) : via Frattina, 94. ☎ 06-69-20-21-32. • info@enotecapalatium.it • Tlj sf dim et j. fériés, jusqu'à minuit pour le resto, 2h pour le bar à vins. Résa conseillée ven et sam soir. Plats 10-18 €.* Ce grand espace design au mobilier contemporain sombre n'est autre que la vitrine officielle des vins du Latium. Idéal donc pour découvrir crus et producteurs régionaux, dans une atmosphère bruissante et chic. On peut accompagner la dégustation de recettes bien troussées et plutôt originales (carpaccio d'artichauts, pâtes aux fleurs de courgette...). En début de soirée, petit *aperitivo* très agréable, surtout pour ses tarifs plus abordables. En octobre et novembre, au moment de l'arrivée du vin nouveau, le lieu organise fréquemment des dégustations avec les producteurs.

Trevi

🍷 🍽 ***Vineria Il Chianti*** *(plan centre D3,* ***190****) : via del Lavatore, 81-82a. ☎ 06-67-87-550. • info@vineriailchianti.com • Tlj sf dim 12h-2h. Fermé une grosse semaine en août. Plats 12-20 € ; repas complet env 35 €. Digestif offert à nos lecteurs sur présentation de ce guide.* Un « petit bout de Toscane » qui porte bien son nom. Les vins tout en rondeur de cette région – chianti (*classico* ou *putto*), montalcino (*rosso* ou *brunello*), montepulciano (*rosso* ou *nobile*, etc. – y sont en effet très bien représentés. Côté cuisine, rien de spectaculaire, mais de bons plats classiques (et toscans bien sûr !) pour tenir le coup pendant la dégustation. Salle conviviale, qui se remplit bien, et grande terrasse sur une jolie placette aux beaux jours. Un peu cher (emplacement stratégique oblige !), mais l'accueil reste chaleureux même lorsque le service se fait déborder par l'affluence.

Colisée (Colosseo)

🍷 🍽 ***Divin Ostilia*** *(plan général E4,* ***186****) : via Ostilia, 4. ☎ 06-70-49-65-26. • divinostilia@tiscali.it • Tlj sf dim jusqu'à 1h. Plats env 7-11 €.* Une toute petite *enoteca* (quelques tables seulement et une terrasse sous auvent) où vous ne serez pas traité comme un touriste en sortant du Colisée. Petit décor agréable avec les incontournables casiers à vin grimpant jusqu'au plafond et une bonne musique jazz en fond sonore. Grand choix de *mozzarella di bufala*, de salades (y compris la « caboche de Zizou ») et de pâtes, le tout fort bien préparé. Évidemment, toutes les régions d'Italie sont représentées côté vins. La devise du lieu : « La vie est trop courte pour boire du mauvais vin. » On confirme.

🍷 🍽 ***Enoteca Cavour 313*** *(plan général D4,* ***192****) : via Cavour, 313. ☎ 06-67-85-496. • cavour313@libero.it • Tlj sf dim 12h30-14h30, 19h30-0h30. Fermé en août. Plats 8-14 €.* À deux pas des forums impériaux, sympathique bar à vins connu de longue date pour son atmosphère décontractée et son cadre agréable. Passez le beau comptoir en bois et marbre à l'entrée, puis une salle un peu intime, et dirigez-vous vers la grande salle chaleureuse et conviviale et ses petits box en bois surplombés d'innombrables bouteilles. La carte des vins étale sa richesse (on en compte pas moins de 500 !) mais la présentation des crus par région et les conseils de l'équipe aident à s'y retrouver. N'hésitez pas à y dîner : plateaux de fromages et charcuteries de bonne qualité, ou plats classiques bien tournés. Une adresse qui ronronne.

🍷 🍽 ***Provincia Romana*** *(plan centre D4,* ***341****) : largo del Foro Traiano, 82-84. ☎ 06-67-66-24-24. Juste au pied de la colonne de Trajan. Tlj sf dim 11h-22h (cuisine 21h30).* Ce bar à vins, moderne et épuré, présente essentiellement des flacons issus de la province romaine. Sur l'ardoise, plusieurs vins au verre sont proposés, en rouge et blanc, et pour mettre un peu de solide dans le liquide, une petite carte d'*antipasti* ou d'assiettes légères viennent divertir les papilles. De quoi reprendre des forces après la visite exténuante de la ville. Ah tiens, pour ceux que ça intéresse, des dégustations sont régulièrement organisées, certains mercredis ou samedis.

Termini, Monti et San Lorenzo

🍷 |●| ***Trimani-Il Wine Bar*** *(plan général E3,* ***191****)* **:** *via Cernaia, 37b. ☎ 06-44-69-630. • info@trimani.com • Tlj sf dim (sf nov-déc) 11h30-15h, 17h30-0h30. Fermé 15 j. mi-août. Résa conseillée le soir. Repas 25-30 €.* Happy hours *11h30-12h30, 17h30-19h.* Le bar à vins de la famille Trimani a franchi le cap des 150 ans d'existence, mais le cadre sobre et agréable n'en laisse rien paraître ! C'est l'une des enseignes prestigieuses du quartier, à ne pas négliger si l'on se trouve dans le coin. Excellente sélection de vins, d'une richesse et d'une variété épatantes (pas moins de 4 500 références dans la cave attenante !), doublée d'une petite carte d'*aperitivo* et de très bons plats du jour pour amortir la dégustation (malgré des portions pas toujours très copieuses). La boutique située à deux pas vaut également la visite (voir rubrique « Où faire ses achats ? », plus loin).

🍷 |●| ***Ai Tre Scalini*** *(plan général D4,* ***179****)* **:** *via Panisperna, 251. ☎ 06-48-90-74-95. Fermé les sam et dim midis. Petits plats env 5-13 €. Verres de vin 4-8 €.* On monte sans effort les 3 petites marches (*scalini* en v.o.) de ce bar à vins, repérable de loin à la vigne qui tente de franchir la rue, tant l'atmosphère joyeuse qui s'en échappe donne envie de participer aux agapes ! Puis on s'assoit parmi les tablées de copains, dans l'une des 2 petites salles chaleureuses (vieilles affiches, bibelots et quelques bouquins). Et on commande un vin du cru (au verre ou en bouteille), une bière ou un cocktail tout en consultant l'ardoise du jour (belles assiettes de charcuteries et de fromages, bonnes lasagnes, salades...). Simple, bon et servi avec le sourire, on reviendra !

🍷 |●| ***Enoteca-vineria Monti DOC*** *(plan général E4,* ***216****)* **:** *via G. Lanza, 93. ☎ 06-48-72-696. Ts les soirs. Fermé 2 sem en août. Plats env 8-12 € ; carte* aperitivo *8 €.* Une jolie petite *enoteca* au cadre sobre, un peu excentrée et par conséquent rarement bondée. Conviendra à ceux qui recherchent un peu d'intimité. Cave variée et bien choisie, quelques vins du moment annoncés sur l'ardoise.

🍷 |●| ***Enoteca Ferrazza*** *(plan général F4,* ***161****)* **:** *via dei Volsci, 59. ☎ 06-49-05-06. Tlj sf dim 18h-2h. Fermé en août. Env 25-30 € à la carte. Buffet* aperitivo *18h30-22h30, env 7 € avec boisson.* Typique de la branchitude du quartier, ce bar à vins mélange design contemporain et voûtes en brique, sous un éclairage habilement tamisé. Le redoutable *aperitivo,* très bien garni (et on ne se gêne pas pour se resservir...), est l'un des passages obligés des virées à San Lorenzo. Après le rush, c'est plus tranquille mais pas mal aussi pour apprécier l'un des vins de la sélection, les assiettes de charcuterie, les salades ou les bons desserts sur un fond de pop des années 1980.

Trastevere

🍷 |●| ***Enoteca Ferrara*** *(plan centre C4,* ***217****)* **:** *piazza Trilussa, 41. ☎ 06-58-33-39-20. • info@enotecaferrara.it • ♿ Tlj 12h-2h. Repas complet 50-60 €. Verres de vin 7-15 €.* L'une des adresses chic de Rome. Cadre spacieux aménagé avec beaucoup de goût. On peut s'arrêter au bar et profiter des conseils avisés du barman. Verre pas donné, mais si vous hésitez, vous avez le droit de goûter avant de commander. Surtout à l'heure de l'*aperitivo,* quantité de *torte,* croquettes et autres délicieux beignets recouvrent le comptoir et vous n'avez plus qu'à piocher. Mais vous pouvez aussi décider de dîner là, dans l'une des 2 salles blanches voûtées avec poutres au plafond. Grand choix (plus de 850 étiquettes !), et chacun des vins a droit à sa petite note explicative. C'est dire tout le sérieux et l'investissement de cette maison qui propose, en outre, une cuisine raffinée.

🍷 |●| ***In Vino Veritas*** *(plan centre B4,* ***178****)* **:** *via Garibaldi, 2a. ☎ 06-58-33-20-12. Tlj 15h-2h (jusqu'à 21h le dim).* L'endroit est fréquenté surtout pour l'*aperitivo* ou en fin de soirée. Un bar bien achalandé pour se percher sur un tabouret, quelques tables en bois et quelques canapés, des murs égayés avec les toiles de l'expo du moment : tout ce qu'il faut pour venir siroter un petit verre gouleyant. Carte des vins restreinte mais judicieusement choisie et bon marché, et, pour garder les pieds sur terre, des plateaux de fromages ou de charcuteries tout aussi délicieux. Certains soirs, concerts live sur la petite scène du fond.

Borgo – Prati

🍷 🍽 ***Il Simposio di Piero Costantini*** *(plan général B-C3,* ***193****)* **:** *piazza Cavour, 16. ☎ 06-32-05-575. • ilsimposio@pierocostantini.it • ♿ Fermé dim et en août. Repas à la carte : midi env 40 € ; soir 50-60 €.* Sans contestation possible, un des meilleurs bars à vins de Rome. La maison *Costantini* possède d'ailleurs un domaine viticole dans les Castelli Romani. Malheureusement, ce temple du plaisir bachique ne s'adresse pas à tout le monde : ce sont principalement les notables romains qui profitent du cadre ancien magnifique, tout de boiseries et de ferronneries travaillées, de l'ambiance très chic, des plats traditionnels réalisés avec soin et du service très classe... Tout le contraire de l'*enoteca* populaire !

Vatican

🍷 🍽 ***Del Frate*** *(plan général B2,* ***181****)* **:** *via degli Scipioni, 118. ☎ 06-32-36-437. Tlj sf sam midi et dim. Congés : 2 sem en août. Compter 20 € le midi, 40 € le soir. Buffet* aperitivo *ts les soirs 18h-21h.* Il y a d'abord le caviste, authentique, avec ses casiers bien fournis en vins soigneusement sélectionnés et son lot d'amateurs pour dénicher la perle rare. Mais sur sa droite, plus discrète, se cache une salle tout en brique, vraiment jolie, avec quelques notes de fantaisie œnophile pour faire bonne mesure (recyclage de caisses et d'étiquettes de vin). Cela dit, lorsqu'on manque de place, on dresse carrément des tables dans la partie cave ! Idéal pour un *aperitivo* raffiné ou pour prolonger la dégustation autour d'une belle cuisine *slow food.* Les plats sont de qualité (bons produits), et non dénués de créativité pour certains. Service efficace et attentif.

Où déguster une bonne pâtisserie ?

🍽 ***Valzani*** *(plan centre C4,* ***262****)* **:** *via del Moro, 37. ☎ 06-58-03-792. • valzanig@tiscali.it • Tlj sf lun et mar mat 9h-20h30. Fermé en juil-août.* Une pâtisserie-confiserie tout ce qu'il y a de plus traditionnel, avec sa déco à l'ancienne et ses spécialités maison : nougat romain, pralines, *panpetato...* Nous, on a craqué pour le *torrone romano* (en particulier celui au chocolat), et on a presque boulotté celui que l'on voulait rapporter en cadeau...

🍽 ***La Dolceroma*** *(plan centre C4,* ***259****)* **:** *via del Portico d'Ottavia, 20b. ☎ 06-68-92-196. • dolceste@yahoo.it • Mar-sam 8h30-20h ; dim 10h-13h30. Fermé en juil-août.* Depuis plus de 20 ans, cette pâtisserie viennoise fait l'unanimité avec ses excellents gâteaux traditionnels juifs (*sachertorte, apfelstrudel,* tartes au yaourt, etc.). Pour les amateurs d'exotisme, également des spécialités américaines : brownies, *cheesecake, carrot cake,* etc.

🍽 ***Pasticceria Il « Boccione »*** *(plan centre C4)* **:** *via del Portico d'Ottavia, 1. ☎ 06-68-78-637. Lun-jeu 8h-19h30 ; ven et dim 9h-14h.* Le meilleur de la pâtisserie juive. Goûter la tarte à la ricotta (pas vraiment légère !) ou à la pizza aux fruits confits.

🍽 ***Panella – L'Arte del Pane*** *(plan général E4,* ***261****)* **:** *largo Leopardi, 2-10. ☎ 06-48-72-344. À l'angle de la via Merulana. Lun-sam 8h-14h, 17h-20h ; dim 8h30-14h. Fermé jeu ap-m.* Boulangerie-pâtisserie-salon de thé... tout en un dans cette très grande boutique d'angle, qui donne sur une petite place. Impressionnant choix de *crostini,* de bons pains croustillants, pizzas et petits plats, sans oublier une myriade de biscuits et gâteaux. Bref, tout pour plaire, sauf les tarifs rondelets !

Pasticceria Pannocchi *(plan général E2,* ***127****) : via Bergamo, 56. ☎ 06-85-52-109. Tlj sf lun 7h-20h30.* Contrairement aux vieilles dames respectables, les pâtisseries et les restos romains aiment rappeler leur âge vénérable (on est dans la Ville éternelle !). Ce vaste café-pâtisserie, ouvert depuis 1927, ne déroge pas à la règle et mérite bien sa réputation d'institution du quartier. Ne pas hésiter à venir y boire un café à accompagner d'un baba au rhum, bon à se damner... Également des tartelettes, gâteaux, *tramezzini* et sandwichs pour les petites faims.

Dagnino *(plan général E3,* ***125****) : galleria Esedra, via Vittorio-Emanuele Orlando, 75. ☎ 06-48-18-660. • info@pasticceriadagnino.com • Tlj 7h-23h.* Créée dans les années 1950 et fidèle à sa déco d'époque, cette institution propose les meilleures pâtisseries siciliennes de Rome, comme les *cannoli* et la fameuse *cassata.* Pas donné néanmoins, et on évitera les pâtisseries préemballées pour le voyage. Terrasse tranquille dans la galerie commerciale, idéale pour faire la pause de l'après-midi, à deux pas de Termini.

Bar-gelateria Pompi *(plan général F5,* ***264****) : via Albalonga, 7b-11. ☎ 06-70-00-418. Tlj sf lun 6h30-minuit.* Si vous passez dans le coin, arrêtez-vous pour acheter un tiramisù. En effet, cet immense établissement (qui fait aussi bar et glacier) revendique le meilleur de Rome, au chocolat ou à la fraise. On le déguste sur place, mais on peut également l'emporter sous forme de portions individuelles. Bonnes glaces également.

Regoli *(plan général E4,* ***168****) : via dello Statuto, 60. ☎ 06-48-72-812. Tlj sf mar 6h45-20h30.* Une petite pâtisserie ouverte depuis 1916, plébiscitée pour ses alléchants *martozzi con panna* (énormes pains au lait plein de crème fouettée !), ses *cannoli siciliani,* ses *profiterolle,* ses *bavarese* ou encore ses merveilleuses *tortine alle fragoline* (tartelette aux fraises des bois). Ces dernières sont si bonnes que les Romains d'autres quartiers font le détour pour la goûter. Faites-en autant ! Miam !

Pasticceria-gelateria Il Dei di Checco er Carettiere *(plan centre C4,* ***142****) : via Benedetta, 7-13. ☎ 06-58-11-413. Tlj 6h30-1h30.* C'est la pâtisserie du resto du même nom. Plein de bonnes choses derrière les vitrines, notamment des minigâteaux de belle qualité.

Pâtisserie sans nom (Innocenti ; *plan centre C5,* ***169****) : via della Luce, 21a. ☎ 06-58-03-926. Lun-sam 8h30-20h ; dim 9h30-14h.* Une jolie pâtisserie artisanale où tout le travail est réalisé à l'ancienne et où exerce la 3e génération de boulanger-pâtissier. Délicieux biscuits maison comme le macaron à la noisette. Une valeur sûre. On goûtera encore les *straccetti (biscuits aux fruits secs)* ou les *brutti ma buoni* (moches mais bons !). Tout un programme.

OÙ MANGER ?

Où déguster les meilleures glaces ?

San Crispino *(plan général D3,* ***276****) : via della Panetteria, 42. ☎ 06-67-93-924. Tlj sf mar hors saison 12h-0h30 (1h30 ven-sam).* À deux pas de la fontaine de Trevi, ce petit glacier artisanal fait fondre les Romains grâce à des produits de qualité et des combinaisons de saveurs vraiment originales : meringue-chocolat, miel, réglisse, armagnac, cacao-rhum, *passito de Pantelleria* (raisin muscat), cannelle-gingembre, etc. ! Et comme la maison a de la suite dans sa passion, pas de cornets, jugés impropres à la dégustation, mais uniquement des coupelles. Évidemment, les prix sont un peu plus élevés qu'ailleurs, mais c'est un tel délice... À noter, le point de vente de l'aéroport de Fiumicino (terminal 1) et ses glaces en container isotherme (tiennent 6h) !

Giolitti *(plan centre C3,* ***272****) : via degli Uffici del Vicario, 40. ☎ 06-69-91-243. • info@giolitti.it • Derrière la piazza Colonna. Tlj 7h-1h.* L'un des meilleurs glaciers de Rome. Goûtez notamment à son légendaire *tartufo* ou à l'un des 50 autres parfums accompagnés de *panna montata.* Beaucoup de monde afflue pour déguster les *coni* ou pour s'offrir une coupe glacée en terrasse (plus chic). Cadre un peu désuet et service guindé, malheureusement pas toujours souriant. Une adresse pourtant incontournable dans votre inévitable tournée comparative des glaciers romains, ne serait-ce que pour sa réputation !

🍦 ***Tre Scalini** (plan centre C4) : piazza Navona, 28. ☎ 06-68-80-19-96. Tlj 9h-minuit.* Judicieusement située sur l'une des places les plus connues de la ville, la maison est connue pour son *tartufo,* célèbre crème glacée chocolatée incrustée de vrais morceaux de chocolat et inventée ici dans les années 1950. Cela dit, rien d'exceptionnel aujourd'hui, le décor n'est plus vraiment ce qu'il était et l'amabilité est rarement au rendez-vous. Reste quand même le *tartufo...*

🍦 ***Fiocco di Neve** (plan centre C3, **271**) : via del Pantheon, 51. ☎ 06-67-86-025. Tlj jusqu'à minuit.* Un des préférés des ados. De bien belles glaces onctueuses qui ont pour nom *cassate, more blackberry,* yaourt, etc. Bons produits (les glaces sont maison).

🍦 ***Il Gelatone** (plan général D4, **273**) : via dei Serpenti, 28. ☎ 06-48-20-187. Tlj 10h-minuit.* Une petite *gelateria* tout en longueur où l'on propose près de 70 parfums, comme la *crema de la nonna* (aux pignons), le marron glacé, la *gianduia...* Excellente pistache. Et aussi des glaces « régime » au soja. À voir le défilé ininterrompu des gourmands à certaines heures, nous ne sommes pas les seuls à en être toqués !

🍦 ***Palazzo del Freddo Giovanni Fassi** (plan général F4, **270**) : via Principe Eugenio, 65-67. ☎ 06-44-64-740. • palazzodelfreddo@tiscali.it • Dans le quartier de la gare, à proximité de la piazza Vittorio Emanuele II. Tlj sf lun 12h-minuit (0h30 sam).* Créé en 1880 sur la piazza Navona, ce « Palais du Froid » emménagea ici en 1928 avant d'être réquisitionné par la Croix-Rouge américaine durant la Seconde Guerre mondiale... Aujourd'hui, c'est un des glaciers les plus réputés, le plus grand d'Italie même, selon certains ! On n'y vient pas pour le cadre, une espèce de grand hall de gare bruyant à la déco années 1950-1960, mais évidemment pour goûter aux différents parfums : *zabaione, torrone, frutti di bosco, fragola...* Certaines glaces sont relevées d'arômes, mais, contrairement à d'autres, on ne s'en cache pas : la composition de chaque parfum est détaillée sur le comptoir, côté bar. Un monde fou le dimanche après-midi. On comprend ici que la glace est une véritable religion en Italie.

🍦 ***Fior di Luna** (plan centre C4, **279**) : via della Lungaretta, 96. ☎ 06-64-56-13-14. • gelato@fiordiluna.com • Tlj sf lun 12h-minuit (1h sam).* C'est dans l'air du temps : les produits frais sont bio (et de saison), et le sucre provient du commerce équitable. Au final, les sorbets et les granités sont impeccables et, justement, pas trop sucrés. Une *gelateria* où gastronomique rime avec éthique !

🍦 ***Gelateria dei Gracchi** (plan général B2, **278**) : via dei Gracchi, 272. ☎ 06-32-16-668. Tlj 12h-22h (minuit ven-sam).* L'Italie est le pays des glaces, Rome, la capitale de l'Italie, alors forcément, les bonnes adresses ne manquent pas. Celle-ci fait l'unanimité dans le quartier pour la qualité des glaces (aux fruits de saison !), et les nombreux parfums au choix. Assurément l'une des meilleures adresses de la ville.

🍦 ***Gelateria Ara Coeli** (plan centre D4, **274**) : piazza di Aracoeli, 9-10. ☎ 06-67-95-085. Au pied du Capitole. Tlj 10h30-21h (plus tard l'été).* Si votre palais et vos papilles ne supportent pas les colorants ou autres exhausteurs de goût, vous trouverez ici des glaces maison faites à partir de produits bio. Préférez les sorbets, qui exaltent mieux leur saveur.

🍦 Et encore... ***Pascucci** (plan centre C4, **275**) : via Torre Argentina, 20. ☎ 06-68-64-816. Jusqu'à 22h30. Fermé dim.* Petit troquet qui ne paie vraiment pas de mine, mais les fréquentes queues d'habitués valent mieux qu'une enseigne ostentatoire. Plus une *fruiteria* qu'une *gelateria* : en saison, succulents milk-shakes, granités et fruits mixés de toutes sortes, tous préparés devant vous.

OÙ BOIRE UN VERRE ?

Où boire un bon café ? Où prendre le petit déj ?

Sachez qu'à Rome, les viennoiseries souvent appelées *paste* dans le reste de l'Italie sont nommées ici *lieviti* (littéralement, « levures »).

🍸 ***Caffè Sant'Eustachio*** *(plan centre C3-4,* ***215****)* ***:*** *piazza Sant'Eustachio, 82.* ☎ *06-68-80-20-48.* ● *info@santeustachioilcaffe.it* ● *Tlj 8h-1h30.* Sans conteste l'un des meilleurs cafés de Rome. Rien qu'à l'odeur délicieuse qui flotte sur la placette, l'amateur sent qu'il a trouvé ici une perle... Toutefois, malgré la poignée de tables éparpillées en terrasse, il s'agit bien plus d'une boutique et d'un torréfacteur que d'un café au sens strict du terme. Alors, faites comme les innombrables habitués, prenez votre ticket à la caisse, puis accoudez-vous au comptoir (c'est nettement plus cher assis en terrasse !) pour déguster à l'italienne les différentes spécialités de cette vénérable maison née en 1938 : *gran caffè*, cappuccino, *monachella*... Le café « le moins contaminé du monde », dit la publicité avec une note rétro qui va bien avec le décor. Attention, si vous voulez votre café sans sucre, il faudra le préciser *(senza zucchero)*, car par défaut, ici, on vous le prépare avec ! Vous aurez noté qu'une plaque métallique masque la vue des clients de ce qui se passe derrière la machine à café. Un vrai secret d'État ! Également des viennoiseries appétissantes. Un incontournable.

🍸 ***Caffè Tazza d'Oro*** *(plan centre C3,* ***196****)* ***:*** *via degli Orfani, 84.* ☎ *06-67-89-792.* ● *info@tazzadorocoffeeshop.com* ● *À l'angle avec la via dei Pastini. Lun-sam 7h-20h.* Situé dans une petite ruelle coincée entre la piazza della Rotonda et la piazza di Montecitorio, ce vieux café historique revendique le meilleur *espresso* du monde, en toute modestie... Les fidèles sont en tout cas nombreux à se relayer au comptoir (après avoir payé et retiré leur ticket tout au fond de la boutique), car il n'y a pas de tables. Sans concession ! Avant de partir, goûtez le *miscela regina di caffè* (un délicieux mélange de cafés), mais aussi la *granita di café*. Vente à emporter de café moulu à la commande (la boutique est au fond).

☕ ***Bar San Calisto*** *(plan centre C4,* ***342****)* ***:*** *piazza San Calisto.* ☎ *06-58-35-869. Tlj sf dim 6h30-2h du mat.* Sur la terrasse, un joli mélange romain : une voisine qui descend en chaussons, une grappe de jeunes oisifs, un costard-cravate qui fait halte sur le chemin du bureau et quelques étudiants américains en histoire de l'art. On se sent vite chez soi dans ce café populaire qui sert le petit déj le moins cher de tout le Trastevere. On commande le café au comptoir et les viennoiseries au comptoir en face. On s'installe ensuite en terrasse pour regarder défiler la vie romaine. Outre le café, goûter donc le *granita di café,* vraiment bien fait. Le soir, une autre faune prend le relais, tout aussi vivante, joyeuse et populaire. Décidément, on aime.

☕ ***Bar Lillo*** *(plan centre C5,* ***343****)* ***:*** *via dei Genovesi, 39.* ☎ *06-58-17-142. Tlj sf dim 6h30-19h30.* Un petit troquet qui ne ressemble pas à grand-chose à vrai dire, à l'entrée plus que discrète, mais que connaissent bien les gens du quartier pour prendre un petit déjeuner tranquillou et pas cher, dans une atmosphère romaine sans chichis. Café extra, un des meilleurs du Trastevere, tout comme le chocolat.

🍸 ***Caffè Doria*** *(plan centre D4,* ***213****)* ***:*** *via della Gatta, 1. Tlj 8h-20h.* C'est le café de la *galleria Doria Pamphilj*. À l'image du palais des princes, ce petit espace intime ne manque pas de charme : boiseries ornées de tableaux, lustres de Murano, fontaine magnifique et un beau mobilier. C'est presque un musée ! Dans tous les cas, c'est un endroit très agréable pour une pause, autant pour la déco que pour l'atmosphère paisible.

🍸 ***Vitti*** *(plan général C3,* ***197****)* ***:*** *piazza San Lorenzo in Lucina, 33.* ☎ *06-68-76-304. Tlj 7h-minuit.* Sur une charmante placette, juste en face de l'église San Lorenzo in Lucina (cf. rubrique « À voir », plus loin). Passons sur la généalogie des lieux (« depuis 1898 », comme d'habitude !) et le décor pour aller à l'essentiel : excellent café, suave cappuccino mais aussi délicieux *lieviti* (à la crème, à la noisette, aux pommes) et *fagottini*. À déguster en terrasse, bien sûr. Bon accueil, pro et courtois. Comme dirait l'autre, *veni, vidi, Vitti !*

🍸 ***Rosati*** *(plan général C2,* ***198****)* ***:*** *piazza del Popolo, 4-5a.* ☎ *06-32-25-859. Tlj 7h30-23h.* Pour ceux qui recherchent un bon café et un décor classe sur la belle piazza del Popolo, *Rosati* est le prototype du vieux café chic (historique même : inauguré en 1922 !). Parfois jusqu'à la caricature dans l'attitude un peu raide des serveurs... Mais son vieux comptoir en bois a du charme et le cappuccino est bon avec sa mousse de lait tournée en forme de cœur, à accompagner d'une excellente viennoiserie *(integrale, a la crema...)*. Pas si cher au comptoir, comme d'hab'. Belle vue sur la place depuis la terrasse, mais le prix du café quadruple !

🍸 ***Castroni*** *(plan général B3,* ***81****)* ***:*** *voir rubrique « Où faire ses achats ? », plus loin.* Pour les très bons cafés maison, servis au comptoir (acheter d'abord le ticket à la caisse).

🍸 ***Latteria*** *(plan centre C4,* ***208****)* ***:*** *vicolo del Gallo, 4.* ☎ *06-68-65-091. Tlj sf mer 9h-14h, 17h30-minuit.* Une vraie relique que ce petit caboulot totalement hors d'âge, caché dans une des *vicoli* du *centro storico,* entre le campo dei Fiori et la piazza Farnese. À l'origine une *vaccheria* (étable), le lieu fut transformé au début du XXe s en *latteria* (crèmerie). On y vient désormais pour le côté insolite et l'immuable vieux décor (quelques tables en fer avec plateaux de marbre, murs tapissés de canettes de soda vides). On pose une fesse sur une antique chaise en sirotant une *cioccolata* servie dans un bol de grand-mère... par la grand-mère des lieux, justement, ou alors par sa fille. Bref, on vient là uniquement pour la nostalgie.

Où faire le plein de vitamines ?
Où goûter à la *grattachecca* ?

🍸 ***Caffè delle Arance*** *(plan centre C4)* ***:*** *piazza Santa Maria in Trastevere, 2.* ☎ *338-998-27-90. Tlj jusqu'à 20h.* Une des terrasses les plus courues du Trastevere. Bien sympa à l'heure du *vino bianco,* mais en réalité, les piles d'oranges encombrant la devanture indiquent que la maison a fait de l'orange pressée SA spécialité. Servie dans un grand et beau verre... Pour faire le plein de vitamines tout en profitant du soleil.

🍸 ***Sora Mirella*** *(plan centre C4)* ***:*** à la hauteur du ponte Cestio qui file sur l'île Tibérine, vous remarquerez sans doute certains soirs une foule énorme qui se presse autour d'une baraque. C'est, en effet, une halte très prisée des Romains. Le spécialiste de la *grattachecca,* « la glace grattée » (à ne pas confondre avec la *granita*). Sur de la glace, grattée donc, on ajoute du sirop de votre choix : *amarena, arancia, limone, fragola, latte di mandorla...* Une fois servi, il faut vous adosser au parapet et siroter votre *grattachecca* en profitant du spectacle de la rue.

– Vous retrouverez aux beaux jours de la *grattachecca* dans d'autres endroits de Rome, à commencer par le plus ancien de la ville, installé lungotevere Raffaello Sanzio, au niveau du ponte Garibaldi. Autre bonne adresse pour la *grattachecca* : ponte Cavour (côté opposé au palais de justice).
– Autre denrée très prisée des Romains en fin de soirée et en période estivale : la pastèque. Nombreux marchands en ville en été.

Bars de nuit, cafés de jour et terrasses

Voici quatre places emblématiques, toujours animées, où prendre un verre.
– ***Piazza Navona*** *(plan centre C3-4)* **:** un endroit à retenir (à condition d'aimer la foule) pour s'installer à une terrasse et ne plus en bouger des heures durant. Vous n'aurez par ici que l'embarras du choix.
– ***Piazza della Rotonda*** *(plan centre C3)* **:** c'est la place qui fait face au Panthéon, une autre place de rêve pour prendre un verre, mais vous ne serez pas tout seul... Un peu plus cher (si, si, c'est possible !) que la piazza Navona. Le soir, avec les éclairages, c'est sublime. La fontaine, les belles façades et le Panthéon renvoient une douce lumière dorée. Si vous êtes venus à Rome en amoureux, c'est ici qu'il faut aller. Mais attention, c'est sans doute la place la plus surpeuplée de Rome, affreusement touristique !
– ***Campo dei Fiori*** *(plan centre C4)* **:** moins prestigieuse que les piazze della Rotonda ou Navona, mais très agréable aussi. Le matin, les terrasses sont un peu exiguës, du fait du marché, mais l'animation de celui-ci n'est pas désagréable. Et puis, les terrasses s'étalent agréablement l'après-midi et s'animent d'une jeunesse joyeuse le soir venu.
– ***Piazza Santa Maria in Trastevere*** *(plan centre C4)* **:** envahie de jour comme de nuit, cette place a le charme de la province et du bon vieux temps. N'hésitez donc pas à vous y arrêter pour consommer votre boisson favorite. Mieux encore, la petite ***piazza San Calisto,*** juste à côté, propose une terrasse vraiment très sympa, aux tarifs démocratiques *(Bar San Calisto, plan centre C4,* ***342****)*.

LE CENTRE HISTORIQUE (centro storico)

Le triangle ***piazza del Fico, vicolo della Pace, via di Tor Millina*** *(plan centre C3)* est l'un des endroits les plus animés de la ville. Tournez résolument le dos à la piazza Navona, enfoncez-vous quelque peu, et vous trouverez des endroits qui regorgent de Romains. Les cafés sont nombreux dans ce périmètre, mais nous avons, bien sûr, nos préférences, que voici :

🍷 ***L'Antico Caffè Greco*** *(plan général D3,* ***180****)* **:** *via dei Condotti, 86.* ☎ *06-67-91-700. Tlj 9h (10h30 dim)-20h30.* Dans un décor cosy et rétro à souhait (tapisseries cramoisies, appliques et petits tableaux), ce très beau café fondé en 1760 est une légende. Rassurez-vous, le café n'est guère plus cher qu'ailleurs... si l'on reste accoudé au bar. En revanche, assis, il coûte 5 fois plus. C'est le rendez-vous des artistes et des écrivains. Il s'enorgueillit d'avoir compté parmi ses clients Goethe, Gogol, Stendhal, Baudelaire, Wagner, Orson Welles, Sophia Loren... entre autres ! Allez-y pour prendre un café avec un gâteau à la polenta (comme Monica Vitti) et ouvrez grand les yeux. Les fans de Fellini demanderont la table du fond, dite « de l'omnibus », qu'affectionnait particulièrement le metteur en scène.

🍷 ***Caffè della Pace*** *(plan centre C3,* ***222****)* **:** *via della Pace, 3-7.* ☎ *06-68-61-216. • info@caffedellapace.it • Tlj sf lun mat 9h-2h.* Les célébrités plébiscitent la terrasse pour son ensoleillement, les esthètes raffolent de la vue dégagée sur la façade baroque de Santa Maria della Pace, et le quidam de passage s'y sentira romain le temps d'un cappuccino... Chic et consensuel ! Et on n'a encore rien dit de ses 2 salles Belle Époque, décorées à grand renfort de gravures, appliques en bronze et statues Art déco, vieilles caisses enregistreuses. Plus qu'une institution, une étape de charme indispensable... à condition de supporter l'addition coquette et le service un rien snob !

🍷 ***Société Lutèce*** *(plan centre C3,* ***209****)* **:** *piazza di Montevecchio, 16.* ☎ *06-68-30-14-72. Tlj 18h-2h.* Aperitivo *à partir de 18h30.* À croire que ce petit bar à la déco contemporaine et minimaliste est devenu le rendez-vous d'une partie des trentenaires du coin. Pas la peine d'arriver après 18h30 si vous convoitez un bout de banquette, même tout petit. Vous finirez comme tout le monde sur la jolie place piétonne, réservant votre énergie pour fendre la foule massée autour de l'excellent buffet. Fraternel... et fusionnel !

Jonathan's Angel *(plan centre C3,* ***232****) : via della Fossa, 16. ☎ 06-68-93-426. À côté de la piazza del Fico. Tlj 13h-2h.* Une adresse incontournable des nuits romaines. L'endroit est indescriptible. Atmosphère hyper tamisée. Plusieurs petites salles où s'éclatent des bandes de jeunes filles un peu chic et très branchées. C'est le royaume du kitsch, avec faux crânes, colonnes, gadgets et une mention particulière pour les w-c, où les gens se pressent.

Circus *(plan centre C3,* ***233****) : via della Vetrina, 15. ☎ 06-97-61-92-58. • circusroma.com • Tlj 10h-2h.* Ce bar polyvalent fait bien les choses : le matin, on y feuillette la presse internationale en prenant un petit déj, le midi, on déjeune en jetant un coup d'œil aux fringues à vendre, l'après-midi, on grignote un gâteau en profitant de l'expo du moment, et le soir, on retrouve les amis pour l'*aperitivo*. Un lieu convivial donc, à l'image de son équipe sympa et de sa déco (une enfilade de petites salles de plus en plus cosy, avec des coins salons, des photos aux murs et, tiens, une roue de vélo suspendue au plafond !). C'est d'ailleurs le lieu qu'a choisi l'Union des Français de Rome pour se réunir. Comme on les comprend !

Caffetteria du Chiostro del Bramante *(plan centre C3,* ***419****) : via della Pace, 5. ☎ 06-68-80-90-35. • info@chiostrodelbramante.it • Tlj sf lun 10h-19h (sf déj 12h-15h) ; brunch le w-e 10h-15h. Fermé en août. Wifi.* Fatigué de la foule ? Nul besoin de tonsure pour profiter du calme du célèbre *Chiostro del Bramante*. Une cafétéria design a investi l'étage de ce très beau cloître du XVIe s agrémenté de vestiges de fresques, et dispersé ses tables entre les colonnes. Parfait pour reprendre son souffle et retrouver un peu de calme, assis sur de vénérables banquettes en pierre (un peu dures, même avec les coussins, mais quel charme !). Librairie d'art juste à côté.

Campo dei Fiori

Une merveille à toute heure de la journée. Le matin, le marché anime les rues ; l'après-midi, des couleurs superbes éclairent les façades des maisons avec leurs nuances d'ocre ; une foule incroyable le soir prend d'assaut les terrasses. Très souvent, c'est le campo dei Fiori tout entier ainsi que la piazza del Biscione voisine qui sont noirs de monde. Quartier jeune et alternatif : ça bouge dès le jeudi soir.

Vineria Reggio *(plan centre C4,* ***212****) : campo dei Fiori, 15. ☎ 06-68-80-32-68. Tlj sf dim 8h30-20h. Fermé 15 j. en août.* Plus connu sous le nom de *Vinaio di Campo dei Fiori* et situé au cœur du marché, c'est un bistrot qui ne désemplit jamais. Point de rencontre obligatoire de nombreux habitués et de quelques touristes de passage, avec un beau décor ancien. Rome trembla lorsqu'un incendie se déclara dans les lieux au printemps 1997. Plus de peur que de mal, heureusement. Bon choix de vins, à commencer par ceux de méditation (vins blancs fruités comme le *moscato d'asti*). Sans doute notre terrasse préférée sur cette place qui en compte pas mal.

Piazza Navona

Jazz Cafe *(plan centre C3,* ***202****) : via Zanardelli, 12. ☎ 06-68-21-01-19. À l'angle avec la via dei Soldati. Tlj sf lun 8h-16h, 19h-2h.* Happy hours *19h-21h.* Un des *cocktail bars* les plus réputés de Rome. Déco branchée avec un grand bar en forme de fer à cheval, des petites tables basses, des divans en cuir brun clair et des toiles d'art moderne aux murs. Et aussi de surprenants lustres « littéraires », sans oublier des tabourets imitant des congas. Concerts de jazz en fin de semaine (du mercredi au samedi). Accueil charmant.

Fluid *(plan centre C3, **199**) : via del Governo Vecchio, 46. ☎ 06-68-32-361. • fluideventi.com • Ouv 18h-2h.* Ici, on sent immédiatement la patte de l'architecte : déco contemporaine hyper sophistiquée, mobilier design et fantaisiste (jolis tabourets lumineux, bar aux lignes soignées), écrans vidéo pour les clips... Il n'en fallait pas plus pour convaincre la jeunesse branchée de Rome, surtout à l'heure de l'*aperitivo* et lors des *DJ sessions*.

Panthéon et environs (Pantheon e dintorni)

La place du Panthéon est extrêmement touristique, alors, après l'avoir constaté par vous-même, allez plutôt vous poser un peu plus loin, piazza di Pietra par exemple...

Osteria dell'Ingegno *(plan centre C3, **218**) : piazza di Pietra, 45. ☎ 06-67-80-662. Tlj sf dim 12h-minuit. Fermé 10 j. en août.* Sur la jolie placette, un petit bistrot très soigné, dans un style artistico-branchouille avec couleurs vives et casiers remplis de bouteilles de vin. On y sert un très bon *aperitivo*. Après avoir choisi votre verre de vin, on vous apportera de très bons amuse-gueules en provenance directe du comptoir. Bon accueil. Fait aussi resto.

Salotto 42 *(plan centre C3, **218**) : piazza di Pietra, 42. ☎ 06-67-85-804. • bookbar@salotto42.it • Tlj sf lun.* Ouvert par un top suédois, voici un petit salon archi-bobo, archi-cosy, avec canapés et lumière tamisée où se blottissent les amoureux et les artistes en goguette. En fait, c'est aussi un *book bar*, un lieu où l'on sirote un cocktail et où l'on grignote un brunch tout en feuilletant des bouquins d'art, et un café philo où se retrouvent régulièrement pas mal d'écrivains en herbe. Le samedi, à l'heure de l'apéro, ça déborde jusque sur la placette ! Chic et sophistiqué.

Trinity College *(plan centre D3, **203**) : via del Collegio Romano, 6. ☎ 06-67-86-472. Tlj 12h-3h.* Happy hours *18h-20h.* Pub classique (du bois, des vitres ciselées et l'écran TV pour les matchs) installé dans un petit palais à l'ombre de la célèbre Compagnie de Jésus (le Collegio Romano et San Ignazio sont tout proches). Le week-end, beaucoup, beaucoup d'Anglo-Saxons, on s'en doute. Petite terrasse agréable.

Près du Ghetto

Bartaruga *(plan centre C4, **219**) : piazza Mattei, 9. ☎ 06-68-92-299. • info@bartaruga.it • Tlj sf dim 18h-2h.* Sur une charmante placette connue pour son élégante *fontana delle Tartarughe* trône ce joli bar branché au style indéfini, disons un *mix* de baroque et d'orientalo-vénitien ! Très beau décor ancien avec petit salon, fauteuils confortables, éclairage tamisé et piano-bar improvisé certains soirs. Le seul hic, ce sont les prix franchement rondelets des consommations.

Popolo – Spagna

Salon de thé du musée-atelier Canova-Tadolini *(plan général C2-3, **418**) : via del Babuino, 150a-b. ☎ 06-32-11-07-02. • canova.tadolini@virgilio.it • Tlj 8h-20h30. Fermé certains dim et 3 sem en août.* Aperitivo *à partir de 17h.* Un lieu réellement insolite pour boire un verre (car les plats sont tout de même trop chers). On sirote en effet au beau milieu des impressionnants plâtres (originaux) de Canova et de son élève, Tadolini, qui remplissent chaque espace disponible des 2 niveaux de la maison. Effet visuel garanti ! Le lieu fut en effet le dernier atelier de ce célèbre sculpteur du XIXe s, avant qu'il ne soit repris par son fils spirituel, Tadolini, dont les héritiers y travaillèrent jusqu'en 1967 ! Un salon de thé vraiment unique en son genre, à l'atmosphère évidemment un peu chic. On peut également se contenter d'un café au comptoir (salle de gauche). Bref, c'est exceptionnel, et l'entrée est très bien gardée pour empêcher les curieux de s'en mettre plein les mirettes... à l'œil !

AU NORD DE TERMINI

Aussitôt passés les remparts de la ville, on pénètre dans un quartier calme et cossu, à deux pas de la villa Borghèse. On y trouve néanmoins quelques adresses fort sympathiques.

🍸 ***Mokarabia*** *(plan général E2,* ***224****) : piazza Fiume, 77. ☎ 06-84-24-11-34. • mokcoffeebar.com • Tlj.* Affilié à une grande maison de café, ce bar à la déco soignée (lumières tamisées, toiles et mobilier contemporains) est un lieu de rencontre privilégié à l'heure de l'*aperitivo*. Surtout lorsque d'excellentes formations de jazz ajoutent de bonnes ondes chaleureuses à l'atmosphère un tantinet *trendy*.

LES QUARTIER DES MONTI, DE L'ESQUILIN ET DE SAN LORENZO

Autour de Santa Maria Maggiore

🍸 ♩ ***Charity Café*** *(plan général D4,* ***204****) : via Panisperna, 68. ☎ 06-47-82-58-81. • info@charitycafe.it • Tlj sf lun à partir de 18h30. Concerts mer-dim.* Un petit club de jazz charmant, dissimulé dans une belle salle voûtée aux murs jaune pâle. Très apprécié pour sa programmation musicale de qualité, ses *jam sessions* du jeudi et son *aperitivo* convivial le dimanche à 18h.

🍸 ***The Fiddler's Elbow*** *(plan général E4,* ***205****) : via dell'Olmata, 43. ☎ 06-48-72-110. • fiddlerrome@fastwebnet.it • ♿ Tlj 17h (15h w-e)-2h.* À voir l'usure des bancs en bois des petites salles en enfilade, l'un des plus vieux pub irlandais de Rome (depuis 1976 !) est toujours en tête de peloton. Pas évident de se glisser entre les rangées de buveurs les soirs de grosse affluence, mais la rue peu fréquentée devient alors la plus belle des annexes ! À noter, le piano caché au fond du pub, toujours bien accordé en prévision des soirées plus festives que d'habitude. Également un billard et l'indéboulonnable jeu de fléchettes si vous avez l'humeur joueuse !

🍸 ♩ ***Druid's Den*** *(plan général E4,* ***206****) : via S. Martino ai Monti, 28. ☎ 06-47-41-326. • thedruidspub@yahoo.it • Tlj 17h-2h (*happy hours *jusqu'à 20h). Concerts variés le w-e et folk irlandais ts les lun à 22h.* Sombre comme une caverne et grand comme un mouchoir de poche, ce pub en U pittoresque et envahi de bibelots a tout de la taverne à matelots... les matelots en moins ! On y chante plutôt les louanges de Joyce et de Yeats, autour d'une bonne pinte noire corbeau, à moins que l'on y suive les matchs de rugby ou de foot. Clientèle principalement anglophone, comme de juste.

🍸 ***Birreria Old Marconi*** *(plan général E4,* ***207****) : via San Prassede, 9c. ☎ 06-47-45-186. Ruelle donnant sur la piazza Santa Maria Maggiore. Tlj 12h-2h.* Un pub tranquille à l'atmosphère conviviale. Beaucoup de bois, quelques box et un bric-à-brac de vieux postes de radio, vénérables cafetières et affiches anciennes : la formule est bonne pour inciter les amateurs à jouer les prolongations. Quelques tables s'installent dehors à la belle saison.

Esquilin

🍸 ***Oppio*** *(plan général D-E4,* ***201****) : via delle Terme di Tito, 72. ☎ 06-47-45-262. • info@oppiocaffe.it • Fermé dim.* Aperitivo *18h30-21h.* C'est d'abord la situation qui frappe les esprits : dans une rue en hauteur, avec une magnifique vue dégagée sur le Colisée. La grande classe ! Mais on ne se contente pas d'admirer le colosse : le jeudi, c'est soirée dégustation de vins, le vendredi et le samedi, c'est l'*aperitivo* avec le DJ derrière ses platines, et le dimanche, c'est le jour des concerts, principalement de jazz. Le tout dans un cadre branché (briques, métal et mobilier en plastique coloré).

San Lorenzo

Celestino *(plan général G4,* ***228****) : via degli Ausoni, 64. ☎ 06-49-05-17. Fermé dim.* Aperitivo *18h30-21h.* Quels sont les ingrédients d'un bar à succès datant de... 1904 ? Un peu de vieux parquet, des lustres décalés, des expos de photos et un bar pour séparer les 2 salles, voilà pour le cadre. Et pour l'ambiance ? Elle est assurée par un patron passionné de vieux vinyles, quelques grappes de copains à l'*aperitivo* et des concerts (le samedi) allant du blues à la world pour faire monter la sauce ! Décontracté, bohème et fraternel.

Giufà *(plan général F4,* ***229****) : via degli Aurunci, 38. ☎ 06-44-36-14-06. • info@libreriagiufa.it • Mar-sam 14h-2h ; dim-lun 15h-minuit. Fermé 1 sem en août. Wifi.* Avec une fac dans les parages, on n'est pas surpris de trouver ce café-bar-librairie aux rayonnages remplis de bouquins d'art, BD, romans... et de politique ! Quasiment tous en italien, mais l'atmosphère et le joli cadre se moquent bien du barrage des langues.

TESTACCIO

Le soir, au pied de la colline artificielle, une folle animation gagne ce quartier très en vogue depuis quelques années. Restos branchés, boîtes et bars à la mode... une partie de la jeunesse romaine semble s'y donner rendez-vous. Flâner notamment via Monte Testaccio où les bars ouvrent comme des champignons après la rosée et ferment aussi vite...

Caffè Emporio *(plan général C5,* ***226****) : piazza dell'Emporio, 2. ☎ 06-57-54-532. Tlj 17h30-1h (2h w-e).* Happy hours *jusqu'à 18h30,* aperitivo *19h-21h.* Sobre et tendance, tout en contrastes de rouge, blanc et gris, ce bar contemporain est aussi agréable en début de soirée, pour l'*aperitivo* (beau choix de vins et ambiance *lounge*) qu'en fin de soirée, lorsqu'il rassemble jusqu'à 450 *pre-clubbers* les soirs de fête. Car c'est bien sa vocation : faire monter la pression à grand renfort de musique électro et de cocktails avant de lâcher la meute dans les boîtes du coin. Chaud !

Caruso Caffè de Oriente *(plan général C6,* ***210****) : via Monte Testaccio, 36. ☎ 06-57-45-019. Tlj sf lun 22h30-3h (4h30 ven et sam). Entrée payante (gratuit dim).* C'est le temple de la salsa à Rome. Tous les soirs, ce vaste club abreuve ses nombreux aficionados de tubes latino-américains... sauf le samedi ! Comme il y a 3 salles (à la déco ethnique plutôt sympa), on en laisse une pour le hip-hop et le R & R. Histoire de changer !

L'Alibi *(plan général C6,* ***210****) : via Monte Testaccio, 44. ☎ 06-57-43-448. • info@lalibi.it • Tlj 23h-5h. Entrée payante sam.* Un grand classique du circuit gay romain : *dance floor* délirant, très chouette terrasse en été pour se rafraîchir, et surtout des soirées à thème pas banales.

Caffè Latino *(plan général C6,* ***211****) : via Monte Testaccio, 96. ☎ 06-57-28-85-56. • caffelatinoroma.com • Tlj sf lun, dès 22h30. Entrée payante.* Déco soignée tendance etnique-chic pour ce bar aux lumières tamisées, très apprécié pour ses bons concerts de jazz et, bien sûr, de musique latino-américaine. Le lieu que l'on a préféré pour commencer la soirée.

TRASTEVERE

Dénommé parfois l'*ombelico di Roma* (« le nombril de Rome »), le Trastevere regorge d'endroits sympathiques où passer la soirée. Il y a des périmètres « à privilégier » : la zone vicolo del Cinque – via del Moro –, via della Scala, la via della Lungaretta, les piazze Santa Maria in Trastevere et San Calisto... La plupart des bars du quartier ont adopté la tradition turinoise de l'*aperitivo*. À l'heure de l'apéro, les comptoirs se garnissent de petites choses à grignoter et on n'a plus qu'à se servir (attention, toutefois, la boisson est majorée généralement de 2-3 € entre 19h et 21h environ), ce qui met la bière à 6 €, incluant la partie nourriture.

🍸 ***Bar San Calisto** (plan centre C4, **342**) : devant l'église du même nom.* Dans une ambiance vraiment conviviale, le *Calisto* propose la bière la moins chère du quartier, et ça se sait. C'est également une excellente adresse pour le petit déjeuner (voir cette rubrique, plus haut). On se sert au comptoir, puis on va s'asseoir en terrasse.

🍸 ***Freni e Frizioni** (plan centre C4, **225**) : via del Politeama, 4-6. ☎ 06-45-49-74-99. • info@freniefrizioni.com • Tlj 18h30-2h.* Aperitivo *frais et varié à partir de 19h30 ; la bière, buffet compris, est alors à 6 €.* Il fallait au moins cette jolie placette face aux quais pour soulager le *Freni e Frizioni*. Car chaque soir, la bibliothèque, le bar, les fauteuils de récup' ou les photos exposées aux murs disparaissent dans un joyeux tourbillon de têtes souriantes et de bras tendus vers le vaste buffet... Car pour une fois, il y a vraiment de quoi satisfaire une fringale ! Et chacun de repartir avec son butin vers un petit coin plus tranquille en terrasse. Pas si cher, qui plus est, car le buffet de légumes est particulièrement bien garni, et c'est vraiment bon. Parfois de la musique live. Un des meilleurs bars de Rome.

🍸 ***Antilia** (plan centre B4) : via della Scala, 1. ☎ 06-58-33-57-88. Tlj 16h-2h.* Happy hours *16h-20h.* Minuscule bar très fréquenté, heureusement prolongé par un petit bout de terrasse dans la rue piétonne pour déverser son trop-plein de fêtards. Clientèle jeune qui sirote ses cocktails, un œil sur les clips qui défilent sur un vaste écran.

🍸 ***Friends** (plan centre C4, **220**) : piazza Trilussa, 34. ☎ 06-58-16-111. • info@cafefriends.it • Tlj sf dim mat 7h30-2h.* Un espace très design. La déco marie verre, bois, métal et toiles contemporaines. C'est plutôt réussi, et comme son nom l'indique, c'est le bar des amis. Mais des amis un tantinet branchés qui vibrent de préférence sur les rythmes du DJ, un cocktail à la main. Bon café pour le petit déjeuner. Autres cafés *Friends* via Piave, 71 (piazza Fiume) et via della Scrofa, 60 (piazza Navona).

🍸 ***Big Hilda Caffè** (plan centre C4) : vicolo del Cinque, 33-34. ☎ 06-58-03-303.* Happy hours *jusqu'à 22h !* Petite rue située entre la piazza Trilussa et la piazza di Sant'Egidio, où règne une grande animation le soir. À vrai dire, il s'agit autant d'un genre de bar à vins que d'un pub. Genre de subtilité qui plaît beaucoup à nos amis anglo-saxons, qui investissent le lieu en groupes compacts certains soirs. À éviter cependant si vous recherchez l'intimité car le bar n'est pas bien grand, et les tables étant serrées les unes contre les autres, on consomme ici au coude à coude. Ambiance festive, on s'en doute.

🍸 ***Lettere Caffè** (plan centre C5, **223**) : via S. Francesco a Ripa, 100-101. ☎ 06-97-27-09-91. • info@letterecaffe.org • Tlj 17h-2h. Fermé en août. Concerts plusieurs fois/sem.* Aperitivo *tlj 18h30-20h30.* Un lieu polyvalent, à la fois café-concert et café littéraire, constitué de 2 petites salles et pourvu d'une scène. Organisation régulière de concerts donc, ou de prestations de DJs, mais aussi d'expos, de lectures de poésie, d'impros de slams et autres happenings culturels. Programme des réjouissances disponible.

🍸 ***Ombre Rosse** (plan centre C4, **221**) : piazza Sant'Egidio, 12-13. ☎ 06-58-84-155. Lun-sam 8h-2h ; dim 18h-2h. Fermé 2 sem en août. Wifi.* Ces « Ombres rouges », sans doute en allusion aux bouteilles de vin, attirent les foules à l'heure de l'apéro. Il faut reconnaître que la terrasse est franchement agréable, donnant sur une placette piétonne et sympathique. Mais s'il fait frisquet, la petite salle du bar ou la salle principale décorée d'affiches de cinoche sont tout aussi sympas, surtout les soirs de concert jazzy qui s'y déroulent régulièrement. Atmosphère décontractée, à l'image du service. S'ils ne sont pas donnés, les vins au verre sont de toute première qualité.

🍷 ***Ma Che Siete Venuti a Fa*** *(plan centre C4,* ***234****)* **:** *via Benedetta, 25. ☎ 380-50-74-938. Tlj de 15h à tard le soir.* Ni glamour ni branché, c'est le vrai bar des amis, sans concession ni tralala. En déco, des écharpes de foot sur les lambris ; dans les cuves, une sélection rigoureuse de très bonnes bières (près d'une cinquantaine), principalement artisanales. Les jeunes Italiens adorent ! À tel point qu'il y a souvent plus de monde dehors que dedans (pas plus mal d'ailleurs, car très rapidement les petites salles boisées ne font pas que ressembler à un sauna !).

🍷 ***Garbo*** *(plan centre C4,* ***214****)* **:** *vicolo di S. Margherita, 1a. ☎ 06-58-12-766. • eiretom@hotmail.com • Tlj sf lun de 22h (21h w-e) à... l'aube. CB refusées.* Un bar gay très connu, qui propose une atmosphère intimiste, sa musique plutôt douce, ses murs de pierre, ses miroirs imposants drapés de rouge et sa grande harpe tout au fond. Assez sélect.

OÙ SORTIR ?

Si vous souhaitez connaître les événements organisés à Rome durant votre séjour, allez dans un kiosque vous procurer le ***Roma c'è*** (un peu l'équivalent de *L'Officiel des spectacles* ou du *Pariscope*). Il paraît le vendredi. Vous y trouverez toute l'actualité culturelle... mais en italien. Le supplément de *La Repubblica,* ***Trova Roma*** (qui sort le jeudi), contient lui aussi toutes sortes de renseignements concernant les spectacles.

Le cinéma

La télévision, envahissante et désespérante, accapare la plupart des Italiens qui, du coup, ne vont plus guère au cinéma. Conséquence : la production nationale est en chute libre (moins de 100 films par an, dont un grand nombre de navets), même si quelques réalisateurs résistent encore et toujours à l'envahisseur nord-américain (Nanni Moretti, Marco Bellocchio, Daniele Luchietti, etc.). Cela dit, vous n'aurez pas de difficultés à trouver un cinéma à Rome, la Ville éternelle en comptant tout de même encore une centaine. La majorité d'entre eux projettent des films en *prima visione* (exclusivité) – souvent de grosses productions internationales – pour le plus grand plaisir d'un public bavard. Quelques salles d'art et d'essai proposent, pour un prix généralement inférieur, des classiques mais aussi quelques films récents. On signale notamment le ***cinema Azzurro Scipioni*** *(via degli Scipioni, 82 ; ☎ 06-39-73-71-61 ; • azzurroscipioni.com • ; Ⓜ Ottaviano)* qui, en plus d'être un lieu un peu magique, propose des rétrospectives de grands réalisateurs italiens et étrangers (*ts les dim à 17h, projection de* La Dolce Vita *en v.o., sous-titrée en anglais*). Enfin, l'été, des projections en plein air sont données par le ***Nuovo Sacher*** *(largo Ascianghi, 1 ; ☎ 06-58-18-116)* qui, pour l'anecdote, appartient à Nanni Moretti. Sinon, au printemps (mars ou avril) se déroule le Festival romain de cinéma indépendant *(rens : ☎ 06-45-42-50-50 ou • riff.it •)* avec en compétition des films du monde entier.

Le théâtre et l'opéra

– ***Le théâtre :*** les Romains amateurs de théâtre n'affectionnent guère les nouveautés, aussi ces dernières sont-elles rares. À l'affiche, on retrouve surtout les produc-

tions classiques – dont certaines sont jouées au *teatro Argentina (une ancienne salle d'opéra située aux n*[os] *52-56 du largo Torre Argentina ; ☎ 06-68-75-445 ; • tea trodiroma.net •)* –, telles que les incontournables Pirandello et autres Goldoni. Les amateurs de théâtre désireux de voir autre chose que des classiques consulteront le programme du *teatro Vittoria (situé piazza S. Maria Liberatrice, 10 ; ☎ 06-57-40-170 ; • teatrovittoria.it •),* dans le quartier du Testaccio.
– ***L'opéra :*** de grands opéras populaires, joués dans la salle du *teatro dell'Opera (piazza Beniamino Gigli, 7 ; ☎ 06-48-16-02-55 ; • operaroma.it •),* attireront les amateurs d'art lyrique.

Les concerts de musique classique

La scène musicale romaine, contrairement à certaines idées reçues, n'est pas des plus brillante. Les salles, peu nombreuses, ont une acoustique qui laisse souvent à désirer et les formations orchestrales n'arrivent pas à la cheville des grands orchestres allemands, notamment.
Une salle fait néanmoins la fierté de la ville. Il s'agit de l'auditorium *parco della Musica (via de Coubertin, 15 ; ☎ 06-80-24-11 ; • auditorium.com • ; voir détails plus loin dans « À voir. La Rome périphérique »).* C'est là que se produit désormais l'*académie de Sainte-Cécile. • santacecilia.it •* Plusieurs salles accueillent les concerts, en petite ou grande formation, de l'orchestre le plus couru de Rome au programme le plus riche. L'auditorium est entouré de restos et de bars branchés. L'orchestre de la *RAI* se produit régulièrement à l'*auditorium del Foro Italico (piazza Lauro de Bossis, 5 ; ☎ 06-32-01-498)* mais aussi au *teatro Olimpico (piazza Gentile da Fabriano, 17 ; ☎ 06-36-00-51-84).* Il en va de même pour l'*Accademia filarmonica di Roma.* L'été, des concerts sont donnés dans les cours des palais mais aussi dans les ruines antiques (thermes de Caracalla notamment).
On peut écouter de la musique sacrée, mais aussi profane, dans les églises (particulièrement dans celle de San Ignazio), et dans les basiliques (le 5 décembre, à Saint-Pierre, l'orchestre de la *RAI* donne traditionnellement un concert en présence de Sa Sainteté). Le magnifique *oratorio del Gonfalone* propose des concerts de grande qualité. C'est également l'unique occasion de le visiter et d'en admirer les splendides fresques *(via del Gonfalone, 32a ; ☎ 06-68-75-952).*

Les concerts de rock, jazz...

Les endroits ne manquent pas, aussi nous contenterons-nous de vous donner quelques pistes. Sachez, tout d'abord, qu'il vous faudra parfois acheter une carte de membre *(tessera)* avant de payer, éventuellement, un droit d'entrée supplémentaire. Dans le quartier du Testaccio, une grande salle de concerts aménagée sommairement dans un ancien abattoir – le ***Villaggio Globale*** *(lungotevere Testaccio, plan général C6 ; • ecn.org/villaggioglobale •)* – est très réputée. Sinon, il y a aussi le ***Forte Prenestino*** *(via F. del Pino, 100 ; ☎ 06-21-80-78-55 ; • ecn.org/forte •),* ancienne prison organisant maintenant des concerts rock.
Les amateurs de jazz, en dehors de la période du *Roma Jazz Festival* (juin), iront au ***Palladium*** *(piazza B. Romano, 8 ; ☎ 06-57-33-27-68 ; • teatro-palladium.it •),* à l'***Alpheus*** *(via del Commercio, 36, à la limite de Garbatella ; ☎ 06-57-47-826 ; • al pheus.it •)* ou bien encore à l'***Alexander Platz*** *(via Ostia, 9 ; ☎ 06-58-33-57-81 ; • alexanderplatz.it •).* Pour le blues, ça se passe au ***Big Mama*** *(dans le Trastevere, vicolo san Francesco a Ripa, 18 ; ☎ 06-58-12-551 ; • bigmama.it •).*

Où danser ?

Situées pour l'essentiel en dehors du centre historique, voici quelques pistes pour ceux qui ne sauraient s'en passer même à Rome. Afin de réveiller tous les démons qui sommeillent en chacun de nous, vous pourrez toujours aller aux :

♫ ***Piper*** *(plan général E1,* ***230****) : via Tagliamento, 9. ☎ 06-68-55-53-98. Ven-sam 23h-4h (6h sam) ; dim 16h-20h. Entrée payante.* La plus vieille discothèque de Rome. Dans le quartier chic de Salario, à 15 mn à pied de la porta Pia. C'est ici que débuta la chanteuse Mina, l'édith Piaf italienne, dans les années 1960... Rien à voir aujourd'hui : cadre entièrement relooké, musique house et soirées à thème (*gay night* notamment).

♫ ***Alien*** *(plan général E2,* ***231****) : via Velletri, 13-19. ☎ 06-84-12-212. • aliendisco.it • À deux pas de la piazza Fiume. Mar-dim 23h-4h. Entrée payante.* L'une des plus grosses boîtes de Rome : hip-hop, ambient et house attirent les *beautiful people,* mais ce sont les soirées à thème (comme la « Subbacultcha » !) qui font salle comble. Soirées gay le samedi.

♫ ***Goa*** *(hors plan général par D6) : via G. Libetta, 13. ☎ 06-57-48-277. Ⓜ Garbatella. Tlj sf lun 23h-4h. Prix d'entrée selon soirée.* L'une des plus populaires discothèques électro de Rome, en grande partie grâce aux *gay nights* du mardi. Déco industrielle pour une salle qui accueille jusqu'à 700 clubbers.

♫ ***La Saponeria*** *(hors plan général par D6) : via degli Argonauti, 20. ☎ 06-57-44-69-99. • saponeriaclub.it • Ⓜ Garbatella. Tlj sf lun à partir de 20h30. Entrée payante.* Un bar-club où l'on peut commencer la soirée en dînant et la finir en dansant sur du hip-hop, de la house ou de la techno. Très connu pour la « Black Party » du samedi. La sélection peut parfois être un peu rude à l'entrée... on est branché ou on ne l'est pas...

♫ Dans le quartier de Prati (situé sur l'autre rive du Tibre, à deux pas de Saint-Pierre), des soirées rétro sont proposées au ***New York, New York*** *(plan général A2 ; via Ostia, 29 ; ☎ 06-372-40-61).* Dans une petite rue perpendiculaire à la via Leone IV (qui commence au niveau de la piazza del Risorgimento).

♫ ***La Maison*** *(plan centre C3) : vicolo dei Granari, 4. ☎ 06-68-33-312. Tlj sf lun 21h30-4h.* Pas de grand panneau à l'entrée, mais un auvent discret et des vigiles un peu molosses... À l'intérieur, c'est bôôô ! Mais attention, allez-y sapé, car c'est aussi *trendy* chic. On y rencontre parfois des protagonistes du monde de la mode italienne, c'est dire. La déco est plutôt réussie, mélangeant classique et fantaisie : canapés léopard et lustres en plastique imitation diamants. La musique ? Ce sont bien sûr des DJs tendance de la scène nationale et internationale qui s'en occupent : de la bonne vieille disco jusqu'à la musique « ethnique ».

OÙ FAIRE SES ACHATS ?

Où faire ses courses alimentaires ?

Les supérettes et supermarchés

Les supermarchés se trouvent loin du centre historique qui compte en revanche une ribambelle de supérettes bien fournies. La plus centrale est incontestablement ***Despar,*** *via Giustiniani (petite rue entre le Panthéon et l'église Saint-Louis-des-Français ; tlj jusqu'à 20h, même dim).* Autre enseigne présente dans le centre : ***Di per Di,*** *via del Gesù, 56, à 5 mn de la piazza Venezia ; via del Governo Vecchio, 119 (à proximité de la piazza Navona) ; via Monterone, pas trop loin non plus du Panthéon ; via Poli, 47, derrière la fontaine de Trevi ; via Vittoria, 22, pas loin de la piazza Venezia (tlj jusqu'à 20h, même dim).* Également ***SMA,*** *piazza Santa Maria Maggiore, 5b (angle avec la via Gioberti, en sous-sol ; lun-sam 8h-21h, dim 8h30-20h30)* et ***Conad,*** *au sous-sol de la gare de Termini (tlj 24h/24),* en dépannage. Une autre enseigne pas cher, ***Todis,*** un magasin discount qu'on trouve un peu partout, notamment dans le Trastevere *(via Natale del Grande, 24).*

Dans le quartier de Saint-Pierre et du Vatican : **G.S.,** *via delle Fornaci, 136* ou **Pam,** *circonvallazione Aurelia, 23.*

Les boutiques spécialisées

Une balade à Rome est l'occasion de s'offrir les meilleurs produits italiens. Et même d'en rapporter pour les amis !

Café

Caffè Sant'Eustachio *(plan centre C3-4,* **215***) : piazza Sant'Eustachio, 82. ☎ 06-68-80-20-48. • info@santeustachioilcaffe.it • Tlj 8h-1h30.* Sans conteste l'un des meilleurs cafés de Rome, vendu moulu au poids. Et puis, avant d'acheter, on peut s'offrir un *espresso* au comptoir (servi sucré d'office, sauf si on le précise !), histoire de se faire une idée !

Pâtes

Gatti ed Antonelli : *via Nemorense, 211 (dans le quartier africain). ☎ 06-86-21-80-44. Tlj sf jeu ap-m et dim 7h30-12h30, 16h30-19h30.* Cette maison mérite le déplacement (depuis Termini, bus n° 319), car pour beaucoup c'est la meilleure *pasta fresca* de Rome.

Bugatti *(plan général E4,* **259***) : via D. Statuto, 37c. ☎ 06-44-65-805. Ouv 7h30-13h30, 17h-19h30 (8h30-13h dim). Fermé lun et jeu.* La boutique ne paie vraiment pas de mine. Mais si on prend la peine d'entrer, on découvre une maison qui fait des pâtes artisanales depuis 1903 ! Si le choix est restreint, c'est pour mieux garantir la fraîcheur des produits.

Fromages

Bufalallegra *(plan général B2-3,* **250***) : via Orazio, 17. ☎ 06-32-27-287. Mar-sam 9h30-13h30, 17h-20h.* Le nom dit tout. Ici, c'est la *mozzarella de bufala* qui est à l'honneur, et bien évidemment celle de Paestum. Qualité irréprochable. Également du *pecorino*, on s'en doute, et quelques autres fromages locaux.

Cooperativa Latte Cisterno *(plan centre C4,* **254***) : vicolo del Gallo, 18-19. ☎ 06-68-72-875. Tlj sf sam ap-m et dim 8h-14h, 17h30-20h.* Petite boutique de quartier où l'on se réunit à la fois pour papoter entre voisins et pour acheter tous les bons produits à base de lait, comme des yaourts bio et bien sûr d'excellents fromages !

Antica Caciara Trasteverina *(plan centre C5,* **256***) : va San Francesco a Ripa, 140a. ☎ 06-58-12-815. Tlj sf dim 7h-14h, 16h-20h.* Ouverte dans les années 1900, cette épicerie fine de haute volée est surtout célèbre pour sa magnifique sélection de fromages : *pecorino*, bien sûr, mais aussi *castelmagno*, ricotta... de première qualité.

Vin

Buccone *(plan général C2,* **189***) : via di Ripetta, 19-20 (à deux pas de la piazza del Popolo). Lun-sam 9h-20h30.* Une des enseignes les plus célèbres de la ville. Le cadre est magnifique et le choix de crus italiens, mais aussi français, impressionnant. Également des accessoires pour œnophiles distingués. Voir aussi plus haut la rubrique « *Enoteche* (Bars à vins) ».

Trimani *(plan général E3,* **191***) : via Goito, 20, angle avec la via Cernaia, dans le quartier de Termini. ☎ 06-44-69-661. • info@trimani.com • Lun-sam 9h-13h30, 15h30-20h30.* La maison *Trimani*, qui aligne près de 4 500 références, est un incontournable pour tous les amateurs. C'est d'ailleurs la plus vieille cave de Rome, tenue depuis toujours par la même famille. Voir aussi plus haut la rubrique « *Enoteche* (Bars à vins) ».

Enoteca 13 Gradi *(hors plan général par C6) : piazza Bartolomeo Romano, 4.* ☎ *06-83-60-15-73. Tlj sf dim et lun mat 10h-13h, 15h-21h.* Au cœur de la Garbetella, cette petite cave est une vraie bonne surprise. D'abord parce que les prix sont raisonnables et justes, ensuite parce que le propriétaire a réussi sa sélection de vins. Il s'efforce de proposer les meilleurs domaines dans chaque région, pas forcément les plus chers, mais ceux qui lui semblent le plus sérieux. Une vraie cave en somme, où les conseils avisés n'ont rien de bassement commercial ! À noter qu'un des associés organise des balades œnologiques (comme aller goûter les vins des *castelli romani* au domaine) : *Nunc Est Bibendum :* ☎ *349-10-50-860. • nebtour.it •*

Autres adresses : l'***enoteca Al Parlamento*** *(via dei Prefetti, 15 ;* ☎ *06-68-73-446 ; • info@enotecaalparlamento.it •)* et ***Il Goccetto*** *(plan centre B4,* ***187*** *; via dei Banchi Vecchi, 14 ; rue perpendiculaire au corso Vittorio Emanuele II, au niveau de la chiesa Nuova).*

Épiceries fines

Castroni *(plan général B3,* ***81****) : via Cola di Rienzo, 196.* ☎ *06-68-74-383. Tlj sf dim 8h-20h.* Une des plus belles épiceries romaines. Amoncellement impressionnant et varié de denrées d'excellente qualité : café, huile d'olive, pâtes, condiments, sauces, conserves de luxe.... Autres boutiques : *via Flaminia, 28 (du côté de la piazza del Popolo) et via Ottaviano, 55 (les Romains évitent cette dernière, trop touristique).*

Canestro *(plan centre C5,* ***255****) : via San Francesco a Ripa, 105.* ☎ *06-58-12-621. Tlj sf dim 9h-19h30.* Plus cette petite boutique de produits bio élargit son offre, plus elle attire de monde. Logique ! On ne peut que s'en féliciter : pâtes, fromages, huile, légumes, vins, charcuteries... rien ne manque à l'appel !

Franchi *(plan général B3,* ***81****) : voir plus haut la rubrique « Où manger sur le pouce ? ».*

Antica Macelleria Annibale *(plan général C2) : via di Ripetta, 236.* Délicieuses viandes et charcuteries.

Les marchés

La fréquentation des marchés en plein air vous procurera d'autres sensations olfactives... et, surtout, vous permettra de remplir vos cabas à moindre prix. Ils se tiennent tous les jours sauf le dimanche, de 7h30 à 13h30.

– ***Mercato del campo dei Fiori*** *(plan centre C4) :* il vous charmera tant il est pittoresque, car malgré la première vision qui apparaît très touristique (et ça l'est), on y trouve des petits producteurs des environs de Rome qui viennent y vendre leurs produits. Fruits et légumes, sans parler de la viande et du poisson, ainsi que les inévitables stands de pâtes, certains à éviter. Il y a beaucoup d'autres petits marchés de quartier, comme celui situé pas loin de la fontaine de Trevi, dans la via in Arcione, au croisement avec la via delle Scuderie, ou un autre pas loin de la piazza Navona, vers l'église et le vicolo della Pace.

– ***Mercato della piazza Vittorio Emanuele II*** *(plan général E-F4) :* à deux pas de Termini, entrée par la via Principe Amedeo (non loin de la piazza Vittorio Emanuele II). On s'approvisionne en fruits et légumes, mais aussi en épices fraîches. Tous les Africains et Asiatiques du quartier viennent ici faire leurs courses.

– ***Mercato di San Giovanni di Dio*** *(hors plan général par B6) :* à Monteverde (bus n° 44). Propose la même qualité et les mêmes prix que celui de la piazza Vittorio (mais pas d'épices).

– Près du Panthéon, un petit ***marché d'alimentation*** (fruits, légumes et fleurs ; *plan centre C3*) anime la piazza delle Coppelle. Beaucoup plus cher que les précédents.

– À signaler encore, le ***mercato coperto della piazza dell'Unità*** *(à deux pas de la piazza del Risorgimento, dans le quartier de Prati ; plan général B2-3)*, le ***mercato di Testaccio*** *(piazza Testaccio ; plan général C5-6)*, où l'on trouve de très bons poissons, et enfin le ***mercato della via Alessandria*** *(situé à proximité de la porta Pia ; plan général F2)*, qui conviendra à ceux qui séjournent dans le quartier de Termini.
– Ou encore le ***mercato Trionfale :*** via Doria Andrea, pas loin de Saint-Pierre, du côté de la via Cola di Rienzo.

Autres achats

Livres et vieux papiers

On trouvera les livres neufs... dans les librairies, bien sûr (voir « Librairies » dans « Adresses et infos utiles »).
– Les vieux livres pourront s'acheter au ***mercato delle Stampe*** *(plan général C3)*, qui se tient du lundi au samedi de 7h à 13h sur le largo della Fontanella di Borghese (la rue du même nom qui part du largo constitue le prolongement de la via dei Condotti). En dehors des bouquins, vous y trouverez aussi des cartes postales, des timbres rares anciens et de vieilles gravures à des prix souvent étonnants.

Une jolie boutique de papiers, florentins entre autres (pour ceux qui n'auront pas la chance de visiter aussi Florence cette fois-ci) : ***Cartoleria Pantheon*** *(plan centre C3,* ***251****), via della Rotonda, 15. ☎ 06-68-75-313. • cartoleriapantheon@tiscali.it • Juste derrière le Panthéon, à l'angle sud-ouest. Lun-sam 10h30-20h ; dim 13h-19h.* Beaux papiers à lettres, carnets de route. Beaucoup de papiers marbrés d'une très belle qualité, et plus de 100 types de papiers cadeau différents. Si vous avez du temps, vous pouvez même faire réaliser du sur-mesure. Pas donné dans l'ensemble, mais on déniche toutefois de jolies choses à prix raisonnable.

Libreria Francesco Ponti *(plan général C3,* ***257****) : via Tomacelli, 23. ☎ 06-68-80-82-03. • fraponti@tiscalinet.it • Lun-ven 10h-13h, 16h-19h30 ; sam 10h-13h.* Plutôt que de rapporter une carte postale « à la façon de », pourquoi ne pas choisir carrément une gravure ancienne ? Cette boutique ne manque pas de stocks : des petites, des grandes, des vues générales, des monuments, mais aussi de vieux plans de la ville assez émouvants. Très joli et, au final, pas si cher.

Antiquités

– Si le cœur vous en dit, et si votre compte en banque est loin du rouge, vous trouverez votre bonheur non loin de la piazza di Spagna (allez donc faire un tour ***via del Babuino*** et ***via Margutta***).
– Ailleurs, mais toujours dans la plaine du Champ-de-Mars, d'autres rues regorgent également d'antiquaires (la ***via dei Coronari,*** notamment, de l'autre côté du Corso, non loin de la piazza Navona).
– Idem sur la ***via Giulia,*** derrière l'ambassade de France.
– Enfin, dans le quartier du ***campo dei Fiori*** (vers la via dei Cappellari et la via Monserrato), vous verrez en permanence une armée d'artisans qui restaure sous vos yeux de vieux meubles.
– Attention à l'arnaque ! Les prix n'étant qu'exceptionnellement affichés, vous pouvez vous faire rouler royalement.

Fringues et accessoires

– Où acheter les petites chaussures dont vous avez grand besoin... malgré les innombrables paires qui dorment chez vous ? Les articles du prêt-à-porter local ? L'accessoire que vous cherchez depuis votre plus tendre enfance ? Tout cela, et bien plus encore, se trouve certainement dans le ***quartier de la via dei Condotti,*** où se sont installés tous les grands noms de la mode italienne. Belles boutiques aussi du côté du Vatican, ***via Cola di Rienzo,*** notamment pour la mode masculine. Les meilleures affaires, vous les ferez pendant les périodes des *saldi* : de mi-juillet à mi-septembre et, en général, en janvier-février.

– ***Marché aux puces – mercato delle pulci di porta Portese*** *(plan général C5)* **:** tous les dimanches de 6h30 à 14h dans le quartier du Trastevere, via Portuense et via Ippolito Nievo. Autre accès par la via Trastevere (juste en face du *ministero della Pubblica Istruzione*). C'est une balade très prisée des bobos romains qui y viennent chiner, et des plus fauchés qui y trouvent un peu de tout. Venir tôt. Attention aux innombrables pickpockets qui sévissent dans le coin.

– De bonnes affaires pourront être faites du lundi au samedi de 8h à 13h au ***mercato di via Sannio*** *(plan général F5 ; en dehors de la muraille d'Aurélien, juste derrière San Giovanni ; Ⓜ S. Giovanni).* En général, les vendeurs soldent en fin de semaine (les vendredi et samedi).

En revanche, les grands magasins comme la *Rinascente, Coin* ou *Upim* proposent une mode un peu mémère. Mais il y a toujours de bonnes affaires à faire, et ce dans tous les rayons.

Enfin, on peut également trouver de beaux articles à prix moins agressifs chez :

Outlet : *via Gesù e Maria, 14-16. ☎ 06-36-13-796 (un autre via dei Serviti, 27 ; ☎ 06-48-27-790).*

Antonelle & Fabrizio : *corso Vittorio Emanuele II, 247-249.*

Outlet Fausto Santini *(plan général E4,* ***350****)* ***:*** *via Cavour, 106.* Créations du célèbre chausseur à partir de 30 € !

Sermoneta *(plan général D3,* ***351****)* ***:*** *piazza di Spagna, 61. ☎ 06-69-20-20-66. Lun-sam 9h30-20h ; dim 10h-19h.* Une coquette petite ganterie familiale proposant un grand choix de modèles (en cuir) et de coloris.

Cuisine

Chez *'Gusto* (voir plus haut « Où manger ? »), mais aussi dans les quincailleries de quartier, souvent bien fournies, sans oublier les marchés alimentaires, il est facile de trouver les grands classiques qui mettront votre cuisine à l'heure italienne : cafetières *Bialetti,* machine à pâtes *Imperia,* accessoires design et flashy d'*Alessi* et autres rutilantes cocottes à pâtes *Lagostina*. Mais attention aux différences de prix d'une adresse à l'autre ! Vous pouvez aussi faire un saut dans notre adresse préférée :

C.U.C.I.N.A *(plan général D3,* ***258****)* ***:*** *via Mario dei Fiori, 65. ☎ 06-67-91-275. ● cucina65@libero.it ● Lun 15h30-19h30 ; mar-ven 10h-19h30 ; sam 10h30-19h30.* Pour rapporter une vraie et belle cafetière italienne ou, mieux, un ustensile pour faire les pâtes fraîches et, pourquoi pas, une râpe à parmesan ! Pas mal de beaux objets un peu chers, mais quand on aime... La philosophie de la maison n'est-elle pas « comment une (belle ?) cuisine inspire de nouveaux appétits » ?

Divers

Ai Monasteri *(plan centre C3,* ***253****)* ***:*** *corso Rinascimento, 72. ☎ 06-68-80-27-83. ● info@monasteri.it ● Tlj sf jeu ap-m et dim 10h-13h, 15h-19h30 (l'été, fermé sam ap-m et dim).* Il suffit de pousser la porte de cette boutique pour se convaincre que les moines n'ont pas perdu la main : bonbons, biscuits, infusions, miel, huile d'olive, vinaigre, liqueurs, vins, c'est toute la gamme des produits artisanaux provenant des monastères italiens qui remplit les étagères. Et la qualité est au rendez-vous. Après tout, c'est la moindre des choses après des siècles d'apprentissage et de perfectionnement !

Ferrari Store *(plan général C3,* ***257****)* ***:*** *via Tomacelli, 147. ☎ 06-68-92-979.*

• *ferraristore.com* • *Lun-sam 10h-19h30 ; dim 11h-19h30.* Bon, d'accord, on se doute bien que vous n'allez pas acheter une Ferrari. Mais si vous n'avez jamais vu une Formule 1 de près, c'est le moment ou jamais ! Et puis, on peut toujours repartir avec un T-shirt ou une casquette, comme les vrais tifosi.

Soprani *(plan général B3,* ***352****)* **:** *via del Mascherino, 29.* ☎ *06-68-80-14-04.* • *soprano.it* • *Lun-ven 9h-18h30 ; sam 9h-13h30.* Dans la pléthore de magasins spécialisés en articles religieux autour du Vatican, celui-ci se distingue par ses miniprix et son maxi-choix. Alléluia !

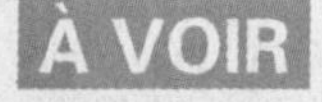

LA ROME ANTIQUE : DU CAPITOLE AUX FORUMS IMPÉRIAUX

LE CAPITOLE *(Campidoglio ; plan centre D4)*

➢ ***Accès :*** *Ⓜ Cavour ou Colosseo (ligne B) ; les stations sont situées à 5-10 mn à pied du Capitole. Bus nos 40, 44, 46, 62, 63, 64, 70, 81, 87, 186...*

Deux sommets pour une même colline (le Capitolium proprement dit à l'ouest, l'Arx à l'est) séparés par une dépression centrale, l'Asylum.

Le Capitole, qui est la plus petite des sept collines de la ville mais non pas la moindre en importance, domine le Tibre et la vallée du Forum, sans parler du Champ-de-Mars. Une véritable forteresse naturelle par conséquent, dont la fonction militaire déclinera, au fil du temps, au profit de la fonction religieuse. C'est ici, en effet, que sera construit par les Tarquin, puis constamment embelli au gré des circonstances, le grand temple dédié à Jupiter, Junon et Minerve (la fameuse triade capitoline), qui deviendra le centre de la vieille religion romaine... et le demeurera jusqu'à sa destruction au Ve s par les Vandales.

Le Moyen Âge verra peu à peu disparaître les anciens monuments de la Colline sacrée, annexée par les bénédictins du couvent de S. Maria in Aracoeli. Avec le réveil des idées de liberté municipale, le Capitole retrouve son faste d'antan. Tous les grands acteurs de la scène locale (de Cola Di Rienzo au général Clark en passant par Bonaparte et Garibaldi) s'y produisent car c'est ici que les grandes messes politiques sont dites depuis 1143 (à l'extérieur, sur la place, comme à l'intérieur du palais des Sénateurs, où siègent les institutions locales).

L'Asylum *(la dépression centrale)* *: la place du Capitole*

De la piazza d'Aracoeli, située en contrebas du Capitole, il suffit de gravir les marches de la Cordonata, la rampe d'accès majestueuse, flanquée à sa base comme à son sommet de statues antiques réemployées. On remarque, en passant, les ***statues des Dioscures*** aux côtés de leurs chevaux (représentant Castor et Pollux, ils datent de la fin de l'époque impériale) ainsi que les ***trophées de Marius*** (placés sur la balustrade, ils commémorent les victoires de Domitien sur les Teutons).

Piazza del Campidoglio *(place du Capitole)* **:** la dépression centrale de la Colline sacrée est occupée par la piazza del Campidoglio. Telle que nous la voyons aujourd'hui, c'est-à-dire décorée d'un magnifique pavement géométrique, elle a

été bâtie d'après les plans de Michel-Ange sollicité par Paul III, soucieux de pallier l'absence, à Rome, d'une grande place digne de recevoir les têtes couronnées du XVIe s.
L'artiste florentin sortit donc ses crayons et dessina une nouvelle place rectangulaire accessible de la piazza d'Aracoeli. Trois des quatre côtés devaient être occupés par autant de palais : le *palais des Sénateurs (palazzo dei Senatori)* entièrement restauré et agrémenté d'une fontaine, et, se faisant face, deux autres palais identiques (le *palais des Conservateurs,* reconstruit, et le *palais Neuf*). Le quatrième côté, devant être ouvert par une *balustrade* regardant vers la ville, achevait d'aérer cet espace qui l'était déjà du fait que les trois édifices ne devaient pas se toucher.

MARC AURÈLE A EU CHAUD !

Au centre de la place du Capitole se trouve la copie de la célèbre statue équestre de Marc Aurèle, déménagée du Latran par Paul III (l'original est au palais des Conservateurs). À l'origine en bronze doré, cette œuvre magnifique a échappé à la destruction grâce à une méprise : on a fort heureusement confondu Marc Aurèle avec Constantin, le premier empereur à avoir protégé les chrétiens et à s'être converti au christianisme. Sans cette confusion, il est probable que la statue de Marc Aurèle eût été fondue en cloche, sort généralement réservé aux effigies païennes au Moyen Âge !

Les cartons du maître, qui reçurent un début d'exécution en 1538, auraient pu être rangés dans des tiroirs à sa mort en 1564. Or, il n'en fut rien. Ses successeurs, Giacomo Della Porta puis Girolamo Rainaldi, ne s'écarteront, en effet, guère du projet initial... achevé en 1655 seulement.
Depuis – mais cela était déjà ainsi avant les constructions médiévales qui servirent de point de départ à Michel-Ange –, le Capitole tourne résolument le dos à son illustre passé, la Rome antique (les ruines du Forum romain plus précisément), pour regarder la plaine du Champ-de-Mars où se concentrait, à l'époque, l'essentiel de la vie romaine.
Des édifices qui couvraient, au temps des Césars, cette partie du Capitole, il ne reste pour ainsi dire quasiment rien... en dehors de l'imposante substruction du *Tabularium* (visible du Forum et accessible par la galerie souterraine reliant les deux musées) qui fait aujourd'hui office de soubassement du palais des Sénateurs.

Musei capitolini (musées capitolins)

Installés dans les 2 palais se faisant face, et reliés par une galerie souterraine. Infos et résas : ☎ 06-06-08. • museicapitolini.org • ♿ Tlj sf lun 9h-20h (dernière entrée 1h avt) ; fermé 1er janv, 1er mai et 25 déc ; les 24 et 31 déc : 9h-14h slt. Entrée : 6,50 € ; 9 € lors des fréquentes expos temporaires (résa : + 1 €) ; réduc ; gratuit pour les ressortissants de l'Union européenne de moins de 18 ans et plus de 65 ans... et pour les Parisiens (si, si, c'est grâce à un partenariat entre les 2 villes !). Le billet d'entrée est bien sûr valable pour les 2 musées. Billet jumelé avec la centrale Montemartini (valable 7 j.) : 8 € ; 10 € avec l'expo temporaire. Audioguide en français (très bien fait) : 5 €. Très belle vue panoramique depuis la terrasse de la cafétéria (plats moyens, cela dit ; bien pour boire un verre).

*** ***Museo del palazzo dei Conservatori*** *(musée du palais des Conservateurs)* **:** ce palais du XVe s, qui abritait les délibérations des conseillers municipaux, renferme sans aucun doute le plus vieux musée public du monde. Sa création remonte à 1471, date à laquelle le pape Sixte IV fit don de sa collection de bronzes. Un bon prétexte pour les conservateurs : ils n'eurent de cesse d'étoffer cette riche donation, à laquelle on ajouta par la suite une magnifique pinacothèque (œuvres majeures de la peinture européenne des XVIe et XVIIe s).
– Dans la ***cour intérieure,*** on aperçoit les fragments impressionnants d'une *statue colossale de Constantin* (empereur du IVe s) provenant de la basilique de Maxence

et de Constantin. La tête mesure 2,60 m, le pied 2 m... On a beau être grand et fort, on se sent vraiment tout petit.

– ***Sale dei Conservatori*** *(salles des Conservateurs)* **:** correspondant aux appartements d'apparat de la municipalité romaine. On y remarque d'abord quelques bas-reliefs antiques provenant d'arcs de triomphe et consacrés à Marc Aurèle et Hadrien, avant de pénétrer dans la *salle des Horaces et des Curiaces.* Son nom provient des gigantesques fresques décorant les parois, réalisées fin XVIe s-début XVIIe s par Cavalier d'Arpin, retraçant l'histoire antique de la ville dont le célèbre duel entre Rome et Albe pour la conquête du Latium. Beau symbole pour les ennemis d'hier, en particulier la France et l'Allemagne, qui signèrent dans cette salle, le 25 mars 1957, les fameux traités de Rome qui donnèrent naissance à la Communauté européenne de l'énergie atomique et à la Communauté économique européenne, devenue aujourd'hui l'Union européenne. Deux statues méritent l'attention : la première, en marbre, œuvre du Bernin, représente Urbain VIII ; la seconde, en bronze, due à l'Algarde, représente Innocent X. Dans la salle suivante (la *salle des Capitaines*), des peintures du XVIe s retracent des épisodes légendaires de la Rome républicaine. Après avoir jeté un coup d'œil sur le joli plafond à caissons et les bustes des généraux de l'armée pontificale, on passe ensuite dans la *salle des Triomphes* (il s'agit du triomphe du général romain Lucius Emilius Paulus – une frise représente, en effet, le cortège du vainqueur au retour de sa campagne contre les Cimbres et les Teutons). Ici, il faut s'arrêter absolument devant la *Tête de bronze,* dite de Brutus (réalisée aux IV-IIIe s av. J.-C.), qui a conservé ses yeux, ainsi que devant l'une des statues les plus célèbres du musée : le *Tireur d'épine* (Ier s av. J.-C.), œuvre aussi gracieuse qu'originale montrant un jeune garçon occupé à retirer une épine de son pied. La *salle de la Louve* qui fait suite permet d'admirer... la fameuse *Louve du Capitole,* symbole de Rome (un bronze étrusque du Ve s av. J.-C. auquel on a ajouté, à la Renaissance, les jumeaux Romulus et Remus). Les salles suivantes abritent moins d'œuvres exceptionnelles (on ne vous conseille pas pour autant de les parcourir à toute vitesse). Mentionnons tout de même la *Tête de Méduse* du Bernin (salle des Oies), la *Diana Efesina* dans la salle des Aigles, le somptueux plafond à caissons et les fresques de la salle des Tapisseries. Remarquez aussi les portes finement ouvragées. Enfin, jetez un œil à la *salle Hannibal* avec son cheval de bronze, son plafond à caissons et les fresques de Ripanda retraçant les guerres puniques dudit Hannibal.

– ***Marc Aurèle et le temple de Jupiter capitolin*** **:** c'est au centre d'un patio moderne et très lumineux que trône, impériale, l'authentique statue équestre de Marc Aurèle (c'est une copie sur la place du Capitole). Protégée des intempéries par une verrière, cette œuvre unique profite d'un vaste espace à sa mesure, éclairé idéalement par la lumière naturelle. Elle est escortée d'illustres voisins, comme les fragments de la statue colossale en bronze de Constantin et un lumineux Hercule en bronze doré (du IIe s av. J.-C.). En parlant d'Hercule, on passera la tête dans la galerie adjacente (en haut des marches) pour découvrir, entouré de Tritons, la statue de l'empereur Commode, qui n'avait pas hésité à se faire représenter sous les traits du valeureux héros. Voir aussi les statues étrusques, dont celle d'un chien en marbre d'Égypte. La muséographie moderne et aérée met également en valeur les vestiges du temple de Jupiter capitolin. La masse des fondations dégagées permet de se faire une petite idée de la taille du bâtiment. Démesurée ! Une maquette précise d'ailleurs ses dimensions : 62 m x 54 m. Une section explique la construction du temple à l'aide de panneaux, de dessins et de quelques ordinateurs.

– ***Pinacoteca*** *(pinacothèque)* **:** changement de décor au 2e étage, où l'on trouve des œuvres majeures de la peinture européenne du XVe au XVIIIe s. On verra dans un premier temps la *Sainte Famille* réalisée par Dosso Dossi *(salle 2).* Dans la *salle 3,* la révolution de la couleur, marque de la peinture vénitienne du XVIe s, s'exprime dans le *Baptême du Christ* de Titien. Dans la *salle 7,* vaste salon dominé par une immense toile du Guerchin *(Les Funérailles de sainte Pétronille),* on trouve deux œuvres du Caravage : *La Diseuse de bonne aventure* et *Saint Jean-Baptiste* représenté de manière révolutionnaire ; sans attribut religieux, le saint est surpris dans une torsion athlétique comme un jeune berger. C'est aussi dans cette salle que l'on admire la grande toile que Rubens peignit à Anvers autour de 1617, *Romulus et Remus*. La *salle 6* est consacrée au renouveau radical introduit dans la peinture bolonaise par la fondation de l'académie des Carrache. Ainsi, dans le *Saint Sébastien* de Guido Reni est privilégié le mysticisme de l'épisode plutôt que la souffrance du saint. La *salle 8* permet d'admirer l'*Enlèvement des Sabines* et autres œuvres importantes de Pierre de Cortone. La *salle 9*, consacrée en grande partie aux arts décoratifs, présente quelques tapisseries anciennes ainsi qu'un Van Dyck, *Lucas et Cornelis de Wael*.

***** *Museo del palazzo Nuovo*** *(musée du palais Neuf)* **:** musée situé à droite, dos à la statue de Marc Aurèle. À la fin du XVIIe s, l'accroissement des collections du *palais des Conservateurs* menaçait ce dernier d'asphyxie. L'inauguration en 1654 du *palazzo Nuovo* tombait à pic ! On y transféra très vite le trop-plein d'œuvres... bien avant son statut officiel de musée, confirmé seulement en 1734. Aujourd'hui, les visiteurs rejoignent le *palazzo Nuovo* en empruntant une galerie souterraine qui passe sous la *piazza del Campidoglio*. Et comme les entrailles du Capitole ne sont pas neutres, on tombe nez à nez avec les vestiges du *temple de Véies* (Ier ou IIe s av. J.-C.) et la statue de culte décapitée du jeune dieu découverte pendant les fouilles (Véies est un équivalent de Jupiter). Intéressant, certes, mais la surprise est de taille lorsque les couloirs débouchent sur les galeries du *Tabularium*. C'est dans ce complexe semi-fortifié construit au Ier s av. J.-C. que les Romains conservaient les *Tabulae*, les archives de l'État. De larges baies livrent des vues à couper le souffle sur le forum, en contrebas... Retour dans la galerie souterraine (la principale, celle qui relie les deux musées), pour admirer une collection lapidaire où le but n'est pas tant la beauté des pièces exposées que ce qu'elles ont à dire. Ici, on s'intéresse à l'art délicat de l'épigraphie, passe-temps préféré des historiens (c'est-à-dire déchiffrer les inscriptions sur des monuments riches en informations, comme des stèles funéraires).

À l'autre bout de la galerie souterraine, un escalier conduit dans un premier temps au rez-de-chaussée du *palazzo Nuovo*, où l'on fera une halte dans la cour. On y verra une fontaine figurant une divinité fluviale provenant du forum d'Auguste, flanquée de deux satyres expressifs d'époque hellénistique et surmontée du buste de Clément XII.

À l'étage, la *galerie* rassemble une belle collection de statues, dont un petit enfant représenté comme un *Hercule*, occupé à jouer avec les serpents dans son berceau, ou encore un *Éros ailé*. La *salle des Colombes* doit son nom aux belles mosaïques retrouvées sur l'Aventin et représentant des *Colombes s'abreuvant*. Admirez également les *Masques de scène*, autres mosaïques provenant quant à elles de la villa Adriana. Le *cabinet de Vénus* nous montre une déesse dévêtue (IIe s) particulièrement charmante. Dans la *salle des Empereurs*, testez vos connaissances en matière de civilisation romaine en tentant de mettre quelques noms sur ces 67 visages. Sachez que dans de nombreux cas, il s'agit simplement de portraits de citoyens auxquels on a arbitrairement assigné un nom impérial pour contenter les collectionneurs ! Et, pour la petite histoire, cette collection un peu extravagante fut acquise par Clément XII avec l'argent des jeux publics. Dans la *salle des Philosophes* voisinent 80 bustes, tant de philosophes que de poètes. C'est amusant de mettre enfin un visage sur des noms fameux tels que Pythagore, Sophocle, Platon, Euripide... Dans le *Grand Salon*, jetez un coup d'œil à l'extraordinaire plafond baroque, sans oublier les deux centaures en marbre (l'un riant, l'autre grimaçant, l'un jeune et l'autre vieux) et un Hercule, représenté en bébé potelé. Passant dans la *salle du Faune*, le regard se porte naturellement sur la musculature hyperréaliste du *Faune* en marbre rouge, qui est une autre réplique romaine d'un bronze hellénistique provenant de la villa Adriana. Un des clous du musée vous attend dans la *salle du Gaulois* : il s'agit du *Galates mourant*, superbe réplique romaine réalisée vers 170 av. J.-C., d'après un original grec du IIIe s av. J.-C. Notez la dignité du visage, qui reflète à la fois une angoisse profonde et le courage. On remarquera également

L'Amazone blessée, dont le drapé rappelle celui des Amazones présentes dans la décoration du Parthénon, ou encore les tendrissimes *Amour et Psyché.* Pour sortir, on repasse par la galerie.

Le Capitolium : le souvenir du temple de Jupiter capitolin

La hauteur occidentale, le Capitole proprement dit, joua naguère un rôle de premier plan du fait de la présence, sur son sol, du temple de Jupiter capitolin, le principal sanctuaire de l'Antiquité. Depuis le passage des Vandales en 455, cette zone de la Colline sacrée semble habitée par des fantômes. Ignorée de l'Église chrétienne, qui jamais ne daigna s'installer dans ce haut lieu du paganisme, elle se trouva en effet rapidement envahie par les vignes et les jardins où venaient paître librement des chèvres... d'où le nom de « monte Caprino » qui lui fut attribué un temps, témoignant ainsi de son état d'abandon. Aujourd'hui, en dehors d'un modeste jardin et de constructions éparses, on n'y trouve rien.
C'est en contrebas du temple de Jupiter capitolin que l'on situe la roche Tarpéienne. Son histoire remonte à Romulus qui, fondant Rome, promit l'impunité à tous ceux qui viendraient s'y établir. Manquant cruellement de femmes, Romulus organisa quelques agapes afin de faciliter l'enlèvement de ses voisines, les Sabines. Furieux, le roi des Sabins, Titus Tatius, promit des épousailles à Tarpeia, fille du gouverneur du Capitole, tombée raide dingue de lui, afin qu'elle lui ouvre les portes de la ville. Cela obtenu, le roi, très peu galant, ordonna à ses Sabins d'écraser Tarpeia. L'usage s'installa chez les Romains de précipiter les traîtres du haut de cette roche...

Tempio di Giove capitolino *(temple de Jupiter capitolin)* **:** son histoire remonte à la plus haute Antiquité, à l'époque étrusque plus précisément, quand débuta la construction du temple de la triade capitoline par les derniers rois de Rome, les Tarquin. Aussi la tradition dut-elle, au mépris d'une réalité gênante, placer la date d'inauguration de ce temple (qui allait rapidement devenir le centre de la vieille religion romaine) en 509 av. J.-C., autrement dit au début de la République romaine débarrassée alors de la royauté étrusque.
Trois incendies (83 av. J.-C., 69 et 80 apr. J.-C.) obligeront les Romains à rebâtir ce sanctuaire qui ne cessera de s'embellir au fil du temps. S'il put donc renaître à chaque fois de ses cendres, il ne se relèvera plus après le passage des Vandales en 455. Voué à l'abandon après cet épisode tragique, il deviendra vite un amas de ruines. Ses dernières colonnes subsisteront, néanmoins, jusqu'au XVe s... avant d'être abattues pour faire de la chaux. Aujourd'hui, il ne reste de ce temple que de bien modestes fragments (dont certains se trouvent dans le palais des Conservateurs).
Un important escalier frontal (que l'on situe au niveau de la via del Tempio di Giove) permettait d'accéder au porche dont la profondeur est suggérée par la présence de trois colonnes frontales successives. Deux autres colonnades, latérales celles-ci, achevaient de repousser vers le fond de l'édifice le cœur du sanctuaire, à savoir les trois *cellae* (la statue cultuelle de Jupiter optimus maximus se trouvant, comme il se doit, dans la pièce centrale). Regardant vers le sud, où se trouvait alors le centre de Rome, le sanctuaire devait avoir belle allure du fait, notamment, qu'il était, telle une statue sur son socle, dressé sur un podium, lequel dominait de 9 m la place publique à ses pieds. Les regards des pieux Romains étaient d'autant plus portés à se diriger vers lui qu'il était orné d'une splendide façade surmontée d'un fronton dominé par un quadrige en bronze. Le toit était, quant à lui, couvert de tuiles dorées. Une esplanade précédait ce sanctuaire. Ce qu'il en reste (car sa superficie a été réduite suite à des éboulements continuels depuis l'Antiquité) est maintenant occupé par le jardin public du temple de Jupiter. L'Area capitolina, point d'arrivée des cortèges triomphaux, était naguère peuplée d'édifices et de nombreuses sta-

tues. Ces dernières devinrent au fil des siècles si envahissantes qu'il fallut en transporter quelques-unes dans la plaine du Champ-de-Mars.

L'Arx : chiesa Santa Maria in Aracoeli et le Vittoriano

La hauteur orientale, l'Arx, possédait également à l'époque romaine un sanctuaire, le temple de Junon Moneta (c'est-à-dire « celle qui avertit »), à côté duquel se trouvait l'atelier monétaire de Rome... d'où le nom de « monnaie » (qui vient de Moneta) que nous donnons aux espèces sonnantes et trébuchantes. Ces vieilles constructions, gommées par les siècles et les hommes, ont laissé la place à l'église Santa Maria in Aracoeli, un peu à l'étroit depuis la construction du monstre voisin (le Vittoriano). Hier, en effet, les franciscains respiraient davantage, car ils possédaient toute la colline, ainsi que les indispensables bâtiments conventuels.

Chiesa Santa Maria in Aracoeli : *tlj 9h-12h30, 14h30-17h30 (horaires assez fluctuants).*
De la piazza d'Aracoeli, un bel escalier en marbre (construit en 1348, l'une des constructions publiques romaines du temps où les papes étaient à Avignon) conduit au grand portail de l'église Santa Maria in Aracoeli.
Bâtie sur les ruines du temple de Junon Moneta avec de nombreux éléments antiques (les colonnes, notamment), elle tire son nom de l'autel (*ara coeli* signifiant « autel du ciel ») qu'aurait érigé l'empereur Auguste à la suite d'une vision (une spécialité impériale si l'on songe à Constantin) qu'il aurait eue de l'Enfant Dieu descendant vers un autel. Construite à l'origine par des bénédictins, aux IXe-X^{e} s, elle fut cédée en 1250 par Innocent X aux franciscains, qui la reconstruisirent entièrement. Elle devait, par la suite, connaître maintes modifications, sur lesquelles on ne va pas s'étendre au risque de vous ennuyer. Quant à la façade, elle est aussi austère qu'une vieille gouvernante anglaise.
Une fois à l'intérieur, appréciez en premier lieu le *plafond* à caissons dorés représentant (de façon symbolique) la bataille de Lépante remportée en 1571 par les chrétiens sur les Turcs, et le pavement cosmatesque (du nom de Cosmati, ou Cosma, célèbre famille de marbriers romains) des XIIIe-XIVe s. Le sol est également pavé de nombreuses pierres tombales superbes, sculptées en bas-reliefs. Ensuite, on chemine dans les nefs latérales, où l'on ne pourra pas s'empêcher d'admirer, entre autres belles choses, les fresques du Pinturicchio (première chapelle à droite) illustrant la vie et la mort de saint Bernardin, ainsi qu'un maître-autel décoré d'une icône du XIIe s. En face, deux *ambons* des pilastres de la croisée. Au fond, la *chapelle du Sant Bambino* : sculpté dans un olivier du jardin de Gethsémani (où le Christ passa sa dernière nuit, on le rappelle aux mécréants), la légende veut que ce divin enfant soit miraculeusement habillé par les anges... Avant de fermer la porte de l'église, dénichez la colonne « musicale » (c'est la colonne rose, la troisième à gauche quand on arrive par l'entrée principale ; il faut taper un peu fort et plusieurs fois sur la colonne, puis coller son oreille sur l'un des orifices...). Sur la colonne suivante, la Vierge, bien qu'encadrée par un autel, a été peinte directement à même la colonne. Jetez aussi un coup d'œil sur le *tombeau du cardinal d'Albret.*
Autrefois, les moines pouvaient, entre deux offices, déambuler tout en ruminant de saintes pensées dans un cloître attenant à l'église. Celui-ci, comme l'ensemble des bâtiments conventuels, a été détruit en 1888 pour permettre la construction du Vittoriano.

Le monument à Victor-Emmanuel II *(Vittoriano)* **:** orienté en direction de la via del Corso, il appartient davantage à la piazza Venezia qu'au Capitole (d'où le renvoi à la partie « Le centre historique »).

Carcere Mamertino *(plan du Forum romain)* ***:*** *la prison Mamertine est située au pied du Capitole, en surplomb du Forum (juste après le tourniquet de la sortie*

À VOIR

côté Capitole). Tlj, hiver 9h-17h, été 9h-19h. Creusée dans la roche de la colline du Capitole au IIe s av. J.-C., cette prison publique dont il ne reste que deux salles superposées est tristement célèbre. De nombreux ennemis de l'État croupirent dans ses obscurs cachots. Elle eut comme hôte un certain Vercingétorix qui, après avoir été exhibé au peuple par César, y trouva la mort en 46. À l'époque, on épargnait la vie des chefs valeureux, mais Vercingétorix n'en fut pas jugé digne ! Idem pour un malheureux roi de Numidie qui y mourut de faim. L'endroit, sans grand intérêt historique, est tout de même assez poignant.

COUP DE TÊTE BÉNI

Au Moyen Âge, une légende affirma que saint Pierre et saint Paul auraient été enfermés dans la prison Mamertine. Saint Pierre, bousculé par ses geôliers, se serait cogné la tête sur la roche et l'eau en aurait jailli miraculeusement... Il est vrai qu'une source passe en dessous de la prison. Pas rancunier, saint Pierre aurait quand même baptisé ses geôliers.

AUTOUR DU CAPITOLE ET DU PALATIN : LE FORUM ROMAIN ET LE PALATIN

(Foro romano e Palatino ; plan général D4-5)

– ***Les horaires de visite*** *sont les mêmes pour le* ***Forum,*** *le* ***Palatin,*** *le* ***Colisée*** *et les* ***thermes de Caracalla :*** *tlj (sf les thermes, fermé lun ap-m) ; du dernier dim d'oct au 15 fév, 8h30-16h30 ; 16 fév-15 mars, 8h30-17h ; du 16 mars au dernier dim de mars, 8h30-17h30 ; jusqu'au 31 août, 8h30-19h15 ; 1er-30 sept, 8h30-19h ; et du 1er au dernier sam d'oct, 8h30-18h30. Sachez que les grilles ferment 45 mn à 1h plus tôt.*

– ***Conseil pour le sens de la visite :*** si vous n'avez pas de réservation ni le *Roma Pass,* on vous conseille d'emprunter l'entrée située via dei Fori Imperiali, en général un peu moins fréquentée que les autres. Vous visiterez alors dans l'ordre le Forum romain, le Palatin et enfin le Colisée. Avec une réservation ou un *Pass,* il peut valoir le coup de commencer par le Colisée (on ne fait pas la queue pour l'achat des billets).

À VOIR

Le Forum romain

Via dei Fori Imperiali. ☎ *06-39-96-77-00.*

➢ ***Accès :*** Ⓜ *Colosseo (ligne B). De nombreux bus aussi, dont les nos 30, 44, 60, 81, 85, 87, 186... Accès principal par la via dei Fori Imperiali (à peu près au milieu). Possibilité d'accéder également au site depuis le Palatin (on peut enchaîner les 2 sites sans avoir à ressortir et refaire la queue).*

– ***Entrée :*** *billet jumelé pour le Forum, le Palatin et le Colisée. Tarif : 12 € ; supplément de 3 € en cas d'expo temporaire (quasi systématique). Le billet jumelé est valable pour la journée. Mais s'il est acheté après 13h, il est alors valable jusqu'à la fermeture du site le lendemain (ce qui permet de se balader tranquillement). Pas de frais de résa ni, en principe, d'attente avec les* Roma Pass *et* Archaeologia Card *(voir « Musées, sites et monuments » dans « Rome utile ») ; réduc pour les 18-24 ans ; gratuit pour les moins de 18 ans et les plus de 65 ans de l'Union européenne. En revanche, sans le* Roma Pass, *résa payante : 1,50 €. Pour les horaires, voir plus haut.*

– ***Audioguide :*** *4 € (attention, location seulement pour 2h ; au-delà, il y a un supplément).* Il est proposé (version française) pour le Forum et le Palatin. Obligation de le rendre au même endroit (ce qui n'est pas toujours pratique si l'on veut quitter le site par une autre sortie).

Avant d'entrer sur le site, détour obligatoire par la terrasse du Capitole (on obtient le meilleur point de vue depuis la terrasse panoramique située au chevet de la *chiesa Santa Maria in Aracoeli*) pour avoir une vue d'ensemble du Forum romain. De la Colline sacrée, on contemple, non sans un petit pincement au cœur, 12 siècles de civilisation romaine parvenus jusqu'à nous malgré les outrages du temps et des hommes. Il suffit ensuite de rejoindre la via dei Fori Imperiali pour gagner l'entrée de la zone archéologique, à quelques centaines de mètres.

– ***Le Forum romain sous la République et l'Empire :*** dans l'ordre chronologique, les marécages précèdent Rome et son antique place publique. Coincée entre le Capitole et le Palatin, la dépression du Forum draine d'abord les eaux de ces collines avoisinantes, qui se déversent ensuite dans le Tibre en empruntant la voie tracée par la petite vallée du Vélabre. Menacé constamment par les eaux, ce milieu inhospitalier, où les habitants des collines environnantes installent une nécropole, demeure inhabité jusqu'au début du VIe s av. J.-C., époque où le site sera asséché par un important système d'égouts (le *Cloaca Maxima*) réalisé par les Étrusques.

Dès lors, les opérations édilitaires, réalisées par vagues successives, donnent à Rome, devenue capitale d'un vaste empire après les guerres puniques, un centre à sa mesure et dont elle peut être fière. Rome se devait en effet de faire mieux que les grandes cités hellénistiques comme Athènes, Alexandrie ou Pergame, riches d'un spectaculaire patrimoine architectural.

C'est César qui, le premier, s'efforce de mettre un peu d'ordre dans ces constructions anarchiques. C'est à lui également que l'on doit le mouvement lancé pour procéder au désengorgement du Forum romain par la construction d'un nouveau forum... suivie de quatre autres.

– ***Le Forum romain du Moyen Âge à la Renaissance :*** faute de place, on cessera de construire dès le IIIe s. L'instabilité avant l'agonie commence au début du Ve s avec la pression des Barbares. Pillée et détruite, l'antique place publique, témoin des grands épisodes de l'histoire romaine, sera abandonnée pendant plusieurs siècles.

La christianisation du vieux centre de la Rome païenne par la transformation d'édifices antiques en églises, dès le VIe s, sauvera une partie de ce patrimoine.

Les querelles médiévales oubliées, le Forum devient un lieu où les troupeaux viennent paître tranquillement. Seules quelques colonnes de temples antiques rappellent qu'à une autre époque, ce modeste pâturage, dénommé alors campo Vaccino, avait été le centre d'un vaste empire. Mais c'est la Renaissance qui porta le coup fatal au vieux forum. Les besoins en matériaux pour la basilique de Saint-Pierre furent le prétexte à un pillage systématique de monuments préservés jusqu'alors, comme le temple de Saturne, ou celui des Dioscures. Les cris d'alarme de Michel-Ange et de Raphaël ne freinèrent même pas les carriers. « Pour construire la Rome des papes, on détruisit celle des Césars. »

– ***Les fouilles :*** les toutes dernières années du XVIIIe s, et surtout le XIXe s, permettront grâce aux fouilles d'une nouvelle génération de chercheurs de redécouvrir patiemment la première Rome dont on avait oublié l'emplacement exact des bâtiments.

Portico degli Dei consenti *(portique des Dieux conseillers)* **:** construit sous Flavien, il abritait les statues des 12 dieux les plus importants de la religion romaine : Jupiter, Junon, Neptune, Minerve, Mars, Vénus, Apollon, Diane, Vulcain, Vesta, Mercure et Cérès.

Tempio di Saturno *(temple de Saturne)* **:** il reste huit colonnes ioniques du plus bel effet. Il avait été construit dès 488 av. J.-C., mais les vestiges actuels remontent au IVe s apr. J.-C. Le trésor public était gardé dans le podium du temple. À côté se dressait la colonne du ***Miliarium Aureum,*** borne qui marquait le point zéro à partir duquel on calculait les distances pour les villes de l'Empire. Tous les chemins mènent bien à Rome.

Basilica Julia *(basilique Julia)* **:** entreprise par César sur l'emplacement d'une basilique antérieure *(basilica Sempronia)* mais achevée seulement par Auguste en

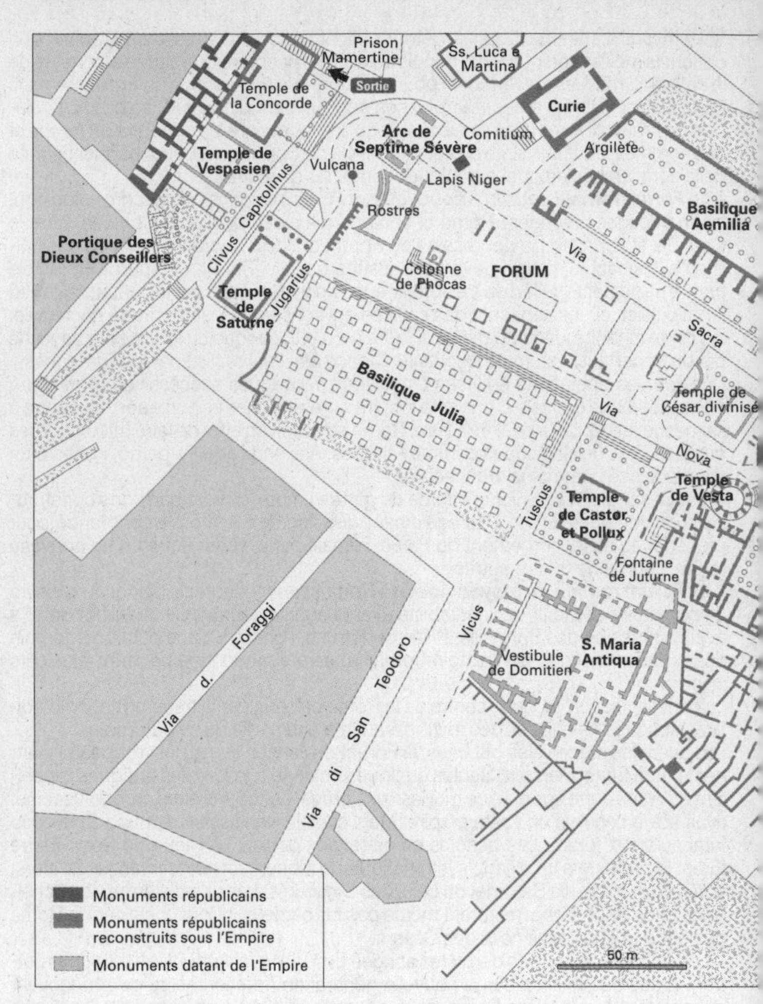

12 apr. J.-C., elle marque l'avènement du gigantisme architectural, comme en témoignent ses dimensions considérables (109 m de long pour 40 m de large). L'intérieur, divisé en cinq nefs (une nef centrale plus deux fois deux nefs latérales) et permettant d'accueillir quatre tribunaux à la fois, devait être magnifique avec un pavement de dalles de marbre précieux et de marbre blanc. On peut d'ailleurs encore distinguer sur le pavement des graffitis et des damiers gravés par des joueurs de passage.

Tabularium : construit au temps du dictateur Sylla, il abritait les archives de l'État (dont de vieilles lois romaines inscrites sur des tables de bronze, d'où son appellation). Ses restes imposants servent de soubassement au palais sénatorial du Capitole (on y accède d'ailleurs lorsqu'on visite les musées du Capitole).

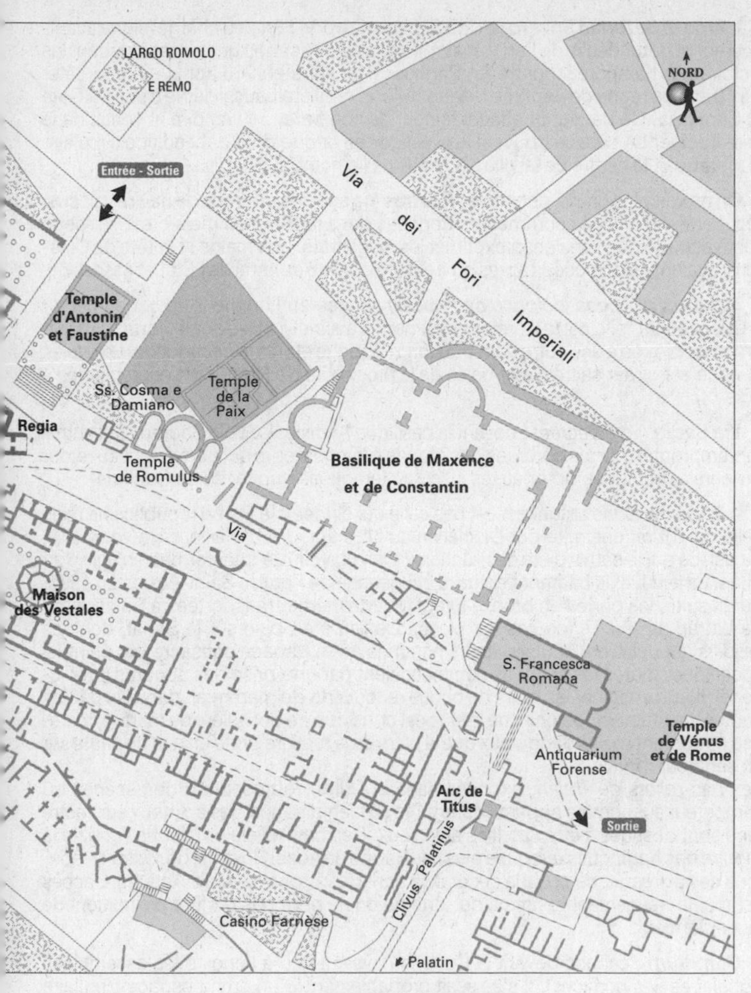

LE FORUM ROMAIN

Tempio di Vespasiano *(temple de Vespasien)* **:** il ne reste que trois élégantes colonnes corinthiennes surmontées d'une frise décorée d'instruments de sacrifice. Les empereurs étaient considérés comme des dieux, et le Sénat les divinisait en leur dédiant un temple sur lequel leur âme, s'échappant de leur corps brûlé, était représentée par un aigle s'envolant vers Jupiter. Domitien fit donc élever ce temple pour son père. Sachez que c'est Vespasien qui décida de taxer... les latrines publiques. Il aurait d'ailleurs déclaré à son autre fils, Titus, que « l'argent n'a pas d'odeur »... Les vespasiennes, vous connaissez ?

Tempio della Concordia *(temple de la Concorde)* **:** édifié en 367 av. J.-C. par Furius Camillus pour célébrer la paix entre les patriciens et les plébéiens qui s'affrontaient depuis de longues, longues, longues années.

Arco di Settimio Severo *(arc de Septime Sévère)* **:** un peu chargé (signe avant-coureur du futur déclin de l'art romain), il est orné de scènes guerrières illustrant les victoires de l'empereur contre les Parthes ; il fut érigé en 203 apr. J.-C. pour fêter les 10 ans de règne de Septime Sévère. À l'origine, il était aussi dédié à ses fils Geta et Caracalla. Ce dernier fit effacer le nom de son frère... à vrai dire, il venait de le faire trucider ! À côté se trouvent les vestiges en brique d'un petit édifice circulaire qui marquait le centre de la ville : l'*Umbilicus* (le nombril !) *Urbis*.

On ne voit plus grand-chose des ***Rostres*** (ce sont les éperons de navire vaincus, récupérés puis fichés comme des trophées dans la tribune), mais c'est sur cette vaste estrade que venaient s'exprimer les magistrats. Les mains et la tête de Cicéron y avaient été exposées après qu'il eut été déclaré ennemi de l'État et assassiné.

Colonna di Focas *(colonne de Phocas)* **:** érigée en l'honneur de cet empereur d'Orient au VIIe s, c'est le dernier monument à avoir été élevé sur le Forum. En fait, on l'avait piquée à une autre construction : l'époque était à la décadence. Le figuier, la vigne et l'olivier sacrés, symboles de la prospérité de Rome, ont été replantés à côté.

Via Sacra *(Voie Sacrée)* **:** devant la basilique Aemilia. La Voie Sacrée était autrefois empruntée par les cortèges des grands triomphateurs qui paradaient au retour de leurs campagnes victorieuses jusqu'au temple de Jupiter sur le Capitole.

Curia **:** la *Curie* actuelle n'est pas celle qui dirigeait la Rome républicaine mais celle qui fut reconstruite par Dioclétien au IIIe s apr. J.-C. D'ailleurs, à votre avis, qu'est-ce qui la sauva de la destruction ? Oui, d'avoir été transformée en église au VIIe s. La preuve, le bâtiment actuel a été dégagé de l'église Saint-Adrien en 1937. Par la suite, les portes en bronze furent tout de même transportées à Saint-Jean-de-Latran au XVIIe s (copies sur place). Ce lieu était bien sûr le Sénat, dont les gradins accueillaient 300 sénateurs nommés à vie. Espace consacré par un rituel spécifique, toutes les séances commençaient par une prise des augures (prédictions). Il faut imaginer les murs de brique recouverts de marbre et, dans les parties hautes, de stuc. Rappelons que le stuc est constitué de poussière de marbre, matériau nettement moins dangereux que la plaque de marbre brute en cas de chute sur un sénateur romain...

Les *bas-reliefs de Trajan,* exposés dans la Curie, représentent des scènes où l'empereur susnommé apparaît dans toute sa bienfaisance ; les animaux sur l'autre face sont destinés à être sacrifiés aux dieux. Ces bas-reliefs ornaient à l'origine la tribune des harangues évoquée plus haut (appelée aussi Rostres, de *rostra* : « éperons de navires »... ceux qui la décoraient après la victoire navale d'Antium). L'accès est malheureusement restreint, de sorte qu'on ne peut pas profiter pleinement de leur splendeur.

Comitium **:** espace devant la Curie, où avaient lieu à l'origine les assemblées populaires (les comices). Il s'agissait probablement d'un grand espace circulaire ourlé de gradins.

Lapis Niger *(pierre Noire)* **:** stèle que l'on aperçoit dans une sorte de puits. Elle porte la plus ancienne inscription latine connue (VIe s av. J.-C.). Son texte reste mystérieux, mais la partie traduite (le texte se lit de droite à gauche) atteste de la réalité historique de la période royale de Rome que l'on a longtemps cru être une légende. César avait fait protéger ces lieux car on pensait qu'il s'agissait du lieu où Romulus avait été tué.

Argiletum **:** entre la Curie et la basilique, voie populeuse et très fréquentée qui menait au quartier peu recommandable de Suburre.

Basilica Aemilia *(basilique Aemilia)* **:** en entrant par la via dei Fori Imperiali, vous trouverez sur votre droite les ruines de l'une des trois basiliques civiles du Forum. Comme toutes les basiliques romaines, elle n'avait pas une fonction religieuse mais servait aux affaires commerciales, financières et judiciaires. Construite en 179 av. J.-C., elle fut restaurée à maintes reprises. En son état actuel, elle date du Ier s apr. J.-C. Ses dimensions (100 m de long pour 40 m de large) sont comparables à celles de nos cathédrales gothiques, tout comme la division de l'intérieur, naguère décoré de marbre, en plusieurs nefs (quatre ici) par des colonnades. On distingue sur les flancs de l'édifice des *tabernae,* des petits locaux où officiaient naguère les banquiers.

🚶 ***Tempio di Cesare*** *(temple de César)* **:** édifié par Auguste en 29 av. J.-C. à l'endroit même où le corps de César avait solennellement été incinéré (la tombe est d'ailleurs régulièrement fleurie par des admirateurs de la dictature de l'empereur, souvent des nostalgiques de Mussolini...).

🚶🚶🚶 ***Tempio di Castore e Polluce*** *(temple de Castor et Pollux)* **:** avec ses trois magnifiques colonnes corinthiennes (de l'époque d'Auguste), c'est l'un des clichés les plus célèbres du Forum. On a toutefois bien de la peine à imaginer qu'il s'agissait d'un des temples les plus grands de Rome. Il avait été construit au Ve s av. J.-C. après que Castor et Pollux (« les Dioscures ») furent apparus miraculeusement auprès des Romains qui combattaient les Latins au lac Régille. Sachez qu'on y trouvait à l'époque la liste des taux de change et les conversions des poids et mesures ! Juste à côté se trouve la *fontaine de Juturne,* où les célèbres jumeaux firent boire leurs chevaux après la bataille et où ils annoncèrent la victoire au peuple romain.

🚶 ***Chiesa Santa Maria Antiqua :*** aménagée au XVIe s dans des dépendances des palais impériaux. Remarquables fresques du haut Moyen Âge (VIe-VIIIe s), en cours de restauration.
Ici s'arrête le Forum à proprement dit, mais la balade continue...

🚶🚶🚶 ***Tempio di Vesta*** *(temple de Vesta ; déesse du Feu domestique)* **:** dans son aspect actuel, il date du IIIe s apr. J.-C., mais son origine remonterait au VIe s av. J.-C., et donc aux tout premiers temps de Rome. D'ailleurs, la forme ronde du temple (assez inhabituelle) serait le souvenir d'une hutte primitive. La *maison des Vestales* était une vaste demeure sur deux étages se développant autour d'un atrium, belle cour entourée de portiques et de statues de vestales avec un bassin central. Choisies très jeunes dans les grandes familles patriciennes, au nombre de quatre, puis six et enfin sept, elles devenaient prêtresses pendant 30 ans (10 ans d'instruction, 10 ans de pratique et 10 ans d'enseignement : à la fin, elles méritaient bien leur belle maison !). Chargées d'entretenir le feu sacré de la cité, symbole de la vie éternelle de Rome, elles faisaient vœu de chasteté pour se consacrer entièrement à leur tâche. Gare à celle qui succombait au désir sexuel, appelé alors « inceste », car on l'enterrait vivante ! Toutefois, la vie des vestales n'avait rien de monastique : elles n'étaient pas cloîtrées, jouissaient d'un prestige considérable dans la cité et avaient droit à de nombreux privilèges, comme d'être affranchies de l'autorité paternelle (une femme romaine était alors mineure toute sa vie), celui de pouvoir gracier un criminel rencontré « fortuitement » (sic !) ou de bénéficier de places d'honneur dans les spectacles.

DE LA VESTALE AU LUPANAR

La légende raconte que Rhéa Silvia, vestale et fille du roi d'Albe, fauta en songe avec le dieu Mars. Elle mit donc au monde les fameux Remus et Romulus avant d'apercevoir ses petits abandonnés sur le Tibre et d'être emmurée vivante... Toujours selon le mythe, c'est une louve qui recueillit les jumeaux et leur permit de survivre en les nourrissant de son lait. Signalons que « louve » s'écrit lupa *en latin, mot signifiant également « prostituée » et qui donnera lupanar.*

🚶 ***Regia :*** aurait été la maison du roi Numa Pompilius (715-672 av. J.-C.), le successeur de Romulus, puis du grand pontife, personnage le plus important de la religion romaine.

Tempio di Antonino e Faustina *(temple d'Antonin et de Faustine)* **:** il ne peut manquer de retenir votre attention par sa colonnade massive dressée sur un podium. L'empereur Antonin, inconsolable depuis la mort de son épouse Faustine, la divinisa et fit construire pour elle un temple magnifique. Vers le VIIIe s, une église (reconstruite au XVIIe s) fut aménagée dans ses murs, d'où la façade baroque en retrait par rapport à la colonnade. La porte verte de l'église donne une idée du niveau du sol au XVIIIe s (le Tibre était alors riche en alluvions). À côté de ce temple, transformé en église, se trouve une nécropole archaïque datant de l'époque de Romulus.

Tempio di Romolo *(temple de Romulus)* **:** édifice circulaire dont la salle postérieure a été transformée en l'église S. S. Cosma e Damiano. Le Romulus en question n'est pas le fondateur de Rome mais le fils de Maxence, empereur d'Occident ; c'est d'ailleurs ce dernier qui fit construire le temple. Superbe façade avec deux colonnes de porphyre et portes en bronze du IVe s apr. J.-C. Bien sûr, le temple fut transformé en église, ce qui le protégea du pillage... Encore quelques fresques religieuses qui datent de l'époque médiévale.

Basilica di Massenzio e di Costantino *(basilique de Maxence et de Constantin)* **:** également destinée aux affaires commerciales et judiciaires, cette basilique, commencée par Maxence mais achevée par son rival et successeur Constantin, se différencie nettement des deux basiliques précédentes par son audace architecturale et son extraordinaire volume intérieur (à imaginer, car il manque des murs). Sachez que cette basilique colossale (divisée en trois nefs) abritait des statues grandioses. Les fragments de celle de Constantin, autrefois située dans l'abside occidentale, sont visibles dans la cour du « palais des Conservateurs ». Autre signe de la rivalité entre les deux empereurs, le buste de Maxence fut transformé après son règne en buste de... Constantin, encore lui ! Sachez encore que huit colonnes corinthiennes étaient adossées aux piliers séparant les nefs (l'une de celles-ci, intacte, se dresse aujourd'hui devant la basilique chrétienne de Sainte-Marie-Majeure). Enfin, l'endroit est réputé pour les concerts de musique classique qui y sont donnés en période estivale. De là, on aperçoit l'église Santa Francesca Romana.

Arco di Tito *(arc de Titus)* **:** érigé pour célébrer la prise de Jérusalem (détruite à l'occasion) par cet empereur en l'an 70, cet arc d'une seule arche était situé à la limite de la ville antique. Il est orné de magnifiques bas-reliefs : au centre de la voûte, *Apothéose de Titus* dont l'âme est emportée au ciel par un aigle ; sur le flanc intérieur de l'arche, *Rome guidant le quadrige impérial avec Titus* et la *Victoire* de ce dernier dans la guerre judaïque. On voit nettement le célèbre chandelier à sept branches porté par les soldats romains pendant le triomphe à Rome... Sachez que certains juifs romains refusent toujours de passer sous l'arc pour ces raisons historiques.

Le Palatin (Palatino)

➢ **Accès :** Ⓜ *Colosseo (ligne B). De nombreux bus aussi, dont les nos 30, 44, 60, 81, 85, 87, 186, 673... L'entrée principale est située à côté du Colisée, via di San Gregorio (on attaque alors la visite par les thermes de Septime Sévère). On peut également accéder au Palatin depuis le Forum (qu'on visitera donc en premier), au niveau de l'arc de Titus (ce qui signifie qu'on peut enchaîner les 2 sites sans avoir à ressortir et refaire la queue).*

– **Entrée :** *billet jumelé pour le Forum, le Palatin et le Colisée. Tarif : 12 € ; supplément de 3 € en cas d'expo temporaire (quasi systématique). Le billet jumelé est valable pour la journée. Mais s'il est acheté après 13h, il est alors valable jusqu'à la fermeture du site le lendemain (ce qui permet de se balader tranquillement). Pas de frais de résa ni, en principe, d'attente avec les* Roma Pass *et* Archaeologia

Card *(voir « Musées, sites et monuments » dans « Rome utile ») ; réduc pour les 18-24 ans ; gratuit pour les moins de 18 ans et les plus de 65 ans de l'Union européenne. Pour les horaires, voir plus haut le paragraphe juste avt « Le Forum romain ».*

Des sept collines de Rome, le Palatin est sans nul doute la plus célèbre, grâce à la légende des frères jumeaux Remus et Romulus. Les conditions de la fondation de Rome, le 21 avril 753 av. J.-C. pour être précis, seront l'objet d'une dispute fraternelle qui coûtera la vie à Remus, tué après avoir franchi l'emplacement futur de Rome dont l'accès venait de lui être interdit par son frère... qui regrettera plus tard son geste. Les sceptiques diront qu'il s'agit d'une légende. Mais après la Seconde Guerre mondiale, sur l'emplacement de la maison de Romulus, des restes de cabanes, datant des VIIIe et VIIe s av. J.-C., furent exhumés par des archéologues. Et plus récemment, fin 2007, des archéologues pensent avoir sondé (sans pour autant y avoir accédé), sous le Palatin, la grotte où les deux frérots auraient été allaités par la louve, le mythique *lupercale,* soit une cavité voûtée de 16 m de large ornée de coquillages, de mosaïques et de niches... Coup de pub ou réelle (re)découverte ? En tout cas, mythologie et histoire semblent perpétuellement se rejoindre dans la Ville éternelle.

Le Palatin, centre de Rome à l'époque des rois, devient un simple quartier résidentiel à l'époque républicaine (pour classes dirigeantes toutefois), puis regagne son prestige avec l'avènement de l'Empire en accueillant la résidence impériale. Caligula fera même relier son palais au Capitole par une passerelle géante afin de pouvoir s'entretenir plus commodément avec Jupiter. Avec la chute de l'Empire et la destruction du réseau d'aqueducs par les Barbares (et donc de l'alimentation en eau), les collines romaines seront finalement désertées. C'est ainsi que le Palatin resta à l'abandon jusqu'aux XVe et XVIe s, époque à laquelle on se découvre une passion pour les jardins belvédères. Une fois la mode passée, le Palatin fut de nouveau délaissé. Cela explique l'effort d'imagination que le touriste doit accomplir pour retrouver, mentalement, la splendeur de la colline antique. Une récente restauration a au moins tenté de redonner vie à ces jardins Renaissance, célèbres pour leurs orangers. S'y balader à la fraîche, avant les flots de touristes, un jour ensoleillé, se révèle être un moment merveilleux. Magique même ! Ne manquez pas non plus la vue sur le Circus Maximus depuis le haut du Palatin...

Aujourd'hui, il faut donc savoir que le Palatin est un ensemble de ruines de briques s'échelonnant entre le Ier et IVe s, qui, si elles dégagent un charme certain, ne sont plus très « lisibles » au sens historique du terme. Il faut appréhender le lieu comme une belle promenade dans un site aménagé, qui offre par ailleurs une vue extraordinaire sur les sept collines de la ville.

Giardini Farnese *(jardins Farnèse)* **:** un escalier du cryptoportique permet donc de gagner ces jardins, créés au XVIe s pour l'illustre cardinal sur les ruines du palais de Tibère. Après vous y être promené, attardez-vous sur la terrasse du Casino pour la vue sur le Forum et le Colisée, ou celle offrant une vue tout aussi belle sur le Tibre et la plaine du Vatican. On aperçoit de loin le ***cryptoportique*** *(criptoportico),* qu'on ne visite malheureusement plus. C'est dans ce couloir en partie souterrain reliant la maison d'Auguste et de Livie aux palais impériaux que le bien-aimé Caligula fut assassiné par le tribun de la plèbe, Chereas (janvier 41 apr. J.-C.).

– ***Palazzo di Tiberio*** *(palais de Tibère)* **:** cette vaste demeure (modifiée par Caligula, Trajan et Hadrien) est en réalité recouverte par les jardins Farnèse. Autant dire que l'on marche dessus ! Il n'en reste donc aujourd'hui plus grand-chose, hormis les arcades de la partie postérieure du palais. De là, autre belle vue sur Rome.

Domus Flavia *(palais des Flaviens)* **:** venant du Clivus Palatinus, c'est par lui que commence la visite du site archéologique à proprement parler. Le palais des Flaviens (dénommé aussi palais de Domitien) servira de résidence impériale jusqu'à la fin du IIIe s. Fortement remanié puis complètement rasé, il est aujourd'hui difficile de s'y retrouver.

À VOIR

Casa di Augusto *(palais des Augustes) : horaires un peu différents de ceux du site et pas plus de 5 pers à la fois.* Ce n'est pas, contrairement à ce que l'on peut croire, la maison d'Auguste mais celle des Augustes, autrement dit des empereurs. Il s'agissait de la demeure personnelle de ces derniers, où se trouvaient leurs appartements privés et ceux de leur famille. (En fait, ce fut la demeure de Livie.) Les pièces d'habitation encadraient un péristyle.

Museo Palatino ou Antiquarium : *situé entre la domus Flavia et la domus Augustana. Ferme 1h avt le reste du site.*
Établi dans un ancien monastère, ce petit musée rassemble de nombreux objets découverts lors des différentes campagnes de fouilles.
– *Au sous-sol :* cipes (colonnes funéraires), masques en terre polychromes, jolies terres cuites noires, poignées d'amphores, restes d'un ravissant vase du VIe s, urnes funéraires. Également une petite reconstitution de la ville préhistorique et une maquette d'un habitat primitif.
– *Au 1er étage :* intéressants marbres noirs et magnifiques bas-reliefs en terre cuite polychrome (période augustinienne). Décor en marbre marqueté, vestiges de fresques. Et pour finir : la statuaire, mignonnes têtes (éphèbes, harpokrates, etc.), beaux bustes.
– Derrière (ou devant...) le musée, *grande terrasse panoramique.* De là, vue imprenable sur le cirque Massimo (en fait, c'est d'ici qu'il faut le voir). Si l'on y réfléchit, ce panorama permet aussi d'embrasser d'un coup d'œil les cinq lieux de la légende : au pied du Palatin, près du Tibre, le berceau des jumeaux et le *lupercale* ; en face, l'Aventin, lieu du duel puis du partage de Rome par Romulus et Remus et, enfin, le cirque, théâtre de l'enlèvement des Sabines.

Stadio di Domiziano *(stade de Domitien)* **:** dominé par la *domus Augustana,* il s'agit d'une construction superbe de Domitien, autrefois ornée d'un portique à deux étages, et ayant subi, ultérieurement, différents aménagements comme la petite piste ovale. Jardins, centre d'exercices sportifs, lieu de spectacles... voilà quelle devait être l'utilité de cet hippodrome long de 160 m.
Accolés au stade se trouvent les thermes et la maison de Septime Sévère.
Les autres sites sont tous fermés, sauf en été où quelques visites et expositions temporaires sont régulièrement organisées ; on vous en parle néanmoins pour votre culture personnelle et dans le cas où ils rouvriraient.
– ***Tempio della Magna Mater*** *(temple de Cybèle)* **:** bel exemple de la tolérance que les Romains pouvaient avoir envers les cultes étrangers, voire l'influence que pouvaient avoir ces cultes, et spécialement les cultes orientaux, sur les Romains. En 204 av. J.-C., un oracle avait annoncé que la deuxième guerre punique aurait un dénouement heureux pour les Romains si la *Magna Mater* (la « Grande Mère », déesse phrygienne appelée aussi Cybèle) s'installait à Rome. Le Sénat fit donc venir la pierre Noire (sans doute un morceau de météorite), qui était censée l'incarner, de Phrygie à Rome, et on lui construisit ce temple.
– ***Le village préhistorique :*** au sud du temple de Cybèle se trouve ce village où, selon les Anciens, s'élevait la maison de Romulus. D'ailleurs, des cabanes datant de l'âge du fer (IXe s av. J.-C.) y ont été découvertes.
– ***Domus Augustana e Livia*** *(maison d'Auguste et de Livie)* **:** souvent dénommée maison de Livie (l'épouse d'Auguste), car il s'agissait effectivement de ses appartements, il semble probable cependant, d'après de très sérieuses recherches, que l'empereur lui-même y résidât. Cette somptueuse demeure républicaine (Ier s av. J.-C.) est célèbre pour ses belles fresques à sujet mythologique, visibles notamment dans deux chambres à coucher et un triclinium. Les fonds rouges, jaunes et noirs ont retrouvé leur éclat depuis la dernière campagne de restauration.
– ***Tempio d'Apollo*** *(temple d'Apollon)* **:** situé de l'autre côté de la *domus Augustana,* construit par Auguste, il a perdu de sa magnificence. Vous ne pourrez en effet qu'en « apprécier » le podium, alors qu'il s'agissait d'un superbe bâtiment en marbre blanc de Luni.

À VOIR

LE COLISÉE *(Colosseo ; plan général D-E4)*

Situé de l'autre côté du métro Colosseo. ☎ 06-39-96-77-00. ♿ Près de l'entrée, un ascenseur permet l'accès à la galerie supérieure.

➢ **Accès :** *Ⓜ Colosseo (ligne B). Tram n° 3. Bus n°s 60, 75, 84, 85, 87, 117, 175, 186, 204...*

– **Horaires de visite :** *voir, en début de chapitre, les horaires communs avec le Forum et le Palatin.*

– **Entrée :** *billet jumelé pour le Forum, le Palatin et le Colisée. Tarif : 12 € ; supplément de 3 € en cas d'expo temporaire (quasi systématique). Le billet jumelé est valable pour la journée. Mais s'il est acheté après 13h, il est alors valable jusqu'à la fermeture du site le lendemain. Pas de frais de résa ni, en principe, d'attente avec les* Roma Pass et Archaeologia Card *(voir « Musées, sites et monuments » dans « Rome utile ») ; réduc pour les 18-24 ans ; gratuit pour les moins de 18 ans et les plus de 65 ans de l'Union européenne. Audioguide : 4 € ; visites guidées en français en haute saison slt, tlj, généralement à 11h40 : 4 € (45 mn).*

– **Petites astuces :** *pour éviter la queue, possibilité de réserver son billet et même de l'acheter à l'avance sur Internet • pierreci.it •, moyennant un supplément de 1,50 €. Sinon, achetez votre billet à l'entrée du Palatin, à 200 m de là, où il y a généralement moins de monde ; ou encore au Forum si vous avez prévu de le visiter avt. Dernière solution avantageuse et moins coûteuse : les* Roma Pass et Archaeologia Card *qui évitent les frais de résa et permettent de couper la file par une entrée séparée (voir « Musées, sites et monuments » dans « Rome utile »).*

🏛🏛🏛 Commencé sous Vespasien en 72 apr. J.-C., inauguré par son premier fils Titus en 80, achevé par son second fils Domitien en 82 (donc bien après Néron !), c'est le plus grand édifice de spectacles réalisé par les Romains et imité par la suite (Arles, Nîmes...). Les Flaviens (nom de la dynastie sous laquelle il fut construit) poursuivaient deux objectifs : donner à la ville son premier amphithéâtre en dur, et s'attirer les bonnes faveurs du peuple romain échaudé par Néron. Ce véritable symbole de la Rome antique ne prit toutefois le nom de Colisée qu'au Moyen Âge, donc finalement bien après qu'Hadrien y eut fait déplacer (à l'aide de 24 éléphants !) la colossale statue de Néron représenté en dieu Soleil (qui se trouvait à l'origine à la maison Dorée). Ce colosse marqua tant les esprits, du haut de ses 35 m, qu'il finit par donner son nom au Colisée *(Colosseo)*, ce colosse de pierre... Le Colisée, après l'Empire, ne sera pas ménagé par les tremblements de terre ni par les nouveaux édiles en quête de matériaux. C'est d'ailleurs la raison pour laquelle ce superbe squelette en marbre de travertin (à l'époque un matériau peu noble, mais qui vaut aujourd'hui très cher), renforcé de murs de brique, est traversé de part en part par des séries de trous. On y faisait en effet couler du plomb bouillant, une sorte de soudure afin de faire tenir les blocs entre eux en cas de tremblement de terre... et de pillage, ce qui arriva tout de même avant qu'il ne soit finalement transformé en forteresse par la famille Frangipane.

La façade de l'amphithéâtre Flavien (haute de près de 50 m) comprend trois étages portés sur des piliers quadrangulaires. Des statues se trouvaient jadis sous les 160 arcs des 2e et 3e niveaux. Un 4e étage couronnait le tout : un mur plein percé de fenêtres carrées où vous apercevrez des moulures saillantes qui servaient de support aux bases des mâts, lesquels permettaient de tendre une voile au-dessus de l'amphithéâtre afin de protéger les Romains des intempéries ou du soleil. Le Colisée (d'une circonférence de 527 m) conserve sa façade à quatre étages sur la moitié du pourtour seulement.

N'hésitez donc pas à en faire le tour avant de pénétrer à l'intérieur de ce « monstre ». Au moins 50 000 personnes (certaines évaluations avancent même le chiffre de 60 000 spectateurs !) pouvaient prendre place sur les gradins disposés tout autour de l'arène et reposant directement sur les colonnes des nombreuses galeries intérieures. La plate-forme, autrefois en bois, qui servait d'arène (86 m x 54 m), a disparu en laissant apparaître les galeries souterraines de services nécessaires au déroulement des jeux (coulisses servant de cage pour les bêtes et de pièces pour les combattants).

L'entrée était gratuite pour tous, car les jeux étaient financés par les magistrats et les empereurs pour s'attirer les faveurs du peuple, mais chacun était installé au rang qui était le sien en fonction de son appartenance sociale. La répartition était stricte : les gradins du podium accueillaient les sénateurs, les magistrats et bien sûr les loges impériales, tandis que la basse *cavea* était réservée aux chevaliers, la moyenne *cavea* à la petite bourgeoisie et la haute *cavea* au peuple (les femmes étaient confinées dans les gradins les plus élevés, par conséquent les moins prisés). Enfin, le spectateur romain, après s'être levé pour saluer l'arrivée de l'empereur, pouvait assister au spectacle.

Les combats de gladiateurs avaient la préférence du public et soulevaient des passions morbides (des paris étaient même engagés) difficilement compréhensibles pour nous autres contemporains. Ils opposaient des hommes plus ou moins armés (des prisonniers de droit commun, des esclaves, mais aussi des professionnels entraînés dans des écoles spécialisées) à des bêtes féroces (tigres ou lions principalement). Il y eut même un empereur, Commode, assez fou ou passionné pour oser descendre dans l'arène. Les sources précisent toutefois que les jeux étaient truqués pour l'occasion. Évidemment ! Les gladiateurs professionnels, attirés par l'appât du gain (et par la gloire : les vainqueurs étaient de véritables héros, notamment auprès des dames !), se faisaient engager par les lanistes, propriétaires de troupes de gladiateurs. En signant leur contrat, ils s'engageaient à consacrer leur corps et leur vie à leur maître et à supporter « le feu, les chaînes et les coups » ainsi que « la mort par le fer ». Charmant programme, non ? *Ave Caesar, morituri te salutant* (« Salut à toi César, ceux qui vont mourir te saluent ») : c'est par ces mots que le gladiateur saluait l'empereur. Ses derniers mots peut-être, à moins que, blessé et après avoir tendu la main vers l'estrade officielle, l'organisateur des jeux (en fonction des réactions de la foule) ne lui accorde la grâce (pouce levé). Le gladiateur était alors emmené, puis soigné. Dans le cas contraire (pouce vers le bas), il était achevé. Les vainqueurs recevaient des récompenses honorifiques et de l'argent. Les esclaves pouvaient même être affranchis (que ne faisait-on pas alors pour être libre !).

Des combats entre bêtes féroces étaient également organisés le matin, histoire de bien chauffer la foule avant l'entrée en scène des gladiateurs en milieu d'après-midi (certaines sources parlent de joutes nautiques pour lesquelles l'arène était inondée, ce qui est un faux historique puisqu'il y aurait eu un risque évident de noyer les galeries de service). Les combats de gladiateurs se feront rares sous Trajan (IIe s), puis disparaîtront complètement avec Constantin (puisqu'il se convertit au christianisme). On poursuivra les combats de fauves encore quelque temps. Le dernier du genre à y avoir été organisé daterait de 523.

Par la suite, pour sauver le Colisée du pillage, une seule solution : en faire un lieu saint, comme d'habitude... C'est ainsi que le pape Benoît XIV inventa au XVIIIe s le mythe des martyrs chrétiens de Rome. Notez, en surplomb de l'arène, cette grande croix qui commémore encore leur calvaire supposé. Mais ne vous y trompez pas, malgré la légende, les chrétiens n'ont jamais été jetés en pâture aux bêtes sauvages du Colisée ! De toute façon, ce fut peine perdue : il fallut attendre la fin du XIXe s pour que le Colisée soit restauré et protégé des destructions humaines. Puis, il y a quelques années, que l'État italien entreprenne enfin une énergique restauration du monument.

Vous vous demandez peut-être si on peut parfois assister à un spectacle dans ce cadre grandiose. Eh bien, très rarement : les deux derniers à l'avoir fait étant Paul McCartney pour un concert de *charity business* et Andrea Boccelli en 2009 pour venir en aide aux sinistrés après le tremblement de terre des Abruzzes. Depuis le jubilé en 2000, le Colisée s'illumine chaque fois qu'une condamnation à mort est annulée quelque part dans le monde.

DANS LES ENVIRONS DU COLISÉE

Tempio di Venere e di Roma *(temple de Vénus et de Rome)* **:** édifié sur l'emplacement du vestibule de la maison Dorée de Néron, c'était le plus grand temple de la ville (110 m x 53 m). L'empereur Hadrien en personne en traça les plans. L'architecte Apollodore de Damas eut le malheur de faire des remarques désobligeantes sur la conception de l'édifice : il les paya de sa vie. Comme quoi, nous vous déconseillons vivement de critiquer un empereur.

Chiesa Santa Francesca Romana : superbe clocher du XIIe s, orné de médaillons multicolores.

Arco di Costantino *(arc de Constantin ; plan général D4,* ***403****)* **:** à proximité du Colisée se trouve cet arc superbe, érigé en 315 de notre ère après la victoire de l'empereur sur Maxence au pont Milvius. Intégré, comme l'amphithéâtre Flavien, aux fortifications moyenâgeuses, il sera remis dans l'état que nous connaissons au début du XIXe s. Le plus grand des arcs romains, constitué de trois arches, vaut le coup d'être vu non seulement, bien sûr, pour ses proportions (hauteur : 21 m ; largeur : 26 m), mais aussi pour son décor provenant en partie de monuments du IIe s de notre ère.

LES FORUMS IMPÉRIAUX *(Fori imperiali ; plan général D4,* ***405****)*

➢ **Accès :** Ⓜ *Cavour ou Colosseo (ligne B). Bus nos 60, 75, 84, 85, 175, 186...*
– **Visite :** *comme d'importantes fouilles sont en cours, les trois premiers forums impériaux qui se suivent tout le long de la via dei Fori Imperiali ne sont pas accessibles, mais vous pouvez néanmoins en observer l'essentiel depuis cette même artère ou depuis les rues voisines pour ce qui concerne les trois forums suivants : foro di Traiano (de Trajan), foro di Augusto (d'Auguste) et foro della Pace (de la paix).*
Les forums impériaux, ou *Fori imperiali,* correspondent aux vestiges situés à gauche de la via dei Fori Imperiali en se dirigeant vers le Colisée, et occupent plus ou moins l'espace compris entre la colonne de Trajan et le *Visitor Centre*. Pour une visite efficace, nous avons choisi de longer les *Fori imperiali,* dans un sens puis dans l'autre, sans nous soucier de la chronologie. Dès le Ier s av. J.-C., le Forum romain devint trop exigu pour répondre aux nouveaux besoins (politiques, judiciaires, commerciaux) d'une ville devenue la capitale d'un vaste empire. Il fallut donc entreprendre la construction d'un nouveau forum pour désengorger le vieux forum républicain. C'est César qui, le premier, fit faire les agrandissements indispensables ; il sera suivi par d'autres illustres Romains, pourvus ceux-là du titre d'empereur (Auguste, Vespasien, Nerva, Trajan), d'où le nom de « forums impériaux ».
Ces derniers formaient à l'origine un ensemble architectural cohérent, continu, malheureusement rompu par l'inauguration en 1932 de la via dei Fori Imperiali reliant la piazza Venezia au Colisée. Certains vestiges de ces forums sont donc cachés par le magnifique macadam de cette grande artère. Il paraîtrait que Walter Veltroni, l'ancien maire de Rome, aurait eu dans ses cartons le projet de fermer un jour cette artère à la circulation et de faire réapparaître tous ces trésors antiques. Qui sait...

Foro di Traiano *(forum de Trajan)* **:** édifié à la demande de l'empereur par Apollodore de Damas, c'était le plus grand et le plus fastueux des forums impériaux et c'est aujourd'hui le mieux conservé. Délimité par les marchés de Trajan, le forum de César et la basilique Ulpia, il était relié au sud-est au forum d'Auguste par un arc de triomphe.
La *basilica Ulpia* (qui fermait le forum au nord-ouest) se reconnaît aisément par les vestiges des colonnes de marbre qui séparaient les cinq nefs. Deux *bibliothèques* (une grecque et une autre latine) se trouvaient derrière. Elles encadraient la magnifique **colonne Trajane** *(colonna Traiana)* qui commémore les victoires de l'empe-

À VOIR

reur sur les Daces. Cette œuvre géniale et novatrice est, elle aussi, due à Apollodore de Damas. Les panneaux sculptés en marbre de Carrare, un marbre qui absorbe la lumière, s'enroulent autour de la colonne qui atteint près de 30 m (ou 40 m avec la base). Le spectacle de ces 155 scènes détaillant les deux campagnes successives de Trajan est grandiose, mais il faut imaginer l'ensemble peint et hérissé d'épées et de lances en métal. L'effet devait être saisissant. La statue de Trajan, qui surmontait le monument, a été remplacée par une statue de saint Pierre à la fin du XVIe s. L'urne funéraire de Trajan se trouvait à l'intérieur, mais un voleur est passé par là au Moyen Âge (elle était en or...). Un escalier se trouve à l'intérieur de la colonne. Certains des bas-reliefs ont servi pour l'élaboration des dessins de la célèbre fresque *La Bataille de Constantin* (dans le salon de Constantin au Vatican), réalisée par les élèves de Raphaël.

*** Mercati di Traiano e museo dei Fori Imperiali** *(marchés de Trajan et musée des Forums impériaux ; plan général D4)* **:** *via IV Novembre, 94. ☎ 06-06-08. • mercatiditraiano.it • ♿ Tlj sf lun 9h-19h (dernier ticket à 18h) ; 9h-14h les 24 et 31 déc. Fermé 1er janv, 1er mai et 25 déc. Entrée : 6,50 € ; réduc ; gratuit pour les moins de 18 ans et les plus de 65 ans de l'Union européenne, ainsi que pour les Parisiens. Audioguide en français : 3,50 €. Consignes individuelles. Photos interdites dans le musée ; autorisées à l'extérieur.*
Le site est magnifique, vraiment. Mais on vous conseille de prendre l'audioguide car les explications proposées dans le musée sont misérables. Près de 150 boutiques et bureaux répartis sur trois étages (dont plusieurs sont encore debout) occupaient ce vaste complexe et servaient autrefois de centre d'approvisionnement, de répartition et de distribution de produits (les halles de Rungis avant l'heure). Les échoppes et les entrepôts occupaient principalement le rez-de-chaussée, tandis que les étages étaient dévolus aux locaux administratifs. Assez impressionnant, car c'est le seul endroit à Rome où l'on peut se représenter l'aspect des rues de la ville antique. Certaines sections sont parfaitement restaurées, avec leurs pavés tapissant la chaussée et les hautes façades en brique qui les bordent (voir notamment la via Biberatica). Pour un peu, on ne serait pas étonné de croiser un Romain au détour d'un corridor ou d'un escalier abrupt ! Au gré de la visite, on verra dans différentes salles un film d'animation (sans commentaires !), une exposition sur les forums impériaux, et quelques collections de sculptures et de fragments architecturaux découverts pendant les dernières fouilles. Enfin, ne pas manquer la balade extérieure pour profiter de la belle vue sur la ville et les forums impériaux en contrebas.

*** Foro di Augusto** *(forum d'Auguste)* **:** c'est de la via Alessandrina qu'il faut observer ce forum dont la construction commença en 31 av. J.-C. Octave, futur Auguste, pensait néanmoins à la construction de ce nouveau forum depuis belle lurette car c'est en 42 av. J.-C., après avoir défait les armées de Cassius et de Brutus (les meurtriers de César), qu'il exprima le vœu de faire bâtir un temple.
Le *temple de Mars vengeur* se dresse au fond du forum à l'emplacement de l'enceinte qui séparait le quartier mal famé (il y en avait déjà) de ce nouvel ensemble édilitaire. L'épée de César y était conservée comme une relique, ainsi que les insignes des généraux victorieux.
On voit aussi, dominant le site, la *maison des chevaliers de Rhodes* (ancien prieuré romain des chevaliers de Saint-Jean de Jérusalem).

** Foro di Nerva** *(forum de Nerva)* **:** à voir de l'extérieur. Coincé entre le forum précédent et ceux de César et d'Auguste. Il ne subsiste quasiment rien non plus de cet ensemble construit en réalité par Domitien et inauguré par Nerva. Deux belles colonnes et des fragments de frise décorant le mur d'enceinte sont encore visibles malgré l'usure du temps.

** Foro della Pace** *(forum de la Paix)* **:** à voir de l'extérieur. S'étendant approximativement de la torre dei Conti (via Cavour) à la *chiesa Santi Cosma e Damiano* (ancienne bibliothèque de ce forum convertie en édifice chrétien), il s'agit plus d'un temple que d'un forum. De toute façon, il n'en reste pratiquement rien puisque aujourd'hui la via dei Fori Imperiali le traverse en grande partie. Il tire son nom d'un temple érigé par Vespasien après la victoire sur les Hébreux en 71 apr. J.-C. Il abritait de nombreux objets et œuvres d'art en provenance notamment du temple de Jérusalem, ainsi que la *Forma Urbis Romae,* un plan monumental en marbre de la Rome antique établi sous Septime Sévère. La découverte de plusieurs fragments de ce plan d'une grande précision a permis de reconstituer l'aspect de nombreux bâtiments disparus.

Foro di Cesare *(forum de César)* **:** on ne le voit que de l'extérieur. Le premier des forums impériaux, consacré en 46 av. J.-C. et construit avec l'or rapporté des guerres des Gaules, est situé le long de la via dei Fori Imperiali. On arrive sans difficulté à en voir l'essentiel depuis l'enceinte du champ de fouilles. Vous remarquerez surtout les vestiges (trois belles colonnes corinthiennes et le podium) du temple de Vénus Genitrix, édifié par César pour remercier la Vénus mère de lui avoir permis de battre son rival Pompée (48 av. J.-C.). L'humble César estimait en effet descendre de Vénus par l'intermédiaire d'Énée. L'édifice renfermait jadis une statue de la déesse et une autre en or de Cléopâtre, ainsi que des peintures grecques.

Chiesa Santi Cosma e Damiano : *via dei Fori Imperiali, 1. Tlj 8h-13h, 15h-19h.* Datant du VIe s, ce fut la première église à s'implanter dans un édifice du Forum romain, et même dans deux (le temple de Romulus et la bibliothèque du forum de Vespasien). La mosaïque de l'abside est absolument magnifique. Remarquez aussi le plafond et les chapelles baroques. Le petit plus : un des murs remplacé par une vitre permet de découvrir l'intérieur du temple. Sympa, non ? Enfin, en partant faites le tour du cloître et consacrez quelques instants à la monumentale crèche napolitaine du XVIIIe s.
Enfin, devant le temple se trouvait la statue du cheval de César.

LES BORDS DU TIBRE : AU PIED DU CAPITOLE ET DE L'AVENTIN

Teatro di Marcello *(théâtre de Marcellus ; plan centre C4)* **:** *via del Portico d'Ottavia, 29. Parc archéologique tlj 9h-18h (plus tard en été). Entrée gratuite. On ne visite pas le théâtre (c'est une résidence privée !).*
Les travaux, initiés par César, seront achevés par Auguste, qui dédie l'édifice à Marcellus, l'un de ses neveux. On raconte que le théâtre pouvait accueillir 15 000 spectateurs, qu'il était doté d'une excellente acoustique et qu'il inspira les plans du futur Colisée. Dès l'Empire, il sert de carrière... Au Moyen Âge, les Savelli, cette famille qui fut mêlée aux grands événements de l'histoire romaine, s'y installent et le transforment en forteresse, le sauvant ainsi de la démolition. Au début du XVIe s, l'architecte Baldassare Peruzzi construit, pour les nouveaux occupants, les Orsini, un palais qu'il greffe littéralement au théâtre.
Sur les côtés, on trouve trois colonnes du temple d'Apollon. Au pied, un jardin archéologique a été aménagé. En s'y promenant, on peut voir la différence de niveaux architectoniques (qui atteint jusqu'à 20 m à Rome). On ressort par le portique d'Octavie. Il marque la frontière avec le Ghetto.

Chiesa San Nicola in Carcere *(plan centre C4,* ***423****)* **:** *tlj 10h-19h (20h avr-oct).* Cette église fut construite au VIIe s avec les restes de trois temples païens selon une technique particulièrement courante à l'époque. Ce qui est intéressant ici, c'est que les ruines de deux de ces temples sont encore accessibles. Contactez l'association *Sotterranei di Roma (● sotterraneidiroma.it ●),* ou bien tentez le coup auprès du gardien. Avec un peu de chance, il vous conduira dans la crypte, à travers rues, boutiques et cellules (puisque les lieux servirent de prison – *carcere* – au VIIIe s, ce qui donna son nom à l'église). Il vous montrera sans doute une petite chapelle paléochrétienne contenant des restes d'ossements humains. Pas grand-chose à voir, mais c'est une des rares occasions de visiter la Rome souterraine, profitez-en !

L'île Tibérine *(plan centre C4)* **:** il s'agit de la seule île de Rome, reliée à la terre ferme par les plus anciens ponts de la ville, les *ponte Cestio* et *Fabricio*. Géographiquement, on serait tenté de faire une analogie avec l'île Saint-Louis, à Paris, mais rien à voir car le quartier est loin d'être aussi rupin ! Contrairement à ce qui s'est passé dans les autres cités, l'île ne fut pas habitée avant le Moyen Âge (le berceau de Rome étant, est-il besoin de le rappeler, le Palatin et les collines dominant le Forum). Il faut dire qu'elle resta longtemps isolée du fait des crues violentes du Tibre. Un temple dédié à Esculape, le dieu de la Médecine, y fut néanmoins édifié dès le IIIe s av. J.-C. Plus tard, on y mit les malades en quarantaine, et on y a construit depuis le grand hôpital... À l'époque romaine, l'île avait l'allure d'un bateau et on peut voir en avant, au niveau de la « proue de l'île », un reste de cette étonnante décoration (sous les bureaux de la police). En été, on y aménage un cinéma en plein air, et de nombreuses terrasses s'installent face au « pont rompu ».

AUTOUR DE L'AVENTIN ET DU CELIO

L'AVENTIN *(Aventino ; plan général C-D5)*

➢ **Accès :** *Ⓜ Circo Massimo ou Piramide (ligne B). Bus nos 23, 30, 44, 95, 170...*
Au-delà de la zone archéologique proprement dite se trouve la colline de l'Aventin dominant, du haut de ses 46 m, d'un côté la vallée du Grand Cirque et la dépression de la via Appia et, de l'autre, la plaine du Testaccio.
Ici et là, quelques vestiges de l'ère antique, mais rien de comparable avec ce que l'on trouve dans les zones précédemment décrites. Pourtant, naguère, les constructions (notamment celles de l'*Emporium,* le port antique de la ville de Rome, qui se développa dans la plaine du Testaccio) n'y manquaient pas d'importance, justifiant par là même le rattachement de cette zone à la Rome antique.

La colline de l'Aventin

Bien qu'enserrée dans la muraille Servienne, cette colline demeura longtemps à l'écart du *Pomoerium,* la limite sacrée de la Rome antique à l'intérieur de laquelle il était interdit de paraître en armes, sauf pour un triomphe. C'est seulement sous le principat de Claude (41-54 apr. J.-C.) que cette région devint partie intégrante de la ville. À cette époque, la population du quartier avait bel et bien changé ; l'aristocratie prenant la place de la plèbe qui émigra dans la plaine du Testaccio et dans le quartier du Trastevere. Des thermes particulièrement raffinés s'y trouvaient, permettant aux habitants de l'Aventin de tuer le temps agréablement sans quitter cette auguste colline.
Celle-ci possède aujourd'hui bon nombre de villas, d'ambassades et de bâtiments religieux. Mais surtout, ce que l'on apprécie ici, c'est une atmosphère paisible étonnante car le cœur de la ville est tout proche. L'occasion idéale de se retirer sur l'Aventin, non ?

LA TÊTE ET LES JAMBES

Sous la République, l'Aventin fut le foyer de la révolte plébéienne contre les patriciens, l'élite de la Rome d'alors, soucieuse de conserver ses privilèges. Menenius Agrippa, patricien d'origine plébéienne, ramena les insurgés à la raison en leur expliquant la parabole du corps humain et de ses membres : si les membres refusent de fonctionner, le corps entier, membres inclus, dépérit. Belle métaphore ! Depuis, « se retirer sur l'Aventin » est synonyme de rébellion contre l'autorité...

Excepté le charme et la sérénité du lieu, ce qui n'est déjà pas si mal, et à part la présence de jardins et les incontournables églises, il n'y a pas grand-chose d'autre à voir.

🚶🚶🚶 ***Basilica Santa Sabina*** *(plan général C5,* ***401****)* **:** *tlj 6h30-12h45, 15h30-19h.* À la fin du Ve s, l'Aventin comptait déjà cinq églises (Sainte-Sabine était l'une d'entre elles). Depuis sa prime jeunesse, elle a connu, au gré des mouvements artistiques, de grands changements (le dernier en date remonte à 1914, quand une restauration radicale rendit à l'église son aspect primitif). Les dominicains, à qui elle appartient, la vénèrent particulièrement car c'est ici que, en 1222, la règle de l'ordre des frères prêcheurs (on n'a pas dit pêcheurs !) fut présentée par saint Dominique au pape Honorius III.
De l'extérieur, vous remarquerez, outre le campanile, la très belle porte centrale en bois de cyprès dont les panneaux (d'origine pour la plupart) illustrent des scènes... de l'Ancien et du Nouveau Testaments. Un regret, celui d'arriver trop tard pour apprécier les mosaïques (aujourd'hui presque toutes disparues) qui, hier, couvraient tout l'espace compris entre les baies et les colonnes corinthiennes. Une seule, se trouvant au-dessus de la porte d'entrée, subsiste encore. Le riche mobilier en marbre du chœur et quelques éléments des nefs latérales feront vite oublier ce regret.

🚶 ***Giardino Savello*** *(parc Savello)* **:** parc qui offre une vue magnifique sur Rome et notamment la plaine vaticane, dominée par le dôme de Saint-Pierre. Le nom de ce lieu évoque la maison des Savelli, à laquelle appartenait le pape Honorius III (1216-1227), qui y fixa sa résidence. C'est lui qui devait procéder à des travaux de fortification de cette partie de la colline, la transformant ainsi en une véritable citadelle commandant le cours du Tibre, toujours disposé à charrier des ennemis de la papauté.

🚶 ***Chiesa dei Santi Alessio e Bonifacio*** **:** *juste à côté de la basilica Santa Sabina. Tlj 8h30-12h30, 15h30-18h30.* Parti en pèlerinage en Orient après s'être converti au christianisme, Alessio, fils de sénateur, revint un beau jour (17 ans après son départ) chez ses parents, lesquels ne surent le reconnaître. Aussi le pauvre malheureux trouva-t-il la mort sous l'escalier parental. Ce dernier, devenu une véritable relique, est à l'origine de l'église dédiée au « Pauvre de l'escalier ».

🚶 ***Chiesa Santa Prisca*** *(plan général D5)* **:** *située à proximité de la piazza d'Albania. Tlj 8h-12h, 16h-19h.* Elle retient encore l'attention sur l'Aventin. L'église Santa Prisca, qui remonterait au début de la chrétienté (IIe s) mais reconstruite aux XVIIe-XVIIIe s, est dédiée à la première femme ayant subi le martyre à Rome. Celle-ci aurait été, dit-on, baptisée par saint Pierre en personne (c'est toujours mieux que le curé du village). De la nef de l'église, un escalier conduit vers un sanctuaire de la vieille religion romaine consacré à Mithra (une divinité perse apportée dans le paquetage des légionnaires romains avant d'être en vogue à Rome à l'époque impériale). À voir, notamment, pour les peintures décorant les murs.

CIRCUS MAXIMUS ET SES ENVIRONS
(plan général D4-5)

➢ **Accès :** Ⓜ *Circo Massimo (ligne B). Bus nos 60, 75, 118, 175...*
Entre le Palatin et l'Aventin, un vaste espace tout en longueur rappelle la présence du *Circus Maximus,* le Grand Cirque romain. Du côté du Tibre, la *Vallis Murcia* rencontre la piazza Bocca della Verità, laquelle prolonge vers le fleuve la dépression du Vélabre séparant le Capitole du Palatin.
L'enlèvement des Sabines, immortalisé par le pinceau de David notamment, eut lieu ici au cours de jeux organisés par Romulus et pour lesquels avaient été conviées les populations des alentours. À un signal donné, les Romains maîtrisèrent les hommes et enlevèrent les jeunes filles, qui étaient principalement des Sabines. Il s'ensuivit une guerre entre les deux peuples qui prit fin suite à l'intervention des Sabines

qui, s'étant jetées au milieu de la mêlée, calmèrent les passions de leurs pères et frères, ainsi que celles de leurs nouveaux maris.

★ **Circus Maximus** *(Grand Cirque) : le site est ouvert tout le temps.* Depuis la plus haute Antiquité, des courses de chevaux eurent lieu ici, mais il fallut attendre les dernières années de la République et l'Empire pour que le Grand Cirque prenne son aspect monumental. César y fit exécuter de grands travaux dont il ne resta plus rien. Le feu, en effet, n'épargnera guère ce monstre qui connaîtra en un demi-siècle pas moins de trois incendies dont le terrible de 64 apr. J.-C., qui se propagea justement à partir du Grand Cirque. À chaque fois, les Césars le reconstruisirent tout en l'agrandissant. C'est au IIIe s qu'il devait atteindre ses limites maximales : pour plus de 600 m de longueur, sa largeur avoisinait en certains endroits les 200 m ; on dit que 385 000 personnes, un chiffre sans doute exagéré, pouvaient prendre place sur les gradins en bois aménagés tout autour de la piste.
Tout ce beau monde accourait ici pour les courses de chars (et plus spécialement de quadriges) organisées par l'empereur pour le peuple. Néron, qui ne manquait pas d'imagination, y donna même des courses de dromadaires. Les attelages tournaient autour de la *spina* (l'épine dorsale), laquelle était autrefois décorée d'obélisques, aujourd'hui disséminés dans Rome, notamment piazza del Popolo. Des paris étaient engagés par les Romains à l'occasion de ces jeux, qui ne manquaient pas de déchaîner les passions tournant parfois à la violence (le hooliganisme a des racines profondes !). Aujourd'hui, il ne reste plus guère qu'une grande pelouse, bien calme, suggérant la forme et les dimensions du site antique. Fréquenté par les joggers, c'est aujourd'hui une sorte de grand parc public qui n'a aucun intérêt in situ : c'est du haut du Palatin que le site impressionne le plus.

★★ **Piazza Bocca della Verità** *(plan centre D4-5)* **:** la zone, autrefois marécageuse, abritait les installations du premier port de Rome, le *Portus* ; aussi n'est-il pas surprenant de voir s'élever dans le coin un temple rectangulaire dédié à Portunus, la divinité des Ports. Il tient toujours debout malgré son grand âge (l'édifice actuel date, en effet, du Ier s av. J.-C., mais sa fondation remonte au IVe ou au IIIe s av. J.-C.). Un autre temple, circulaire celui-là, s'élève également dans les parages. C'est le *temple d'Hercule vainqueur,* longtemps dédié, à tort, à Vesta. Son âge n'est pas moins vénérable, car il fut construit au IIe s av. J.-C. mais, dans son aspect actuel, il est davantage le fruit d'un remaniement dû à Tibère après l'inondation de l'an 15. Le Tibre, en effet, n'est pas très loin, aussi apercevrez-vous la dernière arche de l'ancien *pons Aemilius* construit en 181 av. J.-C. Aujourd'hui, on le nomme *ponte Rotto* (« pont rompu »). Il est ainsi depuis 1598, date de son dernier effondrement. La piazza Bocca della Verità occupe approximativement l'emplacement du *forum Boarium* (le marché aux bœufs), lequel s'étendait très loin jusqu'à l'Aventin. En bordure de la place, ou à proximité de celle-ci, une poignée d'églises a poussé. La plus pittoresque, *Santa Maria in Cosmedin,* se remarque par son clocher du XIIe s.

★ **Chiesa di San Giorgio al Velabro** *(plan centre D4)* **:** *via San Giorgio al Velabro.* Construite entre les Ve et IVe s av. J.-C., dans le quartier du Vélabre, au bord du Tibre, l'église Saint-Georges-de-Vélabre est une des premières églises chrétiennes. Elle a subi maintes restaurations qui lui ont rendu son aspect médiéval. On découvrit alors des fresques primitives (que l'on aperçoit cachées sur la gauche). Dans cette église construite de bric et de broc, la récupération des matériaux est particulièrement flagrante, avec un choix de colonnes antiques des plus hétéroclite.

LA PLAINE DU TESTACCIO *(pianura del Testaccio ; plan général C-D6)*

➢ **Accès :** Ⓜ *Piramide (ligne B). Bus n°s 23, 30, 75, 95, 170, 280, 673, 716...*

★ Délimiter avec précision dans l'espace romain la plaine du Testaccio est chose aisée tant ses frontières sont claires (le Tibre à l'ouest – longé du nord au sud, de la

À VOIR

piazza dell'Emporio au ponte dell'Industria, par le lungotevere Testaccio ; la via Marmorata au nord – courant au pied de l'Aventin de la piazza dell'Emporio à la porta San Paolo ; la muraille d'Aurélien au sud – allant de cette porte au ponte dell'Industria).
Une plaine ridiculement petite, certes, mais façonnée, non pas tant par son histoire ancienne, mais plutôt par les transformations qui l'affectèrent au lendemain de l'Unité. Sortie de l'ombre à l'aube du IIe s av. J.-C. avec l'installation du port antique de la ville impériale, en même temps que celle de nombreux entrepôts et magasins, la plaine du Testaccio retourna à l'oubli au lendemain de l'Antiquité. L'Emporium ne cessant de décliner, la population en quête d'activité se transporta ailleurs. Un désert, fait d'herbes et de vagues cultures, s'installa progressivement sur les décombres de l'ancienne zone portuaire. Une certaine vie put, malgré tout, s'y maintenir grâce notamment à la proximité de la basilique Saint-Paul qui constituait, tout au long des périodes médiévale et moderne, un grand lieu de pèlerinage. Ainsi une foule de pèlerins transitait-elle régulièrement par cette zone également envahie, à l'occasion, par des spectacles traditionnels qui s'y donnaient, comme le lâcher de cochons sur la colline du Testaccio.
Il faudra néanmoins attendre la fin du XIXe s pour voir revivre ce coin de Rome.

¶ ***Piazza dell'Emporio*** *(plan général C5)* ***:*** *située au pied du Palatin.* Dans la région du *forum Boarium* (l'actuelle piazza Bocca della Verità), le premier port antique de Rome, le *Portus,* devint vite, du fait du développement de la ville, trop petit. Aussi dut-on, au lendemain des guerres puniques, construire, dans la plaine subaventine, de nouvelles installations portuaires un peu plus conséquentes.
Ainsi naquit, à l'aube du IIe s av. J.-C., un nouveau complexe portuaire, l'*Emporium,* qui, au plus fort de son développement, s'étira sous la forme d'un quai sur environ 500 m le long du Tibre. De gros blocs de travertin y étaient aménagés, servant de bittes d'amarrage aux navires qui, venant d'Ostie, débarquaient, ici, leurs innombrables marchandises venant des quatre coins de l'Empire. Remontant péniblement les rampes et les escaliers reliant le fleuve à la terre ferme, une multitude d'hommes employés au service de l'annone (c'est-à-dire chargés du ravitaillement de la ville) déposaient ensuite les marchandises débarquées dans les nombreux entrepôts et magasins.

¶ ***Monte Testaccio*** *(mont Testaccio ; plan général C6)* **:** laisser la via Marmorata à la hauteur de la via Galvani. Longeant celle-ci, on arrive au niveau d'un monticule dont l'histoire, pour le moins singulière, mérite d'être contée.
Haute de 54 m et d'une circonférence de 1 km, cette colline domine de 30 m la plaine du Testaccio. Derrière ces chiffres se cache l'accumulation, pendant de nombreux siècles, de débris d'amphores contenant les produits importés dans le port de Rome. Une véritable décharge publique, pour ainsi dire, dotée naguère d'une rampe parcourue de chariots montant sur la colline pour y déposer leurs charges d'amphores. Ces dernières, ou plutôt ce qu'il en reste, sont particulièrement étudiées par les archéologues car elles renferment, à elles seules, une tranche importante de l'histoire économique du monde romain. Le nom même du quartier provient de ce lieu, le *mons Testaceus* (autrement dit, « la colline des Tessons »).
Un spectacle traditionnel, depuis longtemps oublié, s'y déroulait, à la grande joie de la jeunesse romaine qui accourait ici pour l'occasion. Des cochons étaient lâchés sur le haut du monticule qu'ils dévalaient ensuite à toute allure... avant d'être pourchassés par des cavaliers arborant les couleurs de leurs quartiers respectifs et qui, munis de lances, se les disputaient. Dégustant dans les environs immédiats des plats à base d'abats, une spécialité locale, on songe à ce spectacle passé qui donna peut-être naissance à la boucherie du coin.
Au crépuscule, une faune de noctambules sillonne la via di Monte Testaccio, serpentant au pied de la colline, et la via Galbani, où les adresses de boîtes et de bars foisonnent.

¶ ***Piramide di Caio Cestio*** *(pyramide de Caius Cestius ; plan général D6)* **:** dominant la place de la Porte-Saint-Paul, cette pyramide abrite le tombeau de Caius Cestius, un riche Romain qui parcourut allègrement, à la fin du Ier s av. J.-C., la *carrière des Honneurs.* Ce n'est donc pas le tombeau de Remus (dont tout le monde connaît la malheureuse fin), comme on pouvait le croire à une époque où ce monument était connu sous le nom de *meta Remi* (le tombeau de Remus). Haute de 36,40 m et recouverte de marbre, elle nous rappelle qu'au moment de la conquête de l'Égypte (30 av. J.-C.), l'égyptomanie fut très en vogue à Rome...

Le cimetière protestant *(cimitero protestante ; plan général C-D6)* ***:*** *entrée via Caio Cestio. Tlj sf lun et j. fériés en principe, 8h-11h30, 14h30-16h (tirer la cloche).* Derrière la pyramide, à l'abri des pins et des cyprès, un cimetière fut aménagé pour recevoir les dépouilles des non-catholiques étrangers. On verra notamment les sépultures des figures de la Rome romantique, attirées par le climat et les ruines antiques plutôt que par la papauté, comme Keats et Shelley. Le premier, John Keats (1795-1821), est considéré comme l'un des plus grands poètes anglo-saxons. Il mourut de la tuberculose place d'Espagne, où se trouvait son modeste logis aujourd'hui transformé en *musée Keats-Shelley,* dans les bras de son ami peintre Severn (qui se noya dans le golfe de La Spezia et est également enterré ici). Le second, Percy Bysshe Shelley (1792-1822), était aussi un grand poète dont le talent, comme souvent, fut découvert sur le tard.
Le cimetière abrite d'autres pensionnaires célèbres : Julius Augustus (mort en 1830), le fils illégitime de Goethe ; Antonio Gramsci (1891-1937), premier dirigeant du Parti communiste italien, qui accepta, dit-on, de se séparer de ses lunettes cerclées pour le grand sommeil.

Les abattoirs et le MACRO Future *(ex-Mattatoio ; plan général C6)* ***:*** *situés entre la colline artificielle, le mur d'Aurélien et le Tibre.* Ces anciens abattoirs, réalisés de 1887 à 1892 au moment de la transformation de la zone du Testaccio, abritent le passionnant MACRO Future, l'annexe expérimentale du museo d'Arte contemporanea Roma (dont le siège se trouve via Reggio Emilia, près de la villa Albani, au nord de Termini). Venez donc admirer ce mélange réussi d'ancien et de moderne (quasiment tout est resté en l'état, notamment le système de rails qui permettait d'acheminer les carcasses d'un bâtiment à l'autre) à l'occasion des importantes manifestations culturelles, biennales, festivals et expos qui s'y déroulent régulièrement. Qui a dit que l'art contemporain était de l'art comptant pour rien ? *Rens : MACRO Future, piazza Orazio Giustiniani, 4. • macro.roma.museum • Ouv uniquement lors des expos. En théorie, ouv tlj sf lun 16h-minuit.*

À VOIR

Piazza Santa Maria Liberatrice *(plan général C5)* ***:*** le quartier, à la population autrefois mélangée, devint une zone d'habitat populaire à la fin du XIXe s. Un quartier d'artisans et d'ouvriers.

Une autre place voisine de la piazza Santa Maria Liberatrice, la ***piazza Testaccio,*** abrite le *mercato di Testaccio (tlj sf dim),* où l'on peut, sans trop vider ses poches, faire le plein de provisions.

LA BASILIQUE SAINTS-JEAN-ET-PAUL ET LES MAISONS ROMAINES DU CÉLIUS

(basilica Santi Giovanni e Paolo e case romane del Celio ; plan général D-E5, ***402****)*

Piazza S. S. Giovanni e Paolo (accès pour les maisons : Clivo di Scauro). ☎ 06-70-45-45-44. • caseromane.it • ♿
➢ ***Accès :*** Ⓜ *Circo Massimo (ligne B) ou San Giovanni (ligne A). Bus n°s 60, 75, 81, 175, 673...*
– ***Horaires de visite :*** *basilique tlj 8h30-12h, 15h30-18h. Maisons romaines : tlj sf mar et mer 10h-13h, 15h-18h ; visite guidée le w-e sans rdv, sur rdv le reste de la sem (slt en italien et en anglais ; ajouter 3,50 €).*
– ***Entrée :*** *6 € ; réduc ; gratuit pour les moins de 12 ans.*

⚲ Ce complexe archéologique ne fut découvert qu'en 1887, par le recteur de la basilique Saints-Jean-et-Paul, construite par-dessus au Ve s. Les sous-sols de la basilique ont révélé un incroyable dédale de salles, une vingtaine en tout, réparties sur trois niveaux. Elles ont été restaurées et rouvertes au public en 2002. Les fouilles ont démontré qu'il s'agissait d'*insulae* (les HLM de l'époque), transformées par la suite en *domus* fastueuse par une famille fortunée. Cette demeure a conservé une bonne part de ses fresques, miraculeusement épargnées par le temps et l'histoire. Dans la *salle des Génies,* adolescents et génies se tiennent parmi des oiseaux et des guirlandes de fleurs et de vigne. Les sexes ont été effacés, sûrement par un propriétaire chrétien offusqué par tant d'impudeur... Dans la *salle dell'Orante,* le personnage en position d'orant (en prière, les bras ouverts et levés) évoque l'époque où le christianisme pénétra les lieux. Un escalier donne accès au *confessionnal,* qui relate le martyre des saints orientaux et notamment de Giovanni et Paolo, deux soldats romains qui, selon la tradition, vécurent ici avant d'être martyrisés sous Julien l'Apostat en 362. Dans les salles du sous-sol, on découvre un *cellier* où étaient stockés le vin et le *garum* (sauce à base d'entrailles de poisson) et les traces de *thermes* privés. En remontant à l'étage, dans ce qui fut le jardin, un nymphée du IIIe s avec des fresques évoquant des scènes mythologiques dont une splendide Proserpine tirée par un char marin. Enfin, dans le musée, on peut admirer des poteries et divers objets retrouvés dans les maisons romaines.

LES THERMES DE CARACALLA
(terme di Caracalla ; plan général D-E5-6)

Via delle Terme di Caracalla, 52. ☎ *06-39-96-77-00.* • *pierreci.it* • ♿
➢ **Accès :** Ⓜ *Circo Massimo (ligne B) ou San Giovanni (ligne A). Bus nos 118, 160, 628...*
– **Horaires de visite :** *lun, ouv jusqu'à 14h slt. Pour les autres horaires, se reporter en début de rubrique : communs avec le Forum.*
– **Entrée :** *6 € (billet valable aussi, pdt 7 j., pour le tombeau de Cecilia Metella, la villa dei Quintili) ; réduc ; gratuit pour les citoyens européens de moins de 18 ans et de plus de 65 ans ; inclus dans les* Roma Pass *et* Archeologia Card. *Audioguide en français conseillé (4 €), car il n'y a aucune explication sur le site !*

⚲⚲⚲ Les thermes de Caracalla sont l'un plus grands complexes thermaux de l'Antiquité. Certes, le temps a fait son œuvre et les hommes ont largement pillé le monument, mais les vestiges sont encore très impressionnants : larges pans de murs, voûtes et arches, certains atteignant même une hauteur de 30 m. Autour, les jardins donnent l'occasion d'une balade paisible et permettent de mieux se rendre compte de la taille du complexe. Mais avant de pénétrer sur le site, un peu d'histoire. Avant les thermes de Caracalla, il y eut ceux de Néron (60-64 apr. J.-C.) et de Trajan (104-109 apr. J.-C.) qui fixèrent un modèle immuable. Ainsi on retrouve les mêmes caractéristiques, comme la duplication systématique des pièces disposées autour d'un axe central dont le pôle est constitué par une salle basilicale, une grande enceinte entourant le corps central, une orientation vers l'ouest pour obtenir la meilleure position par rapport au Soleil... Ce modèle canonique, éprouvé par les années, se retrouve dans le complexe thermal de Dioclétien (298-306 apr. J.-C. ; voir plus loin), qui s'étendra sur 14 ha contre 13 ha pour les thermes de Caracalla (construits de 212 à 216 apr. J.-C.).
Pour un quart d'as (trois fois rien), un Romain avait accès à ces thermes ouverts 24h/24 et dont les rues alentour étaient éclairées la nuit. Destinées à alimenter 1 600 personnes en même temps, des citernes de 80 000 l stockaient l'eau acheminée par un aqueduc de 91 km de long. D'énormes stocks de bois fournissaient le combustible, alimentant les *tubulli,* les canalisations murales, ainsi que les fours ouverts sur les sous-sols. De là, la chaleur remontait par hypocauste à travers le sol

posé sur des piles en brique. Ce sont finalement les Barbares qui stoppèrent l'activité de cette énorme machinerie (bien sûr alimentée par des esclaves) en coupant les aqueducs en 537 !
L'entrée des thermes proprement dite se trouve du côté de la via delle Terme di Caracalla, de part et d'autre de la grande pièce (autrefois, une vaste piscine d'eau froide). L'itinéraire que l'on parcourait ne devait rien au hasard, il était prévu pour profiter pleinement des bienfaits des bains. À défaut de pouvoir le suivre de nos jours, imaginons-nous un Romain, que nous appellerons Claudius, décidé à entreprendre ses ablutions.
Une fois dans l'entrée qui s'ouvre sur un grand bassin (la *natatio*), Claudius pénètre dans le vestiaire (salle carrée située sur la droite qui portait le nom d'*apodyterium*) où il se sépare de ses effets qu'il range ensuite dans l'une des nombreuses niches aménagées dans les murs. Craignant les vols, il confie volontiers ceux-ci à un esclave. Entièrement nu, il se dirige ensuite vers la *palestre,* une grande cour rectangulaire (mesurant 50 m x 20 m) que bordait naguère sur trois côtés un portique et qu'ornaient des mosaïques dont certaines sont encore en place. Des salons, où s'activent probablement masseurs et épileurs, donnent sur le côté opposé par rapport à l'exèdre. C'est ici, dans ce vaste ensemble, que notre Romain s'échauffe le corps (opération indispensable pour se préparer aux bains) en pratiquant différents exercices (lutte, jeu de paume, escrime, haltères...).
De la palestre, Claudius passe alors dans les salles du fond (côté opposé par rapport à l'entrée). La première d'entre elles, située dans le prolongement de la palestre, est un hammam (*laconicum* ou *sudatorium*). Progressant en empruntant les deux salles suivantes (la seconde étant à une température plus élevée que la première), notre Romain, transpirant maintenant abondamment, arrive au niveau du *caldarium* (aujourd'hui en grande partie ruiné, malheureusement).
C'était autrefois une grande salle circulaire de 34 m de diamètre, couverte d'une coupole reposant sur huit grands pilastres entre lesquels étaient disposées de petites vasques, une grande vasque circulaire occupant le centre de cette pièce. Le soleil pénétrait dans le *caldarium* par de grandes fenêtres disposées sur deux niveaux, l'éclairant ainsi jusqu'au crépuscule (donnant sur les jardins, la vue devait être magnifique et unique car les autres façades étaient aveugles). La température atteignait ici 55 °C pour une hygrométrie de 80 %. Après s'être débarrassé, au moyen du *strigile* (une cuillère en métal incurvée), de la sueur, de la poussière et des différentes huiles dont il s'était oint préalablement, notre Claudius s'asperge d'eau chaude.
Une fois ses ablutions terminées, il passe ensuite dans la salle d'eau tiède (le *tepidarium*) et suit à partir de là l'axe central jusqu'au niveau de la salle d'eau froide (le *frigidarium* ou *natatio*). Le *tepidarium,* flanqué de deux vasques, offre une transition entre les bains chauds et froids que notre bon Claudius n'atteint qu'après avoir traversé la grande salle basilicale *(aula).* Mesurant 58 m x 24 m, couverte d'une triple voûte, elle était flanquée de deux salles rectangulaires au centre desquelles se trouvaient deux autres vasques remplies d'eau froide. Avant de quitter cette salle, notre Romain, bien qu'habitué des lieux, ne manque jamais d'apprécier les nombreuses œuvres d'art qui s'y trouvent.
La salle d'eau froide se trouvait dans le prolongement de l'*aula*. C'est là, à l'air libre, que s'accomplissait la dernière phase du bain dans un cadre grandiose par ses dimensions et aussi par sa décoration faite de niches superposées contenant des statues, de magnifiques colonnes...
Ce rituel terminé, Claudius, après avoir récupéré ses vêtements, ira se promener dans les jardins, faire un brin de causette sous les portiques ou encore profiter d'une des nombreuses installations culturelles du complexe (auditorium, bibliothèques...). Et tout ça en boitant (ben oui, Claudius : « qui boite » en latin, d'où « claudiquer »), alors chapeau Claudius !
– ***Des vestiges dissimulés et disséminés :*** un véritable réseau de souterrains se trouve sous vos augustes pieds si vous êtes encore dans le corps central du bâtiment. Au niveau supérieur, ce sont des pièces destinées aux services dans lesquel-

les l'animation était intense. Au niveau inférieur, le drainage des eaux se faisait au moyen de canalisations convergeant vers un grand égout. Il faut savoir qu'une partie des eaux chaudes usagées ainsi que les cendres étaient récupérées par les laveries qui avaient pris l'habitude de s'installer dans les sous-sols des différents thermes.
Si l'essentiel des vestiges des thermes de Caracalla se trouve ici (le contraire eût été étonnant), il est des éléments de décoration que vous retrouverez, non sans émotion, ailleurs : la *mosaïque des Athlètes* provenant de l'exèdre d'une des deux palestres est au musée du Vatican ; le groupe colossal du *Taureau Farnese,* autrefois situé dans la salle basilicale, au Musée archéologique national de Naples...

AUTOUR DE L'ESQUILIN, DU VIMINAL ET DU QUIRINAL

LE QUARTIER DES MONTI (*quartiere dei Monti ; plan général D-E3-4*)

Le bien nommé quartier des Monts (*monti* en v.o.) englobe les collines du Viminal et de l'Esquilin, ainsi qu'une partie du Quirinal et du Celio. Autant dire qu'il n'est que montées... et descentes ! Contrairement à d'autres, il n'est pas facile d'en définir les contours précis. Pour faire simple, disons qu'il tient dans un quadrilatère dessiné par la *via delle Quattro Fontane* au nord, la *via del Quirinale* à l'ouest, la *via Merulana* à l'est et les *vie dei Fori Imperiali* et *Labicana* au sud.
Peut-être trouverez-vous les grandes artères rectilignes des *Monti* un peu désolantes, tant elles ressemblent à celles de toute grande ville occidentale : ronflement du flot automobile et bourdonnement des nuées de « guêpes » (*vespa* en italien) y résonnent du matin au soir. Mais il suffit de s'en écarter pour découvrir, entre les *vie Nazionale* et *Cavour,* un lacis de jolies petites rues pavées. C'est là que bat le véritable cœur du quartier, encore marqué par les vestiges de sa longue et tumultueuse histoire.

Un peu d'histoire

– ***Antiquité :*** à l'époque des Césars, la plèbe, nombreuse et misérable, élit domicile dans la zone du Viminal et sur les pentes de l'Esquilin, où le quartier de Suburre est connu comme un repaire de prostituées et de malfrats. Aussi n'y trouve-t-on guère de monuments publics imposants, mais surtout des établissements thermaux (thermes de Dioclétien, de Constantin, de Trajan et de Titus, ces deux derniers bâtis sur les décombres de la maison Dorée de Néron) et de grandes villas (comme celles de Salluste et Mécène), reléguées le plus souvent au niveau de la muraille d'Aurélien. Le tout périclite avec l'arrivée des Barbares, et le quartier, déserté, est progressivement gagné par les terres agricoles.
– ***Moyen Âge et Renaissance :*** à l'époque médiévale, d'âpres rivalités opposent les *Monti* aux autres bourgs romains, à commencer par le *Trastevere*. Quelques tours défensives rescapées en témoignent encore, notamment sur la petite place San Martino ai Monti. Au XVIe s, le pape remet ce quartier à l'honneur en y dessinant un véritable chemin de croix, aux 12 stations correspondant à autant de sanctuaires. Des artères les relient, interrompues, ici et là, par des carrefours décorés d'obélisques surmontés de statues de saints.
– ***L'aboutissement du Risorgimento et ses conséquences :*** l'arrivée de l'armée à Rome, le 20 septembre 1870, bouleverse le visage des Monti qui manquent singulièrement de logements et de bureaux pour faire face à une soudaine invasion de fonctionnaires. De nombreux immeubles de rapport ainsi que des bâtiments administratifs et ministériels sont construits en toute hâte. Le long des avenues de cette Rome moderne, bordées de constructions disproportionnées, on a parfois l'oppres-

sante sensation d'être plongé dans un univers kafkaïen. Les derniers grands changements datent de l'époque mussolinienne qui porte le coup de grâce à nombre de quartiers populaires.

Les visites

– ***Artisanat local :*** autrefois légion, les petits ateliers d'ébénistes, de mosaïstes, de céramistes ou de verriers tendent à se raréfier. C'est que les Monti sont happés par une vague bobo, plus propice aux boutiques de déco et de fringues qu'à la pérennité des savoir-faire ancestraux.

Arte e Restauro del Vetro : *via Panisperna, 64. ☎ 06-48-90-43-39.* Verre antique principalement, et un peu de brocante.

La Vetrata : *via del Boschetto, 94. ☎ 06-47-47-022. Ouv en sem 10h30-14h, 15h-19h30.* Le verre toujours, mais il s'agit d'un artisan créateur : lampes, plats, bijoux, etc.

Rues pittoresques du quartier

– La ***via Panisperna*** prolonge la rue Sainte-Marie-Majeure (au départ de la basilique) et débouche dans les parages du forum de Trajan. Elle tiendrait son nom des distributions de pain *(panis)* et de charcuterie *(perna)* que les religieuses du monastère de Santa Chiara faisaient aux pauvres le jour de la Saint-Laurent. C'est ici, en effet, que ce saint martyr succomba au supplice du gril. Une église, dont l'origine serait très ancienne, lui est dédiée, au n° 90.

– La ***via dei Serpenti*** part de la via Nazionale où se trouve l'énorme ***palazzo delle Esposizioni*** *(expos temporaires payantes ; rens au ☎ 06-39-96-75-00 ou ● palazzoesposizioni.it ●)* et aboutit via Cavour après avoir traversé le cœur des Monti, tout comme sa parallèle, la ***via del Boschetto.***

– Plus généralement, n'hésitez pas à vous enfoncer dans le dédale des ruelles, en particulier les ***vie dei Ciancaleoni, dei Capocci, degli Zingari*** et ***Leonina.*** Autrefois parcourues par les caravanes de gitans, elles convergent toutes vers la ***piazza Madonna dei Monti*** également appelée ***piazza dei Zingari*** (« place des tziganes »). Beaucoup de jeunes se retrouvent aujourd'hui autour de sa fontaine. De là, les ***vie Madonna dei Monti*** et ***Baccina*** rejoignent la ***via Tor dei Conti*** où subsiste un pan du mur antique qui protégeait le forum des incendies embrasant régulièrement l'interlope Suburre.

Piazza dell'Esquilino *(place de l'Esquilin ; plan général E3-4)* ***:*** *borde la via Cavour.* L'un des deux obélisques égyptiens qui ornaient l'entrée du mausolée d'Auguste se dresse sur cette place adossée à la superbe façade postérieure de la basilique Santa Maria Maggiore.

Basilica Santa Maria Maggiore *(basilique Sainte-Marie-Majeure ; plan général E4,* ***406****)* ***:*** *Ⓜ Termini (ligne A ou B) ou Cavour (ligne B). Bus nos 16, 75, 204, 714... Tlj 7h-19h. Prévoir de la monnaie pour éclairer les mosaïques !*

Sur une place ornée de la seule rescapée des huit colonnes de la basilique de Maxence, c'est l'une des quatre basiliques majeures (c'est-à-dire papales) de Rome, avec Saint-Jean-de-Latran, Saint-Pierre et Saint-Paul-hors-les-Murs, soit les étapes obligatoires pour tout pèlerin qui se respecte et qui donnent droit à une indulgence plénière.

Depuis sa fondation, Sainte-Marie-Majeure a été maintes fois remaniée et offre aujourd'hui un condensé harmonieux des grandes étapes stylistiques de l'art chrétien. Sa façade, typiquement baroque, est flanquée d'un campanile roman qui reste le plus haut de Rome (78 m) ! À l'intérieur, la triple nef est ornée d'un riche plafond à caissons Renaissance et d'un élégant pavement cosmatesque (du nom des Cosmati, ou Cosma, marbriers et ornementalistes romains des XIIe et XIIIe s). Très belles chapelles latérales, dont la somptueuse *chapelle Pauline,* réputée être l'une des plus richement décorées de Rome (à gauche du chœur). Pauline Bonaparte-Bor-

ghèse, très connue pour sa statue réalisée par Canova et conservée à la galerie Borghèse, y est enterrée. D'ailleurs, le Bernin et sa famille ont également une sépulture ici, mais dans une version beaucoup plus sobre et modeste. C'est finalement très people ici ! Revenons à la basilique, dotée comme il se doit d'un imposant maître-autel avec colonnes en porphyre. Mais le plus remarquable, ce sont les 36 panneaux de mosaïques déroulés le long des murs latéraux de la nef centrale, parmi les plus beaux de la ville (vu leur hauteur, pas simple de les détailler). Parmi les plus anciens aussi, puisqu'ils datent du Ve s. Ils reproduisent avec beaucoup de fraîcheur et de naïveté des scènes de l'Ancien Testament. À comparer avec le superbe *Couronnement de la Vierge* de Torriti, mosaïque délicate du Xe s exposée à la place d'honneur dans l'abside. On y retrouve, selon une iconographie répandue à l'époque, la Vierge assise aux côtés du Christ. Dans la chapelle hypogée (en contrebas de l'autel), monumentale statue de Pie IX, priant béatement devant la *sacra culla di Gesú...* c'est-à-dire une relique du berceau du christ. Avant de partir, remarquez la belle série de confessionnaux, toujours très fréquentés, où l'on peut être accueilli en français.
Au sous-sol, petit musée d'art sacré *(tlj 9h-18h ; env 4 € ; réduc)*, avec une vidéo sur la basilique en anglais et en italien.

DE LA NEIGE AU MOIS D'AOÛT

Sainte-Marie-Majeure est la plus grande église dédiée à la Vierge. L'histoire raconte que le 5 août 356, pour faire comprendre au pape Libère Ier qu'elle voulait une église, la Vierge fit tomber la neige en ces lieux. Évidemment, en plein été, c'était un miracle... À l'époque, on baptisa donc l'église Sainte-Marie-des-Neiges. Si vous y passez le soir d'un 5 août, il y a des chances que vous la voyiez vous aussi sous la neige... Ne vous demandez pas ce que vous avez bu, c'est de la neige artificielle. Agréable impression de se croire à l'intérieur d'une immense boule à neige en bakélite...

Chiesa Santa Prassede *(plan général E4,* ***420****)* **:** *de la piazza Santa Maria Maggiore, prenez la via Santa Prassede (face à vous, légèrement à droite en sortant de la basilique). Tlj 7h-12h, 16h-18h30. Photos interdites. Éclairage des mosaïques payant.*
Si l'entrée principale, surmontée d'un oriel, se trouve sur la via S. Martino ai Monti, l'entrée latérale est privilégiée depuis longtemps. Quasiment reconstruite au IXe s par le pape Pascal Ier, c'est à lui que l'on doit les mosaïques exceptionnelles de l'abside dont le thème central est le Christ en parousie – c'est-à-dire lors de son retour glorieux et définitif sur terre dans le but d'y établir le royaume de Dieu. Le pape y est représenté avec une « auréole carrée », signe qu'il était vivant au moment de la réalisation de l'œuvre. On lui doit aussi la *chapelle Saint-Zénon,* à droite du chœur, à l'origine un oratoire édifié pour sa mère Theodora... tout simplement. On la découvre elle aussi auréolée d'un nimbe carré. Toute petite, cette chapelle est splendide, entièrement couverte de mosaïques sur fond d'or ; sur la voûte, les quatre archanges soutiennent un Christ Pantocrator, et différents épisodes de la Bible sont illustrés sur les arcs et parois. On y trouve également une précieuse relique : la colonne de la flagellation. S'il y a un endroit où vous ne regretterez pas d'insérer vos sous dans une tirelire, c'est bien ici ! Également une crypte, sans grand intérêt, et un pavement que l'on dirait cosmatesque, mais qui est en fait une reproduction du début du XXe s !

Chiesa San Pietro in Vincoli *(église Saint-Pierre-aux-Liens ; plan général D-E4)* **:** *piazza San Pietro in Vincoli, 4a. Depuis la piazza Santa Maria Maggiore, rejoindre la station de métro Cavour ; l'église est alors à deux pas, en haut de la via delle Sette Sale. Tlj 7h-12h30, 15h30-19h.* Cette église fut construite à la demande de l'impératrice Eudoxia (vers 440) pour préserver les chaînes de saint Pierre (en italien, *vincolo* signifie « le lien », « la chaîne »), toujours exposées dans une crypte devant l'autel. Pourtant, elle doit sa renommée au fantastique *Moïse* de Michel-

Ange qu'elle abrite. L'œuvre dégage une telle force que tonton Freud l'a psychanalysée ! Il faut dire que c'est la pièce maîtresse du mausolée de Jules II, projet grandiose qui devait à l'origine contenir 40 statues mais que Michel-Ange ne put jamais mener à terme, suite aux hésitations de son commanditaire.

👬 ***Basilica di Santa Pudenziana** (basilique Sainte-Pudentienne ; plan général E3, **430**) **:** via Urbana, 160. Tlj 8h30 (9h dim et fêtes)-12h, 15h-18h.* La façade largement remaniée au XIXe s ne laisse rien paraître du grand âge de cette petite église. Elle fut construite au IVe s à l'emplacement de thermes antiques et d'une *domus ecclesiae* (lieu de rassemblement clandestin des premiers chrétiens), dont on peut encore voir quelques pièces enfouies... à 9 m au-dessous du sol (demander à l'enthousiaste guide bénévole et prévoir une lampe torche). Mais le point d'orgue de la visite est incontestablement la fantastique mosaïque chrétienne du chœur. Réalisée au IVe s, elle est la plus ancienne du genre à Rome. Le Christ en majesté y est entouré des apôtres (deux d'entre eux ont disparu lors d'une restauration) et des sœurs Prassède et Pudentienne couronnant saint Pierre et saint Paul. Le naturel de chaque figure est saisissant. Dans le ciel, aux magnifiques nuances, les évangélistes sont pour la première fois représentés sous forme symbolique : l'ange pour Matthieu, le lion pour Marc, le bœuf pour Luc et l'aigle pour Jean. Terminer la visite par la luxueuse chapelle Caetani, œuvre de Volterra et Maderno.

DOMUS AUREA (maison Dorée ; plan général E4)

À deux pas du Colisée, dans le parc Oppio.
*– **Avertissement :** attention, la Domus Aurea est actuellement inaccessible. Se renseigner sur l'hypothétique avancée des travaux dans un des points d'infos touristiques de la ville.*

👬 Après le terrible incendie de 64 apr. J.-C., Néron fait construire une gigantesque résidence, la *Domus Aurea,* occupant un tiers de la ville antique et abondamment parée d'or, d'où son nom. Dominée par un colosse en bronze de plus de 30 m représentant l'empereur, elle renferme un lac artificiel, une multitude de jardins et terrasses aboutissant à de majestueux portiques... et bien sûr, des centaines de pièces ! Après le suicide de Néron en 68, l'ensemble est en partie détruit par le grand incendie de 104, puis rasé et remblayé pour faire place au Colisée et aux thermes de Trajan. Tout semble donc à jamais disparu quand, à la fin du XVe s, des fresques antiques aussi délicates qu'élégantes sont découvertes dans ce qui ressemble désormais à des grottes. Bien qu'à l'origine du mot illustrant aujourd'hui une extravagance ridicule, ces « grotesques » vont émerveiller de nombreux artistes comme Raphaël et Michel-Ange, qui les copieront largement au XVIe s. Bien leur en a pris : aujourd'hui, les originaux antiques sont très endommagés par l'humidité et certains murs menacent de s'effondrer. Les restaurations, véritable casse-tête pour les spécialistes, s'éternisent sans que nul ne puisse préciser quand, ni même si le site rouvrira. En 2009, une équipe de chercheurs français a retrouvé la plus célèbre salle de la résidence, la *cenatio rotunda* décrite par Suétone, une salle de banquet qu'un mécanisme faisait autrefois pivoter !

SAINT-JEAN-DE-LATRAN ET SES ENVIRONS (San Giovanni in Laterano e dintorni ; plan général E-F5)

Rome est la capitale de la chrétienté, aussi n'est-on plus étonné de voir dans certains quartiers un nombre incroyable d'édifices religieux ainsi qu'une multitude de sœurs et de prêtres en habit. Le quartier de Saint-Jean-de-Latran est envahi encore plus que les autres par les églises. Et pour cause : c'est sur le domaine de Latran que Constantin fit édifier la toute première basilique chrétienne. Inutile, donc, de perdre votre temps ici si vous détestez l'art chrétien sous toutes ses formes.

Porta San Giovanni e piazza di Porta San Giovanni *(plan général E-F5)* **:** ouverte au XVIe s dans l'enceinte d'Aurélien, la porta San Giovanni permet d'accéder à la place du même nom, où vous pourrez apercevoir le monument dédié à saint François d'Assise. Toujours sur cette place se trouve l'édifice du Saint Escalier (celui que Jésus aurait gravi dans le palais de Pilate le jour de son procès), rapporté grâce à la bienveillance du Saint-Esprit sans doute... et de sainte Hélène, jusqu'au Latran. On monte cet escalier à genoux, pénitence oblige. Au sommet de celui-ci se trouve l'ancienne chapelle privée des Pontifes (XIIIe s). Enfin, à moins de souffrir de myopie sévère, vous verrez certainement l'imposante façade de Saint-Jean-de-Latran, que l'on reconnaît aux imposantes statues (7 m de haut) qui la surmontent. Il ne vous reste qu'à pousser la porte en bronze (d'origine antique, puisqu'elle a été fauchée à la Curie du Forum romain) et à entrer dans la basilique...

Basilica San Giovanni in Laterano *(basilique Saint-Jean-de-Latran ; plan général F5)* **:** Ⓜ *San Giovanni (ligne A). Bus n°s 16, 81, 85, 87, 590, 650... Tlj 7h-18h.* C'est la cathédrale de Rome et la première église au monde consacrée par l'empereur Constantin. À Saint-Jean, le pape est évêque de Rome. Elle fut fondée par l'empereur Constantin au IVe s. Plusieurs fois incendiée ou démolie, l'église n'est pas une œuvre homogène. Elle est néanmoins magnifique. On doit sa splendide et fastueuse décoration intérieure au grand artiste architecte baroque Borromini. Admirer notamment les mosaïques du XIIIe s de l'abside, ainsi que les statues monumentales des apôtres, qui ornent chaque colonne de la nef, école du Bernin. Le ***cloître*** du XIIIe s *(9h-18h ; 2 €)* a été préservé et, même s'il a beaucoup souffert, il n'en finit pas de nous charmer avec ses gracieuses et élégantes colonnes torsadées, recouvertes de mosaïques colorées, et ses frises à mosaïques. Dans la galerie, on peut admirer d'étonnantes pierres tombales, ainsi que les fresques qui recouvraient les murs de l'antique basilique. On vous signale au passage que le président de la République française a l'honneur d'être chanoine honoraire de Saint-Jean-de-Latran...

CADAVRE, LEVEZ-VOUS !

Saint-Jean-de-Latran fut le siège d'un procès intenté au pape Formose, en 897. Le seul hic, c'est que le pape Formose était déjà... mort. C'est donc son cadavre que l'on présenta, dans ses habits pontificaux, à l'ire de son juge, le nouveau pape Étienne VI (qui devait sa nomination au pape Formose !). L'ingrat condamna tout de même le cadavre et le fit jeter dans le Tibre... Mal lui en prit car, à la sortie de ce procès macabre, il fut victime d'une émeute populaire et finalement étranglé !

Battistero San Giovanni *(baptistère Saint-Jean ; plan général F5)* **:** *piazza San Giovanni in Laterano. Tlj 7h30-12h30, 16h-18h.* Baptistère octogonal du IVe s, en brique ; construit sur un plan central, c'est l'un des plus antiques bâtiments chrétiens, et il servit de modèle aux baptistères pendant de longs siècles. Au centre, fonts baptismaux en basalte, entourés de huit colonnes en porphyre. Ne pas manquer les chapelles Saint-Venance et Santa Rufina : plafonds à caissons en bois richement sculptés, et surtout mosaïques des IVe-VIIe s.

Palazzo del Laterano *(palais du Latran ; plan général F5)* **:** donnant sur la piazza di Porta San Giovanni et la piazza San Giovanni in Laterano, ce palais, dans son état actuel, date du XVIe s (pontificat de Sixte V). C'est ici que furent signés en 1929 les accords du... Latran par Mussolini et le pape. Le gouvernement du diocèse de Rome y a établi ses quartiers. Du palais médiéval qui précéda celui-ci, il ne reste plus que quelques vestiges, à commencer par la Scala Santa.
Il abrite également le ***Museo storico S. Giovanni Laterano*** *(Musée historique du Vatican) : entrée par l'atrium de la basilique. Mar-sam sf j. fériés, visites guidées slt : 9h, 10h, 11h et 12h. Entrée incluse dans le billet des musées du Vatican (valable 5 j. à partir de l'émission du billet), ou 4 € ; réduc.* Magnifique escalier (voûte à fresques) qui mène à trois galeries : l'une expose les uniformes des divers corps

d'armées du Vatican à travers les âges, l'autre les uniformes de la famille du pape (supprimés par Paul VI), et dans la troisième se trouvent les portraits officiels des papes, y compris celui de Marcello II qui ne « régna » que 17 jours, mort après avoir mangé de la viande (empoisonnée, dit-on). Puis, accès à la chapelle de prière privée du pape, précédée d'une sorte de vestibule, au sol dallé de tomettes et mosaïques d'origine (1585). Également plusieurs salles immenses, aux plafonds à fresques ou à caissons, de très belles tapisseries des Gobelins des XVIe, XVIIe et XVIIIe s, et les passionnés d'histoire pourront même voir de leurs yeux l'original des accords de Latran signés le 11 février 1929.

Chiesa dei Santi Quattro Coronati (*plan général E5,* ***421***) **:** *de la piazza San Giovanni in Laterano, prendre la via San Giovanni in Laterano ou la via dei Santi Quattro Coronati. Tlj 7h-19h30 (fermé 12h-15h30 dim et j. fériés).* Cette église était autrefois partie intégrante d'un ensemble fortifié protégeant le palais du Latran. De l'église initiale (IVe s), il ne reste pas grand-chose. Ne détournez pas votre chemin pour autant, car vous y trouverez un élégant cloître du XIIIe s, ainsi qu'une belle chapelle dédiée à saint Sylvestre *(lun-sam 9h30-12h, 16h30-18h ; dim et j. fériés 9h-10h, 16h-17h45 ; 1 €).* Et puis, un jour, on aura peut-être accès aux fresques médiévales récemment découvertes. Renseignez-vous à l'office de tourisme pour savoir où ça en est lors de votre passage.

Basilica San Clemente (*basilique Saint-Clément ; plan général E4,* ***404***) **:** *située un peu plus bas le long de la même rue. Tlj 9h (10h dim)-12h30, 15h-18h.* Cette basilique dotée de trois niveaux mérite le déplacement. Au niveau de la rue : la basilique du XIIe s (exceptionnelle mosaïque de l'abside, voir aussi les fresques de la chapelle Sainte-Catherine) ; dessous, celle du Ve s, décorée de fresques carolingiennes et romanes superbes ; enfin, un lieu de culte au dieu Mithra, qui date du Ier s (crise mystico-religieuse assurée). On a découvert récemment les fondations de la construction primitive, sans doute détruite par le feu qui ravagea Rome sous Néron.

Porta Maggiore et basilica soterranea (*porte Majeure et la basilique souterraine ; plan général F-G4*) **:** Ⓜ *Vittorio Emanuele II (ligne A), puis 5 mn à pied. Trams nos 3, 5, 14... Bus nos 105, 649...* Le site est fermé pour travaux. Il faudra patienter encore un peu avant de partir à la découverte de la Rome souterraine. La basilique, construite au Ier s de notre ère, fut le lieu de culte pour une secte aujourd'hui oubliée : les néopythagoriciens.

Chiesa Santa Croce in Gerusalemme (*plan général F-G5*) **:** *de la piazza di Porta Maggiore, prendre la via Eleniana jusqu'à la hauteur de la pl. Santa Croce in Gerusalemme, où se trouve l'église du même nom.* Fondée probablement par Constantin au IVe s pour abriter le fragment de la Croix du Christ que sa mère, l'impératrice Hélène, aurait rapporté de Jérusalem (d'où le nom de l'église : « Sainte-Croix-en-Jérusalem »). Belles mosaïques de la chapelle Sainte-Hélène. Voir la chapelle des Reliques, où il y a vraiment de tout : fragments de la Croix du Christ et du larron repenti, l'inscription qui surmontait la Croix du Christ, des épines de la couronne, le doigt de saint Thomas, etc.

LE QUARTIER DU QUIRINAL ET DE LA PIAZZA BARBERINI (quartiere del Quirinale e della piazza Barberini ; plan général D2-3)

Fontana di Trevi (*fontaine de Trevi ; plan centre D3,* ***414***) **:** Ⓜ *Barberini (ligne A) ; puis descendre la via del Tritone et prendre la 3e rue à gauche, la via di Stamperia. Bus nos 52, 53, 61, 62, 81, 85, 116, 119, 175.*
Cette grandiose fontaine de travertin est l'une des icônes emblématiques de Rome. C'est ici même que Fellini tourna la scène la plus célèbre de *La Dolce Vita,* avec Mastroianni le romantique et Anita Ekberg l'ensorceleuse. En pénétrant dans le

bassin de nuit pour y échanger un baiser, ils firent entrer définitivement la scène (et la fontaine) dans la mythologie du cinéma. Ne rêvez pas, si vous tentez la même chose, vous risquez de finir au poste. Autre film tourné en partie ici, *Vacances romaines* avec Audrey Hepburn et Gregory Peck. Aujourd'hui, le cinéma n'est pas terminé puisque des hordes de touristes viennent sacrifier au rituel qui consiste à jeter une ou deux pièces de monnaie par-dessus l'épaule : l'une pour un premier vœu, l'autre, juste avant de partir, pour être sûr de revenir un jour à Rome (pour en être bien sûr, se mettre de dos et jeter la pièce de la main droite par-dessus l'épaule gauche, ou l'inverse si vous êtes gaucher). Cette coutume a d'ailleurs essaimé dans le monde entier... Mais pas la peine d'y plonger la main pour essayer de vous payer un sandwich, c'est surveillé ! Les pièces sont ramassées régulièrement au profit de l'association Caritas. Malgré la foule, la fontaine reste extrêmement séduisante, aussi bien de jour que de nuit.

UN BARBIER RASOIR

Pendant les travaux, Nicolò Salvi, l'architecte de la fontaine de Trevi, se rendait régulièrement chez un petit barbier situé sur la droite du chantier. Ce dernier rasait Salvi au sens propre comme au figuré, le bassinant sur la construction de la fontaine qui, soi-disant, lui gâchait le paysage. Excédé, Salvi décida de remédier à son problème. C'est ainsi qu'il fit sculpter le gros vase que l'on peut encore voir aujourd'hui. Lorsque l'on est à l'intérieur du nouveau commerce qui a pris la place du barbier, le vase masque en effet totalement la (superbe) fontaine !

Trevi est une déformation de l'italien *trivio* (ou *trivium* en latin), qui signale le croisement de trois rues. Une explication assez triviale, somme toute. En revanche, sachez que la fontaine est alimentée depuis plus de 2 000 ans par l'aqueduc de l'Eau-Vierge, qui doit son nom à une vieille légende romaine. Une jeune fille aurait trouvé la source et l'aurait indiquée aux soldats romains (elle est représentée à droite de la fontaine). C'est déjà plus poétique. Mais certains affirment qu'elle s'appelait Trevi et qu'elle aurait peut-être sauvé ainsi sa virginité... retour vers le trivial. Quoi qu'il en soit, c'est Agrippa, le gendre d'Auguste, qui aurait ordonné la construction de l'aqueduc (on le voit à gauche de la fontaine). L'étonnant, c'est que cet aqueduc fonctionne toujours : il fait 30 km de long, prenant sa source à Tivoli, et alimente également les jardins et les fontaines du quartier de la villa Giulia. Quant à la fontaine actuelle, elle fut construite au milieu du XVIIIe s, après que le pape Benoît XIV eut décidé de monumentaliser la bouche de la fontaine primitive, tout en l'intégrant par un ingénieux trompe-l'œil au palais du XVIe s. L'immeuble donne aussi l'impression de sortir du rocher. Repérez la fenêtre en trompe l'œil (la légende raconte qu'une jeune fille se serait jetée par la fenêtre d'origine, raison pour laquelle on l'aurait murée). Le moins que l'on puisse dire, c'est que l'architecte, Nicolò Salvi, n'a pas choisi la légèreté... preuve que le baroque romain est bien mort avec le Bernin. Parmi les nombreuses allégories aquatiques représentées, on retrouve la Salubrité et l'Abondance, ainsi que les Quatre Saisons, tandis que les deux chevaux marins symbolisent l'eau violente et l'eau tempérante. Et, pour ceux qui ne l'auraient pas reconnu, le personnage au centre du bassin, c'est Neptune !

900 000 EUROS EN PETITE MONNAIE !

C'est en moyenne les sommes récoltées dans la fontaine de Trevi chaque année. Les pièces lancées par les millions de touristes par-dessus leur épaule sont une vraie manne pour la cité. Depuis 2006, cette somme est remise à l'organisation caritative Caritas, *qui finance ainsi un resto associatif pour les nécessiteux. Si l'on ajoute que lorsqu'on lance une pièce, cela veut dire qu'on reviendra à Rome... et donc qu'on relancera une pièce... Les revenus issus de la fontaine magique ne sont pas près de se tarir.*

Tournez-vous et jetez un œil à l'église en face de la fontaine. Ce fut la paroisse du cardinal Mazarin dont la nièce avait épousé un Colonna, riche et influente famille romaine. Sachez que la tradition voulait qu'on y conserve dans le formol les viscères des papes ! D'après certaines sources, elles y seraient toujours (mais pas visibles).

Piazza Barberini *(plan général D3)* **:** Ⓜ *Barberini (ligne A).*
À l'angle de la via Veneto et de la piazza Barberini, vous verrez la *fontaine des Abeilles* du Bernin, réalisée pour le 21e anniversaire de l'élection d'Urbain VIII à la papauté (trois abeilles ornaient le blason de la prestigieuse famille des Barberini). « Ce que les Barbares n'ont pas fait, les Barberini l'ont fait », disaient de lui (Urbain VIII) ses détracteurs en pensant au pillage des monuments antiques qu'organisait le pape pour achever ses grands travaux.
À voir, également, la *fontaine du Triton* commandée au Bernin par le pape Urbain VIII en 1640. La bestiole symbolise un dieu marin grec soufflant dans une conque. Le triton a été utilisé comme symbole de l'immortalité conquise par la littérature. Le Bernin rend ici hommage au pape poète. Les dauphins symbolisaient, eux, la munificence princière (Urbain VIII était un grand mécène). Quelques années plus tard, les habitants, voyant proliférer les fontaines dans leur ville, descendirent dans la rue en hurlant : « Plus de fontaines ! Du pain ! »

Via Vittorio Veneto *(plan général D2-3)* **:** la rue la plus célèbre de Rome, immortalisée par *La Dolce Vita* fellinienne. Les Champs-Élysées romains avec leurs terrasses de cafés. En fait, de cette *dolce vita,* il ne reste pas grand-chose. Aujourd'hui, c'est un quartier chic et très touristique.

Cimitero dei Cappuccini *(cimetière des Capucins)* **:** *via Vittorio Veneto, 27. • cappucciniviaveneto.it • Tlj sf jeu 9h-12h, 15h-18h. Entrée gratuite, mais il est bien vu de laisser une offrande.* Pour les fanas du macabre. Ce n'est pas un cimetière proprement dit, mais un ensemble de chapelles minuscules. En descendant de la station de métro Barberini, on aperçoit une grande chapelle. Monter les escaliers pour y parvenir. On trouve une petite porte à droite portant l'inscription « *Cimitero* » (« Cimetière »). Les murs des cinq chapelles ont été décorés avec les squelettes et les ossements des moines décédés. C'est à voir, car, dans le genre ringard, on n'a pas encore fait mieux. On dirait un gigantesque gag de carabins. 4 000 squelettes. Même les lustres sont en os !

Collegio Sant'Isidoro degli Irlandesi *(collège Saint-Isidore-des-Irlandais ; plan général D3)* **:** *l'entrée du collège est au fond de la piazza Barberini ; monter l'escalier pour y accéder. Pour visiter, il faut sonner à la grille ; le gardien parle le français.* Le collège possède une chapelle dessinée par le Bernin, et construite entre 1660 et 1663.

Galleria nazionale d'Arte antica nel palazzo Barberini *(palais Barberini ; plan général D3,* ***410****)* **:** *via delle Quatro Fontane, 13. ☎ 06-48-24-184. • galleriaborghese.it/barberini/it • ♿ Tlj sf lun 9h-19h30. Entrée : 5 € (le temps des travaux) ; réduc ;* Roma Pass.
Le palais Barberini, magnifique édifice baroque construit par Maderno, Borromini et le Bernin, est connu pour abriter l'une des plus belles collections de peinture d'Italie. Malheureusement, il semble continuellement en travaux. Sont fermés au public jusqu'à nouvel ordre : les appartements XVIIIe s et plusieurs salles du 1er étage, dont le grand salon célèbre pour son gigantesque plafond dit du *Triomphe de la Divine Providence* peint par Pierre de Cortone (le plus grand jamais réalisé hors d'une église). Quant au superbe escalier de Borromini, il est également en restauration. Du coup, la visite se réduit comme peau de chagrin. Les esthètes se régaleront quand même des chefs-d'œuvre encore visibles. Attention : les accrochages sont susceptibles d'être modifiés au fil du temps.
La visite commence par l'émouvante rencontre avec LE joyau du musée, *La Fornarina* de Raphaël. L'artiste a apposé sa signature sur le bracelet de cette belle au

regard ingénu. On s'attardera ensuite devant la *Madone à l'Enfant* d'Andrea Del Sarto (à comparer avec *Sainte Marie Madeleine lisant* de Piero Di Cosimo), le studieux *Érasme* de Quentin Metsys, *L'Enlèvement des Sabines* de Sodome, ou encore *Sposalizio Mistico* de Lorenzo Lotto. Notez ici le parfait équilibre des masses, le rigoureux positionnement des personnages, la belle lumière douce sur les deux vieillards et le séduisant jeu des regards. Ah ! cette obsédante robe rouge de la Vierge qui capte l'attention et la redistribue sur le personnage central : l'Enfant Jésus.
Ne pas rater également les deux remarquables Filippo Lippi (le maître de Botticelli). Sa *Vierge à l'Enfant* peut surprendre, mais le somptueux drapé préfigure l'esthétique de la Renaissance. En revanche, son admirable *Annonciation avec deux dévots* reste ancrée dans la tradition médiévale. Voyez comme il s'embarrasse peu des proportions !
L'autre chef-d'œuvre du musée est sans aucun doute le *Henri VIII* de Hans Holbein. Extraordinaire portrait, d'une prodigieuse richesse de détails, où le regard dur et affirmé du roi est rendu superbement. Il est le pendant de celui d'Anne de Clèves (au Louvre, œuvre de Holbein également), réalisé alors que les futurs époux ne s'étaient pas rencontrés. L'histoire dit qu'Henri VIII fut si déçu à la vue de sa promise en chair et en os que le mariage ne fut même pas consommé et qu'on renvoya la pauvre Anne chez elle !
Plus loin, deux œuvres du Greco, d'une grande violence. Elles annoncent la peinture contemporaine... à l'aube du XVIIe s. Plus on s'approche, plus on est fasciné par les détails.
Également trois Caravage, saisissants comme d'habitude : *Narcisse, Saint François* et surtout *Judith et Holopherne.* Ainsi qu'un bien joli tableau : le *Portrait de Béatrice Censi,* par Guido Reni.
Enfin, la visite permet de découvrir la petite chapelle entièrement décorée par Pierre de Cortone et ses collaborateurs. Le maître s'est évidemment réservé la *Crucifixion du Christ,* au-dessus de l'autel.

Galleria de l'accademia di San Luca *(plan général D3,* ***431****) : piazza Accademia di San Luca, 77. ☎ 06-67-98-850.* Actuellement fermée pour restauration. C'est bien dommage, car en temps normal on peut y voir Raphaël, Jacopo Bassano, le Guerchin, Rubens.

Chiesa Santa Maria della Vittoria *(plan général E3,* ***409****) : largo Santa Susanna, en haut de la via Barberini. Tlj 7h-12h, 16h30-19h.* Cette église marque l'apogée du baroque en Italie. On y trouve l'un des chefs-d'œuvre du Bernin : *L'Extase de sainte Thérèse.* Pour l'anecdote, c'est la petite amie de l'artiste qui servit de modèle. Cela explique peut-être pourquoi son ravissement ne semble pas exactement de même nature que celui qui transporta la sainte... En face, la bouche d'un aqueduc, transformée en une fontaine dédiée à Sixte V, le « pape des obélisques ».

Chiesa San Carlo alle Quattro Fontane *(plan général D3,* ***434****) : à l'angle de la via delle Quattro Fontane et de la via del Quirinale. Lun-ven 9h-13h (12h-13h dim), 16h-18h ; sam 9h-13h.* Église à la façade tourmentée, typique du style de Borromini. Il la commença au début de sa carrière et l'acheva juste avant son terrible suicide en 1667 ; petit cloître à l'intérieur.

Chiesa Sant'Andrea al Quirinale *(plan général D3,* ***432****) : via del Quirinale, 29. Tlj sf mar 8h-12h, 16h-19h.* Avec cette église elliptique, le Bernin s'enorgueillissait d'avoir atteint la perfection de son art. Il est vrai que les chapelles latérales et le faux portique du chœur donnent l'impression d'un espace plus vaste qu'il n'est réellement. Voir *La Crucifixion de saint André,* de Jacques Courtois, et les tableaux de Baciccia. Jeter également un œil aux *chambres de saint Stanislas*. Accessibles par un escalier à droite du maître-autel, elles renferment un gisant du saint en pierre polychrome, signé Pierre Legros.

Palazzo del Quirinale *(palais du Quirinal ; plan général D3,* ***411****)* **:** *piazza del Quirinale. ☎ 06-46-991. • quirinale.it • Bus nº 71 ou 117 ; à la rigueur, nºs 40, 60, 70... Visite slt dim 8h30-12h (sf certains j. spécifiques à vérifier dans l'agenda et en juil-août). Entrée : 5 €.*

Les papes établirent leurs quartiers d'été à partir de la fin du XVIe s dans ce palais baroque. Un temps écartés par Napoléon qui souhaitait en faire sa demeure mais ne put jamais en jouir, empêtré qu'il était dans sa campagne de Russie, ils cédèrent la place au roi d'Italie à la fin du XIXe s. C'est aujourd'hui la résidence du président de la République.

Sur la place qui s'étend devant, la jolie fontaine et les colossales statues antiques des Dioscures proviennent des thermes de Constantin. Au milieu s'élance l'un des deux obélisques du mausolée d'Auguste. Au sud-est, les écuries accueillent des expos temporaires de grande qualité.

La profusion d'œuvres d'art et d'objets précieux exposés dans la vingtaine de pièces du Palazzo ouvertes au public est impressionnante : plafonds rococo, tapisseries précieuses, urnes et mosaïques antiques, fresques de Cortone... La visite s'achève en apothéose dans le vaste hall commandé par Paul V Borghèse : sous le complexe plafond à caissons, un vertigineux trompe-l'œil représente une loggia où se penchent des émissaires de pays lointains, illustrant ainsi l'étendue de l'influence papale. À côté, la chapelle Pauline avec son incroyable voûte de médaillons en stuc accueille des concerts chaque dimanche.

Palazzo Colonna *(palais Colonna ; plan général D4,* ***433****)* **:** *via della Pilotta, 17. ☎ 06-67-84-350. • galleriacolonna.it • ♿ Sam 9h-13h. Entrée : 10 € ; réduc. Visite guidée gratuite en anglais, à 11h45. Photos interdites.*

Ce palais a une particularité : privé, il est habité par l'illustre famille Colonna depuis 23 générations ! La luxueuse galerie, inaugurée en 1705 pour accueillir l'imposante collection Colonna constituée par le cardinal Girolamo Ier, est le symbole de son âge d'or. Au-delà de l'étroit escalier d'accès et de la modeste antichambre, le hall principal, composé des salles des colonnes, des paysages et du grand salon, produit un effet renversant : nombre et qualité des œuvres, raffinement du mobilier et des décors, taille de l'ensemble... Les salles suivantes, bien que de dimensions plus modestes, ne sont pas en reste.

Parmi les quelque 200 toiles exposées, *Vénus et Cupidon* et *Aurore* (Ghirlandaio, fin du XVIe s) distillent mystère et sensualité, tant et si bien que des esprits pudibonds du XIXe s recouvrirent d'étoffe la nudité de leurs corps diaphanes. Sur le mur opposé, la *Vénus* de Bronzino connut le même sort ! Plus loin, étonnante *Résurrection du Christ* de Pierre de Cortone, où les défunts Colonna se relèvent de leur tombe, et *Le Mangeur de fèves* de Carrache (1583), au réalisme inédit à l'époque. On admirera aussi les beaux miroirs décorés de bouquets et d'angelots (XVIIe s), ainsi que deux remarquables cabinets, dont l'un arbore une reproduction fidèle du *Jugement dernier*... taillée dans l'ivoire ! Quant à la *Bataille de Lépante,* remportée par Marcantonio II Colonna, et l'*Apothéose de Martin V* (pape Colonna élu au XVe s), vous les découvrirez sur les plafonds.

AUTOUR DE TERMINI ET SAN LORENZO

LE QUARTIER DE TERMINI (plan général E3)

Terme di Diocleziano *(thermes de Dioclétien ; plan général E3,* ***408****)* **:** *viale E. De Nicola, 79 (face à la gare de Termini). ☎ 06-47-82-61-52. Tlj sf lun 9h-19h45. Entrée : 7 € (billet unique valable 3 j. pour ts les sites composant le Musée national romain : palazzo Massimo, cripta Balbi et palazzo Altemps) ; réduc ;* Roma Pass. *Audioguide (pas de français) : 4 €.*

Rappelons d'abord ce que sont les thermes de Dioclétien. Construits entre 298 et 305, ils furent les plus grands de l'Antiquité romaine. Couvrant 13 ha et capables d'accueillir 3 000 personnes, ils comptèrent jusqu'à 900 bains alimentés par

24 aqueducs. L'arrivée des Barbares entraîna leur abandon puis leur démantèlement. Il en reste des vestiges, voire des pans entiers intégrés à divers bâtiments du quartier, à commencer par l'église *Santa Maria degli Angeli* (voir plus loin).
Ici, plutôt qu'à un site archéologique à proprement parler, nous avons donc affaire à un vaste musée de grande valeur. Il est essentiellement consacré (3 étages de la section principale) à l'épigraphie, la science des inscriptions, indispensable à la connaissance de l'histoire antique. De l'épitaphe à l'incantation rituelle en passant par les contrats et règlements, tout était matière à écrire sur des objets et matériaux variés : stèles, autels et sarcophages, objets rituels et statues. Présentés chronologiquement (du VIIIe s av. J.-C. à la fin de l'Empire), ils témoignent de la vie politique, sociale, administrative et, bien sûr, religieuse de la Rome antique. On y trouve, parmi la multitude de pièces exposées : un équipement complet (rarissime !) d'un soldat du Ve s av. J.-C, une belle série de statues en terre cuite (IIIe -IIe s av. J.-C), dont une étonnante déesse filiforme et, d'une période plus tardive (II-IIIe s apr. J.-C), de beaux bas-reliefs illustrés de combats de gladiateurs, ainsi qu'une magnifique statuette en bronze doré, figurant une divinité immobilisée par un serpent.
Depuis le dernier étage, on accède à la seconde section du musée. Beaucoup plus petite, elle évoque les premiers groupes humains (dits « protohistoriques ») établis dans le Latium, à travers poteries, armes et maquettes de nécropoles. Terminer la visite par le beau cloître dessiné par Michel-Ange pour les chartreux, doté d'une fontaine centrale, entourée de têtes monumentales d'animaux probablement issues du temple de Trajan.

ꝏꝏꝏ ***Palazzo Massimo*** *(palais Maxime ; plan général E3,* ***407****) : largo di Villa Peretti, 1. ☎ 06-48-14-144. ♿ Tlj sf lun 9h-19h45 (fermeture des caisses à 19h). Même billet que pour les thermes de Dioclétien, la cripta Balbi et le palazzo Altemps. Audioguide en français : 4 €.*
Remarquable restauration pour ce beau palais, ancienne école jésuite de la fin du XIXe s, aujourd'hui consacré au monde romain. Il s'agit de la plus importante collection d'Italie, bien que celle-ci ne concerne que les fouilles effectuées à Rome et dans les environs proches (cette collection est en fait répartie dans les différents musées qui composent le Musée national romain : le palais Maxime, le palais Altemps, la crypte Balbi et les thermes de Dioclétien). Muséographie particulièrement réussie. Le parcours, archéologique, thématique et chronologique, révèle toutes les splendeurs de l'art figuratif romain et donne une bonne idée de ce qu'était la vie quotidienne (admirez notamment les coiffes des femmes).
Au sous-sol
Séduisante expo de petits objets d'art, bijoux, réticules en or, verrerie, petits bronzes, etc., sur le thème des « signes du pouvoir » : ici, le luxe ! Voir notamment un filet d'or servant à retenir les cheveux, en bon état malgré son grand âge (IIIe s). Également une momie romaine d'un enfant et quelques copies en plâtre, dont une remarquable copie de la colonne *Antonina* (l'original se trouve place Colonna). Parti pris de sobriété dans la présentation, et volonté d'éviter l'accumulation d'œuvres. Enfin, les numismates seront particulièrement à la fête ! Derrière d'impressionnantes portes (dignes de Fort Knox !) sont conservées de fabuleuses collections de monnaies. Pour mieux les observer, chaque panneau est équipé d'une loupe !
Au rez-de-chaussée
– *Salles 1 à 4 :* nombreux bustes en pierre d'empereurs, mais aussi du tout-venant. Belle inscription de bronze datant de 41 apr. J.-C. Buste en bronze de L. Cornelius Pusio. Dans la salle 4, intéressante fresque provenant d'un *colombarium* qui contenait plus de 500 niches. Bien sûr, les urnes funéraires ont disparu, mais on peut encore lire certains noms.
– *Salle 5 :* superbe frise datant du Ier s av. J.-C., et retraçant les fondations de la cité. La salle est consacrée à l'idéologie du pouvoir d'Auguste, lequel faisait appel à de nombreuses références quant à la fondation de la ville, afin de légitimer son pouvoir : on retrouve ainsi une statue d'Auguste en habit de *Pontifex Maximus* et un

magnifique autel sculpté, consacré au dieu Mars et retraçant les origines de Rome : Romulus, Remus et la vestale Rhea Silva, la mère des jumeaux.
– *Salle 6 :* jolies têtes en terre cuite du temps d'Auguste et nombreux fragments.
– *Salle 7 :* deux bronzes superbes, importés de Grèce, probablement au Ier s av. J.-C., dont un boxeur impressionnant ; les nombreuses cicatrices qu'arbore son visage sont les marques de ses durs combats ! L'autre statue représente sans doute un prince hellène. Ces deux œuvres magnifiques sont inspirées du travail de Lysippe, célèbre sculpteur grec du IVe s av. J.-C., et démontrent l'importance de l'influence grecque sur les artistes romains.
– *Salle 8 : Tazza con scena di corteggio marino* (IIer s av. J.-C.), un tripode à pieds d'animaux qui servit de fontaines, et de belles sculptures, autels en pierre (dont quelques autels funéraires).

Au 1er étage

L'organisation, ici, est thématique : sculptures et portraits illustrent la représentation de l'homme romain et de son pouvoir selon les lieux (dans les gymnases, dans les résidences impériales, dans les villas, etc.).
Au fil des salles, on découvre un riche sarcophage de Marcus Claudianus, avec des scènes de l'Ancien Testament et du Nouveau Testament (330 apr. J.-C.). Un autre orné de masques. Belle série de têtes, dont un aurige (253 apr. J.-C.). Bustes de Caracalla et de Septime Sévère. Et les *Province fedeli,* représentation allégorique des provinces de l'Empire romain.
– *Salle des Sports :* discoboles, Héraclès, Apollon, Amazones et Barbares. Il s'agit essentiellement de copies romaines, réalisées aux Ier et IIe s, à partir d'originaux grecs du Ve s av. J.-C.
– *Salle 12 :* remarquable sarcophage du chef militaire Aulus Julius Pompilius, dont les panneaux superbes (180 apr. J.-C.) évoquent la guerre qui opposa ses légions aux tribus germaniques entre 172 et 175. Foisonnement des détails, et mouvement fort bien rendu. Notez les visages apeurés des Barbares terrassés par le Romain victorieux.
– *Grande salle (no 7) :* la galerie des divinités avec un beau *Dionysos* de bronze (117 apr. J.-C.), et un troublant hermaphrodite assoupi (138 apr. J.-C.).
– *Salles 10-11 :* provenant des bateaux que Caligula faisait voguer sur le lac de Nemi, à l'occasion de fêtes somptueuses, superbe collection de *calotte terminale pour timon* en bronze (37 apr. J.-C.). Tous les thèmes : panthère, loup, lion. Ces vestiges en bronze ont été retrouvés au fond du lac.
– *Salle 5 :* nombreuses statues découvertes dans les grandes maisons impériales comme celle de Néron, à Anzio, ou encore la villa Adriana à Tivoli (intéressante tête de méduse).

Au 2e étage

L'étage des fresques et mosaïques, dont la qualité remarquable permet de se faire une petite idée de la richesse et de l'élégance des villas des dignitaires romains. Superbe muséographie et intelligente distribution de la lumière par réverbération (pour éviter de trop altérer les fresques). On y accède par un corridor orné de splendides fresques représentant des scènes de la vie quotidienne et, surtout, une fascinante bataille navale.
– *Salle 1 :* magnifique *fresque* bucolique (jardin idyllique, oiseaux, fruits, etc.) de la salle à manger de Livie, la troisième femme d'Auguste (Ier s av. J.-C.). Admirez l'impression de profondeur et la perspective. Cette fresque est admirablement restaurée et a recouvré en partie ses couleurs d'origine.
– Dans les salles suivantes, plusieurs vestiges de la *villa de la Farnesina* (30 av. J.-C.), retrouvés en 1879. La muséographie restitue la distribution originelle des pièces. Ravissante salle de banquet, avec d'intéressantes petites scènes. Notamment, détaillez celle du jugement. Au milieu à gauche, une femme amène son mari impuissant devant le juge... et lui prouve son impuissance !
– Les *salles 6 à 10* sont consacrées aux mosaïques. Provenant de la villa de Néron, fresque en mosaïque d'un nymphée (fontaine décorée de pierre ponce et coquillages). D'autres encore *(salle 8),* découvertes au bord du Tibre, représentant des scè-

nes de pêche, poissons, etc. Mosaïque des animaux (hippos, crocos), aux fraîches couleurs. Enfin, les dernières mosaïques provenant de la villa Baccano, notamment un pavement vertical d'une très grande finesse. Splendides marqueteries de marbre, pâtes de verre et or (on appelle cette technique *opus sectile*).

Piazza della Repubblica *(plan général E3) :* Ⓜ *Repubblica (ligne A). Juste derrière la piazza dei Cinquecento.* Construite à la fin du XIXe s, cette place s'appelait autrefois la « piazza dell'Esedra » (exèdre) en raison de sa forme, calquée sur le tracé curviligne de la muraille des anciens thermes. Les deux palais qui l'encadrent évoquent l'architecture sévère de Turin, la capitale piémontaise. À remarquer également, au centre, la fontaine des Naïades dont les nymphes lascives firent scandale lors de son inauguration en 1901.

Chiesa Santa Maria degli Angeli *(plan général E3,* ***408****) : accès par la piazza della Repubblica (le vestibule donnant sur celle-ci).* • *santamariadegliangeliroma.it* • *Tlj 7h-12h30, 16h-18h30 (19h30 dim et j. fériés).*
La singulière façade concave de cette église est un vestige des thermes de Dioclétien. Ceux-ci étaient depuis longtemps en ruine lorsque l'expansion de la ville vers la porta Pia et la via Pia entraîna le réaménagement du quartier, dans la seconde moitié du XVIe s. La reconversion d'une partie des bains en église fut confiée à Michel-Ange, déjà octogénaire. Sa décision de conserver la structure antique explique le plan en croix grecque et l'insolite vestibule circulaire à voûte d'origine (l'ancien *caldarium*), précédant la salle basilicale (probablement logée dans le *frigidarium*). Les huit impressionnantes colonnes de porphyre rose appartenaient elles aussi aux bains antiques. Les transformations opérées depuis Michel-Ange concernent essentiellement la décoration intérieure de l'église, et la création d'une nouvelle entrée – l'originale, nettement plus grandiose, donnait sur la *piazza dei Cinquecento*. Étonnants décors en trompe l'œil, dans chacune des deux chapelles. Plus curieuse encore, vous remarquerez au sol une bande de marbre rehaussée d'une baguette de bronze graduée et des signes du zodiaque. Filant en diagonale du maître-autel à la chapelle de droite, il s'agit de la méridienne de Bianchini, une sorte de cadran solaire commandée par Innocent XII à la fin du XVIIe s, qui servit de référence jusqu'en 1846. Il faut lever la tête pour comprendre son fonctionnement : dans l'angle de la chapelle, on remarque, juste au-dessus de l'encoche taillée dans la frise baroque, une minuscule ouverture entourée de dorures. C'est le *foro gnomonico* par lequel entre le rayon de soleil qui indique l'heure du midi solaire... car la méridienne ne donne pas d'autre info ! Sachez enfin que tous les grands événements se déroulent ici, comme le mariage de Clotilde Courau avec son prince charmant, Emanuele Filiberto Di Savoia...

Aula Ottagona *(tour octogonale ; plan général E3,* ***416****) : via Cernaia, à côté de l'église S. M. degli Angeli. Très rarement ouv ; entrée gratuite tlj sf lun 9h-14h (13h j. fériés) au cas où...* Construite en 298 apr. J.-C., cette impressionnante rotonde en brique fit partie des thermes de Dioclétien jusqu'en 537, lorsque le roi des Wisigoths détruisit en partie les aqueducs. Par une vitre au sol, on a un aperçu des bains. Elle servit ensuite de gymnase, d'entrepôt de cinéma, puis de *planétarium* avant d'abriter quelques sculptures provenant des thermes.

Porta Pia *(plan général E2) : de la piazza della Repubblica, rejoignez la via XX Settembre et remontez celle-ci jusqu'à la hauteur de la porta Pia.* Intégrée dans l'enceinte d'Aurélien, c'est la dernière œuvre architecturale de Michel-Ange, par laquelle les troupes piémontaises victorieuses firent leur entrée dans la ville en septembre 1870.

LE QUARTIER SAN LORENZO *(plan général F-G3-4)*

➢ **Accès :** *bus 71. Éviter d'y aller un dimanche, tout est fermé et c'est vraiment très (très) calme.*

L'habitat de ce quartier, une enclave coincée entre la *città universitaria,* le cimetière du Verano, la gare, la *circonvallazione* et une longue portion des remparts, est l'un de ceux à avoir le mieux conservé son identité. Oh, rien d'antique ni de médiéval ici ! Mais un mélange de HLM, de modestes maisons ouvrières, de petites usines et d'entrepôts, datant essentiellement des années 1930. Peuplé de beaucoup de cheminots à l'origine, rejoints par des intellos progressistes, artistes et étudiants (la fac est toute proche), rien d'étonnant à ce que San Lorenzo devint un bastion de la contestation universitaire et sociale, hébergeant pendant longtemps sa frange la plus radicale, l'« Autonomie ouvrière ».
Dans les années 1980, la modicité des loyers commença à attirer des créateurs de tout poil et des amateurs d'ambiances populo. Progressivement, les adresses à même de satisfaire ce nouveau mélange social se sont multipliées et... revers de la médaille habituel, la renaissance de San Lorenzo est allée de pair avec sa boboïsation. Aujourd'hui, un bar branché envahi de *beautiful people* n'a plus rien d'incongru ici. Voici en tout cas un quartier où il fait bon se balader pour les amateurs d'atmosphère urbaine à l'italienne, ainsi qu'un excellent terrain d'aventures gastronomiques... Le soir, belle animation via dei Voisci, largo di Osci, via degli Aqui et alentour.

Pour les textes concernant la basilique Saint-Laurent-hors-les-Murs et le cimetière du Verano, voir plus loin « La Rome périphérique ».

LE CENTRE HISTORIQUE

LE QUARTIER DE LA PIAZZA NAVONA ET DU PANTHÉON (*quartiere della piazza Navona e del Pantheon ; plan centre C3-4*)

Piazza Navona et ses environs (*piazza Navona e dintorni*)

➢ ***Accès :*** *bus nos 30, 40, 46, 62, 64, 70, 81, 87, 116, 186, 628...*
Nous sommes ici au cœur du Champ-de-Mars (autre quartier officiel de la Rome antique), qui servait au début de l'époque romaine de terrain de manœuvres pour l'armée et de lieu de rassemblement pour les comices centuriates (l'assemblée du peuple en armes). Après la suppression de ces derniers sous Tibère, le Champ-de-Mars perdra de son importance à l'époque impériale tout en connaissant un développement monumental et artistique extraordinaire, devenant même le véritable quartier de plaisance de Rome.
De tout cela, il ne reste quasiment plus rien aujourd'hui, à l'exception de la silhouette du stade de Domitien, conservée par la piazza Navona. Partez flâner dans ce quartier qui porte encore l'empreinte des papes, qui en firent, au temps de la Renaissance, un centre financier et commercial, attirant ainsi de riches Romains et quantité d'artisans. Palais et maisons modestes se succèdent dans les environs de la piazza Navona.

Piazza Navona (*plan centre C3-4*) **:** étroite et allongée, elle garde le souvenir du stade de Domitien, construit de 81 à 96 apr. J.-C., dont les dimensions (276 m de long pour 54 m de large) sont à peu près celles de l'actuelle place (les immeubles sont directement construits sur la *cavea,* c'est-à-dire sur les gradins !). Un stade de bonne taille en somme, qui permettait d'accueillir près de 30 000 spectateurs. L'empereur y organisait des jeux à la grecque, nettement moins violents que les jeux romains, avec des compétitions sportives mais aussi des jeux de l'esprit, de la poésie et de la musique. Le nom de la place serait d'ailleurs un autre héritage de ce passé sportif, puisqu'on y assistait à des jeux *in agone,* c'est-à-dire en compétition. *In agone* serait devenu avec le temps *Navona.* Une autre version affirme que

son nom viendrait tout simplement de *nave,* soit « navire » en italien, d'après la forme du site. Délaissée jusqu'au XVe s, la place fut réhabilitée par les papes bâtisseurs et métamorphosée par la suite par le génie créatif d'architectes baroques comme le Bernin et Borromini. Élégante, extravagante et ensorcelante, la belle piazza Navona est restée l'un des théâtres en plein air les plus captivants de Rome. Hier, les saltimbanques et les acrobates y faisaient leurs numéros, les astrologues y prédisaient l'avenir pendant que les barbiers et les arracheurs de dents y opéraient en plein air.
Aujourd'hui, la place est entourée de bâtisses des XVIIe et XVIIIe s, demeures d'habitation mais aussi d'anciennes résidences papales, sans oublier bien sûr la *chiesa Sant'Agnese* et la célèbre fontaine centrale. À travers les siècles, la *piazza* n'a jamais perdu son puissant pouvoir d'attraction, et ce sont désormais les touristes qui investissent les terrasses des cafés et assistent en spectateurs à l'animation incessante de cette place mythique. C'est dans l'une des habitations de la place (côté nord) que fut tourné le chef-d'œuvre d'Ettore Scola *Une journée particulière,* avec Sophia Loren et Marcello Mastroianni.

Fontana dei Quattro Fiumi *(fontaine des Quatre-Fleuves)* **:** chef-d'œuvre du Bernin, elle occupe le centre de la place. La présence de cette fontaine rappelle les fêtes nautiques qui y étaient organisées au XVIe s, et à l'occasion desquelles la piazza Navona était inondée. D'une grotte de rocailles, ornée d'arbres qui donnent l'impression d'être balayés par le vent et surmontée d'un obélisque (ajouté judicieusement par le sculpteur pour attirer le regard des passants sur son œuvre), surgissent un lion et un cheval marin. Les grandes statues allégoriques – le Danube, le Gange, le Nil, le Rio de la Plata – symbolisent respectivement l'Europe, l'Asie, l'Afrique et l'Amérique. De part et d'autre de la fontaine des Fleuves se trouvent deux autres fontaines, celles de Neptune *(Nettuno)* au nord et du Maure *(Moro)* au sud. Dessinées par Giacomo Della Porta avant celle du Bernin, ces deux fontaines n'ont pas pour autant échappé à l'influence du maître : la fontaine des Maures doit son nom à la belle statue de l'éthiopien au centre du bassin... qui est une autre œuvre du Bernin !

BORROMINI BERNÉ PAR LE BERNIN ?

La rivalité entre le Bernin et Borromini fut si grande qu'elle donna naissance à la rumeur suivante. Sur la fontaine des Quatre-Fleuves (du Bernin), la statue du Nil se cache les yeux car elle serait horrifiée par la laideur de l'église Sant'Agnese in Agone (de Borromini). Quant à la statue du Rio de la Plata, elle lèverait le bras par crainte que la façade ne s'écroule ! En réalité, l'église a été construite après la fontaine et le geste du Nil signifie l'ignorance de l'époque sur les sources du fleuve. Et si Borromini s'était vengé ? On dit que la statue qui détourne la tête, en façade de l'église, marquerait son mépris envers la fontaine du Bernin !

Chiesa Sant'Agnese in Agone (plan centre C3) **:** *tlj sf lun 9h30-12h30, 16h-19h ; 10h-13h, 16h-20h les j. fériés.* Commandée en 1652 par Innocent X (l'église renferme d'ailleurs sa sépulture) à Girolamo et Carlo Rainaldi, elle fut confiée à Borromini l'année suivante. L'artiste s'est particulièrement occupé du dôme et de la façade de cet édifice bâti sur un plan en croix grecque. L'intérieur, richement décoré, en fait un excellent exemple de style baroque. Sur les murs, plusieurs hauts-reliefs remarquables sur la vie des saints. Sur la droite, statue de Sant'Agnese. C'est par ailleurs sur cet emplacement que sainte Agnès aurait été martyrisée. Âgée de 13 ans, elle fut forcée de se déshabiller sur l'injonction de son patron. Et le miracle arriva : subitement, ses cheveux se mirent à pousser si long qu'ils cachèrent sa nudité ! Après cette histoire tirée par les cheveux, on la décapita quand même pour rire un peu. Alors, là, Dieu n'a rien fait... Coupole particulièrement chargée. Dans une pièce latérale (à droite), on voit d'ailleurs les reliques de la sainte, en l'occurrence son crâne.

– À gauche de l'église, le *palazzo Pamphilj*, du nom du pape qui l'occupait. Il a retrouvé la couleur pastel qui ornait de fait la plupart des habitations autrefois. Les tons ocre d'aujourd'hui ne faisant que copier des couleurs encore plus anciennes.

Palazzo Altemps *(palais Altemps ; plan centre C3)* **:** *piazza Sant'Apollinare, 46.* ☎ *06-39-96-77-00.* *Tlj sf lun 9h-19h45. Même billet que pour les thermes de Dioclétien, la cripta Balbi et le palazzo Massimo. Billet pour les 4 sites : 7 €, valable durant 3 j. (incluant le jour d'achat). Audioguide : 4 €.*
Le palais Altemps fait partie intégrante du Musée national romain. Il abrite désormais la collection Mattei de la villa Celimontana et la collection Boncompagni Ludovisi, soit les plus importantes collections de sculptures antiques rassemblées au XVIIe s. L'une comme l'autre font la part belle à la fois à la Rome antique et au culte de l'Antiquité qui se développe à partir de la Renaissance. Certaines restaurations de statues ont tout de même été réalisées à l'époque par des artistes comme le Bernin et l'Algarde ! Chaque pièce est accompagnée d'un dessin indiquant les parties restaurées et d'un commentaire détaillé. On entre d'abord dans l'imposant *cortile,* où se trouvent quatre grandes statues romaines, copies de modèles grecs (comme toujours), surmontées d'une superbe loggia avec fresques et bustes impériaux. Dans les salles du bas, bustes et sarcophages en marbre restaurés, dont une imposante tête de bronze de Marc Aurèle. Au fond de la cour, un escalier descend à l'entresol où l'on ira jeter un coup d'œil (juste pour le plaisir, car il n'y a pas de statue !) au théâtre. Délicieux !
Au 1er étage, série de pièces dont la décoration murale n'a été malheureusement que partiellement conservée (avant d'accueillir le musée, l'édifice est resté longtemps à l'abandon). Le palais a été richement embelli par le cardinal Altemps, prélat d'origine allemande dont le nom était en réalité Hohenemps, qui l'acheta en 1568 et en fit le cadre de sa vie princière et de ses ambitions curiales. Ce qui reste des fresques de paysage champêtre et de colonnades en trompe l'œil s'allie avec merveille aux statues antiques dans la première salle : l'*Hermès* Loghios et surtout le très beau *Satyre* en marbre bleuté dont la détresse est si expressive... Splendide *Torello Apis,* dieu-taureau souvent associé à la déesse Isis, en porphyre serpentin du Ier s av. J.-C. Dans la salle de l'histoire de Moïse (sur les murs), le trône Ludovisi célèbre la *Naissance de Vénus* ; le drapé mouillé et le marbre scintillant sont remarquables. Étonnant, le bas-relief en marbre rouge poli associé au culte de *Dyonisos,* élément d'une fontaine. Sans oublier le tragique *Galata Suicida,* le Gaulois se suicidant, copie commandée par César au lendemain de la conquête de la Gaule. Il constituait un ensemble, avec le *Galate Morante* du Capitole et vraisemblablement un troisième élément aujourd'hui égaré (une femme et son enfant gisants à leurs côtés). Enfin, un sarcophage représente l'apogée de l'Empire avec les hardis Romains écrasant les Barbares. Le tout est à la fois épuré et imposant, suivant le bon goût de la Renaissance romaine finissante. Enfin, n'oubliez pas d'aller faire un tour sur la somptueuse loggia, en faisant un crochet par la chapelle.

Chiostro del Bramante et chiesa Santa Maria della Pace *(plan centre C3, **419**)* **:** *au bout du vicolo della Pace. En théorie, église ouv lun-ven 10h-12h mais elle est presque toujours fermée...* Sachez tout de même que cette charmante église fut reconstruite sous Sixte IV suite aux troubles dus à la conjuration florentine des Pazzi, puis largement remaniée par le célèbre Pierre de Cortone, conformément à l'esprit baroque du XVIIe s. Et, quitte à bien faire, l'architecte a également redessiné la place. La façade, toute de courbes et de contre-courbes, s'intègre par conséquent à un décor scénographique harmonieux. Si vous avez la grande chance de pouvoir la visiter, l'intérieur est à l'inverse resté fidèle au plan original du XVe s : une courte nef rectangulaire ourlée de chapelles octogonales à coupoles. L'une d'entre elles conserve un véritable trésor : les quatre *Sibylles* de Raphaël. Beaucoup plus facile d'accès, ne manquez pas de jeter un œil au beau cloître du XVIe s réalisé par Bramante. Entrée par la gauche de l'église (précisez que vous allez voir le cloître). Il s'agit de la première œuvre romaine du grand architecte de la Renaissance, réalisée entre 1500 et 1504. Les salles qui l'enserrent accueillent aujourd'hui des expositions temporaires payantes (● *chiostrodelbramante.it* ●) et une très agréable *caffeteria* à l'étage (voir « Où boire un verre ? Bars de nuit, cafés de jour et terrasses »).

Palazzo Madama (*palais Madame ; plan centre C3*) **:** ☎ *06-67-061. De la piazza Navona, rejoignez le corso del Rinascimento où se trouve ce beau palais. Visite guidée de 40 mn (gratuite mais en italien) slt 1er sam de chaque mois, départ ttes les 20 mn 10h-18h.* Datant du XVIe s, il fut construit pour la famille Médicis (la façade baroque à trois étages est postérieure d'un siècle environ à la construction du palais). Le nom du palais date de l'époque où il était la résidence de la fille de Charles Quint, Marguerite d'Autriche. Il abrite aujourd'hui le Sénat italien, d'où une forte présence policière et militaire.

Chiesa San Luigi dei Francesi (*église Saint-Louis-des-Français ; plan centre C3*) **:** *située sur la place du même nom, juste à côté du palazzo Madama. Tlj sf jeu ap-m 10h-12h30, 16h-19h. Messe en français lun-ven 19h, ainsi que sam et dim mat (les œuvres ne sont donc pas visibles pdt l'office, de même qu'à l'occasion d'un baptême ou d'un mariage).*
Commencée en 1518, en partie subventionnée par Henri II, Henri III et Catherine de Médicis, elle fut consacrée église nationale des Français de Rome dès son achèvement en 1589. La façade de Giacomo Della Porta est décorée de la salamandre de François Ier et ornée des statues de Charlemagne et de saint Louis. L'intérieur fut restauré au XVIIIe s. Mais l'église est surtout célèbre pour ses trois œuvres remarquables du Caravage, que vous trouverez dans la cinquième chapelle de la nef gauche. Réalisées à la fin du XVIe s pendant la Contre-Réforme, ses compositions, très novatrices pour l'époque, évoquent les principales étapes de la vie de saint Matthieu. Dans la *Vocation de saint Matthieu* (il est probablement représenté par le personnage de face, sur lequel un jeune homme s'appuie), le Caravage prend ses distances avec le symbolisme traditionnel et privilégie un traitement réaliste du sujet. Il s'agit plus d'une scène de genre, dans laquelle chaque protagoniste porte le costume de l'époque, qu'un épisode biblique au sens strict du terme. Une approche audacieuse peu appréciée de ses contemporains, puisque l'artiste devra reprendre ses pinceaux pour *L'Inspiration de Matthieu,* jugée blasphématoire. Ce qui ne l'a pas empêché de présenter un *Martyre de saint Matthieu* tout aussi atypique, où la composition exemplaire met en scène un assassinat d'une rare brutalité. Il faut dire que l'artiste était un rebelle, voire un véritable marginal... En tout cas, ses œuvres sont superbes et les effets de lumière prodigieux. À admirer également, de belles fresques du XVIIe s signées du Dominiquin. Pour la petite histoire, c'est ici que Chateaubriand fit enterrer sa maîtresse, Mme de Beaumont (relire à l'occasion les *Mémoires d'outre-tombe*).

Chiesa San Agostino (*plan centre C3*) **:** *tlj 7h45-12h, 16h-19h30.* De l'église précédente, prolongez votre chemin vers le nord en prenant la via della Scrofa, puis la deuxième rue sur la gauche ; vous arriverez ainsi devant cette église dans laquelle il faut absolument entrer pour la fresque du *Prophète Isaïe* de Raphaël (dans la nef centrale, à gauche, au-dessus d'une statue) et le tableau la *Madone des pèlerins* du Caravage (dans la première chapelle de la nef de gauche). Notez également la sculpture la *Madonna con il Bambino* (ou *del Parto*), entourée d'ex-voto, juste à gauche en entrant. Les femmes enceintes viennent la prier pour leur accouchement, puis la remercier quand tout s'est bien passé.

Palazzo Braschi (*palais Braschi ; plan centre C4*) **:** *il abrite le* **museo di Roma** *dont l'entrée se trouve au n° 10 de la piazza S. Pantaleo.* ☎ *06-06-08.* ● *museodiroma.it* ● *Tlj sf lun 9h-19h (14h les 24 et 31 déc). Entrée : 6,50 € (8 € en cas d'expo temporaire) ; réduc ; gratuit pour les moins de 18 ans et plus de 65 ans de l'Union européenne.* Ce musée retrace l'histoire de Rome depuis le Moyen Âge à travers une série de fresques, gravures, sculptures et aquarelles. On passera vite sur les galeries de portraits pour admirer les représentations urbaines de Rome, qui intéresseront à coup sûr ceux qui ont la chance de séjourner quelques jours dans la Ville éternelle. Quel plaisir de reconnaître les façades, de saisir un détail, de remarquer un changement ! Plusieurs œuvres témoignent des grandes fêtes romaines du XIXe s. Quelques gravures et toiles d'artistes français également. Superbes fresques en grisaille, d'une grande qualité de traits, réalisées notamment par Pietro Gagliardi et Franceso Podesti (XIXe s). Pour finir, quelques clichés photographiques de la seconde moitié du XIXe s. On verra encore la reconstitution du *palazzo Tortonia,* détruit dans les années 1930, dont on a recomposé les fresques d'une alcôve.

Museo Napoleonico *(musée Napoléon ; plan centre C3,* ***424****)* ***:*** *piazza di Ponte Umberto I, 1. ☎ 06-06-08. • museiincomuneroma.it • Au nord de la piazza Navona. Tlj sf lun 9h-19h (jusqu'à 14h les 24 et 31 déc). Entrée : 3 € (5,50 € en cas d'expo temporaire) ; réduc ; gratuit pour les Parisiens.* Situé au bord du Tibre, ce musée intéressera les fans de Napoléon, mais aussi ceux de l'Italie napoléonienne. La collection de Giuseppe Primoli, petit-neveu de Napoléon par sa mère (Charlotte Bonaparte, elle-même fille de Joseph Bonaparte, frère de Napoléon), témoigne essentiellement des rapports de la famille Bonaparte avec Rome du règne de Napoléon Ier au Second Empire. Tableaux des membres de la famille, nombreux objets portant le sceau impérial, salle Napoléon III avec plafond à caissons bien chargée, etc. Lors des expos temporaires, on ressort même la vaisselle, les horloges et les nécessaires en argent doré ! Parmi les curiosités, notez le moule du sein de Pauline Bonaparte, alias Borghèse, signé Canova et ayant servi à sa superbe *Vénus de Praxitèle* exposée à la galerie Borghèse, ainsi que le vélocipède « Ancienne Maison Michaux » offert par le prince Eugène Napoléon à l'un de ses cousins en 1863.

Le Panthéon et ses environs (Pantheon e dintorni)

Le Panthéon *(plan général et plan centre C3-4)*

– ***Horaires de visite :*** *lun-sam 8h30-19h30 ; dim 9h-18h ; j. fériés 9h-13h ; fermé 1er janv, 1er mai et 25 déc. Attention, l'accès est fermé sam à 17h et dim mat lors de l'office (le lieu est aussi une basilique).*
– ***Entrée :*** *gratuite.*

À VOIR

C'est dans un lieu comme celui-ci que le mot « monument » et l'adjectif « monumental » prennent tout leur sens. À voir aussi bien de jour que de nuit, tant sa masse impressionne. Il y a beaucoup d'endroits dans Rome où l'on peut s'exclamer que les Romains avaient le sens de la colonne, mais c'est particulièrement vrai ici ! Alors, soyons humbles et entrons dans le vif du sujet. Contrairement à ce qu'indique l'inscription gravée sur le fronton du portique, *« M. Agrippa L. F. Cos. Tertium fecit »* (« Marcus Agrippa, fils de Lucius, consul pour la troisième fois, fit ceci »), l'édifice le plus spectaculaire de la Rome antique est principalement l'œuvre d'Hadrien. Le premier temple, élevé par Agrippa en 27 av. J.-C., n'avait pas résisté au terrible incendie de l'an 80 apr. J.-C. Si le bâtiment à l'arrière du Panthéon peut encore lui être en partie attribué, l'imposante rotonde, gloire de Rome, revient bien à Hadrien. Vingt siècles se sont donc écoulés depuis la reconstruction de ce temple vers 125... et pourtant, il est toujours là, debout dans un parfait état de conservation qui devrait amener les bâtisseurs contemporains à plus de modestie. Dédié à l'origine aux sept divinités planétaires, le Panthéon (qui doit son nom à la coupole dont la forme évoque le séjour céleste de tous les dieux) sera sauvé de la ruine au début du VIIe s par le pape Boniface IV qui le consacre alors au culte chrétien, le renommant *basilica di Santa Maria ad Martyres.*
Un dernier mot sur la façade : les colonnes les plus à gauche ont été changées par Urbain VIII par « convenance personnelle ». Il les remplacera – fallait bien que ça tienne ! – par d'autres colonnes qu'il marqua de son symbole, l'abeille.
Prenez le temps d'en faire le tour pour vous rendre compte des proportions du colosse et détailler le portique gréco-romain (largeur : 35 m ; profondeur : 16 m ; colonnes : au nombre de 16, ce sont des colonnes corinthiennes sculptées dans un seul bloc de granit).

– ***L'intérieur*** du Panthéon est tout aussi exceptionnel. On y pénètre après avoir franchi une porte en bronze à double battant qui serait d'origine antique. Une fois au centre, vous en découvrirez l'élément le plus génial, soit la plus grande coupole de toute l'Antiquité, son diamètre (43,30 m, soit 150 pieds romains) étant égal à la hauteur à laquelle elle s'élève (43,30 m également !). Bien sûr, vous noterez qu'elle est ouverte sur le ciel par un oculus central (9 m de diamètre). Quand il pleut, il pleut donc à l'intérieur ! Cette coupole servira de référence à Bramante et à Michel-Ange, qui travailleront à la réalisation de celle de Saint-Pierre dont le diamètre (42 m) ne parviendra pourtant pas à égaler celui du Panthéon. De superbes colonnes monolithiques précèdent chacune des niches, dans lesquelles étaient autrefois placées des statues représentant les dieux. Aménagées en chapelles, elles abritent aujourd'hui des tombeaux de rois d'Italie, notamment le tombeau noir de Victor-Emmanuel II, assez sévère, surmonté de son aigle. Il y a parfois un garde royaliste bénévole et en costume qui veille sur les tombeaux royaux. Le tombeau de Raphaël attire pas mal de monde (à gauche en entrant, surmonté par la *Madonna del Sasso*). Noter l'épitaphe, signée du poète Pietro Bembo : « Ci-gît Raphaël, qui toute sa vie durant fit craindre à la Nature d'être dominée par lui, et, lorsqu'il mourut, de mourir avec lui. » Bon, malgré l'affirmation du panneau sur le côté, il semblerait qu'il n'y ait plus rien dans le tombeau depuis bien longtemps. Sur la gauche de la Madonna, le buste de l'artiste dans sa prime jeunesse.

CES BARBARES DE BARBERINI

Au XVIIe s, le pape Urbain VIII, membre de la famille Barberini, demanda au Bernin de faire fondre les plaques de bronze du Panthéon afin de fabriquer le baldaquin de la basilique Saint-Pierre. En représailles, les mauvaises langues inventèrent le dicton suivant : Quod non fecerunt barbari, Barberini fecerunt, *soit « Ce que les Barbares n'ont pas fait, les Barberini l'ont fait » !*

Autour du Panthéon

★★★ ***Piazza della Rotonda*** *(plan centre C3)* **:** la visite du Panthéon terminée, vous éprouverez peut-être le besoin de prendre un peu de recul sur ce magnifique monument et, pourquoi pas, un verre sur l'une des nombreuses terrasses de cette place fort touristique, avec une fontaine surmontée d'un obélisque. Malgré le monde, un point de passage incontournable. Très bel éclairage le soir.

★★ Devant la Santa Maria sopra Minerva, sur la place, ne manquez pas l'étonnant ***éléphant en marbre*** portant sur son dos un obélisque égyptien. C'est le Bernin, encore lui, qui eut l'idée de présenter l'obélisque de cette manière insolite, et en confia la réalisation à l'un de ses meilleurs élèves.

★ ***Chiesa Sant'Ivo della Sapienza*** *(Saint-Yves de la Sapience) : entrée dans la cour par le corso di Rinascimento, au n° 40, mais église rarement ouverte.* Ceux qui s'intéressent à l'architecture ne manqueront pas de pénétrer dans la cour, de style superbement Renaissance, à laquelle est venue s'accrocher, au fond, une église totalement baroque que l'on doit à Borromini (milieu du XVIIe s). L'artiste a dû, dans la largeur de l'espace, inclure la chapelle de l'Université, dédiée à la sagesse *(sapienza)*. C'est la juxtaposition des styles qui interpelle le regard ici. La façade alterne des ondulations convexes et concaves entre le 1er et 2e niveau, qui répond hardiment aux canons de la Renaissance des autres côtés de la cour, composés d'angles droits, de symétrie, de rectitude. En levant encore un peu les yeux vers la chapelle, voir le lanternon qui coiffe l'édifice, en colimaçon, évoquant l'inexorable élévation vers le savoir, la connaissance, bref, vers le ciel.

★★ ***Chiesa Santa Maria sopra Minerva*** *(plan centre C4,* ***415****)* **:** *piazza della Minerva. Lun-ven 7h-19h ; sam-dim 7h-13h, 15h30-19h.* L'église doit son nom au temple de Minerve, qui occupait jadis les lieux. Fondée au VIIIe s, elle connut de nombreuses modifications : reconstruite par les dominicains au XIIIe s dans un style gothique, on la présente parfois comme étant la seule église romaine bâtie dans ce style. Elle renferme également une vaste collection d'œuvres d'art (fresques sur la vie de saint Thomas de Filippino Lippi dans le transept de droite ; tombeaux des papes Léon X et Clément VII...), la sépulture du célèbre peintre Fra Angelico (une simple pierre tombale dont la simplicité tranche avec la pompe des tombes papales) et plusieurs pièces du Bernin. Près de l'autel, à gauche, ne pas rater la statue du *Christo redentore* commencée par Michel-Ange, superbe, même si l'artiste chargé d'achever l'œuvre avait manifestement moins de talent. Noter l'élégant cache-sexe doré mais pas très mode. Enfin, à la place d'honneur sous le maître-autel, le corps de sainte Catherine de Sienne repose dans un sarcophage de marbre.

Piazza San Ignazio et chiesa San Ignazio di Loyola *(plan centre C3)* ***:*** *de la piazza della Rotonda, revenez sur vos pas et prenez la 1re rue sur votre droite, la via del Seminario, qui vous permettra d'atteindre l'adorable et baroque piazza San Ignazio, du XVIIIe s.*
Sa structure évoque tout simplement celle d'un théâtre à l'italienne, où le parvis de l'église serait la scène, les courbes des belles façades arrondies ocre, les balcons et les balustrades en fer forgé les loges des spectateurs derrière lesquelles on devine les coulisses. Enlevez le conditionnel, car figurez-vous qu'on y donnait effectivement des représentations théâtrales !... Devant une église, cela ne manquait pas d'audace.
L'église San Ignazio di Loyola (tous les jours de 7h30 à 19h15), du XVIIe s, dédiée au fondateur de l'ordre des jésuites et du Collège romain, Ignace de Loyola, renferme derrière une imposante façade Contre-Réforme le fameux trompe-l'œil décorant la voûte centrale de l'abside, due au père Andrea Pozzo. Faute de moyens, pour créer l'illusion d'une coupole, l'artiste a peint sur une toile tendue, en noir et blanc, des lignes de fuite, un oculus et un lanternon décentrés. Du centre de la nef, posté sur le petit cercle de l'allée centrale, l'effet est prodigieux, l'illusion est parfaite. Puis, lorsqu'on s'avance doucement (toujours en regardant en l'air la coupole – pas pratique !), on découvre l'incroyable supercherie. C'est le baroque par excellence qui s'exprime ici. Tant que vous avez le nez en l'air, notez l'admirable plafond (fin XVIIe s) avec son effet à ciel ouvert dû aux quatre arcs de triomphe peints et portant les inscriptions des quatre continents où les jésuites ont essaimé la bonne parole. On s'aperçoit que la fresque descend presque sur les colonnes, et va donc chercher en profondeur, pour monter très haut et accuser l'effet de perspective. Le sentiment d'élévation est intense, presque bouleversant. C'est là que l'artiste se rapproche... du divin. Ici, on est dans une église réellement jésuite, comme le prouve cette grande nef unique, conçue pour ne pas disperser les ouailles... Dans les transepts, colonnes torses superbes et hauts-reliefs en marbre, là encore remarquables.

LE QUARTIER DU CAMPO DEI FIORI (plan centre C4)

➢ ***Accès :*** *bus nos 40, 46, 62, 64, 116 (ce dernier, électrique, s'aventure dans les rues piétonnes).*

Campo dei Fiori : comme son nom l'indique, le campo dei Fiori fut d'abord un champ de fleurs. Nettement moins printanier, il devint ensuite un macabre lieu d'exécutions publiques, comme en témoigne la statue de Giordano Bruno, philosophe hérétique mort sur le bûcher en 1600, à l'époque de la Contre-Réforme. On installa sa statue au XIXe s et il devint le symbole de toutes les révoltes estudiantines et le point de départ de nombreuses manifestations. Le Vatican chercha d'ailleurs ardemment à faire déboulonner le bonhomme. En vain. Ce qui n'empêcha pas que s'y déroulent aussi de nombreuses fêtes populaires... Aujourd'hui, la place accueille un grand marché alimentaire (sauf le dimanche). Mais sa plus grande particularité est sans doute d'être l'une des rares grandes places de Rome à ne posséder... aucune église. C'est suffisamment original ici pour qu'on vous le signale !

Qu'attendez-vous donc pour partir à la découverte de cet ancien quartier populaire, certes aujourd'hui très bobo, mais dont les façades des maisons (petites et grandes) arborent de vieilles patines pleines de nuances se superposant siècle après siècle ? En fin d'après-midi, quelques cafés branchés s'y animent furieusement.

Palazzo Farnese *(palais Farnèse ; plan centre C4)* **:** situé sur la place du même nom, juste derrière le campo dei Fiori, le palais Farnèse abrite l'ambassade de France depuis 1635 et l'École française de Rome depuis 1875. Acheté par le gouvernement français en 1911, puis racheté par l'Italie en 1936... par Mussolini. La France loue depuis lors cette modeste bâtisse pour une somme symbolique (1 €)... et cela jusqu'en 2035, année d'expiration du bail emphytéotique de 99 ans. Pour l'anecdote, l'ambassade d'Italie à Paris est louée pour la même somme. En attendant, toutes les restaurations sont à la charge de l'État français.

LE PAPE AIME LE ROUGE !

Paul III Farnese, élu pape en 1534, fêta son élection en tant que pape romain en faisant jaillir du vin rouge des fontaines de son quartier, dont celles du Mascaron, voisine du palais Farnèse. Démagogique mais efficace ! Les Romains étaient aux anges et la cote du pape très élevée, jusqu'au jour où il leva un impôt extraordinaire en l'honneur de la veuve de Charles Quint. Les Romains dessaoulèrent bien vite et le pape perdit tout son crédit.

À défaut de pouvoir apprécier la cour intérieure ou les richesses du palais (si vous n'avez pas pu réserver une visite guidée), allez au moins en admirer la façade. Ce n'était au départ que la modeste demeure du cardinal Alexandre Farnèse. Quand celui-ci devient pape sous le nom de Paul III, il a enfin les moyens de sa démesure. Il fait appel à Michel-Ange (et d'autres) pour se faire construire un palais fastueux, digne de lui. L'artiste réalisera la corniche, le balcon central et une partie de la cour intérieure. Contrairement à ce que tout le monde aime à croire, les motifs de la façade ne sont pas des fleurs de lys, si chères à la royauté et au cœur des Français, mais des fleurs d'iris, certes très ressemblantes... Noter que la fenêtre en bas à droite de la façade n'est qu'un trompe-l'œil. Lors des premiers essais architecturaux, Michel-Ange fit un test sur un morceau de corniche... qui s'écroula. Pour consolider ce flanc le plus faiblard, on remplaça l'une des fenêtres par un vrai mur, qu'on décora d'une fausse fenêtre pour être raccord. Sur la place trônent deux vasques en provenance des thermes de Caracalla. Enfin, pour l'anecdote, sachez que les trois enfants du pape Alexandre VI, alias Borgia, dont la fameuse Lucrèce, sont nés dans le petit vicolo de Latteria, aujourd'hui vicolo del Gallo, juste à l'angle de la place.

➢ Outre les visites guidées (gratuites, voir ci-dessous), le palais ouvre ses portes au public au moins une fois par an, lors des Journées du patrimoine (en septembre), et parfois lors d'expositions temporaires. En juillet, le soir du 13, c'est toujours la fête sur la place du palais Farnèse. On y célèbre le 14 Juillet en dansant !

– ***Visite :*** *à condition d'avoir plus de 15 ans, reste donc la possibilité de s'inscrire pour une visite guidée (45 mn, gratuite) : lun et jeu à 15h, 16h et 17h (sf pdt les vac d'été, de Noël et les j. fériés). Résa longtemps à l'avance (de 3 sem à 4 mois selon période et nombre de pers) par e-mail : • visitefarnese@france-italia.it • ou ☎ 06-68-89-28-18. Et surtout, n'oubliez pas votre carte d'identité !*

Bon, franchement, à part la galerie de Carrache, salle sublime il est vrai, le reste de la visite laisse un peu sur sa faim. Après avoir écouté le long commentaire de la cour intérieure (somme toute assez classique), on grimpe au 1er étage. Dans le *salon d'Hercule,* remarquable plafond de bois à caissons. La cheminée de marbre est encadrée de sculptures de femmes nues issues du même matériau (et sans doute réchauffées par la cheminée), symboles de la charité (à gauche) et de l'abondance (à droite). L'immanquable statue d'Hercule est une copie en plâtre d'une sculpture brisée et « éparpillée par petits bouts, façon puzzle » (dixit Audiard) aux quatre coins de Rome. Elle a finalement été recomposée au cours de fouilles diverses. Et maintenant, le clou de la visite, la *galerie des Carrache* : construite pour y exposer la collection de statues antiques de la famille Farnèse. Les frères Carrache, mais surtout Annibal décidèrent de compléter ce musée par une galerie de faux tableaux peints en trompe l'œil qui semblent être accrochés au-dessus de vraies fresques. Et c'est une réussite totale. Un vrai chef-d'œuvre. Ces fresques, inspirées par les célèbres *Métamorphoses* d'Ovide, ont pour unique thème l'amour, auquel sont soumis les dieux (et les routards aussi !). Parmi les scènes les plus remarquables, *Le mariage de Bacchus et d'Ariane* (au centre du plafond) et *Les Vertus de Percée*. On compatira encore à la tristesse du cyclope Polyphème (qui n'a qu'un œil pour pleurer) qui drague en vain Galatée, elle-même éprise du bel Acis. Entre ces scènes, des Hermès, des atlantes et des statues en grisaille et en trompe-l'œil, ainsi que des médaillons verdâtres, imitant avec réussite le bronze.

Via Giulia *(plan centre C4)* **:** derrière le palais Farnèse se trouve, via Giulia, le consulat de notre douce France. Allez-y non pas seulement pour d'éventuels problèmes administratifs, mais pour découvrir cette rue, surnommée le « salon de Rome », qui ne manque pas d'allure. Longue de 900 m, du ponte Sisto jusqu'à San Giovanni dei Fiorentini, elle mériterait à elle seule de trop larges développements pour notre petit guide. Entre deux antiquaires ou deux galeries d'art moderne, vous trouverez quantité d'églises et de palais. Avant de partir, jetez un œil sur la fontaine au Mascaron *(fontana del Mascharone).*

Palazzo Spada *(palais Spada ; plan centre C4)* **:** *piazza Capo di Ferro, 13. ☎ 06-68-32-409. • galleriaborghese.it/spada/it • Suivre la via Giulia en direction du ponte Sisto et prendre sur la gauche le vicolo del Polverone. Tlj sf lun 8h30-19h. Entrée : 5 € ; réduc ; gratuit pour les moins de 18 ans et les plus de 65 ans de l'Union européenne.* Magnifique palais de 1540, racheté en 1632 par le cardinal Spada, collectionneur comme tant d'autres cardinaux de l'époque. Il abrite aujourd'hui le Conseil d'État. Façade copieusement ornée d'empereurs romains et de personnages importants. La cour présente une intéressante frise de centaures et de divinités romaines (Hercule, Minerve, Junon, Mars...). Cependant, le musée n'est pas du même niveau que les autres prestigieuses galeries (surtout si vous sortez juste de la galerie Borghèse !). À notre avis, ça intéressera surtout ceux qui ont pas mal bourlingué dans Rome et ont déjà vu l'essentiel. Ils trouveront ici plaisir à parfaire leurs connaissances dans un contexte feutré et intime. À l'intérieur, atmosphère et présentation un peu vieillottes. Les œuvres intéressantes ont du mal à émerger d'un capharnaüm de pièces assez mineures. Descriptif des salles en français.

BORROMINI, MAIS IL FAIT LE MAXIMUM !

L'œuvre la plus la saisissante du palazzo Spada est sans nul doute la fameuse perspective de Borromini. Le grand artiste a conçu ici une galerie de colonnes aboutissant à une statue posée sur un piédestal et précédée de quelques buissons. Vue de la cour, elle paraît faire 25 m de long mais, en réalité, c'est un trompe-l'œil. Elle ne mesure que 11 m de long, la statue fait 80 cm de haut et les buissons sont des blocs de marbre. Qui a dit que l'absence de moyens donnait parfois naissance au talent ?

Sur cette adorable ***piazza Capo di Ferro,*** outre le palais Spada, vous trouverez aussi le ***palais Ossoli*** *(palazzo Ossoli)* du XVIe s. En face, la petite ***église Santa Maria della Quercia.*** Plan en croix carrée, coupole, marbres et fresques. Tribune d'orgue en bois sculpté.

Palazzo della Cancelleria *(palais de la Chancellerie ; plan centre C4)* **:** *situé à l'angle nord-est du campo dei Fiori.* Le palazzo della Cancelleria ne fera peut-être pas battre votre cœur autant que le palais Farnèse, et pourtant, il ne manque pas de majesté. Cette demeure, propriété du Vatican, abrite aujourd'hui les services de la chancellerie pontificale. Le palais (Renaissance), à la façade régulière et plate comme une limande, ne se visite pas, mais la cour intérieure est accessible quand il y a une expo. Si vous pouvez y pénétrer, vous découvrirez une cour rectangulaire réalisée par Bramante, à 3 niveaux dont 2 d'arcades, épousant les canons parfaits de la Renaissance. Ordre et harmonie. Les colonnes sont des remplois de monuments antiques. À l'intérieur (qu'on ne voit pas), la *Salle des 100 jours*, appelée ainsi car elle fut couverte de fresques par Vasari en ce délai record. Fier de sa prouesse, l'artiste s'en vanta auprès de Michel-Ange qui lui répondit du tac au tac « Tant que ça ! ». De la grandeur et des bassesses des homme de génie...

***Museo Barracco** (plan centre C4, **422**) **:** corso Vittorio Emanuele II, 166a. ☎ 06-06-08 ou 06-68-21-41-05. • museobarracco.it • Mar-dim 9h-19h ; les 24 et 31 déc, 9h-14h slt. Fermé 1er janv, 1er mai et 25 déc. Entrée : 3 € ; réduc ; gratuit pour les citoyens européens de moins de 18 ans et de plus de 65 ans, ainsi que pour les Parisiens. Audioguide en français : 3,50 €.* Petit musée qui se visitera après les grands, bien entendu, mais qui charmera les amateurs d'archéologie par la qualité des pièces exposées et l'adorable cadre Renaissance. Abrité dans un beau palais de 1523, surnommé « la Piccola Farnesina », qui arbore toujours ses beaux plafonds. La façade côté *corso* date du début du XIXe s. La « vraie » se situe à gauche : c'est l'entrée. Le palais abrite sur 3 niveaux le legs fait à l'État par le baron Giovanni Barracco, grand collectionneur éclairé : des pièces d'archéologie égyptienne, des fragments de sarcophages, des pièces étrusques, une collection de bustes grecs et des exemples de la statuaire romaine (entre autres, de belles statues de Bés et de sa sacrée trogne – du Ier s av. J.-C.), et, au dernier étage, pour les amateurs de curiosités, deux hermaphrodites, l'un en marbre, l'autre sur un fragment de fresque.

AUTOUR DU LARGO TORRE ARGENTINA
(plan centre C4)

À VOIR

***Largo Torre Argentina** (plan centre C4) **:** grand carrefour routier encombré mais pratique pour attraper l'un des nombreux autobus qui s'y arrêtent (nos 30, 40, 46, 62, 63, 64, 70, 81, 87, 186...). C'est d'ici que part le tram no 8, qui vous conduira jusqu'à Monteverde (et à la villa Doria Pamphilj), via le Trastevere.*

Pas de grande réalisation architecturale à signaler, en dehors peut-être du ***théâtre Argentina*** (voir l'encadré) et de la torre Argentina (à l'angle du corso Vittorio Emanuele II). Mais le plus intéressant, c'est, évidemment, l'***Aire sacrée du largo Argentina.*** Le site n'est pas accessible, mais on le découvre facilement depuis la rue. Cet espace est beaucoup plus ancien que le reste, puisqu'il s'agit de quatre temples (trois carrés et un circulaire) datant de l'époque républicaine (IIIe ou IVe s av. J.-C.), profondément enfouis à 8 m sous terre, soit le niveau du sol à l'époque antique. Dégagés à l'occasion de la prolongation d'une rue en 1926, ce seraient les seuls vestiges de l'antique cam-

LE BARBIER DE ROME

C'est au théâtre Argentina que se déroula la catastrophique première du Barbier de Séville, *en février 1816, dirigée par Rossini lui-même : le chanteur incarnant Don Basilio se cassa la figure sur scène. Au moment de son grand air, le sang dégouline encore de son nez, qu'il tamponne avec un mouchoir. Puis c'est au tour d'un chat noir d'entrer sur scène en miaulant, au beau milieu du final. Éclat de rire général ! Fiasco total et protestations du public. En réponse, Rossini insulte tout le monde ! Furieux, le public se met à poursuivre le compositeur dans le théâtre, puis jusque dans les rues du quartier pour le lyncher. Il échappe par miracle à ses poursuivants... et le* Barbier *devint un succès.*

pus Martius (le Champ-de-Mars). On n'est pas sûr des dieux auxquels chacun des temples était dédié, d'où leur désignation par les lettres A, B, C et D. Et c'est derrière le temple B (B comme Brutus ?) que se trouvait l'ancienne Curie (Sénat) de Pompée, où César fut poignardé sur ordre de son fils adoptif le 15 mars 44 av. J.-C. Selon les dernières hypothèses, pour que les Romains n'y viennent pas en pèlerinage, il semblerait qu'on ait rapidement transformé la scène du crime... en latrines. Bien qu'inaccessible, on peut faire le tour du site, ce qui est largement suffisant pour profiter de ces belles ruines, communément surnommées par les Romains le « forum des Chats ». Comme le site est inaccessible, ils y sont tranquilles. De fait, le lieu est devenu un vrai refuge officiel pour les matous. Les Romains y viennent pour les adopter. Les passionnés consulteront les petits panneaux explicatifs, côté via San Nicola de Cesarini. Ensuite, poursuivez le corso Vittorio Emanuele II jusqu'au niveau d'une petite place, la piazza del Gesù, où se dresse l'église du même nom... et le siège du parti démocrate-chrétien. C'est à deux rues de là qu'on retrouva, en mai 1978, le corps d'Aldo Moro dans le coffre d'une Renault.

Chiesa Sant'Andrea della Valle *(plan centre C4) : tlj 7h30-12h, 16h30-19h.*
Commencée en 1591 mais terminée seulement en 1667, elle suscite l'attention pour sa remarquable façade baroque. Ne vous contentez pas de passer devant, mais entrez pour apprécier l'une des plus belles coupoles romaines (16,61 m de diamètre, quand même ! peintures de Lanfranco) ainsi que la décoration de l'abside. On y trouve même les dépouilles de Pie II et Pie III : les deux catafalques à gauche et à droite, juste avant la coupole. Pour les spécialistes, c'est dans la première chapelle à droite que se déroule l'acte I de *Tosca* de Puccini.

Cripta Balbi *(crypte Balbi ; plan centre C4) : via delle Botteghe Oscure, 31. ☎ 06-67-80-167. Tlj sf lun 9h-19h45. Même billet que pour les thermes de Dioclétien et les palazzi Altemps et Massimo. Pour l'ensemble des 4 sites : 7 €, billet valable 3 j.*
Dernière partie du Musée national romain. Il occupe deux maisons médiévales accolées, elles-mêmes installées sur des vestiges antiques. C'est ce qui a donné l'idée d'un musée original. Ici, il s'agit avant tout de faire comprendre le développement de la ville et de ses quartiers, depuis l'urbanisation républicaine puis impériale jusqu'aux grandes percées « haussmanniennes », en passant par la désertification du Moyen Âge (quand les fermes et la campagne avaient recouvert l'*urbs* antique). Pari réussi, grâce à une muséographie moderne et de nombreux plans, gravures, maquettes, vidéos et bornes interactives qui illustrent cette évolution. On assiste également à d'intéressantes tentatives d'explication et d'interprétation du monde romain. Évidemment, les vitrines ne manquent pas, et l'on retrouve quantité de poteries, monnaies, bijoux... aussi bien antiques que médiévales.
Les samedi et dimanche, à heures fixes (se renseigner en arrivant), on descend sous le bâtiment pour observer fondations et autres vestiges du théâtre et de la crypte Balbi, construite sous Auguste par un Espagnol de Cadix connu sous le nom de Cornelius... Balbus. Intéressant.

Chiesa del Gesù *(plan centre C4) : à quelques minutes à pied du largo Torre Argentina ou de la piazza Venezia. Lun-sam 6h45-12h40, 16h-19h30 ; dim 7h30-13h, 16h-20h.*
C'est le principal édifice religieux des jésuites à Rome, qui fut reproduit avec plus ou moins de fidélité aux quatre coins de l'Europe de la Contre-Réforme. Une référence, donc, qui se signale tout d'abord par sa façade caractéristique du premier mouvement de la Contre-Réforme (sobriété-humilité). Mais l'intérieur est tout autre, très baroque en vérité, d'une richesse inouïe, avec tous ses stucs dorés. C'est certainement, à Rome, l'église la plus représentative de l'art baroque. Le moins que l'on puisse dire, c'est que la déco est plutôt chargée. Malgré tout, l'ampleur des lieux impose une impression de légèreté à l'ensemble et on ne se sent pas du tout écrasé. Au contraire, les innombrables trompe-l'œil nous entraînent dans un tour-

billon vertigineux. Les fresques de Baciccia (voûte, coupole et chœur) sont les éléments les plus intéressants de cette décoration intérieure. Au centre de la nef, un miroir grossissant permet d'admirer le plafond en évitant le torticolis ! Noter comment la scène déborde de son cadre, et ce avec une légèreté étonnante. C'est surtout l'autel de Saint-Ignace de Loyola (dans le transept gauche) qui frappe le plus les esprits. Et pas pour les raisons qu'on imagine ! Chaque jour, à 17h30, un spectacle son et lumière anime cette partie de l'église. Une voix off raconte l'histoire du saint, tandis que les projecteurs éclairent les différentes parties du monument. À la fin, coup de théâtre, le tableau au-dessus de l'autel s'efface, cédant la place à une statue de saint Ignace ! Ça vaut le coup d'œil !

LA PIAZZA VENEZIA (plan centre D4)

➢ ***Accès :*** *possibilité de descendre aux stations de métro Colosseo ou Cavour (ligne B) situées à 5 mn à pied de la piazza Venezia et du Capitole. Bus n°s 40, 44, 46, 62, 63, 64, 70, 81, 87, 186...*

Si tous les chemins mènent à Rome, ils mènent, à fortiori, à la piazza Venezia, que vous ne cesserez de rencontrer tout au long de votre séjour romain. C'est en effet le point zéro de la ville, d'où partent les routes que vous emprunterez pour aller aux quatre coins de Rome. À commencer par le chemin, très court, qu'il faut suivre pour monter jusqu'au Capitole. Ce carrefour routier (pourvu de nombreux arrêts de bus, où vous ne manquerez pas de remarquer le malheureux policier qui, entre deux nuages de gaz d'échappement, est chargé de faire la circulation) vaut également d'être vu pour le palazzo di Venezia et le flamboyant monument à Victor-Emmanuel II. Notez que l'immeuble à l'angle du Corso fut celui où résida Laetitia Bonaparte, la mère de Napoléon Ier, contrainte à l'exil après Waterloo et la seconde abdication de son fils. Elle y demeura jusqu'à sa mort, en 1836, à l'âge de 85 ans. Pour l'anecdote, le palais aussitôt à gauche de la *galeria Pamphilj* est l'actuelle demeure privée de Silvio Berlusconi. Et, pour l'anecdote encore, s'il est longé par la *via della Gatta,* c'est parce qu'on y trouve à l'angle de la corniche (à l'arrière du bâtiment donnant sur la placette) la statue d'un chat ! Mais un chat antique bien sûr, puisqu'il s'agit comme d'habitude d'une œuvre piquée sur un site.

À VOIR

👁👁👁 ***Galleria Doria Pamphilj** (galerie Doria-Pamphilj ; plan centre D4) **:** entrée par la via del Corso.* ☎ *06-67-97-323.* • *doriapamphilj.it* • ♿ *Tlj 10h-17h (dernière entrée à 16h15). Entrée : 9,50 € ; réduc. Audioguide compris (commentaires très intéressants et en français). Pas inclus dans le* Roma Pass.

C'est par la via del Corso que l'on pénètre dans l'un des plus grands palais romains, le plus prestigieux avec le palais Colonna. Il faut dire qu'avec un pape dans la famille (Innocent X), il fallait tout de même une résidence à la hauteur. Datant du début du XVIe s, ce palais qui compte près de 500 pièces fut néanmoins largement transformé ensuite. Certes, on s'attendait à un riche décor intérieur, mais là, cette accumulation d'œuvres d'art dépasse toutes les espérances ! C'est en toute simplicité la plus importante collection privée d'Italie ! Les princes Doria qui y habitent encore ont décidément bien de la chance... Prévoir au moins 2h de visite. La visite classique correspond à une balade dans la partie du palais où sont exposés tous les chefs-d'œuvre. Mais, en fonction de l'humeur des princes, il peut arriver qu'on laisse ici ou là une porte entrouverte... On découvre alors pleinement le faste de la décoration, le luxe de l'ameublement, et cela permet de se faire une petite idée de la vie que menaient autrefois les princes. Car, il faut bien le reconnaître, les palais romains sont plutôt austères de l'extérieur. Les papes rechignaient en effet à exhiber leurs richesses. Mais à l'intérieur, quel contraste ! On se défoule, les richesses affluent, et c'est partout une débauche de moulures, dorures, miroirs et plafonds peints... Si vous avez de la chance donc, vous apercevrez un échantillon de ces appartements privés. Sachez d'ailleurs que les familles ayant eu l'honneur d'avoir l'un des leurs élu pape font partie de ce que l'on appelle « l'aristocratie noire ». Ils reçoivent automatiquement le titre de prince, à vie, et profitent des privilèges dus à ce rang. Par exemple, chaque pape nouvellement élu rencontre en premier les princes romains.

En cours de réorganisation depuis un certain temps, la visite du palais est à géométrie très variable. Quoi qu'il en soit, voici les infos sur quelques salles qui sont généralement toujours visibles. Heureusement, l'audioguide, réalisé par l'un des descendants de la famille, permet de faire une visite passionnante.

– *Au rez-de-chaussée :* avant de monter à l'étage, on pourra (mais pas toujours) jeter un coup d'œil à la salle des bains, datant du XIXe s et couverte d'un décor inspiré de Pompéi.

– *La salle Poussin :* elle doit son nom au Pussino, surnom de Gaspard Dughet, beau-frère de Nicolas Poussin et ancien... boulanger. Dughet fut l'un des artistes préférés de la famille Pamphilj. Dans cette salle où les tableaux (véritables papiers peints de l'époque) se touchent presque bord à bord d'une façon impressionnante, on peut admirer, entre autres, des tableaux peints conjointement par le paysagiste Dughet et le figuriste Guillaume Courtois.

– *La salle du trône :* à noter que le trône est tourné dos aux visiteurs, pour signifier que le pape est absent.

– *La salle des velours :* tendue de velours de Gênes, certains datant du XVIIe s. Au plafond, l'aigle des Doria et le lys des Pamphilj. Belles consoles de marbre aux pieds sculptés dorés du XVIIIe s et sol original en terre cuite du XVIIe s.

– *La salle de bal :* créée en 1903. Là, aucun tableau. En revanche, beaucoup d'appliques en cristal, dont certaines avec leurs ampoules d'origine en filament de platine. Haendel y composa son premier oratorio. Noter, dans un angle, la petite alcôve où prenait place l'orchestre.

– *La chapelle :* ravissants trompe-l'œil de la fin du XVIIe s, très chargé, admirable plafond et reliques de saint Théodore et d'un autre saint appelé « le centurion ». Rappelons que les papes avaient le droit de rapporter des reliques chez eux, et par conséquent la momie du saint est toujours en bonne place !

– *La galerie Aldobrandini :* elle abrite des toiles du Lorrain, de Bruegel l'Ancien, mais aussi d'Annibale Carraci et de Hermann Swanevelt.

– *La salle Aldobrandini :* à voir pour le centaure en marbre polychrome (très rare), le petit Bacchus enfant en porphyre, quelques belles statues provenant de la villa Doria Pamphilj et quelque 34 tableaux !

– *La galerie des Glaces :* elle donne sur la via del Corso et sur la cour intérieure. La lumière y pénètre de partout, baignant les statues rafistolées (les restaurateurs de l'époque empruntaient des morceaux à d'autres œuvres pour remplacer les bouts manquants). Les fresques de la voûte illustrent les travaux d'Hercule. Parmi les nombreuses œuvres exposées ici, remarquez cette étonnante composition de Tempesta peinte directement sur une plaque de marbre, afin d'utiliser les veines de la pierre dans le traitement des couleurs. Après la *galerie des Glaces,* on remarquera, dans la petite salle de Vélasquez, sur le côté gauche, un tableau représentant Giovan Battista Pamphilj, pape de 1644 à 1655 sous le nom d'Innocent X. Notez son regard, presque photographique. Sa position est inspirée du portrait de Jules II peint par Raphaël et devenu une référence pour croquer les papes. Également un buste de Pamphilj sculpté par le Bernin.

– *Les galeries Pamphilj et Doria* abritent encore leur lot de chefs-d'œuvre provenant des collections privées de la famille. Sachez que toutes les toiles indiquées ne sont pas forcément visibles lors de votre passage. On salue au passage Olimpia Maidalchini Pamphilj, dont le buste a été sculpté par Alessandro Algardi (écoutez bien l'audioguide, il vous contera les arcanes du pouvoir et de la fortune familiale... croustillant !). Parmi les toiles les plus intéressantes : *Suzanne et les vieillards* du Dominiquin, un *Saint Jean-Baptiste,* copie du tableau du Caravage. Thème récurrent de la peinture de l'époque, la *Madeleine pénitente* encore et toujours représentée et souvent troublante. Le palais Doria Pamphilj s'enorgueillit d'avoir la plus laide exposée dans un musée, une très maladroite copie d'un tableau de Titien.

Museo del palazzo di Venezia *(musée du palais de Venise ; plan général D4)* **:** *via del Plebiscito, 118. ☎ 06-69-99-43-88. Tlj sf lun 8h30-19h30. Entrée : 4 € ; réduc 18-25 ans ; gratuit pour les moins de 18 ans et plus de 65 ans de l'Union européenne. Expos temporaires régulières de bonne qualité (entrée et tarification à part). Photos interdites.*

C'est un cardinal, futur pape sous le nom de Paul II, qui ordonna en 1455 la construction d'un palais sur l'emplacement de cette place. Le pauvre malheureux ne verra pas sa demeure achevée, ce qui dut, outre-tombe, le chagriner quand on sait qu'elle servit de résidence aux papes jusqu'en 1564, avant de devenir la résidence des ambassadeurs de Venise (d'où son nom). Elle devint ensuite propriété de l'Autriche de 1797 à 1916, puis le siège du gouvernement fasciste. C'est du balcon du palais que Mussolini avait l'habitude de s'adresser à la foule.

Extérieurement, le château présente encore l'architecture sévère, presque fortifiée, du Moyen Âge. À l'intérieur, impressionnant escalier monumental. Dans les anciens appartements du cardinal, rien d'exceptionnel pourtant. Signalons tout de même une collection de peintures essentiellement religieuses de toutes les régions italiennes, ou presque : vénitiennes des XIVe-XVIe s, d'Émilie-Romagne, de Toscane (tête de Christ de Fra Angelico), du Latium, d'Ombrie, des Marches, etc. Quelques intéressantes sculptures religieuses sur bois polychromes et des toiles des XVIIe-XVIIIe s. Salle au plafond couvert de fresques. Céramiques asiatiques et européennes. Bas-reliefs de bronze. Coffre en bois du Xe s représentant Adam et Ève. Série de bronzes des XVe-XVIe s. Le tout est quand même un peu poussiéreux. Parfois de très belles expos temporaires.

– Pour finir, jeter un œil sur la vaste galerie extérieure, organisée en *lapidarium* : sculptures cassées, sarcophages, bouts de chapiteaux, baptistères... Dans le même champ, on a ces vastes arcades classiques, une belle tour romane et un petit pan de la « Machine à écrire »...

LE BALCON DE MUSSOLINI

En 1929, Mussolini installe son bureau au palazzo di Venezia, centre absolu de la ville. C'est du balcon du palais, véritable tribune pour ses violents talents d'orateur, que le Duce déclare la guerre à l'Éthiopie en 1935, y met fin en 1936 et annonce la naissance de « l'Empire italien ». On dit qu'il n'éteignait jamais la lumière de son bureau, espérant faire croire qu'il veillait toujours sur son pays... Sa dernière apparition date du 2 décembre 1942 où, abattu et dépressif, il tente de remobiliser les Italiens. Aujourd'hui, le lieu est resté un point de rendez-vous. Quand on dit « sotto il balcone », soit « rendez-vous sous le balcon », on sait toujours de quel balcon on parle...

Le monument à Victor-Emmanuel II *(Vittoriano ; plan général E-F4)* **:** de la piazza Venezia (et de bien d'autres endroits encore), vous ne manquerez pas d'apercevoir le *Vittoriano,* construit en 1885 (mais inauguré en 1911) en mémoire de Victor-Emmanuel II et en hommage à la récente unité italienne. Pour l'anecdote, sachez que pendant les travaux de terrassement, en 1890, on a retrouvé sur le site le squelette d'un éléphant avec la mâchoire et les yeux pétrifiés. Seule une partie du squelette a pu être récupérée, les deux tiers restants se trouvant toujours encastrés dans le monument. Les Romains, amoureux à juste titre de leur ville, ont surnommé cette énorme pâtisserie blanche striée de colonnades la « *Macchina da scrivere* » (la « Machine à écrire »). Tout de blanc vêtu, ce monument est chargé de symboles qui nous échappent parfois en l'absence d'explications claires. Tout d'abord, celui-ci impose, c'est le cas de le dire, l'idée de la Rome capitale. On notera ses proportions énormes, bien sûr, mais aussi son marbre blanc (de Botticino) qui renvoie la lumière comme pour éblouir le visiteur. C'est aussi l'autel de la Patrie qui rend symboliquement hommage au soldat inconnu. Suivez donc le guide et faites un effort pour retrouver ce qui suit : à la base, les bas-reliefs évoquent les principales villes d'Italie ; deux fontaines, situées de part et d'autre de l'escalier central, représentant la mer Tyrrhénienne (à droite) et la mer Adriatique (à gauche) ; cet escalier flanqué de deux groupes allégoriques en bronze doré conduit à l'autel de la Patrie ; deux rampes prolongeant cet escalier permettent ensuite de parvenir jusqu'à la statue équestre du roi italien Victor-Emmanuel II ; le portique concave dominant l'ensemble (qui le fait ressembler à une machine à écrire) est surmonté aux extrémités par deux quadriges (installés seulement en 1925). Sous le « clavier » se trouvent le *Musée historique du Risorgimento* et le *Musée militaire de la Marine,* pour lesquels mieux vaut maîtriser l'italien. Cela dit, s'ils sont gratuits, leur intérêt est somme toute assez limité : le premier se résume à une exposition de peintures héroïques, statues et souvenirs de guerre à la gloire des artisans de la renaissance et de l'unité italienne (une curiosité : la civière avec laquelle Garibaldi fut évacué à la bataille d'Aspromonte), le second rassemble du matériel et les drapeaux de la marine italienne (une section présente les enseignes de tous les corps d'armée : air, terre et mer). En revanche, expos temporaires le plus souvent remarquables. Rassurez-vous, c'est fini. Enfin, pas tout à fait, sinon vous risquez de louper la plus belle vue qui soit sur la Ville éternelle !

*(3 pouces) **La vue panoramique sur Rome :** sur le flanc droit de l'édifice (accessible par le parvis haut perché de la Chiesa Santa Maria in Aracoeli), un ascenseur de verre conduit au toit du monument à Victor-Emmanuel II. ☎ 06-69-91-718. ♿ Lun-jeu 9h30-17h45 ; ven-dim 9h30-18h45. Entrée : 7 € ; réduc.* Pas donné, mais ça en vaut la peine. Depuis la terrasse des quadriges, vue extraordinaire sur les forums et sur la ville à 360°... Le mieux est d'y aller par temps dégagé, et surtout au coucher du soleil ! Tables d'orientation là-haut.

LE QUARTIER DU GHETTO (quartiere del Ghetto ; plan centre C4)

(2 pouces) C'est l'un des plus anciens quartiers de Rome, resté étonnamment presque à l'état brut, profondément populaire. Les amateurs de poésie urbaine, de clins d'œil architecturaux insolites, de vieilles façades fatiguées, de ruelles, passages, cours sans âge, seront comblés. Saupoudré de quelques hôtels particuliers aux richesses secrètes.

Un peu d'histoire

La communauté juive de Rome est la plus ancienne d'Europe. Les premiers juifs arrivèrent en 161 av. J.-C., ambassadeurs de Judas Macchabée pour demander aide et protection contre les menées d'Antiochus IV. Par la suite, beaucoup suivirent, du fait de la position prépondérante de Rome dans le commerce méditerranéen, apportant avec eux leurs propres rituels (différents de ceux des séfarades et ashkénazes, qui vinrent plus tard) et appelés aujourd'hui « tradition italienne ». Après la destruction du temple par Titus, en l'an 70, de nombreux juifs furent amenés à Rome comme esclaves. Par la suite, ils s'installèrent dans le Trastevere, puis, au début du XIIIe s, de ce côté-ci du Tibre. À partir de 1492, la petite communauté fut renforcée par les juifs séfarades chassés d'Espagne et du royaume des Deux-Siciles par Isabelle la Catholique. Le pape Paul IV créa alors le Ghetto par ordonnance en 1555. Environ 3 000 habitants à

POUR TOUT L'OR DE ROME

Les Allemands promirent à la communauté juive de la laisser en paix contre une rançon de 50 kg d'or, qu'il fallait réunir très rapidement. Les juifs romains parviennent à réunir en hâte le butin (dents en or, gourmettes, bagues...), aidés dans leur tâche par de nombreux catholiques. La rançon est livrée aux autorités allemandes... ce qui n'empêche rien. Dans la journée du 16 octobre 1943, 2 091 juifs sont raflés, puis déportés, principalement à Auschwitz. Il n'en reviendra que 16.

l'époque (7 000 au milieu du XIXe s). Comme celui de Venise, il était entouré de murs avec cinq entrées, et ses habitants devaient y retourner chaque soir, avant que les portes ne se referment. Souvent inondé au moment des crues du Tibre, assez insalubre, les conditions d'existence y étaient très difficiles. L'obligation d'y résider la nuit fut supprimée d'abord en 1798, puis à nouveau en 1848 (les révolutions ont toujours du bon !) et les murs abattus après l'unification italienne de 1870. En 1938, des lois discriminatoires frappèrent à nouveau la communauté juive. La rafle du 16 octobre 1943 lui porta un coup terrible. Aujourd'hui, la communauté juive de Rome compte environ 20 000 personnes (35 000 dans toute l'Italie).

Petit itinéraire dans le Ghetto

En gros, délimité au nord par la *via delle Botteghe Oscure,* à l'ouest par la *via Arenula,* au sud par le *Tibre* et à l'est par le *teatro di Marcello.* Commençons par l'une des artères principales du Ghetto, la *via del Portico d'Ottavia,* pour poursuivre par la *via Santa Maria del Pianto.*

Au 1d, ***via del Portico d'Ottavia,*** l'une de nos demeures romaines préférées, même si son état se dégrade dangereusement. C'est celle d'un certain *Lorenzo Manilio,* qui sut habilement réutiliser des vestiges romains dans la construction de sa maison en 1468 (et passer ainsi à la postérité). Noter que la date inscrite en chiffres romains est 2221, qui correspond, selon la comptabilité antique, à l'année 753 av J.-C., donc 1468. Gros blocs avec inscriptions latines, bustes de personnages, et un magnifique lion en imposte.

Juste après le restaurant *Giggetto,* les vestiges de l'entrée du ***portique d'Octavie*** *(portico d'Ottavia),* qui mesurait 138 m de long. Mais rien que ce petit morceau demeure impressionnant. Édifié par Auguste en hommage à sa sœur Octavie en 23 av. J.-C. Tiens, une colonne plantée dans le trottoir, mais des cartes postales du début du XXe s en révèlent beaucoup plus (preuve qu'on vandalisait encore à l'époque !). Dans le portique, une petite église, ***Sant'Angelo in Pescheria,*** fut construite au Moyen Âge. Elle rappelle le grand marché au poisson qui se tenait devant. Sur l'une des maisons en face, plaque commémorant la grande rafle du 16 octobre 1943. À l'époque, on obligeait les juifs à aller à la messe. Mais pour échapper au prêche du curé, ils se mettaient des bouchons dans les oreilles.

À l'angle des ***vie Santa Maria del Pianto*** et ***Publicolis,*** bel *édifice Renaissance à pointes de diamant.* Dans le ***vicolo Costaguti,*** ruelle partant de la pâtisserie *Il Boccione,* une protubérance architecturale bizarre. Charmante ***piazza dei Cinque Scuole*** qui rappelle qu'elle abrita les cinq synagogues du Ghetto. Dans la via Santa Maria Calderari, en face de l'hôtel *Arenula,* l'immeuble prend appui sur deux colonnes antiques.

Vicolo dei Cenci s'élève le ***palazzo Cenci,*** construit en 1570. Pourtant, d'aspect massif, il ne semble guère refléter le style Renaissance de son époque. Joli décor des fenêtres donnant sur le *vicolo.* Sur le quai, la ***Grande Synagogue*** *(Grande Sinagoga)* qui date de 1904 (description à la fin de cette rubrique).

Adorable ***piazza Mattei,*** avec l'une des plus jolies fontaines de Rome, la ***fontaine des Tortues*** *(fontana delle Tartarughe).* Construite en 1581, avec quatre garçons portant la vasque, le pied sur un dauphin. Les tortues seraient arrivées plus tard. Aux nos 16 et 19, via dei Funari, belles cours à arcades et loggia. Vicolo de Falegnami, plusieurs

POURQUOI JETER DES PIÈCES DANS LES FONTAINES ?

Ce rite est très ancien. Avant le christianisme, chaque fontaine était dédiée à une divinité païenne (Jupiter, Mercure...). Ces pièces leur rendaient hommage. Le christianisme, en supprimant ces dieux antiques, a dû trouver une autre explication puisque le rite perdurait. Désormais, jeter une pièce signifie que l'on souhaite revenir dans les lieux.

pittoresques passages voûtés. Via della Reginella, le ***palais Costaguti*** *(palazzo Costaguti),* avec corniche sculptée, portail néoclassique et angle en pierre à bossage.

Et puis, à l'angle de la via dei Funari et M. Caetani, notre coup de cœur : le ***palais Mattei*** *(palazzo Mattei ; plan centre C4),* un immense hôtel particulier avec entrée sur les deux rues et offrant au visiteur ébloui la cour la plus ornementée du vieux centre. Abondance de bas-reliefs, médaillons, bustes dans des niches et dans la loggia. Une dizaine de statues sur piédestal dans la cour. Le tout compose, avec l'escalier monumental richement décoré, un ensemble exceptionnel.

Chiesa Santa Catarina dei Funari : *via dei Funari, 31. Parfois ouv.* Façade Renaissance tardive, avec fronton à volutes et décor de guirlandes de fleurs. À l'intérieur (malheureusement souvent fermé), intéressant décor et belles peintures dans les chapelles à droite de la nef. Place Margana s'élève le ***palais Maccarani Odescalchi,*** du XVIIe s. Treillis de ruelles pour parvenir à la piazza Capizucchi, puis à la piazza Campitelli. Beaux palais, dont l'un abrite l'ambassade d'Irlande. À côté, le ***palais Albertoni Spinola*** *(palazzo Albertoni Spinola),* du XVIe s.

Chiesa Santa Maria in Campitelli *(plan centre C4) : sur la place.* Construite par un élève du Bernin, cette église vaut vraiment le détour. Tous les Romains y contribuèrent financièrement en remerciement à la Vierge pour la fin de la peste de 1656. De fait, édifice grandiose, à hauteur de leur gratitude. Façade monumentale, colonnes corinthiennes, voûte en berceau, pas de transept et une belle coupole. Le plus époustouflant reste l'autel principal et son tabernacle contenant l'image miraculeuse de la Vierge. Des anges portent une tribune dorée avec colonnes torses. Des dizaines de rayons d'or en jaillissent, couvrant tout le fond du chœur. On sent le triomphe aussi de la Contre-Réforme. Quelques peintres baroques ornèrent les chapelles, dont Luca Giordano.

Grande Sinagoga di Roma e Museo ebraico di Roma *(Grande Synagogue de Rome et Musée hébraïque ; plan centre C4) : lungotevere dei Cenci, 15. ☎ 06-68-40-06-61. • museoebraico.roma.it • Musée : juin-sept, dim-jeu 10h-19h, ven 9h-16h ; oct-mai, dim-jeu 10h-17h, ven 10h-14h. Fermé lors des fêtes juives et l'ap-m des fêtes catholiques. Entrée : 7,50 € ; réduc. Visite en groupe de la synagogue à partir du musée (en principe ttes les 30 mn). Depuis le sanglant attentat de 1982, les mesures de sécurité sont draconiennes.*
De style assyro-babylonien, la construction de la synagogue s'acheva en 1904. Ce fut la première synagogue d'importance : les précédentes n'avaient pas le droit d'être plus hautes que les églises. Belle galerie de style Liberty (l'Art nouveau italien).
Le musée présente de riches collections d'art et d'histoire. Quelques pièces originales : un *shofar* (corne pour solliciter l'attention des fidèles), des amulettes, des jetons *(token)* pour les pauvres (le jeton donnait droit à un poulet), un marteau rituel pour marquer la viande, ou encore des instruments pour la circoncision. Beaux livres, dont plusieurs à couverture d'argent du XVIIIe s, de l'orfèvrerie religieuse, une collection de *yad,* qui servaient à suivre les textes des rouleaux de la Torah. Noter le *Sefer ha-Sorasim,* le « Livre des Racines » de 1537 (c'est ici une réédition) et celui, authentique, de Bologne de 1469. Beau coffre à Torah d'Ispahan en bois polychrome. Au 1er étage, tapisseries, dont de superbes exemplaires du XVIe s. Gravures du Ghetto, vêtements liturgiques et manuscrits. Décret du pape Innocent III interdisant les exactions contre les juifs dans les synagogues (c'est Pie XII qui aurait dû faire la même chose !). Enfin, divers reçus pour la collecte des 50 kg d'or exigés par les autorités allemandes auprès de la communauté juive (dans un délai très court) pour ne pas procéder à la déportation (les nazis ne tinrent évidemment pas parole).

LE CORSO (ENTRE LA PIAZZA COLONNA ET LA PIAZZA DEL POPOLO) ET SES ENVIRONS

(il Corso e dintorni ; plan général C2-3)

Piazza Colonna *(plan centre C3)* : *bus nos 52, 53, 61, 62, 63, 71, 80, 85... et les bus électriques (nos 116, 117, 119). Entre la piazza Venezia et la piazza del Popolo.*
Cette place doit son nom à la colonne de Marc Aurèle qui orne son centre. Au sommet de cette colonne (copiée sur la colonne Trajane, son aînée de 80 ans) se trouvait naguère, comme il se doit, une statue de ce sympathique empereur mort de la peste. Fin XVIe s, le pape Sixte V, pensant sans doute que la statue devait être également pestiférée, la remplaça par une autre, celle de saint Paul. Bordant cette place, le *palazzo Chigi* (XVIe-XVIIe s) abrite aujourd'hui la présidence du Conseil des ministres... en quête d'un locataire fixe, disent les mauvaises langues.

***Via del Corso** (plan général C2-3-4)* : « l'avenue », rue toute droite qui relie la piazza del Popolo à la piazza Venezia, est l'artère la plus active de la ville. Cette activité ne date pas d'aujourd'hui puisque, à l'époque antique, elle était déjà, sous un autre nom (via Flaminia puis via Lata), la plus commerçante de Rome. Le nom actuel de cette rue bordée de nombreux palais provient des courses de chevaux que le pape Paul II y organisait jusqu'à la piazza del Popolo. Aujourd'hui, les grandes enseignes du prêt-à-porter international ont investi les lieux : très, très chic comme ambiance.

Piazza di Montecitorio *(plan centre C3)* : derrière la piazza Colonna se trouve cette autre place, où se dresse depuis la fin du XVIIIe s un obélisque toujours debout malgré son grand âge (il daterait en effet du VIe s av. J.-C. et servait jadis d'aiguille à un cadran solaire tracé sur le sol). Le *palazzo di Montecitorio,* qui domine cette place, est le siège de la Chambre des députés... où de nombreuses vipères traquées par la justice ont élu domicile... d'après les mauvaises langues. Le palais, agrandi au début du XXe s, donne également sur la piazza del Parlamento, située juste derrière. *Entrée libre le 1er dim du mois.*

Chiesa San Lorenzo in Lucina *(plan général C3)* : *de la piazza del Parlamento, prendre la via della Lupa jusqu'à la hauteur de la jolie piazza San Lorenzo in Lucina. Tlj 9h-12h, 16h30-19h30.* L'église intéressera surtout les amateurs de Poussin. C'est ici que repose le célèbre peintre qui passa à Rome une grande partie de sa vie avant d'y mourir, en 1665. Sa sépulture, commandée par Chateaubriand en 1828 « pour la gloire des arts et l'honneur de la France », s'orne d'un bas-relief reproduisant l'une de ses plus célèbres œuvres : *les Bergers d'Arcadie*. Au sous-sol, vestiges d'un cadran solaire antique (se renseigner sur place pour la visite).

Piazza Augusto Imperatore *(plan général C3)* : comme tout dictateur, Mussolini a voulu donner à son idéologie une traduction urbanistique et architecturale. Cette place en est l'un des exemples les plus ambitieux et symboliques. Construite autour du mausolée d'Auguste et bordée à l'est par l'autel d'Auguste, déplacé à grands frais de son lieu originel, elle fut inaugurée le jour de l'anniversaire de l'empereur, le 23 septembre 1938. Comme on s'en doute, il s'agissait pour le Duce d'établir une filiation entre son régime et la glorieuse époque impériale. Si la grandiloquence des immeubles fascistes est plutôt glaçante, les vestiges antiques peuvent intéresser les amateurs.

Ara Pacis Augustae *(plan général C3, **413**)* : *lungotevere in Augusta.* ☎ *06-06-08. • arapacis.it • Mar-dim 9h-19h (sf 24 et 31 déc : 9h-14h). Fermé 1er janv, 1er mai et 25 déc. Entrée : 6,50 € ; réduc ;* Roma Pass. *Audioguide en français : 3,50 €.*
Ce monument antique est remarquablement mis en valeur par le vaste espace moderne, sobre et lumineux qui lui sert d'écrin. Construit en 13 av. J.-C. par le Sénat, l'Ara Pacis, originellement situé sur la via Flaminia (l'actuelle via del Corso), célébrait la paix instaurée par Auguste après plusieurs années de guerres civiles

très meurtrières. Il se compose d'un autel, pas particulièrement spectaculaire, protégé par une enceinte de marbre, quant à elle formidable. L'intérieur de la paroi est décoré de frises végétales et de crânes de bœufs (offrandes sacrificielles) tandis que l'extérieur présente des scènes mythologiques ou à caractère plus politique (une frise montre l'empereur et sa famille conduisant le cortège pour la consécration de l'autel).

Mausoleo di Augusto *(mausolée d'Auguste ; plan général C3)* **:** *piazza Augusto Imperatore.* Au centre de la place mussolinienne, il ne reste plus que quelques pans de brique du mausolée d'Auguste. Construit entre 28 et 23 av. J.-C pour accueillir les sépultures de l'empereur et de toute sa petite famille, il servit peut-être de modèle au mausolée d'Hadrien, élevé sur l'autre rive du Tibre. Les deux obélisques qu'y ajouta Domitien furent déplacés depuis sur les places du Quirinal et de l'Esquilin. Transformé en forteresse au XIIe s, puis abandonné, le mausolée servit de carrière, de jardin et même de lieu de concert au XIXe s.

Le musée-atelier Canova-Tadolini *(plan général C2-3,* ***418****)* **:** *via del Babuino, 150a-b.* Voir « Où boire un verre ? Bars de nuit, cafés de jour et terrasses ».

Piazza del Popolo *(plan général C2)* **:** Ⓜ *Flaminio (ligne A). Bus n°s 95, 117, 119, 490, 495, 590.*
Cette place monumentale fut agrandie fin XVIIIe-début XIXe s par Giuseppe Valadier, l'architecte des papes Pie VI et Pie VII. Pour l'anecdote, sachez que c'est ici, sous la domination napoléonienne, que les Français érigèrent en 1813 la première guillotine romaine. Au centre : un obélisque, un vrai de vrai (le deuxième de Rome en hauteur), datant de l'époque de Ramsès II (XIIIe s av. J.-C.), convoyé jusqu'à Rome par Auguste pour décorer le Circus Maximus, puis déplacé une nouvelle fois par Sixte V, le « pape des obélisques ». Comme presque tous ceux de la ville, il est coiffé d'une croix anachronique. Rappelons que les obélisques, d'origine évidemment égyptienne, symbolisent le rayon de soleil divin (en somme, un rayon de Râ).
Au nord : la porta del Popolo, taillée dans la muraille d'Aurélien, près de laquelle se trouve l'une des églises les plus intéressantes de Rome. Selon la légende, le mausolée de Néron, qui se trouvait à l'emplacement de l'église Santa Maria del Popolo, sur la piazza éponyme, était surmonté d'un peuplier. Mais, au XIIe s, la population décréta que cet arbre était maléfique et produisait des fantômes qui terrorisaient le quartier. Le pape Pascal II décida donc de faire abattre le peuplier, de jeter la sépulture de Néron dans le Tibre et d'ériger l'actuelle église à sa place. Peuplier se dit *pioppo* en italien, qui, par déformation linguistique, aurait donné son nom à l'actuelle « place du Peuple ». Ça y est, le peuple y est...
Aux extrémités est et ouest, les principaux ajouts de l'architecte sont deux hémicycles ornés de fontaines et de statues allégoriques. À l'est, une succession de terrasses rejoint les agréables jardins du Pincio.
Au sud : *Santa Maria in Montesanto* et *Santa Maria dei Miracoli*, deux églises du XVIIe s, d'apparence jumelles mais aux intérieurs assez différents, encadrent de façon magistrale le début de la via del Corso.

Santa Maria del Popolo **:** *au nord de la place. Ouv en sem 7h-12h, 16h-19h ; w-e et j. fériés 8h-13h30, 16h30-19h30.* Cette église incontournable date du XVe s. Elle ne paie pas de mine vue de l'extérieur, mais abrite en revanche des œuvres picturales de toute beauté (fresques du Pinturicchio, première chapelle de droite : l'*Adoration de l'Enfant Jésus* ; deux tableaux du Caravage, dans la chapelle Cerasi, à gauche du chœur : *La Conversion de saint Paul* et *La Crucifixion de saint Pierre*). Ne sortez pas de cet édifice sans avoir jeté un coup d'œil aux deux statues du Bernin (et à ses trois chérubins volants, transept de droite) ainsi qu'à la chapelle Chigi (nef de gauche) conçue par Raphaël. Son autel est surmonté d'une belle œuvre de Sebastiano Del Piombo, la *Nativité de la Vierge.* Avant de sortir, observez le plafond (*Couronnement de la Vierge* de Pinturicchio) et notez, à droite de la porte, une stèle funéraire particulièrement saisissante... brrrr !

AUTOUR DE LA PIAZZA DI SPAGNA
(piazza di Spagna e dintorni ; plan général D3)

*** **Piazza di Spagna** *(plan général D3,* ***412****) :* Ⓜ *Spagna (ligne A). Bus électriques nos 116, 117, 119 ou encore le 590.*
Située en contrebas de l'église de la Trinité-des-Monts, cette place fameuse ne devint la piazza di Spagna qu'au XVIIe s, quand l'ambassade d'Espagne s'y établit. L'endroit est très touristique, mais l'ensemble conserve le charme qui en faisait, au XIXe s, le rendez-vous des artistes et écrivains. On comprend, lorsque les azalées fleurissent en mai le long des 137 marches, l'exclamation de Gabriele D'Annunzio : « Toute la beauté de Rome est contenue dans cet endroit ! »
Sur la place, la *Barcaccia,* jolie fontaine dessinée par le père du Bernin et marquée de l'emblème des Barberini, est une petite merveille d'ingéniosité. Pour résoudre le problème de la faible pression hydraulique, l'architecte lui donna l'apparence d'un bateau qui coule : muni d'un canon à chaque extrémité, il fait eau par la poupe et la proue dans un bassin à peine plus grand que lui. Cette drôle d'idée aurait été inspirée par un incroyable fait divers : à Noël 1598, le Tibre connut une crue si exceptionnelle que la piazza di Spagna fut noyée sous 8 m d'eau et qu'une embarcation s'échoua sur les flancs de la colline du Pincio !

Face à la Trinité-des-Monts, sur votre gauche en bas de l'escalier, se trouve le ***Babington's English Tearoom*** *(tlj 9h-20h15).* Ouvert en 1893, ce coquet *and so chic* salon de thé attirera les âmes romantiquès lancées sur les traces du poète Keats qui venait ici en voisin. On peut d'ailleurs visiter sa maison de l'autre côté des escaliers, au no 26.

*** ***Scalinata della Trinità dei Monti*** *(escalier de la Trinité-des-Monts ; plan général D3,* ***412****) :* bien des projets se succédèrent pour relier l'église à la place qui s'appelait encore « piazza della Trinità », mais il fallut attendre 1727 pour que soient inaugurés les célèbres *scale di Spagna,* financés par un conseiller de l'ambassade de France. Fin XVIIIe s, un obélisque, provenant des jardins de Salluste, fut érigé en haut des marches. Si la montée vous fait peur, empruntez (gratuitement) l'ascenseur du métro.

* ***Chiesa della Trinità dei Monti*** *(église de la Trinité-des-Monts ; plan général D3) :* Ⓜ *Spagna (ligne A ; ascenseur à la sortie « Piazza di Spagna »). Bus no 116 ou 119.*
Située en haut des célèbres escaliers du même nom, cette église française, fondée en 1495 par le roi de France, Charles VIII, après maintes péripéties, ne fut consacrée qu'en 1595. Abritant aujourd'hui la communauté des Sœurs de Jérusalem, elle connut de sérieux remaniements début XIXe s, notamment grâce au concours des élèves de la villa Médicis. Depuis la place d'Espagne, remarquer la parfaite symétrie de sa silhouette. Son unique nef ne vaut la visite que pour la *Descente de croix* de Volterra (deuxième chapelle gauche) et son *Assomption* (troisième de droite).

* ***Les rues commerçantes :*** de la piazza di Spagna partent de nombreuses rues très commerçantes... où vous n'aurez aucun problème pour vider, en un temps record, votre porte-monnaie. Les amateurs d'antiquités sillonneront pour leur plus grand plaisir la ***via del Babuino,*** qui relie la piazza di Spagna à la piazza del Popolo. Les victimes de la mode et autres accros du lèche-vitrine préféreront la ***via dei Condotti*** et ses voisines.

LA VILLA BORGHÈSE ET SES ENVIRONS
(villa Borghese e dintorni)

** ***Les jardins du Pincio*** *(plan général C-D2) :* de la piazza del Popolo, un escalier situé au niveau de l'hémicycle permet de grimper jusqu'à la terrasse de la piazzale

Napoleone. Directement connecté aux parcs de la villa Borghèse, ce belvédère superbe, aménagé en jardins à l'époque napoléonienne, commande une vue splendide sur la place du Peuple, avec en arrière-plan Rome et sa multitude de dômes. Son orientation en fait aussi un lieu idéal pour immortaliser un coucher de soleil.

Villa Borghese *(plan général D2) :* Ⓜ *Flaminio (ligne A). Bus et trams n*^{os} *19, 52, 95, 490, 495, 910... sans oublier le bus électrique n° 116 qui circule et vous dépose à l'intérieur du parc. À pied : compter 5-10 mn depuis la piazza del Popolo en passant par le Pincio.* Juste derrière le Pincio, le plus grand parc de Rome fut initié en 1633 pour agrémenter la propriété du cardinal Scipion Borghèse, neveu « chéri » du pape Paul V. Transformé en partie en jardin d'inspiration anglaise au XIXe s, il est ouvert au public depuis 1902. Romains et touristes se promènent seuls, en amoureux ou en famille, dans ce haut lieu de respiration urbaine, doucement vallonné. On y trouve des jeux, animations et un jardin zoologique *(giardino zoologico, au nord-ouest ; entrée pas donnée)* pour les moutards. Toutes sortes de bicyclettes et véhicules à pédales sont à louer, tout comme des barques pour voguer sur le plan d'eau *(laghetto),* au milieu duquel s'élève la reproduction d'un temple grec. Projections de films en plein air, théâtre élisabéthain (pièces de Shakespeare) et... accès internet (zone wifi, voir « Adresses et infos utiles »).

Les musées de la villa Borghèse

Galleria Borghese *(galerie Borghèse) : piazza Scipion Borghese, 5. • galleriaborghese.it/borghese/it • ♿ Bus n*^{os} *52, 53, 116, 910... Tlj sf lun 9h-19h (parfois prolongé jusqu'à 21h en mai-juin). Fermé 1*^{er} *janv et 25 déc. Résa obligatoire : ☎ 06-32-810 ; • ticketeria.it •. Se présenter 20-30 mn avt l'horaire choisi (9h, 11h, 13h, 15h et 17h) ; résa conservée pdt 30 mn max si vous êtes en retard. La visite est strictement limitée à 2h (dont pas plus de 30 mn pour la pinacothèque) et on vous fait sortir à l'heure dite (soit 11h, 13h, etc.) avt de faire entrer la fournée suivante. Entrée : 8,50 € plus résa obligatoire : 2 € ; réduc.* Roma Pass. *En cas d'expo temporaire (fréquente !), le tarif peut passer à 13 €, mais le temps de visite, lui, n'augmente pas ! Audioguide (vivement recommandé : en français et passionnant) : 5 €. Attention, si vous avez un sac, n'oubliez pas votre ticket d'entrée dedans (il sera demandé par le préposé...)*

Construite en 1613, cette résidence était à l'origine un simple pied-à-terre « politico-commercial » pour la famille Borghèse, originaire de Sienne ! Elle connut rapidement une tout autre destinée grâce au cardinal Scipion Borghèse. Neveu du pape Paul V Borghèse (élu en 1605), il consacra plus de 25 ans de sa vie à rassembler l'une des plus importantes collections d'œuvres d'art d'Italie, voire du monde. Doué d'un flair extraordinaire, il prit sous son aile le Bernin, le Caravage, Rubens, Guido Reni, le Dominiquin, etc., achetant parfois pour une bouchée de pain des œuvres dont personne ne voulait. Plus qu'une entreprise de mécénat géniale, sa villa devint la véritable école d'un art nouveau : le baroque romain, qui allait se répandre dans toute l'Europe.

Par une extraordinaire intuition, le cardinal Scipion Borghèse institua, peu avant sa mort, en 1633, le *fidéicommis,* acte interdisant la dispersion de sa collection. Cela n'a malheureusement pas empêché Napoléon de se servir allègrement. Le jeune Camille Borghèse, qui avait épousé Pauline Bonaparte en 1803, fut en effet « invité » à céder à son impérial beau-frère 504 pièces de sa collection archéologique pour payer les conquêtes et... étoffer les collections du Louvre. En 1903, l'État italien racheta l'ensemble des œuvres restées à Rome.

La galerie compte parmi les plus beaux musées du monde. Les œuvres d'art sont exposées plus ou moins comme elles l'étaient à l'origine, et les visiteurs ont par conséquent l'impression d'être invités chez les Borghèse. Devant l'énorme succès public, l'accès à la galerie a dû être strictement réglementé en nombre de visiteurs

À VOIR

et en temps. Pour découvrir les œuvres dans les meilleures conditions possibles, nous vous suggérons (tout comme nombre de guides-conférenciers) de faire la visite à l'envers de l'ordre classique. Nous verrons donc d'abord la pinacothèque afin d'être sûr de profiter des 30 mn imparties sans risquer de « perdre » trop de temps au rez-de-chaussée !

La pinacothèque (à l'étage)

Les numéros que nous indiquons sont ceux de l'audioguide qui fait commencer la visite par la *salle 14.*

– *Salle 14 : galerie Lanfranco,* deux bustes du cardinal-neveu réalisés par le Bernin, à première vue identiques, mais le marbre de l'un comportait un défaut qui a contraint l'artiste à revoir sa copie... en 3 jours. Parvenir à autant d'expressivité (rides, détails de la cape, etc.) fut une véritable révolution. Tout aussi impressionnant, un petit *Faune* que l'artiste sculpta à l'âge de 11 ans ! Notez également la statue équestre de Louis XIV en terre cuite, modèle de celle que l'on voit aujourd'hui à l'Orangerie de Versailles.

– *Salle 15 : Cène* presque « paysanne » de Bassano, l'une des plus originales que nous ayons jamais admirées. Une récente restauration a rendu toute sa vivacité à ce chef-d'œuvre du maniérisme. Le Christ, le regard dans le vide, caresse distraitement la chevelure de saint Jean, représenté en éphèbe somnolant, tandis que les apôtres, aux pieds nus et légèrement éméchés, s'agitent autour de lui. Plutôt audacieux pour l'époque. Et puis notre prix du plus fin visage va à l'ange de *Tobie et l'Ange* de Girolamo Salvodo (sans mentionner le beau travail sur les plis). Quant à l'*Éros endormi* d'Algardi (grand rival du Bernin) en marbre antique des Ardennes, il sera abondamment copié.

– *Salle 17 :* on y trouve le *Buveur* de David Teniers le Jeune et une jolie *Madone et l'Enfant* de Sassoferrato.

– *Salle 18 :* la géniale *Pietà* (ou *Pianto sul Christo morto*), peinte par Rubens, en 1602, lors de son premier séjour à Rome. La lumière qui transperce le ciel évoque ici le travail du Caravage, un contemporain.

– *Salle 19 : Sibilla Cumana* et *Chasse de Diane* du Dominiquin où un personnage caché dans les buissons loue, d'un doigt posé sur ses lèvres, les vertus du silence. Fascinant *Énée fuyant Troie* de Barocci, qui dégage une impression de force et de puissance remarquable, dans une luminosité et une richesse chromatique qui influencèrent énormément Rubens, dit-on. Superbe buste d'Algardi.

– *Salle 20 :* une remarquable *Vierge à l'Enfant,* peinte en 1510 par un Giovanni Bellini de 84 ans toujours en forme. Une autre version de ce thème, exécutée à la même époque par le jeune Lorenzo Lotto, est un hommage appuyé à Dürer, qui venait d'effectuer un séjour à Venise. Beau *Portrait d'homme* par Antoine de Messine (1475), l'un des premiers artistes italiens à utiliser la peinture à l'huile, qu'il découvrit au contact des peintres flamands. Elle permettait des couleurs plus subtiles et surtout plus durables que les pigments liés au jaune d'œuf qu'on utilisait jusqu'alors. On retrouve également les fameux verts de Véronèse dans la *Prédication de saint Jean-Baptiste.* Mais le must de cette salle, c'est *L'Amour sacré et l'Amour profane* de Titien (1514), représentés sous les traits de la même femme mais pas dans les mêmes atours : à gauche, elle est vêtue d'une robe de mariée, symbole de l'amour profane ; à droite, sa nudité incarne l'amour sacré. Paradoxal à première vue ! Remarquez comme les paysages à l'arrière-plan reflètent ces différences de nature. Une anecdote : en 1899, les Rothschild voulurent s'offrir le tableau pour quatre millions de lires de l'époque (plus que la valeur de la villa et des autres œuvres d'art !). Mais l'amour pour cette ode à l'Amour fut le plus fort... et il resta à la villa Borghèse, pour notre plus grand bonheur aujourd'hui ! Sur le mur opposé, une toile tardive de Titien, sur le thème de Vénus, témoigne par son effet « impressionniste » de la cataracte qui l'affectait.

– *Salle 9 :* une des plus belles salles. Adorable *Vierge à l'Enfant* du Pérugin, d'où se dégage une suave douceur voilée de tristesse. Extraordinaire *Madone à l'Enfant, avec saint Jean et anges* de Botticelli, où l'on retrouve l'extrême délicatesse des traits et l'élégance des poses qui caractérise ce peintre. Admirer aussi un des plus beaux Fra Bartolomeo, une *Adoration* au prodigieux clair-obscur avec, en fond, un paysage à la Vinci. Deux Raphaël majeurs : la *Dame à la licorne* et une fascinante *Déposition* (1507) où le mouvement du Christ rappelle celui de la *Pietà* de Michel-Ange.

– *Salle 10 : Danae* du Corrège, d'un maniérisme suave et sensuel, baignant dans de subtiles variations de lumière. Le *Paysage avec dame et cavaliers* (ou la *Chasse au cerf*) de Nicolò Dell'Abate nous emmène dans le bucolique fantastique. Dans *Venere ed Amore* de Lucas Cranach le Vieux, noter ce corps longiligne, peu sexué et voilé d'une délicate gaze. Pour beaucoup, à l'époque, la nudité représentait la pureté. Le petit amour semble s'être fait doucement gronder pour avoir volé le gâteau de miel. Superbe plafond restauré, rehaussé des aigles et dragons dorés, emblèmes des Borghèse.

– *Salles 11, 12 et 13 :* profusion d'œuvres de Garofalo, Francesco Francia, Domenico Puligo (*Sacra Familia* d'une finesse de traits extra), Vivarini, Lorenzo Lotto *(Portrait de Mercurio Bua)*, Sodoma, Beccafumi, Mazzolino *(Saint Thomas)*.

La demi-heure est déjà dépassée, vite, on file en bas ! Pour ne pas perdre de temps, emprunter le petit escalier en colimaçon.

Au rez-de-chaussée

Là, c'est un peu le bazar, dans l'esprit de la présentation des œuvres à l'époque des Borghèse. En plus, l'étrange numérotation des salles se poursuit puisqu'on commence par la n° 4 (en gras, numéros de l'audioguide).

– *Salle 4* ou *salle des Empereurs* ***(7)*** *:* le festival Bernin commence avec le *Rapt de Proserpine.* Quelle force, quelle sensualité ! Quasi la perfection. Se mettre du côté du chien à trois têtes (Cerbère), d'où l'on ressent le mieux l'incroyable énergie de la scène. En repoussant Pluton, la main de Proserpine déforme son visage, tandis que les doigts de ce dernier s'enfoncent dans sa chair.

– *Salle 5* ***(8)*** *:* on y trouve l'*Hermaphrodite,* en marbre de Paros, du Ier s de notre ère. Chute de reins sublime. À l'origine, un mécanisme faisait tourner l'ensemble. Scènes de pêche en mosaïque du IIe s av. J.-C. Comme dans la plupart des salles suivantes, vous remarquerez que le plafond reprend le thème de la statue, ici l'union de deux corps amoureux...

– *Salle 6* ***(9)*** *:* intéressant *Énée fuyant Troie* du Bernin. On racontait dans les salons de l'époque que l'artiste était encore très influencé par la manière du papa sculpteur. On n'en voudra pas au jeune Bernin qui n'avait guère que 21 ans ! Énée porte son père Anchise qui conserve les précieuses Pénates (les divinités de la famille), tandis que le petit Ascagne sauve le feu sacré du foyer. Magnifique rendu des corps de ces trois générations, particulièrement sensible quand on se place derrière la statue.

– *Salle 7* ***(10) :*** dite aussi « salle égyptienne », elle lança la mode de ce type de décoration. Dans l'Antiquité, l'Égypte était une colonie romaine et une communauté égyptienne vivait dans la capitale : tout cela facilita les trouvailles quelques siècles plus tard ! Au sol, splendide mosaïque du IIIe s. Grande statue d'Isis en marbre noir du IIe s apr. J.-C., duo de sphinx faussement identiques (observez le sourire !) et corniche retraçant la vie d'Antoine et de Cléopâtre. Par la fenêtre, on peut admirer le jardin secret de la villa, agrémenté d'une volière du XVIIe s.

– *Salle 8* (l'audioguide reprend ici une numérotation par œuvre) *:* un vrai miracle, on y découvre 6 des 12 toiles du Caravage qui appartenaient à la collection d'origine ! Et pas des moindres... Le maître du clair-obscur utilise ici la lumière au maximum pour suggérer la profondeur. On est également frappé par la violence et la qualité dramatique de ses œuvres. Pour la petite histoire, la *Madonna dei palafrenieri* ou *au serpent* fut retirée au bout d'un mois d'un des autels principaux de Saint-Pierre. Elle indisposait le clergé et nombre de fidèles, moins pour les formes généreuses de Marie que par son pied qui recouvre et guide celui de l'enfant, afin d'écraser un serpent, et lui apprendre ainsi à reconnaître le Mal. Comme si le fils de Dieu avait besoin d'une telle leçon ! Fabuleux *Saint Jérôme* (1605) où le patron des traducteurs se concentre sur sa transcription latine de la Bible, dans une sorte de course contre le temps, le crâne posé sur sa table rappelant la précarité de la vie.

– *Grand salon d'entrée* **(1 et 2)** : décor époustouflant. Au plafond, la *Glorification de Rome*. Les remarquables trompe-l'œil dans les coins ne vous auront pas échappé. Ni, bien sûr, ce vertigineux cheval que l'on jurerait surgi du mur. Il date de l'époque hellénistique, mais le cavalier fut rajouté par Pietro Bernini, le père du Bernin. Superbes *Combats de gladiateurs* en mosaïque (V^{e} s apr. J.-C.). Ces mosaïques sont d'ailleurs un intéressant témoignage, puisqu'elles mettent en exergue un type de combat insolite : les gladiateurs sont équipés de bâtons en fer chauffés et sont censés toucher les ceintures métalliques des adversaires. Jetez un œil sur la galerie extérieure et ses statues antiques.

LA TÊTE DU CARAVAGE

Suite à une sombre histoire de meurtre, le Caravage en fuite décide de demander sa grâce au pape. Pour l'amadouer, le peintre offre un tableau intitulé David avec la tête de Goliath, *aujourd'hui exposé dans la salle 8 de la galerie Borghèse. En fait, la tête de Goliath est un autoportrait de l'artiste qui manifestait là un certain sens de l'humour ou de l'ironie, sa propre tête ayant été mise à prix ! La grâce fut finalement accordée, mais, pas de chance, l'artiste mourut avant de pouvoir jouir de cette liberté.*

– *Salle 1* **(3)** : la célèbre *Pauline Borghèse* de Canova (1805). On a tout dit, tout écrit sur cet archétype de la sculpture néoclassique : la finesse du marbre, l'élégance de la posture, la pose à demi nue, très osée à l'époque pour une personnalité de cette importance. Remarquer que c'est de dos qu'elle se révèle la plus belle. D'ailleurs, un mécanisme faisait tourner madame, permettant à ses admirateurs de la détailler sous toutes les coutures sans se déplacer. Jeter un coup œil appuyé aussi sur l'*Herm de Bacchus* de Luigi Valadier (1773) et, surtout, sur le bas-relief figurant la *Fureur d'Ajax* (330 av. J.-C.), au fort beau mouvement des drapés.

– *Salle 2* **(4)** : *David,* une œuvre de jeunesse du Bernin (il avait 25 ans), sculptée en 1624. Pour exprimer la tension de l'effort sur le visage, il se serait inspiré de son propre visage quand il cognait dans le marbre. À côté, beaux sarcophages grecs du IIe s. Plafond remarquable.

– *Salle 3* **(5)** : on termine en beauté avec un chef-d'œuvre absolu, commandé par Scipio Borghèse au jeune Bernin : *Apollon et Daphné* (1622-1625). Pour échapper à un Apollon ensorcelé par sa beauté, Daphné se transforme progressivement en laurier (*daphné* en grec). Une nouvelle fois, l'art du Bernin s'illustre par l'incroyable légèreté de ses figures. En même temps, la douloureuse métamorphose végétale de la déesse est saisissante et on est bouleversé par le spectacle de cet amour impossible. Borghèse, qui attendait d'une œuvre qu'elle provoque *stuppore* et *malavilia* (stupeur et admiration) ne put qu'être comblé par un tel talent.

🏛🏛🏛 ***Museo nazionale etrusco della villa Giulia*** *(Musée étrusque de la villa Giulia ; plan général C1)* **:** *piazzale di Villa Giulia, 9.* ☎ *06-32-26-571.* ♿ *Bus (ou trams) n°s 19, 52, 926... Sinon, env 15 mn à pied depuis la galerie Borghèse. Mar-dim 8h30-19h30. Fermé 1er janv et 25 déc. Entrée : 4 € ; réduc ;* Roma Pass. Un des plus beaux musées étrusques d'Italie, très confortablement installé dans l'ancienne résidence d'été du pape Jules III. Car la bâtisse ne manque pas de panache : sur la façade de 1552, l'entrée reprend la forme d'un arc de triomphe, tandis que de grands architectes, dont Michel-Ange, participèrent à la conception des jardins. Cour exceptionnelle notamment, flanquée d'une galerie en arrondi dont les voûtes sont décorées de fresques. Quant à la collection, principalement constituée d'objets provenant de sites majeurs comme Cerveteri ou Palestrina, elle passionnera tous ceux qui s'intéressent à cette lointaine civilisation. Ne pas rater les sculptures de Véiès dont le célèbre Apollon et, surtout, le magnifique sarcophage des Époux (VIe s av. J.-C.) ainsi que le superbe *ciste Ficoroni,* coffre de mariage en bronze décoré du IVe s av. J.-C. Également de très belles pièces de bronze (boucliers, armes, casques, statuettes...), une somptueuse collection de céramiques noires et une section regroupant des bijoux de toute beauté.

Galleria nazionale d'Arte moderna e contemporanea *(galerie nationale d'Art moderne et contemporain ; plan général D1-2)* **:** *via delle Belle Arti, 131. ☎ 06-32-29-81. • gnam.arti.beniculturali.it • ♿ Ⓜ Flaminio (ligne A). Tram n° 3 ou 19 ou, à la rigueur, bus n°s 88, 95, 490 ou 495. Depuis la galerie Borghèse, env 10 mn à pied. Mar-dim 8h30-19h30. Entrée : 10 € ; réduc ;* Roma Pass.
Œuvres du XIXe s à nos jours dans un édifice imposant de style néoclassique. Grandes salles lumineuses, excellente muséographie et présentation des œuvres lisible. Certes, pas mal de pompiers et de peintres historiques assez hilarants, mais il faut les resituer dans leur contexte, et de toute façon, ils ont toujours quelque chose à raconter. En outre, beaucoup d'artistes se révèlent de très bons techniciens.
Dans la *sala del Giardiniere,* tout de même une statue de Bourdelle *(Héraklès archer)* et un panorama intéressant de la peinture moderne avec une œuvre de chacun de ces artistes : Courbet, Degas, Monet, Cézanne, etc. Parmi les plus notables, retenons *L'Arlésienne, Madame Ginoux* et *Le Jardinier* de Van Gogh.
L'étage supérieur est consacré à l'art du XXe s. Dans la salle à droite des escaliers, *Les Trois Âges* de Klimt. Ensuite, on remarque des toiles divisionnistes de Balla, l'un des chefs de file du mouvement futuriste italien, comme *La Pazza* (*La Folle,* 1905). Quelques tableaux Belle Époque de Boldini précèdent une salle dédiée à l'avant-gardisme : florilège de Modigliani, Van Dongen, Braque, Mondrian... Ensuite, avec le dadaïsme de Marcel Duchamp, vous comprendrez toute la signification de la maxime « Fontaine, je ne boirai pas de ton eau ». Enfin, gardez un peu d'énergie pour une série de Giorgio de Chirico.

À propos, le ***caffè delle Arti,*** accessible de l'extérieur *(via Antonio Gramsci, 73 ; tlj 7h45-0h30, jusqu'à 19h ven),* se révèle un superbe lieu pour boire un verre et éventuellement manger un petit quelque chose. Immense volume lumineux dans la salle, superbe terrasse dotée d'un comptoir de marbre sculpté, tête de lion et fresques sur fond blanc et beige du plus bel effet. Bon choix de gâteaux, *cheesecake, lemon pie, millefoglie, zabaione caldo,* etc. Sandwichs divers. Mais attention, les prix doublent entre le comptoir et les tables. Accueil pas aimable.

Explora – museo dei Bambini *(musée des Enfants ; plan général C2)* **:** *via Flaminia, 82-86. ☎ 06-36-13-776. • mdbr.it • Parcours et animations tlj sf lun à 10h, 12h, 15h et 17h ; horaires réduits en août. Entrée : enfant 7 € ; adulte 6 € ; le jeu ap-m, c'est fête : 5 € slt pour tt le monde !* Installé dans un ancien dépôt de bus, le musée recrée une ville miniature. Les enfants découvrent le monde de leurs yeux émerveillés, mais aussi de leurs mains, à travers des ateliers ludiques et didactiques. L'exposition s'articule autour de quatre grands thèmes : le « moi » (naissance, santé et anatomie, avec, entre autres, une bouche à faire pâlir Gargantua), la vie en société (les métiers, le cycle économique, de la planche à billets au supermarché), l'environnement (risques domestiques et écologie) et les moyens de communication (avec une vraie régie TV pour présenter la météo). L'ensemble est bien conçu, et les adultes ne manqueront pas de se piquer au jeu comme leurs bambins.

La villa Médicis *(villa Medici ; plan général D2)* **:** *viale della Trinità dei Monti, 1. ☎ 06-67-611. • villamedici.it • Ⓜ Spagna (ligne A). Bus n° 116. À pied : de la piazza di Spagna, grimper les marches pour la Trinità dei Monti, puis à gauche. Visite guidée tlj : nov-mars à 10h30, 11h45, 14h et 15h15 ; avr-oct à 9h45, 10h30, 11h45, 15h, 16h15 et 17h30. Entrée : 8 € ; réduc. Visite de 50 mn env en français. Voir également « Adresses et infos utiles. Institutions ». Possibilité également de découvrir le site lors des manifestations culturelles (expo, concerts, etc. ; programme sur le site internet).*
Bâtie au XVIe s pour le cardinal Ricci di Montepulciano à l'emplacement des jardins de Lucullus, elle devint peu de temps après la propriété d'un autre cardinal, Ferdinand de Médicis (1549-1609). Celui-ci la transforma en véritable palais-musée avant de la vider de ses collections à l'occasion de son retour à Florence, en 1587. L'Académie de France s'y installe en 1803 et y accueille depuis lors des artistes

triés sur le volet le temps qu'ils réalisent leur projet. De nos jours, ils sont 24 artistes francophones à y passer de six mois à deux ans maximum, consacrés à la musique, la littérature, aux arts plastiques, au cinéma... et même aux arts culinaires... Les beaux jardins, où les heureux pensionnaires de la villa trouvent l'inspiration, contrastent avec l'austérité de la façade.
La visite s'intéresse tout d'abord à l'architecture des lieux, et détaille tout particulièrement la façade intérieure (côté jardin). Plus intime, elle se révèle très différente de la façade sur rue, puisqu'elle est l'œuvre de l'architecte commandité par Ferdinand de Médicis, le Florentin Ammanati. Comme souvent à Rome, une bonne partie de ses bas-reliefs provient du pillage de monuments romains : les armes des Médicis (au-dessus de l'arche) paraissent bien isolées parmi les panneaux des Ier et IIe s apr. J.-C. et les deux superbes guirlandes de pierre « empruntées » à l'Ara Pacis ! Vous reconnaîtrez par ailleurs, au centre de la fontaine, un élégant Mercure (protecteur des arts et messager des dieux, mais aussi patron des voleurs et des marchands), œuvre de Jean de Bologne. La visite se poursuit dans les jardins, à l'italienne évidemment, bien qu'une partie de la propriété accueille un véritable bois réservé à la chasse à l'époque des Médicis. Insolite. Statues et fontaines ne manquent pas de charme, mais il faut savoir qu'il ne s'agit quasiment que de reproductions. Idem pour le groupe des Niobides, retrouvé enfoui en 1964 et aujourd'hui exposé à la Galerie des Offices de Florence.
C'est finalement le petit ***studiolo,*** dont les fondations reposent sur le mur d'Hadrien, qui est le clou de la visite, depuis qu'une pensionnaire, suivant une intuition géniale, redécouvrit en 1985 les magnifiques fresques cachées sous les enduits... La première pièce est animée du sol au plafond par la reconstitution d'une treille-volière peinte par l'artiste maniériste Jacopo Zucchi vers 1577 : on y découvre les premières représentations de certaines espèces venues des Amériques, comme le dindon, l'oiseau de paradis, ou l'ancêtre du maïs. Les fresques de la seconde salle présentent en revanche des grotesques sur le thème des quatre saisons et des fables d'Ésope, ainsi que d'intéressantes représentations de la villa Médicis à trois époques différentes.
Enfin, n'oubliez pas de découvrir le magnifique panorama sur Rome depuis la terrasse et n'hésitez pas à profiter, au 1er étage de la villa, de la cafétéria : l'occasion de découvrir d'autres belles salles et de siroter un café dans un cadre privilégié !

À l'est de la villa Borghèse

Villa Torlonia *(plan général F2)* **:** *entrées par les vie Spallanzani, 1a, via Nomentana, 70 et via Siracusa. Tarif : 6,50 € ; réduc ;* Roma Pass. C'est un parc agréable qui peut faire l'objet d'une petite balade et d'un pique-nique. On y trouve notamment une maison blanche appelée *Casino Nobile* et qui fut la résidence de Mussolini, le *pavillon des Chouettes* (une extravagante petite demeure), un vieux théâtre en restauration et une cafétéria-resto avec une belle terrasse.

MACRO *(Museo d'Arte Contemporanea ROma ; plan général E2,* ***425****)* **:** *via Reggio Emilia, 54. ☎ 06-67-10-70-423. • macro.roma.museum • ♿ Tlj sf lun 9h-19h (9h-14h les j. fériés). Entrée : 1 € (pour les expos).* C'est le siège du musée d'art contemporain romain dont « l'annexe » est le MACRO Future, dans la plaine du Testaccio (voir cette partie). Nombreuses expositions temporaires.

À l'ouest de la villa Borghèse

MAXXI *(Museo nazionale delle Arti del XXI secolo ; hors plan général par B1,* ***426****)* **:** *via Guido Reni, 4A. ☎ 06-321-90-89. • fondazionemaxxi.it • info@fondazionemaxxi.it • Ⓜ Flaminio. Bus 53, 217, 280. Tlj sf lun 11h-19h (nocturne le jeu jusqu'à 22h). Entrée : 11 €.*

Le MAXXI est, avec le MACRO, l'un des seuls musées contemporains de la ville. Après des années de tribulations administratives, cet énorme bâtiment 30 000 m² a enfin été inauguré en juin 2010. Construit sur les anciennes casernes de la ville, le musée aux courbes d'acier et de béton dénote avec le quartier populaire de Flaminio. À l'intérieur, on est frappé par ses imposants escaliers noirs et ses murs immaculés. Le squelette géant à l'entrée n'est pas en reste non plus. Certes, l'architecte Zaha Hadid, anglaise d'origine irakienne, a vu les choses en grand, reste à savoir si les romains et les touristes apprécieront. Plus qu'un musée, le MAXXI se veut un lieu de culture, d'échanges et d'expos temporaires.

LE TRASTEVERE *(plan centre B-C4-5)*

➢ ***Accès :*** *à pied du centre historique, c'est une tte petite promenade, très agréable d'ailleurs. Autre possibilité, prendre le tram n° 8 sur le largo Torre Argentina. Circulant 5h10-minuit, il permet de gagner le Trastevere et même, au-delà, le quartier Monteverde et la villa Doria Pamphilj (terminus : Casaletto). Sinon, bus nos 23, 44, 280... Bon à savoir, le minibus n° 115 fait le tour du Trastevere.*

Un peu d'histoire

– ***À l'époque de la République romaine :*** la région transtibérine ne s'urbanisa qu'à l'époque de César. La proximité du port de Rome (voir « La plaine du Testaccio ») joua pour beaucoup dans cette évolution et dans l'appartenance sociale des premiers résidents du Trastevere. Le caractère populaire du quartier s'affirma immédiatement. Une foule d'artisans y élut domicile dans de vilaines masures qui contrastaient avec les riches villas environnantes (*villa Farnésine, jardins de César,* puis *naumachie d'Auguste* notamment).
– ***À l'époque impériale :*** le Trastevere faisait partie, au même titre que le Janicule et le Vatican, de la dernière des 14 régions augustéennes. Il faudra, cependant, attendre le IIIe s et le mur d'Aurélien pour que le quartier soit totalement intégré à la ville de Rome. Tout au long de la période impériale, d'importantes colonies étrangères s'y implantèrent. C'est ici, d'ailleurs, qu'habitèrent les juifs de l'Antiquité au Moyen Âge, avant que le pape Paul IV ne leur assigne en 1555 la zone actuelle du Ghetto pour seul lieu de résidence. C'est après la démolition de ce dernier, en 1887, qu'ils retrouvèrent le Trastevere.
– ***Le port de Ripa Grande*** *(porto di Ripa Grande)* **:** le Trastevere fut depuis ses origines jusqu'à la fin du XIXe s un bourg maritime dont les places et les ruelles (à l'emplacement notamment de l'actuel *lungotevere Ripa*) étaient envahies d'embarcations de tous genres. Un grand arsenal naquit dans les parages. La démolition de la zone portuaire remonte à la fin du XIXe s, au moment de la construction des berges.
À travers les siècles, le quartier a su garder son caractère populaire, voire populeux, ainsi qu'un habitat propre – architecture distincte de celle que l'on rencontre ailleurs dans Rome. Le Trastevere conserva longtemps l'aspect d'un faubourg. Aujourd'hui encore, à certaines heures, débarquant dans le coin pour la première fois, on a l'impression de se retrouver dans une paisible ville de province, ce qui n'est pas le moindre de ses charmes.
– ***Le Trastevere aujourd'hui :*** les Trastévérins prétendent pourtant avoir le mieux conservé le sang romain originel. Hier encore exclusivement occupé par la classe ouvrière, le Trastevere s'est complètement métamorphosé ces dernières années, comme en témoigne la multiplication des restaurants, bars à vins et autres endroits de sortie qui symbolisent la transformation du quartier. Aussi le Trastevere est-il aujourd'hui socialement divisé entre ses habitants traditionnels, appartenant aux couches populaires (de moins en moins nombreux), et ses nouveaux habitants qu'on pourrait qualifier de « bobos ».

Un chiffre permet de mesurer l'ampleur des changements intervenus ces cinquante dernières années : le nombre d'habitants. Au lendemain de la dernière guerre, 55 000 habitants peuplaient le Trastevere, contre 15 000 seulement aujourd'hui.
Si le quartier connaît depuis 10 ans une pression immobilière due notamment à l'Université américaine John Cabot qui a acheté plusieurs immeubles, il serait exagéré de prétendre qu'il ne reste plus rien du Trastevere populaire. Il suffit pour s'en persuader de se promener dans les artères situées derrière la via della Scala, comme les vie del Mattonato et Leopardo, toujours hautes en couleur (avec le linge à sécher suspendu) et pleines de senteurs (celles des plats servis notamment dans les gargotes des *vicoli*). Idem pour le coin de la piazza dei Renzi ou les environs de la piazza in Piscinula (via dei Vascellari notamment). Et, pour finir, on ne peut que vous inciter à lire les *Nouvelles romaines* de Moravia, qui décrivent l'ambiance de cette Rome populaire méconnue.

Les visites

Il y a trois manières d'entrer dans le Trastevere en venant du centre historique. Si l'on arrive par le tram n° 8 en provenance du largo Torre Argentina, on traverse le Tibre au niveau du pont Garibaldi et on descend sur le viale di Trastevere, une grosse artère encombrée et sans charme mais très centrale. Une promenade à pied sympa consiste à passer par les plus vieux ponts de Rome qui enjambent l'île Tibérine, les *ponts Fabricio* et *Cestio*. On arrive alors dans la partie est du Trastevere. Enfin, on peut emprunter le pont Sisto, à l'ouest du quartier, si l'on souhaite arriver directement piazza Trilussa, à proximité de la porta Settimania et de la villa Farnesina. Une autre façon de découvrir le Trastevere consiste à y aller pour dîner comme de nombreux Romains. Ici plus qu'ailleurs, vous y découvrirez à la belle saison l'*immancabile mangiata all'aperto* (faut-il traduire ?).

***Torre degli Anguillara** (plan centre C4) **:** face au pont Garibaldi, dans un environnement urbain peu agréable.* Abrite aujourd'hui les locaux réservés aux études sur Dante dont une partie des cendres – égarées depuis 1929 – ont été miraculeusement retrouvées en 1999 sur une étagère de la bibliothèque nationale de Florence. Le palais est du XVe s, mais la tour est du XIIIe s. Un des vestiges de la Rome médiévale avec la *torre dei Milizie.*

***Chiesa San Crisogono** (plan centre C4) **:** piazza Sydney Sonnino, 44.* Basilique de fondation ancienne remaniée au goût du jour en 1624. L'intérieur se distingue notamment par ses colonnes antiques de réemploi et son magnifique pavement cosmatesque. Admirez les stalles sculptées du XIXe s. Belle lumière en journée.

***Viale di Trastevere** (plan centre C5)* **:** autrefois viale del Re. La colonne vertébrale, la voie de circulation du quartier. Long, bruyant et vilain comme le ministère de l'Instruction publique ou encore l'inutile palazzo degli Esami qui le bordent, il n'invite guère à la flânerie, contrairement aux parties du Trastevere se trouvant à droite ou à gauche de celui-ci.

***Villa Sciarra** (plan général et plan centre B5) **:** entrée au n° 45, via Dandolo ou en face de la via Nicolo Fabrizi, un peu plus haut, via Calandrelli, 23. Bus n°s 44 et 75 (le n° 44 surtout, qui passe par Indipendenza, Termini, piazza Venezia, Trastevere, via Dandolo). Descendre via Dandolo.* Une des plus secrètes de Rome, coincée contre l'ancienne muraille, au fin fond du Trastevere. Superbe jardin s'étageant sur une colline. Tout en haut, une villa (qui abrite un institut d'études germaniques et ne se visite pas). Plantes exubérantes, bassins glougloutants, buissons taillés en forme d'animaux, nombreuses statues patinées et mutilées.

***Via della Lungaretta** (plan centre C4)* **:** elle permet de rejoindre la piazza S. M. in Trastevere depuis la piazza Sydney Sonnino. De l'autre côté de l'avenue du Trastevere, elle court jusqu'à la piazza in Piscinula. Elle correspond à une partie de l'antique via Aurelia qui poursuit son petit bonhomme de chemin jusqu'en France,

À VOIR

l'air de rien... Bordée de nombreux restaurants et bars, c'est l'une des rues les plus vivantes dès la tombée de la nuit. Constitue une belle entrée en matière pour parvenir jusqu'au cœur du Trastevere.

Piazza Santa Maria in Trastevere *(plan centre C4)* **:** c'est le cœur du Trastevere, où convergent les deux grandes voies historiques du *« rione »,* la via della Lungara et son prolongement la via della Scala, et la via della Lungaretta. Lieu de retrouvailles des familles en quête de fraîcheur (le *ponentino* y dispense en effet généreusement son souffle rafraîchissant) ; vous y verrez les « derniers » enfants du quartier s'adonnant aux jeux de leur âge et l'une des plus anciennes fontaines de Rome. Ailleurs sur les terrasses, une foule en partie étrangère sirote sa boisson préférée en contemplant la superbe basilique S. M. in Trastevere ou la non moins belle façade du palais voisin (palazzo San Calisto).

Basilica Santa Maria in Trastevere *(basilique Santa Maria in Trastevere ; plan centre C4)* **:** *piazza Santa Maria in Trastevere. Tlj 7h30-13h, 16h-19h.*
La première église construite à Rome (par le pape Calixte III) et la première dédiée à la Vierge. L'une des plus jolies aussi, s'ouvrant sur une agréable place. L'édifice actuel date du XIIe s, et les remaniements ordonnés par Innocent II (basilique à trois nefs, matériaux importés des thermes de Caracalla) n'en ont pas altéré l'aspect. En façade, mosaïque de la même époque représentant le Christ, la Vierge et Innocent II lui-même présentant son projet de basilique remaniée ! On le retrouve d'ailleurs à l'intérieur, dans l'abside. Notez, tout en haut, le campanile roman avec sa petite mosaïque de la Vierge datant du XVIIe s. À l'entrée, fragments lapidaires et deux *Annonciations,* assez abîmées, du XVe s. À l'intérieur, nef bordée de colonnes antiques à chapiteaux ioniques ou corinthiens. C'est le Dominiquin qui dessina le superbe plafond à caissons dorés et réalisa l'*Assomption* au milieu. Voir aussi le beau pavement cosmatesque. Remarquables mosaïques dans l'abside (ne pas hésiter à mettre 50 centimes dans le tronc pour 3 mn d'éclairage !). Dans la partie supérieure, le Christ et la Vierge sur le même trône et, dans la partie inférieure du XIIIe s, une œuvre de Pietro Cavallini. Six panneaux peints illustrant la vie de la Vierge (*Naissance, Annonciation, Nativité, Épiphanie, Présentation au Temple* et *Dormition*). À droite, sous le podium de l'autel, le *fons olei* fait allusion au miracle à l'origine de la construction de la première église : en effet, du pétrole aurait jailli à cet endroit en 38 av. J.-C., interprété plus tard comme une annonce de la venue du Messie ! À gauche de la nef, chapelle baroque de Gherardi, dont les effets de perspective évoquent Borromini. Avant de partir (près de l'entrée, à droite), jeter un œil à la statue de saint Antoine de Padoue, noyée dans la masse de vœux déposés à ses pieds...

De S. M. in Trastevere, vous remonterez jusqu'à la piazza di San Egidio, avant de prendre la via della Scala. Un des palais bordant cette belle placette abrite le ***museo di Roma in Trastevere*** *(tlj sf lun 10h-20h ; entrée : 5,50 € ; expos permanentes et temporaires sur l'histoire de Rome).*

Via della Scala *(plan centre B-C4),* l'**église Santa Maria della Scala** borde un des côtés de la place. *Tlj 9h-12h, 15h30-19h.* L'église Sainte-Marie-de-l'Escalier (eh oui, c'est son nom !) fut construite de 1592 à 1610 pour accueillir une image miraculeuse de la *Vierge avec l'Enfant* peinte... sous l'escalier d'une maison voisine. Daignez vous risquer à l'intérieur de l'église, elle vaut le coup d'œil, notamment pour ses nombreux marbres importés d'Orient, qui couvrent aussi bien les murs que le sol. Notez les nombreux lustres qui encadrent le chœur. C'est ici qu'en entrant un peu par hasard, Dominique Fernandez (fils du critique Ramón Fernandez et écrivain lui-même) tomba en admiration devant un ange de marbre perché au bord d'un demi-fronton cintré dans les hauteurs de la nef (voir son livre *La Perle et le Croissant*).
En sortant de l'église, juste à gauche, vous tomberez nez à nez avec une belle et vieille ***pharmacie du XVIIe s,*** située dans une ancienne dépendance des carméli-

tes (les plantes médicinales poussaient dans les jardins attenants à l'église). On peut entrer pour jeter un œil à la verrière et aux peintures (plantes médicinales sous les arcades).

LES RAVAGES DU CARAVAGE

L'église Santa Maria della Scala se rendit célèbre pour avoir refusé une des peintures les plus célèbres du Caravage, La Mort de la Vierge. *Celle-ci, représentée les pieds nus, les jambes enflées et le corsage délié en compagnie d'une femme du peuple, le tout sous une lumière éclatante, avait en effet de quoi froisser les carmélites. Surtout, la prostituée qui avait servi de modèle fut retrouvée dans le fleuve, suicidée et enceinte... Ça faisait vraiment beaucoup d'outrages, M. le Caravage ! Cette toile se trouve aujourd'hui au musée du Louvre.*

Le Trastevere populaire : les *vicoli* situés entre la via della Scala et la via G. Garibaldi permettent de découvrir un autre visage du Trastevere, le visage populaire. Arpentant les ruelles de cette zone, vous aurez le sentiment de faire un plongeon dans le passé de cette ville... ou bien de retrouver un peu de l'atmosphère des quartiers populaires du vieux Naples.
Au-delà de la *porta Settimiana* (un bout du rempart d'Aurélien), vous pénétrerez dans une zone radicalement différente qui vous permettra de gagner à pied Saint-Pierre et la zone du Vatican.

***Via della Lungara** (plan centre B3-4)* **:** autrefois connue sous le nom de via Sancta par les pèlerins qui la parcouraient pour rejoindre Saint-Pierre, son nom actuel évoque sa longueur, inhabituelle pour Rome (plus de 1 000 m). Elle court majestueusement comme sa voisine de la rive gauche, la via Giulia, à flanc de colline le long du Tibre, de la porta Settimiana à la porta San Spirito. Son caractère suburbain, autrefois très marqué du fait de l'omniprésence de jardins et de villas dans cette zone, n'a cependant pas disparu (voir la promenade du Janicule et le jardin botanique, ou *orto botanico*).

***Villa Farnesina** (plan centre B4)* **:** *via della Lungara, 230. ☎ 06-68-02-72-68. • lincei.it • Tte l'année, tlj sf dim et j. fériés (plus certains jours à vérifier sur l'agenda), 9h-13h. Entrée : 5 € ; réduc ; gratuit pour les moins de 14 ans accompagnés par les parents. Demander le petit plan en français.*
En 1509, Agostino Chigi, le banquier des papes, commande au célèbre architecte Baldassare Peruzzi (qui construisit également le palais Orsini, sur le théâtre Marcellus) cette magnifique maison de campagne dans le but d'accueillir sa promise. Homme prévoyant, tel un personnage de Molière, il l'avait fait éduquer depuis l'enfance, enfermée dans un couvent, afin d'en faire une épouse parfaite, aucunement distraite ni pervertie, en tout point conforme à ses goûts. Sebastiano Del Piombo et bien sûr Raphaël ont, eux aussi, participé à la décoration de la villa. Il faut dire que Raphaël était le protégé de Chigi et du pape Léon X. Après la mort en cascade des trois hommes (Raphaël et Chigi en 1520, Léon X en 1521), la villa sera rachetée par Alexandre Farnèse vers 1580 et prendra le nom de *Farnesina.* Baldassare a peint bon nombre des fresques du rez-de-chaussée de la villa. C'est le cas des voûtes de la ***salle de Galatée*** sur le thème des constellations et des signes du zodiaque. Sebastiano Del Piombo a représenté des petites scènes inspirées des *Métamorphoses* d'Ovide, ainsi que *Polyphème,* le cyclope amoureux de Galatée. Raphaël, quant à lui, a réalisé pour le banquier un de ses plus grands chefs-d'œuvre : *Le Triomphe de Galatée.* Il représente la nymphe, à moitié nue et surmontant un char marin, entourée de monstres et de créatures mythologiques. Difficile d'imaginer plus charmant, plus délicat. C'est la seule fresque entièrement peinte de la main du maître (la légende raconte qu'il était plus occupé à courtiser la jolie fille du boulanger chez qui il logeait – et qui lui aurait plus tard servi de modèle pour la *Fornarina* – qu'à peindre...). Enfin, c'est à l'atelier de Raphaël que l'on doit les splendides fresques de la salle suivante, la *loggia d'Amour et de Psyché* à cause du plafond qui retrace donc les amours de Psyché. Notez que l'on peut reconnaître

dans les guirlandes végétales de la galerie de nombreux légumes en provenance du Nouveau Monde. Remarquez aussi les faux drapés.

On emprunte ensuite de surprenants escaliers, un peu « nouveau riche » pour l'époque, dont les stucs, restaurés, datent du XVIe s. Le 1er étage est entièrement recouvert de fresques lui aussi. Bien que plus tardives, elles traitent toujours de thèmes mythologiques. Pour la ***salle des Perspectives,*** Peruzzi a réalisé un étonnant décor en trompe-l'œil, un peu sombre mais qui, en s'ouvrant sur la campagne romaine, nous laisse un poignant témoignage de Rome telle qu'elle s'offrait aux yeux de Chigi et de sa jeune épousée. Noter les perspectives qui s'ouvrent sur les côtés, avec les colonnades en trompe l'œil. La perspective « juste » ne fonctionne parfaitement que sous un certain angle, quand on se place au centre, près des fenêtres. En face, les forgerons à poil juste au-dessus de la cheminée évoquent les forges de Vulcain. Symbolique facile mais efficace ! Les graffitis sur les murs sont des souvenirs laissés par les troupes de Charles Quint lors du sac de Rome ! La dernière chambre, la ***salle des Noces,*** est en elle-même un tableau entier qui célèbre les noces d'Alexandre le Grand et de Roxane. Les fresques ont été réalisées par Sodome, un des amis de Raphaël, dont on ne sait, évidemment, s'il a rencontré Gomorrhe... Ensemble remarquable de cohérence. Pour finir, on peut faire une pause dans l'agréable jardin ombragé de la villa.

LE TÉLÉGRAMME DE MICHEL-ANGE À RAPHAËL

Dans la villa Farnesina, plus précisément dans la salle du Triomphe de Galatée, *chef-d'œuvre de Raphaël, notez l'énorme tête d'homme en grisaille, peut-être signée Piombo mais généralement attribuée à Michel-Ange. Disproportionnée par rapport aux autres personnages de la pièce, cette tête serait, selon la légende, un message de Michel-Ange reprochant à Raphaël l'excessive petitesse de ses personnages.*

Galleria nazionale d'Arte antica – palazzo Corsini *(palais Corsini ; plan centre B4)* ***:*** *via della Lungara, 10. ☎ 06-68-80-23-23. • galleriaborghese.it/corsini/it • Tlj sf lun 9h-19h30. Entrée : 4 € ; réduc ; gratuit pour les moins de 18 ans et les plus de 65 ans de l'Union européenne.*

Ce palais fut autrefois la propriété du cardinal Neri Corsini, neveu du pape Clément XII. Il est célèbre pour avoir accueilli la fantasque reine Christine de Suède lors de son séjour à Rome. En 1797, c'est également ici que s'installa Joseph Bonaparte, frère de Napoléon, en tant qu'ambassadeur du Directoire. Le 28 décembre, le général Duphot, qui l'accompagnait, tomba sous les balles d'émeutiers italiens exigeant une intervention française contre le gouvernement du pape. Acquis par l'État en 1884, le palais abrite aujourd'hui la collection d'œuvres d'art des Corsini, réunies dans la *galerie nationale d'Art ancien.* Malheureusement, beaucoup de ces tableaux ont souffert avec le temps. Recouverts, pour la plupart, d'une grosse patine noire, on a de plus en plus de mal à en distinguer les détails et les couleurs. Dommage quand on sait qu'il s'agit d'œuvres de Van Dyck, de Rubens, de Poussin. Voir surtout le *Saint Jean-Baptiste* du Caravage, *Salomé et la tête de Baptiste* de Guido Reni, ou le petit triptyque du *Jugement dernier* de Fra Angelico. Beaucoup de peintures religieuses, de portraits et de scènes mythologiques. Malheureusement, pas mal de toiles sans aucune indication.

Chiesa San Pietro in Montorio *(plan centre B4-5)* ***:*** *via Garibaldi. Tlj 8h30-12h, 15h-16h ; ouv plus tard en cas de mariage (fréquent)...* Au IXe s, on racontait que saint Pierre avait été crucifié en ces lieux. Bon prétexte pour construire une église, complètement remaniée à la fin du XVe s. L'église fut bombardée le 3 juin 1849 par les Français lors de la bataille contre les troupes de Garibaldi. Voir, dans la première chapelle à droite, la *Flagellation* de Sebastiano Del Piombo. À droite de l'église, le *Tempietto,* « le petit temple », aux magnifiques proportions, l'une des premières réalisations de Bramante *(tlj sf lun 9h30-12h30, 14h-18h en été, jusqu'à 16h en hiver)*. De l'esplanade devant l'église, belle vue sur Rome, d'où les fréquents mariages.

La promenade du Janicule *(passeggiata del Gianicolo ; plan centre et plan général B4)* **:** la colline du Janicule, qui domine la ville, tire son nom du dieu Janus (dont l'un des enfants s'appelait Tiber, d'où le nom donné au Tibre). Une des plus belles vues qui soient sur la ville. Essayer d'y aller par temps clair au coucher du soleil. Malgré quelques problèmes de propreté à certains endroits, c'est une véritable bouffée d'oxygène. De même, les ruelles perpendiculaires à la via della Lungara livrent leur pesant de recoins secrets et de charmantes demeures (comme la via degli Orti d'Aliberti). Notre parcours commence après l'église San Pietro in Montorio, mais on peut évidemment la faire dans l'autre sens par la via del Gianicolo. Après l'église, grimper la via Garibaldi, dépasser le monument aux morts et l'ambassade d'Espagne, et s'arrêter à la *fontana Paola*. Magnifique point de vue sur la ville, depuis le jardin botanique, en contrebas, jusqu'à la « Machine à écrire » (le monument à Vittorio Emanuele II) en passant par le Panthéon, la Trinité-des-Monts, la villa Médicis, le palais de justice... Les points de vue s'enchaînent d'ailleurs le long de la promenade bordée de bustes garibaldiens, et ce jusqu'à la grande place où se trouve la statue de Garibaldi à cheval, le regard tourné vers le Vatican (il voulait soumettre le pape !). Là, on n'a plus assez d'yeux sur la Ville éternelle. Les bustes garibaldiens continuent jusqu'à la statue, cette fois, d'Anita Garibaldi, en position d'amazone sur son cheval et l'arme à la main (avec un faux air de John Wayne !). Passer l'anachronique phare offert par les Italiens d'Argentine, complètement tagué, et prendre à droite la rampa della Quercia, un escalier qui aboutit aux restes laborieusement étayés du chêne sous lequel Le Tasse venait méditer (d'où, peut-être, l'expression « mort et étayé »...). Ceux qui ont encore un peu d'énergie peuvent alors redescendre tranquillement de l'autre côté de la colline vers le quartier du Vatican, pas si loin, et enchaîner avec une autre balade.
– On reprend notre parcours par la partie est du quartier.

Piazza in Piscinula *(plan centre C4)* **:** une des places les plus authentiques du Trastevere, malheureusement enlaidie par la présence de nombreuses voitures. Côté Tibre, vous apercevrez de très belles et vieilles maisons du XIVe s remaniées qui appartenaient à la famille Mattei, les potentats locaux. Côté opposé, une toute petite église romane imbriquée dans les habitations. C'est ici qu'habita *saint Benoît de Nursie,* d'où le nom de l'église – San Benedetto de Norcia – avant d'embrasser la vie monastique et de fonder le monastère de Subiaco. Autrefois s'élevait là le plus grand édifice du Trastevere, la *naumachie*, grand bassin construit pour des combats navals au temps d'Auguste (Ier s av. J.-C.). Il servit jusqu'au IVe s et il n'en reste malheureusement aucune trace. Il était pourtant long de 536 m et large de 357 m (contre 275 m de long et 106 m de largeur pour le stade de Domitien). Côté ouest de la place, on note des colonnes de remploi provenant de l'époque antique. Quelques fenêtres à meneaux témoignent de l'influence du début de la Renaissance.

De la piazza in Piscinula, dos au Tibre, portez vos pas à droite de l'église San Benedetto, vers la ***via dell'Arco dei Tolomei.*** Oubliant les vestiges de l'arc, vous apprécierez surtout le côté pittoresque du coin et toujours la même omniprésence de la vigne vierge, qui semble avoir élu domicile dans le quartier. Remontant cette rue jusqu'au bout, vous déboucherez sur la ***via dei Salumi.*** Un peu de l'atmosphère impériale est à palper dans le coin. Quittant la via dei Salumi, vous prendrez, avant d'arriver via dei Vascellari, une ruelle à droite, le charmant ***vicolo dell'Atleta.*** Son nom vient de la statue d'Apoxiomenos de Lisippe – aujourd'hui aux musées du Vatican – que l'on y retrouva en 1849, sous forme fragmentaire il est vrai. Il s'agirait, en fait, d'une copie de la statue en bronze qui se trouvait enfermée dans les thermes d'Agrippa. C'est ici que se trouvait la première synagogue. Très belle maison médiévale aux nos 13 et 14. Vous rejoindrez ensuite la *via dei Genovesi,* que vous suivrez sur la gauche. Au terme de son prolongement (la via Jandolo), vous prendrez sur votre gauche le pittoresque ***vicolo di Santa Maria in Cappella,*** réputée pour être la plus petite église de Rome. Sérieusement remaniée en 1875, elle date de 1090.

Chiesa Santa Cecilia in Trastevere *(plan centre C5) : piazza Santa Cecilia. Tlj 9h-12h30, 16h-18h30.* Elle s'ouvre sur une bien jolie place. Vraiment très chouette, ainsi que le jardin clos devant l'église. Campanile en brique rouge du XIIe s. À l'intérieur, plan à une seule nef. Plafond ouvragé. Sous l'autel, la statue de sainte Cécile (en marbre) sculptée par Stefano Maderno dans la position exacte où l'on retrouva son corps. Fort beau *ciborium.* Dans l'abside, mosaïque du IXe s. Possibilité de visiter la crypte : vestiges lapidaires et mosaïques très anciennes. Réservoirs d'eau circulaires. Pour la visite du *Jugement dernier,* superbe œuvre de Pietro Cavallini, tapez à la porte à gauche de l'église *(accessible slt lun-sam 10h-12h30).*

Piazza dei Mercanti *(plan centre C5) :* son nom est directement lié au port voisin de Ripa Grande. Armateurs, capitaines, commerçants et autres contrebandiers se retrouvaient ici pour traiter de leurs affaires. Aujourd'hui, l'activité prédominante du coin est la restauration. Bon nombre de restos sont installés dans de vieilles demeures. Absolument superbe à la belle saison, quand les façades de ces antiques maisons sont éclairées par des torches. Dans la journée, vous y apprécierez le calme ainsi que les infinies nuances d'ocre de ces vieilles façades décorées de fleurs.

Chiesa Santa Maria dell'Orto *(plan centre C5) : via Amicia. Ouv tlj.* Église à la déco rococo, et c'est pour cela qu'on vous l'indique, car c'est quasiment la seule du genre à Rome (avec toutefois Saint-Louis-des-Français). En effet, ce style ne fut apporté par des artistes napolitains comme Raguzzini qu'au XVIIIe s. Déco caractéristique, essentiellement végétale. Guirlandes de plantes mais aussi beaucoup de légumes. Rien d'étonnant pour une église qui s'appelle « Sainte-Marie du Potager ». Coupole et chœur couverts de dorures, rehaussées de nombreux *putti* en marbre blanc. Contraste grandement avec la façade très sobre. Plafond de la nef chargé, avec au centre une ascension de la Vierge. Nombreuses fresques dans les deux transepts.

Chiostro della Confraternità dei Genovesi *(cloître de la Confraternité des Génois ; plan centre C5) : via Anicia, 12. Mar et jeu 14h-16h ou 15h-18h selon saison (sonner –* citofonare *– à Spositi). Fermé en août. L'église de la Confraternité se visite en sem 7h30-8h30 et dim 7h30-11h.* Derrière le complexe monumental de Sainte-Cécile se trouve un très joli cloître, sur deux niveaux, du XVe s. Véritable havre de paix en plein cœur du Trastevere. Les colonnes orthogonales, le jardin du cloître planté d'orangers et de rosiers avec son puits au milieu, les murs recouverts d'un très bel ocre... Tout nous a ravis dans ce lieu oublié des touristes. C'est le port de Ripa Grande – belle page de l'histoire de Rome et du Trastevere – qui est à l'origine d'une forte présence commerciale des Génois dans le quartier, lesquels, naturellement, firent édifier à la fin du XVe s une église et son hospice voisin pour leurs compatriotes.

Chiesa San Francesco a Ripa *(plan centre C5) : de la Confraternité des Génois, il suffit de remonter la via Anicia pour rejoindre l'église San Francesco a Ripa* (le surnom *a ripa* – sur la rive – signifie qu'elle s'élevait autrefois au bord même du Tibre).
Il s'y trouvait naguère une église, San Biagio, et un monastère bénédictin datant du Xe s. Saint François y serait venu à trois reprises lors de visites rendues à la papauté. Passés entre les mains des Frères mineurs, l'église et le complexe conventuel furent rebaptisés et transformés en plusieurs phases entre les XVIe et XVIIIe s... avant d'être reconvertis en caserne entre 1873 et 1943.
À l'intérieur, vous dirigerez vos pas vers la dernière chapelle de gauche, où gît la bienheureuse Ludovica Albertoni. Une merveille signée le Bernin.

Villa Doria Pamphilj *(plan général A4-5) : à l'ouest du Trastevere. Une entrée via di San Pancrazio, après la porte du même nom ; une autre dans le quartier de Monteverde, à l'angle des vie Pio Foà et Donna Olimpia.* Presque toujours désert, une végétation luxuriante, des petits palais bien abîmés qui prennent le soir des tons mordorés ou qui passent par tous les ocres. Un petit chemin vous mène d'un point à un autre à travers de douces petites collines d'une sérénité sans égale. Pour se croire à 100 km de Rome. Recommandé dès le lever du soleil. Assez excentré néanmoins.

LE VATICAN ET SES ENVIRONS *(VATICANO E DINTORNI)*

LE VATICAN (Vaticano ; plan général A-B2-3)

➢ ***Accès :*** *Ⓜ Ottaviano San Pietro pour les visiteurs individuels ou Cipro Musei Vaticani pour les groupes (ligne A). Bus n°s 40, 49, 62, 64 (qui part de Termini), 81, 115, 116, 590... L'arrêt du n° 49 est le plus proche du musée ; dans les autres cas, il faut marcher un peu.*

Un État dans l'État

Les limites actuelles du Vatican ont été définies par les accords du Latran, signés par Mussolini le 11 février 1929. Cette date est donc la fête nationale de l'État. Le Vatican, c'est seulement 20 ha d'immeubles et autant de jardins... mais 500 ha de propriétés extraterritoriales dans et autour de Rome ! Qui a dit que le latin était une langue morte ? C'est la langue officielle du Vatican, bien sûr. Du moins pour les textes juridiques. La langue véhiculaire est bien évidemment l'italien, tandis que la langue diplomatique est le français. Quant aux gardes suisses, ils parlent... l'allemand ! Et puis, l'État frappe sa propre monnaie, émet ses timbres, possède une imprimerie, un tribunal, une centrale électrique, une station de radio et une gare reliée au réseau italien. Aujourd'hui, environ 900 personnes résident au Vatican et 3 000 frontaliers y travaillent. Les résidents possèdent la double nationalité (celle d'origine et celle du Vatican) mais perdent automatiquement la nationalité vaticane à leur départ. Évidemment, chaque pays, ou presque, possède une ambassade auprès du Saint-Siège, ce qui fait de Rome la seule ville au monde où l'on trouve deux représentations diplomatiques par pays. Et, bien sûr, l'État italien a dû y ouvrir sa propre ambassade ! Au fait, le nom du Vatican n'a rien de catholique : soit il provient d'une grande famille romaine, soit il désignait un lieu fréquenté par des... voyantes (de *vaticinàre,* soit « prédire »).

Pour visiter le Vatican, pas besoin d'être habillé comme un garde suisse, mais assurez-vous que le vôtre (d'uniforme) est correct : pantalons pour les hommes, chemisiers « décents » pour les dames (débardeurs, shorts, minijupes et bermudas proscrits).

LA PLUS PETITE ARMÉE DU MONDE

De tous les mercenaires recrutés par le pape Jules II au début du XVIe s, les mercenaires suisses furent les plus fidèles et les plus âpres au combat. Ils sauvèrent le trône pontifical en 1512 contre les troupes de Louis XII, et mirent Clément VII à l'abri face à Charles Quint en 1527. Devenue l'armée officielle du Vatican, la centaine de gardes suisses se compose aujourd'hui de jeunes célibataires (évidemment catholiques) qui s'entraînent selon des critères modernes. Mais elle revêt encore le très élégant (et anachronique) uniforme rayé bleu et orange dessiné par... Michel-Ange.

Piazza San Pietro *(place Saint-Pierre ; plan général A-B3)* **:** entre l'obélisque (qui ornait autrefois le cirque de Néron) et chacune des fontaines, un disque sur la chaussée marque le point d'où vous ne voyez qu'un seul rang de colonnes au lieu de quatre. Des portiques en forme de bras accueillants entourent la place qui, ainsi reliée à l'édifice, semble en être le vestibule. C'est encore au Bernin que l'on doit ce chef-d'œuvre d'harmonie.

Basilica San Pietro *(basilique Saint-Pierre ; plan général A3)* **:** *tlj 7h-19h (18h en hiver). Visites guidées possibles. Attention, couteaux suisses interdits et pas de consigne. À noter que lors des bénédictions du pape, généralement le mer mat, la basilique est évidemment inaccessible.*
La plus grande basilique du monde (près de deux fois la surface de Notre-Dame de Paris). Sur la façade, œuvre de Maderno, noter la ***loggia des bénédictions,*** d'où le pape s'adresse à la foule à Noël et à Pâques (le reste du temps, il utilise un balcon attenant à ses appartements privés, sur le côté droit).
Le plus étonnant est que de l'intérieur, la basilique Saint-Pierre ne paraît pas tout de suite démesurée. Peut-être parce que les éléments de décoration sont à l'échelle... Sachez qu'un seul carreau de la verrière au-dessus de l'entrée mesure 1,50 m de haut, que le moindre angelot fait 2 m et que le baldaquin du maître-autel atteint les 30 m de haut, soit la taille d'un immeuble de dix étages ! Vous n'êtes pas impressionné ? Alors regardez les indications au sol qui donnent la longueur des autres églises du monde. Notre-Dame de Paris paraît bien ridicule avec ses 130 m, comparés aux 193 m de Saint-Pierre !
« Tu es Pierre et, sur cette pierre, je bâtirai mon église », avait dit le Christ.
Avec le retour des papes, Rome veut affirmer son rôle et sa suprématie aux yeux de la chrétienté et du reste du monde. Pour cela, quoi de mieux qu'une grandiose basilique... 1506 sera véritablement une année charnière à bien des égards dans l'histoire du Vatican : Jules II officialise la création de la garde suisse pontificale, crée le musée du Vatican sur sa collection personnelle et, ce qui nous intéresse ici, lance les travaux de rénovation-reconstruction de la basilique sous la direction de l'architecte Bramante. Celui-ci se contentera des quatre piliers du dôme. Dès lors, plusieurs architectes vont se succéder, dont Michel-Ange qui, lui non plus, ne pourra aller au bout de son projet.
La basilique que l'on admire aujourd'hui est l'œuvre de Della Porta, de Fontana et de Carlo Marderno, qui tranchera pour un plan en forme de croix latine, censée rappeler la croix de Jésus. On doit le plus gros du travail de décoration au Bernin. Vous réaliserez qu'il n'y a aucune peinture à l'intérieur mais, en revanche, plus de 180 couleurs de marbre ! Toutes les œuvres de la basilique sont des mosaïques et non pas des peintures ni des fresques. D'ailleurs, il est quasiment impossible de le voir si on ne le sait pas, et il faut s'approcher de près des œuvres pour deviner les petits bouts de mosaïques.
Dans la nef centrale, vous remarquerez un grand disque de porphyre incrusté. C'est sur cette dalle, récupérée de l'antique basilique, que Charlemagne aurait été couronné empereur par le pape Léon III, le jour de Noël de l'an 800.
Première chapelle sur la droite quand on pénètre dans la basilique : chapelle de la *Pietà.* Michel-Ange n'avait pas 25 ans lorsqu'il termina son admirable *Pietà.* La célèbre œuvre est protégée par une vitre depuis qu'un déséquilibré en a cassé la main et le nez en 1972.
Les nefs latérales renferment les monuments funéraires rendant hommage aux différents papes. Parmi les plus beaux, on peut citer celui d'Alexandre VII, chef-d'œuvre baroque du Bernin, ou encore celui de Clément XIII par Canova.
Au centre, impossible de manquer la chaire et le baldaquin du Bernin (et de Borromini !) qui mesure 29 m de haut. Sur le côté, la statue en bronze de saint Pierre sculptée par Arnolfo Di Cambio, avec son pied complètement usé par les baisers des pèlerins.
Si vous n'y avez pas fait attention en entrant, jetez un œil en partant sur les magnifiques portails en bronze. À droite, dans l'atrium, on trouve la Porte sainte, qui n'est

ouverte qu'une fois tous les 25 ans, pour le jubilé. La porte centrale date du XVe s. Elle raconte les martyres de Pierre et de Paul. Notez, entre leurs pieds, les nombreuses inscriptions en arabe et les références aux mythes antiques. Cela s'explique par une tentative (remarquable pour l'époque) de réconciliation des religions. La porte de gauche est la porte de la Mort, car on y a représenté la mort de Jésus et de la Vierge, mais également la mort dans le monde des hommes.

Les grottes Vaticanes : *entrée à droite du porche de la basilique. Tlj 7h-18h (17h oct-mars). Entrée : 10 €.* Elles sont intéressantes. Elles abritent les tombeaux de saint Pierre et de quelques papes, dont Jean XXIII, très apprécié des Italiens, et Jean-Paul II qu'on ne présente plus.

Museo storico vaticano e tesoro *(Musée historique et le trésor)* **:** *entrée à l'intérieur de la basilique, nef de gauche. Tlj 9h-18h15 (17h15 oct-mars). Entrée : 6 €.* Possède de très belles pièces d'art religieux provenant de donations généreuses (une tradition initiée par l'empereur Constantin !). La plupart des objets sont néanmoins relativement récents, en raison des nombreux pillages subis au cours des siècles. Voir tout de même la Croix Vaticane de Justin II (VIe s), la dalmatique de Charlemagne, le tombeau de Sixte IV et le sarcophage de Junius Bassus.

Cupola (coupole) **:** *accès à droite du porche de la basilique, tlj 8h-18h (17h oct-mars). Entrée : 7 € avec l'ascenseur, 5 € sans.* Elle est l'œuvre du célèbre architecte Bramante, qui la voulut semblable à celle du Panthéon. Michel-Ange, Giacomo Della Porta et Domenico Fontana mirent aussi la main à la pâte. Pour y monter, ceux qui n'ont pas le coffre, pardon, le souffle, d'Anita Ekberg (eh oui ! encore *La Dolce Vita*) prendront l'ascenseur ; il restera tout de même plus de 320 marches pour accéder au dôme. Claustrophobes, s'abstenir absolument : si ce n'est pas l'ascenseur, ce sont des couloirs étriqués au plafond bas dont on ne voit pas la fin... Après l'ascenseur, vue plongeante très impressionnante sur l'intérieur de l'église (où l'immense baldaquin du Bernin donne désormais l'impression d'une maquette !) puis, du dôme, sur toute la ville.

LES MUSÉES DU VATICAN (musei del Vaticano)

Viale Vaticano (à l'entrée nord de la cité du Vatican). ☎ 06-69-88-33-32. • vatican.va •

– **Horaires de visite :** *variables d'une année à l'autre,* **pensez à les vérifier.** *En principe, lun-sam 8h30-18h et le dernier dim du mois 8h30-14h ; nocturnes éventuelles avr-oct, ven slt 19h-23h ; dernières entrées 1h30 à 2h avt fermeture. Fermé les j. de fêtes religieuses.*

– **Entrée :** *15 €, frais de résa en sus, 4 € ; entrée gratuite le dernier dim du mois, le 27 sept (jour international du tourisme), et pour les moins de 6 ans. CB refusées. Non inclus dans le* Roma Pass. *Conservez votre billet, il permet également de visiter le musée du palais du Latran dans les 5 j. après son émission. Photos interdites dans la chapelle Sixtine, autorisées ailleurs (sans flash ni trépied toutefois). Audioguide très intéressant, 6 €. Attention, ni short ni débardeur.*

Visite, mode d'emploi

Le site est immense. Il rassemble différents musées qu'on peut visiter librement en fonction de ses préférences, et la fameuse chapelle Sixtine accessible par un seul chemin (pour canaliser les visiteurs). Pour éviter la foule (jusqu'à 25 000 visiteurs certains jours, ce qui oblige à tout visiter au pas de charge !), venir hors saison et de préférence en semaine.

Comme cela n'est pas toujours possible, voici quelques conseils pratiques. D'abord, si vous souhaitez pouvoir jouir de la chapelle Sixtine en paix, il est indispensable d'arriver parmi les premiers. Ceci implique de faire la queue 1h avant l'ouverture et de s'y rendre directement sans visiter les autres sites qui attendront un peu (sauf les chambres de Raphaël, puisqu'elles sont sur le chemin). Autre solution, pour éviter les bouchons matinaux en saison (voire l'arrêt complet de la circulation !), arrivez après tout le monde, c'est-à-dire à l'heure du déjeuner. Ça vous laisse quand même presque 4h pour voir l'essentiel...

Sinon, si les files d'attente vous insupportent et que vous aimez ce style de découverte, passez par une visite de groupe organisée à l'avance, garantissant un accès plus rapide.

Pour terminer, sachez que les sections mineures ne sont que rarement ouvertes, faute de personnel, et que la pinacothèque ferme plus tôt que le musée. Finalement, sur les 7 km théoriques de galeries, on n'en parcourt généralement guère plus de quatre !

DÉSHABILLER PAUL...

L'expression « Déshabiller Paul pour habiller Pierre » vient du fait qu'à Rome, on avait pris l'habitude de récupérer tous les matériaux possibles et inimaginables issus des ruines de l'Antiquité pour édifier de nouveaux monuments. Pour construire la basilique Saint-Pierre, on utilisa les marbres des thermes de Caracalla, les bronzes du Panthéon ou encore les briques du Colisée et des forums... Et les Romains prirent l'habitude de dire « Spogliare Paulo per vestire Pietro »... On vous laisse traduire. En français, Pierre est parfois devenu Jacques.

¶¶¶ Une fois arrivé en haut de l'escalator, tournez à gauche et entrez dans le ***cortile della Pigna.*** Il doit son nom à l'énorme pomme de pin installée au beau milieu de la cour, symbole romain de richesse et d'abondance. Celle-ci date du Ier s et servait de fontaine publique (l'eau jaillissait par les trous des pignons). Elle fut récupérée au XVe s pour orner la première église Saint-Pierre et intégra le Vatican à la construction de la basilique. Elle est encadrée de deux paons provenant du mausolée de l'empereur Hadrien (IIe s). Ces oiseaux réputés à la chair imputrescible symbolisaient l'éternité.

Traversez la cour et entrez dans l'édifice en face. Avant de monter l'escalier, observez le rez-de-chaussée parsemé de statues. Sachez qu'après que Napoléon eut vidé les galeries du Vatican et pillé les collections de Pie VI, son successeur, Pie VII, interdit la vente d'œuvres. Il lança aussi des fouilles, très fructueuses, comme le prouvent les œuvres que vous êtes en train de contempler !

L'AVOCAT DU DIABLE

Au Vatican, lors de la canonisation d'un candidat, on choisissait un prélat qui soutenait des arguments contre cette sanctification. L'avocat du diable (donc du côté de Satan) plaidait à charge, même s'il ne croyait pas en ses propres déclarations, juste dans le but de provoquer un débat contradictoire.

Ensuite, montez l'escalier jusqu'au ***musée Pio Clementino*** *(museo Pio Clementino)* : entrée par la *salle 12.* Créé par le pape Clément XIV en 1770. Impossible de décrire toutes ses richesses. En voici cependant les vedettes.

– *Salle 10 :* l'*Apoxyomène,* copie romaine du Ier s apr. J.-C., d'un bronze original de Lysippe (célèbre artiste du IVe s av. J.-C., protégé d'Alexandre le Grand). Représente un athlète au repos se frottant la peau avec un strigile pour enlever sueur et sable. Sa pose en *contrapposto* (appui sur une jambe, l'autre étant légèrement fléchie) connut une grande postérité dans l'art de la Renaissance.

– Au passage, *salle 11,* ne pas manquer de jeter un œil sur le magnifique *escalier de Bramante.* Commandé par le pape Jules II au début du XVIe s. Construit en spirale ; les chevaux pouvaient même y monter. Rarement visible malheureusement, sauf en se tordant le cou.

– Arrivée dans la charmante *cour de l'Octogone,* le cœur du musée. On y admire l'*Apollon du Belvédère,* l'un des plus fascinants exemples de l'art antique. Marbre romain sculpté en 130 apr. J.-C., d'après un bronze grec (datant de 330 av. J.-C.).

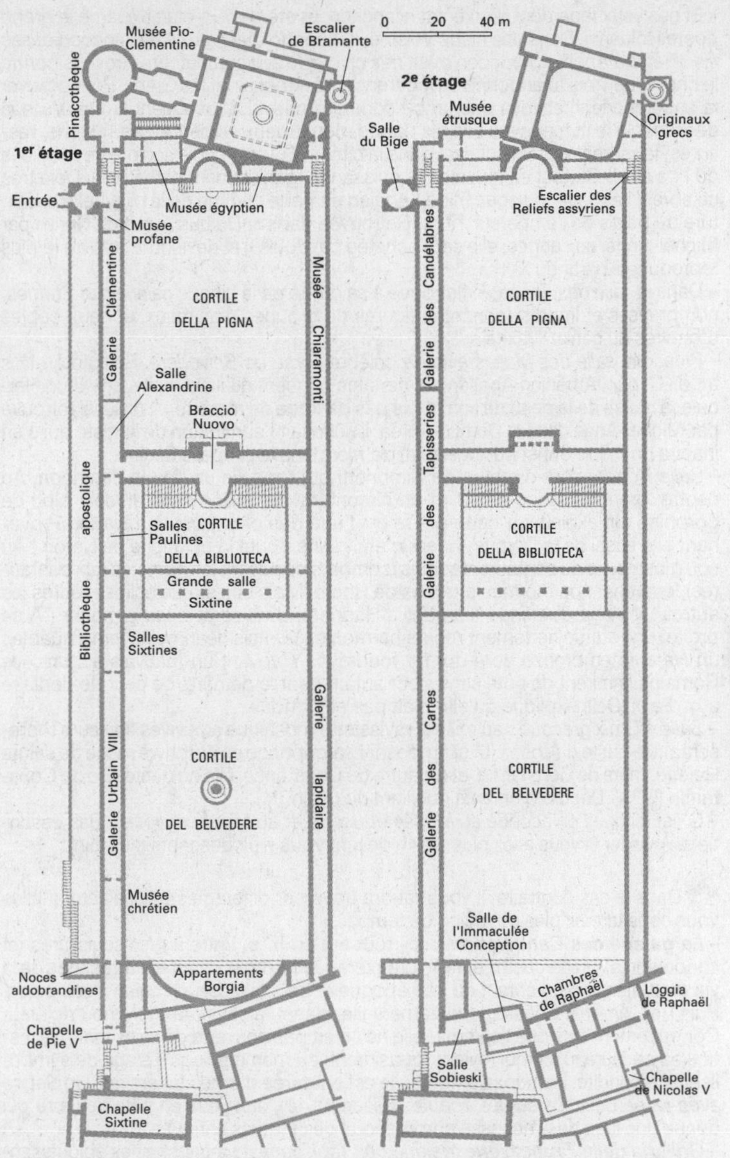

LES MUSÉES DU VATICAN

« Et ses yeux regardent d'un éclat silencieux et éternel », s'était exclamé le grand poète Hölderlin. Dans une niche voisine, l'exceptionnel *groupe de Laocoon et ses fils.* Prêtre d'Apollon, Laocoon avait mis en garde ses compatriotes troyens contre le cheval de Troie abandonné en « offrande » à Athéna par les Grecs. Pour prouver la supercherie, il envoya une lance contre le cheval, provoquant la fureur de la déesse, qui le fit tuer avec ses fils par de monstrueux serpents. Les Troyens, rassurés, laisseront entrer le cheval dans la cité... Œuvre de trois sculpteurs rhodiens du Ier s av. J.-C., tout en muscles et puissance, génialement pathétique. Déjà très célèbre à l'époque, puisque Pline l'Ancien en parle comme de la plus belle sculpture du palais de l'empereur Titus. Retrouvée dans la Domus Aurea de Néron par Michel-Ange, aux anges, elle sera achetée par Jules II et deviendra l'œuvre la plus reproduite à partir du XVIe s.
– Dans la *salle des Animaux,* flanquée à sa droite de la longue *galerie des Statues,* nombreuses et impressionnantes figures ou groupes d'animaux, et deux copies d'œuvres du génial Praxitèle.
– Plus loin, *salle des Muses* avec le célèbre *Torse du Belvédère.* Sculpté au Ier s av. J.-C. par l'Athénien Apollonius, certains pensent qu'il pourrait s'agir d'un Hercule, à cause de la peau de lion, mais pas de trace de massue... Lui aussi retrouvé par Michel-Ange dans la Domus Aurea, il suscitait l'admiration de l'artiste qui s'en inspira pour son Christ du *Jugement dernier* dans la chapelle Sixtine.
– *Salle Ronde,* chef-d'œuvre de Simonetti qui rappelle un peu le Panthéon. Au centre, grande vasque de 13 m de circonférence, taillée dans un seul bloc de porphyre, un exploit car cette pierre est l'une des plus dures à travailler. Provenant elle aussi de la Domus Aurea, c'était sans doute la baignoire de Néron ! Au sol, mosaïques de centauromachies (combats opposant les hommes aux centaures), provenant de thermes proches de Rome. Mais une statue éclipse toutes les autres : il s'agit d'*Antinoé* (l'amant d'Hadrien), divinisé et beau à mourir ! À sa droite, une statue nettement moins harmonieuse mais néanmoins remarquable : un *Hercule* en bronze doré qui fut foudroyé. Y voyant un mauvais augure, les Romains la mirent de côté sans pour autant oser la détruire, de peur de déplaire aux dieux. Cela explique qu'elle n'ait pas été fondue.
– *Salle à Croix grecque :* au milieu, ravissante mosaïque aux vives couleurs représentant le buste d'Athéna (IIe s). Imposant sarcophage en porphyre rouge de sainte Hélène, mère de Constantin, et un autre de Constance, fille ou petite-fille de Constantin (IVe s). Décoré d'enfants cueillant du raisin.
– C'est ici que l'on accède au *Musée étrusque* et au *Musée égyptien.* Pas essentiels. À visiter si vous avez plus de 4h devant vous (voir descriptif plus loin).

Dans le cas contraire, il vous faudra traverser différentes galeries auxquelles vous consacrerez plus ou moins de temps.
– ***La galerie des Candélabres :*** ici, tout est du IIe s. Entre autres sculptures (et candélabres), un cercueil d'enfant (première salle à droite), incrusté de scènes de la vie quotidienne d'un enfant de son époque et de sa classe, un chien à ses pieds. Puis une *Artémis Éphèse* (deuxième salle, dans l'alcôve), la mère nourricière... Contrairement à ce que l'on croit, elle ne serait pas couverte de seins mais de testicules de taureau, ce qui revient (quasiment) au même puisqu'il s'agit de symboliser la fécondité. Paradoxalement, elle est entourée d'urnes funéraires. Un *Satyre avec jeune Bacchus sur les épaules* (pièce n° 40), aux yeux en pâte de verre qui donne une idée de la richesse chromatique des statues antiques.
– ***Galleria delle Tappezzerie*** *(galerie des Tapisseries)* ***:*** à gauche, les éblouissantes tapisseries de Bruxelles tissées au XVIe s dans la manufacture de Pieter Van Aelst, sur des cartons de Raphaël. Hautes de 5 m et initialement exposées dans la chapelle Sixtine, elles illustrent la vie de Jésus. L'*Adoration des mages,* aux couleurs d'une étonnante fraîcheur, révèle une grande richesse dans l'expression des personnages qui s'unissent dans un beau mouvement vers l'Enfant. Plus loin, la saisissante *Résurrection du Christ,* longue de 9 m, est également un chef-d'œuvre d'illusion optique : le Christ suit des yeux le spectateur tandis que le couvercle de

son sarcophage se place invariablement dans la bonne perspective ! Quant au *Repas d'Emmaüs,* il est prétexte à une remarquable nature morte, où reflets et transparence de la verrerie et de l'eau se mêlent à un jeu d'ombres, mis en valeur par une nappe au dessin complexe. À droite défilent les tapisseries de la manufacture Barberini, créée en 1627 à Rome pour glorifier la famille Barberini, et abandonnée en 1683, à la mort du plus célèbre de ses membres, le pape Urbain VIII. Chacune porte les abeilles emblématiques de la famille. Et dire que vous ne voyez là qu'un petit échantillon du fonds du Vatican, riche de 3 000 tapisseries flamandes, françaises et italiennes !

– ***Galleria delle Carte geografiche*** *(galerie des Cartes géographiques)* **:** longue de 120 m, on y découvre 40 cartes topographiques, peintes à fresque en 1580, à la demande du pape Grégoire XIII, afin d'affirmer son pouvoir temporel. Témoignages exceptionnels de la géographie et de la cartographie de l'époque, du même auteur que le cabinet cartographique du palazzo Vecchio à Florence. Toutes les régions d'Italie et les possessions de l'Église, vues depuis le Vatican : cela explique, par exemple, la représentation à l'envers de la Corse. Noter, sur la carte du Latium, l'intéressant plan de Rome, le fameux pont sur celle d'Avignon et, en sortant, les belles cartes de Venise et de Gênes. Quant au plafond du XVIe s, constellé de stucs, il est lui aussi exceptionnel. Il raconte la vie des saints en correspondance avec les cartes géographiques.

– Tout en suivant la direction des *chambres de Raphaël,* on traverse les ***salles Sobieski et de l'Immaculée Conception.*** Tournez à gauche.

*** ***Stanze di Raffaello*** *(chambres de Raphaël)* **:** commandées par le pape Jules II qui refusait d'habiter les appartements de son prédécesseur haï, Alexandre VI Borgia, les fresques furent réalisées de 1508 à 1524 (à la mort de Raphaël, elles furent reprises par ses élèves). Comme les murs étaient déjà parés d'œuvres de peintres illustres tels que Piero Della Francesca, Luca Signorelli, le Pérugin (le maître de Raphaël), etc., on dut les recouvrir en grande partie. Seul le décor de la ***chapelle Niccoline*** *(capella Niccolina),* située dans la partie la plus ancienne du palais pontifical (XIIIe s), a finalement survécu en l'état. Découvrez-y les peintures de Fra Angelico au sommet de son talent. Il les réalisa de 1447 à 1451. Parmi les plus fortes : les vies et martyres de saint Étienne (en haut) et de saint Laurent (en bas). Gardez en tête que si Raphaël travailla entièrement sur les premières salles, il n'en est pas de même sur les dernières ; or, la visite ne se fait pas dans l'ordre de leur réalisation.

LE COMMERCE DES INDULGENCES

Pour financer la basilique Saint-Pierre de Rome, le Vatican imagina d'absoudre les péchés moyennant finances (et selon un tarif précis !). On pouvait donc se préserver de l'Enfer et accéder au Paradis. En 1517, Luther, un moine allemand, dénoncera cette pratique qui ensanglantera l'Europe. Ce sera l'origine du protestantisme.

– ***La salle de Constantin*** **:** c'est la plus grande, celle des cérémonies et des réceptions des ambassadeurs. Pas la plus belle, car il s'agit de la quatrième salle, réalisée pour l'essentiel après la mort du maître (à 37 ans, on vous le rappelle) par deux de ses élèves sur le thème du *Triomphe du christianisme sur le paganisme*. Ce bel exemple de propagande pontificale, soit dit en passant, évoque avec force détails la conversion de Constantin qui, malin, se garda bien de choisir entre deux camps jusqu'aux derniers instants de sa vie !

– ***La chambre d'Héliodore*** **:** deuxième de la série ; Raphaël y travailla de 1511 à 1514, et ça se voit ! Restaurée, la formidable *Libération de saint Pierre* est sans doute le premier clair-obscur de la peinture italienne. Le saint, sous les traits de Jules II qui venait de mourir, est emmené hors du cachot par un ange aux ailes bleutées d'une beauté aérienne. Fresques sur les côtés : *Héliodore chassé du Temple* et *Léon le Grand à la rencontre d'Attila.* Au plafond, des scènes bibliques (le

Sacrifice d'Abraham, l'Échelle de Jacob, etc.). Le patient physionomiste que vous êtes retrouvera deux fois le même visage : celui de Léon X, élu en 1513.
– ***La chambre de la Signature :*** Raphaël débuta ses travaux par ce cabinet de travail et bibliothèque de Jules II, en 1509. Quasiment tout est de lui. Éclipsant la voûte quadripartite (personnifications de Poésie, Philosophie, Justice et Théologie) et la fresque de la *Dispute du Saint-Sacrement*, l'*École d'Athènes* y capte tous les regards. Raphaël s'est amusé à y mettre en scène les grands penseurs de l'histoire, dont certains (pas tous) ont les traits de ses amis artistes... Au centre, Platon avec la tête de Léonard de Vinci, le doigt pointant en l'air. À côté, Aristote. À gauche, Socrate, en vert et de profil. Allongé sur les marches, Diogène et, en bas à gauche, Épicure, couronné de lauriers, et Pythagore, en pleine étude. Héraclite, assis, a le visage de Michel-Ange (il travaillait alors à la chapelle Sixtine !). Penché sur son compas, à droite, Euclide n'est autre que l'architecte Bramante. Enfin, à droite, contre la colonne, l'homme au béret noir... c'est Raphaël lui-même !
– ***La chambre de l'Incendie du Borgo :*** peinte *a fresco* de 1514 à 1517, voici la troisième chambre ; Raphaël n'en assura pratiquement que les dessins. L'intérêt principal de cette pièce est de contempler la basilique Saint-Pierre à l'époque de Constantin, avant qu'elle ne soit transformée. Ici, sous Jules II, se réunissait le plus important tribunal du Saint-Siège. Son successeur, Léon X, la transforma en salle à manger. Dans le *Couronnement de Charlemagne,* ce dernier possède les traits de François Ier (et le pape Léon III, ceux de Léon X). Nette allusion au Concordat signé entre la France et l'Église en 1515. L'*Incendie du Borgo,* éteint (d'un signe de croix, dit-on) par Léon IV en 847, est ici la seule fresque réalisée par Raphaël. Autre fresque, la *Bataille d'Ostie* évoquant la victoire de Léon IV (qui a les traits de Léon X) sur les Sarrasins, référence à sa campagne contre les Turcs. Enfin, le *Serment de Léon III* (qui dut se défendre à l'époque de graves calomnies) renvoie au concile du Latran de 1516, qui établissait que le pape n'a de comptes à rendre qu'à Dieu. On notera que le décor de cette chambre est totalement dédié à la gloire de Léon X et de ses ambitions politiques, les hauts faits des Léon antérieurs se mettant astucieusement à son service ! Au plafond, une *Trinité* du Pérugin qu'on n'osa pas recouvrir.

On traverse ensuite les ***appartements de Borgia.*** D'origine espagnole, il fut élu pape en 1492 et régna jusqu'en 1503 sous le nom d'Alexandre VI. Deux des six pièces privées de son appartement furent décorées par le fameux Pinturicchio, dont la très belle *salle des Mystères* (dans une des lunettes, une remarquable *Adoration des mages*). Certaines salles présentent de magnifiques plafonds sculptés dorés et polychromes.

La galerie d'Art religieux moderne : elle abrite la collection d'art contemporain. C'est la dernière étape avant la Sixtine, mais prenez quand même le temps d'admirer les œuvres de Chagall, Léger, Dalí ou encore Bacon !

Capella Sistina *(chapelle Sixtine)* **:** comment imaginer de tels chefs-d'œuvre de délicatesse derrière des murs si épais ? Car cette chapelle médiévale, remaniée de 1475 à 1483 à la demande du pape Sixte IV, est soigneusement protégée à l'abri d'une forteresse. Plan très simple : salle rectangulaire sans abside de 40,23 m de long, 13,41 m de large et 20,70 m de haut, inspirée du mythique temple de Salomon. Le décor des murs latéraux retrace les vies de Moïse et du Christ, où l'observateur attentif remarquera différents détails soulignant l'autorité divine des papes, successeurs de saint Pierre. Œuvre pieuse, sans doute, mais aussi outil de propagande pour un pape contesté qui cherchait par ce biais à réaffirmer son autorité. Réalisé de 1481 à 1483 par un incroyable casting d'artistes, sous la direction du Pérugin. Jugez-en !
À partir du *Jugement dernier,* à gauche, on trouve le *Voyage de Moïse vers l'Égypte* du Pérugin et du Pinturicchio, la *Jeunesse de Moïse* par Botticelli, le *Passage de la mer Rouge* et la *Remise des Tables de la Loi* par Rosselli, la *Punition des rebelles* par Botticelli (noter que Aaron est coiffé de la tiare papale), les *Derniers Jours de Moïse* de Signorelli. À droite, le *Baptême du Christ* du Pérugin et du Pinturicchio, la

Vocation des apôtres Pierre et André de Ghirlandaio, le *Sermon sur la montagne* par Piero de Cosimo, le *Christ remettant les clés à saint Pierre* du Pérugin et la *Cène* de Rosselli.

Rappelons que c'est ici que se déroule le conclave au cours duquel on élit le nouveau pape...

La voûte

Alors que la voûte n'était qu'un beau ciel étoilé, une infiltration d'eau obligea Jules II (neveu de Sixte IV) à commanditer de nouveaux travaux. Il songea à Michel-Ange, qui tenta bien de se défiler devant l'ampleur du projet, mais dut se résigner à se mettre au boulot en 1508. On raconte que ce refus lui avait été suggéré par Bramante, jaloux de son talent. Un Michel-Ange pas plus élégant lui-même, puisqu'il se hâta de licencier ses collaborateurs dès qu'il eut assimilé leurs techniques de peinture à fresque, qu'il ne connaissait pas auparavant. Il travailla donc seul du haut de ses 20 m d'échafaudage, quasiment secrètement et dans une demi-pénombre puisque le niveau des fenêtres était inférieur à sa plate-forme de travail. En 2 ans, il réalisa la moitié de la voûte, mais Jules II, à bout de patience, exigea le 14 août 1511 que Michel-Ange ôtât tous les échafaudages pour vérifier où il en était. On laisse entendre que Raphaël vint en voisin (il travaillait alors sur les chambres) et qu'il en changea insensiblement son style ! En octobre 1512, la voûte était achevée... après 849 jours de labeur. On raconte aussi que le pauvre Michel-Ange en redescendit plié en deux. Aujourd'hui, il est vengé par les millions de visiteurs se tordant le cou pour les admirables séquences de sa Genèse que sont la *Création du Soleil et de la Lune,* la *Création de l'Homme* (l'une des images les plus universelles qui soient), le *Péché originel* (d'une extraordinaire volupté !), le fantastique *Déluge,* etc. Les volumes extraordinaires laissent transparaître le génie du sculpteur derrière celui du peintre.

Le Jugement dernier

Quelques papes plus tard, en 1533, Clément VII de Médicis offrit à son tour à Michel-Ange la décoration du grand mur de l'autel. Fidèle à lui-même, l'artiste se déroba, finassa, espérant même, à la mort de Clément, qu'on l'oublie un peu. Las, les consignes avaient été transmises, et Michel-Ange ne put jouer plus longtemps au chat et à la souris avec Paul III, son successeur. À 25 ans d'intervalle, Michel-Ange aura donc repeint la voûte de la chapelle Sixtine et réalisé le *Jugement dernier.* Pas mal comme CV, sans compter le reste... Cela dit, il est écrit qu'il expédia la corvée (200 m² et 391 personnages) en un temps record : 450 jours (mais dans certains ouvrages, on affirme que ce fut en fait en 4 ans, et ailleurs encore en 7 ans ; quand donc se mettront-ils d'accord ?)... À 60 ans, l'artiste avait atteint le summum de sa maturité artistique. Une anecdote au passage : pour commencer son travail, Michel-Ange dut, excusez du peu, liquider les deux premiers panneaux de la vie du Christ et de Moïse peints par le Pérugin. Un nouveau mur de brique fut édifié contre l'ancien, légèrement en pente vers l'intérieur pour éviter l'accumulation de poussière. D'une valeur artistique inestimable, le *Jugement dernier* est sans doute la fresque la plus chère jamais réalisée en raison de l'énorme quantité de poudre de lapis-lazuli utilisée pour le bleu de son ciel tourmenté.

CACHEZ CES SEXES...

Si le Jugement dernier *suscita l'admiration, il y eut beaucoup d'indignation face à la nudité des personnages. Le pape Paul IV, très incommodé, demanda à Michel-Ange de voiler les sexes, ce que l'artiste refusa (il adorait les corps masculins). Un moment, on envisagea même la destruction du mur de l'autel. Mais il fallut attendre la mort de Michel-Ange pour que l'on demande à un élève du maître de recouvrir les objets du délit. L'heureux élu y gagna le surnom de Braghettone, soit le « Grand Culottier » ! Voilés, dévoilés, revoilés, on ne sait plus à quel « sein » se vouer. Lors de la récente restauration, on a redévoilé certains sexes. C'est Michel-Ange qui doit rigoler là-haut...*

Admirez aujourd'hui ce tourbillon de formes humaines, ce maelström de destins broyés, laminés... On a dit que cette œuvre symbolisait la fin de la Renaissance « optimiste ». L'épouvantable sac de Rome en 1527 avait probablement laissé des traces dans les mémoires et les consciences. En tout cas, elle devait provoquer l'effroi et l'horreur du péché, comme c'était le but de tout *Jugement dernier* dans les églises à l'époque. Honnêtement, ce chef-d'œuvre serait trop long à détailler ici : du Christ, à qui Michel-Ange offrit le torse du Belvédère, au visage de l'artiste figurant sur la peau dépouillée de saint Barthélemy, en passant par le cardinal ayant refusé des sous à Michel-Ange et qui brûle désormais en Enfer, c'est une multitude de détails et de scènes époustouflantes. Ici, la petite brochure locale s'impose vraiment !
La gigantesque opération de rénovation, achevée en octobre 1999, fut sans doute la « restauration du siècle ». Elle ne manqua pas de faire grincer quelques dents, mais on ne se lasse plus aujourd'hui d'admirer toutes ces fresques aux couleurs vives et acidulées. Et si l'on ne trouve plus personne pour les désavouer, elles étonnent toujours autant chez ce peintre souvent qualifié de « terrible souverain de l'Ombre ». Çà et là, des témoins ont été laissés : ils permettent de se rendre compte de la crasse qui recouvrait les murs de la chapelle et qui cachait aux yeux du monde ce chef-d'œuvre absolu. Fin de la polémique ! Pourtant, au fur et à mesure de l'évolution des travaux, d'autres débats ont surgi : fallait-il vraiment conserver les voiles pudiques rajoutés 23 ans après l'achèvement de l'œuvre de Michel-Ange sous prétexte qu'ils ont, eux aussi, valeur artistique ? Ou bien, au contraire, redonner son aspect premier à l'œuvre, quitte à offusquer les « âmes délicates » ? Chacun se situera comme il l'entend...
Sortez par la porte de gauche (en tournant le dos au *Jugement dernier*).

Vous tomberez sur les ***galeries Urbain VIII*** et ***Alexandrine :*** un petit *Musée chrétien* rassemble de jolis objets religieux en ivoire ou d'orfèvrerie ainsi que des émaux, tandis que les autres salles présentent des papyrus et des statuettes antiques. Dans une des vitrines, petit diptyque avec la louve, Romulus, Remus et... le Christ ! Ne ratez pas, gravée sur une plaque de bronze, une représentation du monde plutôt farfelue avec quantité de personnages fantasmagoriques. Vous verrez qu'il s'agit de l'ancêtre du *Guide du routard* avec toutes sortes de conseils pratiques. Inutile de préciser qu'au XVe s, le monde est encore plat... Avant d'aller plus avant dans la visite, arrêt obligatoire dans la salle renfermant les *Noces d'Aldobrandini.* Ces fresques délicates réalisées à l'époque d'Auguste ont pour thème le mariage d'Alexandre le Grand et de Roxane.

Puis la splendide ***bibliothèque Sixtine,*** réservée aux expositions temporaires et aux réceptions. Autant dire qu'elle est le plus souvent fermée. Ce qui est fort dommage car, outre un remarquable plafond peint, on peut y admirer des reproductions de Rome au moment des grands travaux d'urbanisme de Sixte V (celui des obélisques !).

Pour la ***pinacothèque*** *(pinacoteca),* on descend l'escalier et on suit les indications via la *galerie Clémentine.* Il s'agit de l'une des plus riches collections de peintures d'Italie (commencée par le pape Pie VI), surtout pour la qualité de ses œuvres d'époque Renaissance. Les salles sont organisées chronologiquement, depuis l'époque médiévale. Une belle occasion de suivre l'évolution artistique, l'apparition de la perspective, les allers-retours entre les styles et les époques. En voici les points forts.
– À l'accueil, copie de belle facture de la *Pietà* de Michel-Ange, que l'on reconnaît à la signature sur le bandeau et qu'on peut enfin approcher !
– *Salles 1 et 2 :* primitifs religieux. *Triptyque* de Giotto (1315-1320, commandé à l'origine pour la basilique) et tous les grands de l'époque : Simone Martini, Pietro Lorenzetti, Bernardo Daddi, etc.
– *Salle 3 :* belle *Vierge à la ceinture* de Benozzo Gozzoli, une autre de Filippo Lippi et *Épisodes de la vie de S. Nicola Di Bari* de Fra Angelico.

– *Salle 4 :* fragments de fresques de Melozzo Da Forli (1480) provenant de l'abside de la basilique des Saints-Apôtres. L'occasion rare d'observer une fresque de près, y compris dans les détails : nez déformés que la perspective redressait, etc. Anges musiciens et apôtres aux visages délicats annonçant Botticelli, leur enchaînement est tout simplement merveilleux. Jolie *Annonciation* de Marco Palmazzano (XVe s).
– *Salle 5 :* sombre *Pietà* de Lucas Cranach le Vieux (où, pour la première fois, le Christ n'est pas dans les bras de la Vierge).
– *Salle 6 :* notre cœur balance entre les deux frères Crivelli. Dans le tableau de Vittore (le vieillard de gauche et le jeune homme inspiré à droite), la technique évoque presque la photo. Cependant, notre préféré, c'est Carlo, dont les visages sont plus expressifs. La douleur est puissamment rendue dans sa *Pietà,* et sa *Vierge à l'Enfant,* à côté, révèle tant d'élégance et de douceur...
– *Salle 7 : Déposition* de Sparano (1505) et une jolie *Vierge et quatre saints* du Pérugin (1495). Comme souvent, sa femme sert de modèle. Faudrait-il voir dans son petit air agacé un certain ennui à poser ?
– *Salle 8 :* dans cette grande galerie, un enchantement ! Trois grandes toiles de Raphaël, la *Madone de Foligno* (1511), le *Couronnement de la Vierge* (peint en 1502, il n'avait alors que 19 ans !) et l'ultime œuvre du maître : la *Transfiguration.* Découverte à sa mort, en 1520, cette composition inachevée suivra en hommage son cortège funèbre. Malgré sa luminosité sans pareille, elle annonce le Caravage : en bas à gauche, l'obscurité semble monter, monter... Quel contraste avec la première toile, encore imprégnée de tradition médiévale avec ses jolis anges-nuages ! Enfin, les nombreuses tapisseries présentées ici ont été réalisées à partir de cartons dessinés par Raphaël, sauf une, la *Cène,* attribuée à Léonard de Vinci (la figure à la droite du Christ ne vous évoque-t-elle pas la Joconde ?).
– *Salle 9 :* belle histoire du *Saint Jérôme* de Léonard de Vinci (1480), inachevé (on voit encore les coups de crayon) et retrouvé en deux morceaux. Le cardinal Fesch découvrit en 1860 le buste chez un antiquaire, puis la tête utilisée comme banc chez un cordonnier. Extraordinaire *Pietà* de Giovanni Bellini (1473).
– *Salle 10 : Portrait du doge Niccolo Marcello* (1542), *Madone de San Niccolo dei Frari* (1528) de Titien et *Vision de Sainte Hélène* de Véronèse.
– *Salle 11 : Saint Jérôme* et *Résurrection de Lazare* de Girolamo Muziano, et un Carracci.
– *Salle 12 :* magnifique *Déposition de Croix* du Caravage (1604) à la mise en scène théâtrale. Noter le mouvement circulaire des personnages. Également deux *Martyre de saint Érasme,* l'un de Nicolas Poussin (le seul tableau qui lui ait jamais été commandé pour la basilique Saint-Pierre), l'autre de Jean de Bologne ; quelques Guerchin et un beau *Saint Matthieu* de Guido Reni.
– *Salle 13 :* quelques Pierre de Cortone. Ainsi qu'une très belle *Sainte Irène enlevant les flèches de saint Sébastien,* œuvre d'un peintre provençal injustement méconnu.
– *Salles 14 et 15 :* intéressante figure de vieux de David Teniers le Jeune. Plus loin, on aime bien le Jésus blondinet et ébouriffé de la *Sainte Famille* de Giuseppe Maria Crespi. Sinon, pas mal de baroques et rococos plutôt ennuyeux. *Observation astronomique* de Donato Creti.
– *Salle des Icônes* et *salle des Modèles du Bernin :* souvent fermées ; on y trouve les maquettes originales des bronzes réalisés pour la *chapelle du Sacrement* de la basilique Saint-Pierre.
Noter, au passage, l'étonnant *Adam et Ève au Paradis* de W. Peter (XVIIIe s). Superbe représentation d'un paradis fantasmé, fascinant bestiaire.
S'il vous reste un peu de temps, on ne peut que vous conseiller la visite des sections et salles suivantes :

Museo etrusco *(Musée étrusque) : souvent fermé, malheureusement.* Abondance de sarcophages, de tombeaux et d'objet exhumés lors de fouilles menées en Étrurie. Vaisselle, coupes et cruches en argent, encriers et syllabaires, amphores et céramiques, objets en bronze, miroirs, cistes, nombreux casques, candélabres, riches collections d'objets funéraires, superbes bijoux, fibules et diadèmes en or, objets en ambre. Salles des terres cuites et des vases.

Museo egizio *(Musée égyptien) : l'entrée se trouve à côté du somptueux escalier Simonetti (voûte en berceau reposant sur d'antiques colonnes).* Petit musée fondé en 1838 par le pape Grégoire XVI, alors qu'une vague d'égyptomanie déferlait sur toute l'Europe. Ayant intégré l'Égypte à son empire, Rome avait adopté beaucoup de ses cultes, et une foule d'objets furent donc retrouvés dans les villas antiques. Quelques cercueils et sarcophages peints, belle momie de femme (1000 av. J.-C.), vases canopes où l'on conservait les viscères, mobilier et objets funéraires, collection de papyrus. Statuaire de la villa Adriana, ensemble monumental édifié par l'empereur Hadrien (117-138). Beau sarcophage de la reine Hetep-Heret et statue colossale de la reine Touya, mère de Ramsès II.

Museo Chiaramonti *(musée Chiaramonti) : à la sortie du Musée égyptien.* Créé par le pape Pie VII et aménagé par Antonio Canova. C'est vraiment l'abondance : plus de 1 000 sculptures de toutes sortes, statues et bustes de divinités, de personnalités et de notables, autels, sarcophages, urnes, ornements architecturaux et décoratifs, etc.

Dans le ***braccio Nuovo,*** *perpendiculaire au Chiaramonti,* nombreuses statues antiques dans des niches. Son chef-d'œuvre est incontestablement la colossale statue romaine *Le Nil* (Ier s apr. J.-C.). Elle fut retrouvée au début du XVIe s et identifiée grâce aux figures de sphinx et de crocodiles. Les 16 enfants symbolisent les 16 coudées qu'atteignait le niveau du Nil au moment de la grande crue.

Les Musées grégorien profane et pio-chrétien : *là encore, souvent fermés.* Dommage, car cette galerie moderne et lumineuse renferme de splendides mosaïques provenant des thermes de Caracalla, des originaux grecs (comme une tête de cheval du Parthénon), et de nombreuses urnes funéraires et sarcophages paléochrétiens où l'on constate une imbrication évidente des caractères païens et chrétiens.

À voir, s'il vous reste encore un peu d'énergie dans les gambettes : le ***Musée missionnaire ethnologique,*** le ***musée des Carrosses,*** la ***salle du Bige.*** Ouf ! il y en a bien un qui va nous ramener à la maison.

À l'extérieur

Giardini Vaticani *(jardins du Vatican) : visite guidée slt (mar, jeu et sam à 10h et 12h ; durée : 2h) ; s'inscrire 1 sem à l'avance au bureau des visites guidées dans l'entrée des musées du Vatican en entrant, muni d'une pièce d'identité. Env 16 €. Ou téléphoner : ☎ 06-69-88-46-76. Bien se faire préciser, toutefois, si la résa est gratuite ou si elle occasionne un supplément (qui peut être exorbitant).* Créés à partir de 1279 sous le pontificat de Nicolas III, les jardins du Vatican couvrent aujourd'hui une vaste surface d'une vingtaine d'hectares. Ils sont splendides mais ne se visitent que le matin, car l'après-midi est réservé à la promenade du pape !

LE QUARTIER DE BORGO *(quartiere del Borgo ; plan général B3)*

➢ ***Accès :*** *Ⓜ Ottaviano San Pietro ou Lepanto. Bus nos 40 ou 64 qui partent de Termini. Ou encore les nos 34, 49, 62, 280...*

Un peu d'histoire

– ***L'époque romaine :*** la zone comprise entre les monts du Vatican et le Tibre, l'*Ager Vaticanus,* n'a jamais constitué un quartier à part entière à l'époque romaine. Il

s'agissait plutôt d'une zone suburbaine traversée de routes bordées de nombreuses tombes. On y rencontrait également de grandes villas qui tombèrent très vite dans le domaine impérial. C'est d'ailleurs dans les jardins de la villa d'Agrippine que le sympathique Caligula fit construire son propre cirque, terminé plus tard sous le règne du non moins charmant Néron. Il occupait le flanc gauche de la basilique Saint-Pierre.
Plus tard, au IIe s apr. J.-C., on bâtit à l'emplacement des jardins de la villa de Domitia le *mausolée d'Hadrien,* ultime bâtiment païen édifié dans le coin à l'époque des Césars. Un pont fut spécialement construit pour le relier à la zone du Champ-de-Mars : il s'agit de l'ancêtre du pont Saint-Ange.
Pour le grand bonheur des gens du coin, saint Pierre eut la bonne idée d'y subir son martyre (pour plus de détails, se reporter à la lecture de *Quo Vadis*). Une première basilique y fut construite au IVe s pendant que les pèlerins se multipliaient au fil des années. Saint Pierre (désormais enterré trente pieds sous terre) façonna donc d'une certaine façon ce quartier qui fit tout pour favoriser le séjour des pèlerins.
*- **Au Moyen Âge :*** les *scholae peregrinorum,* établissements comprenant une hôtellerie et un oratoire fondés par des pèlerins étrangers pour leurs compatriotes, fleurirent dès le VIIIe s, notamment dans la plaine du Vatican. Chaque ensemble formait un petit bourg, *burgus* ou *borgo,* dont l'ensemble donnait les *borghi.* Ces derniers, après l'incursion des Sarrasins en 846, furent enserrés dans une nouvelle muraille, la muraille Léonine, qui englobait également le Vatican. Voué à l'abandon pendant l'exil des papes à Avignon, Borgo renaît au début du XIVe s, avec le retour de la papauté, qui élira domicile dans le voisinage immédiat de la basilique au détriment du palais du Latran. La chrétienté n'aura désormais qu'un seul centre, le *Vatican,* précédé d'un bourg, *Borgo*. Le tout bénéficiant de l'appui militaire du *château Saint-Ange.*
*- **La Renaissance :*** Borgo connut sa période faste aux XVe et XVIe s avec l'apparition de nombreux palais, de congrégations et d'instituts religieux. Au milieu de tout cela, nombre de maisons étaient habitées par la petite bourgeoisie (artisans et commerçants notamment), professionnellement liée à l'activité de la basilique.
*- **1937 – Annus horribilis :*** l'aspect général du quartier devait rester le même jusqu'en 1870, année de l'annexion de Rome à la Nouvelle Italie. Borgo (rattaché au nouveau quartier de Prati) fut détaché de son saint protecteur dont la basilique et le territoire attenant furent érigés en zone extraterritoriale. Mais, bien plus que la destruction de certaines portes ou les changements liés à la construction des berges du Tibre, c'est l'année 1937 qui sera fatale au quartier avec la disparition de la « spina – arête, artère principale – dei Borghi » au profit de la pompeuse via della Conciliazione. Les gloutons de Saint-Pierre et de Mussolini avalèrent cette fameuse arête sans scrupule, détruisant par là même l'unité d'un vieux quartier fait d'enchevêtrements de rues aux maisons serrées les unes contre les autres. L'effet de choc jusqu'alors provoqué par la soudaine ouverture du Borgo sur la place Saint-Pierre disparut du même coup.
*- **Aujourd'hui :*** Borgo, jamais vraiment remis de cette terrible saignée, ne se résume plus guère qu'à la petite partie coincée entre la muraille Léonine au sud, la via di Porta Angelico à l'ouest, la via Crescenzio au nord et le château Saint-Ange à l'est. C'est ici en effet, et plus particulièrement à Borgo Pio, que l'on retrouve l'aspect et un peu de l'atmosphère du vieux quartier. Ailleurs, notamment au sud de la via della Conciliazione, la zone est d'un sinistre sans nom, surtout le soir.

À VOIR

Les visites

*🏛🏛🏛 **Castel Sant'Angelo** (château Saint-Ange ; plan général B3) **:** lungotevere Castello, 50. ☎ 06-37-24-121. • castelsantangelo.com • ♿ Mar-dim 9h-19h (fermeture des caisses 30 mn avt). Entrée : en théorie 5 €, mais comme il y a toujours une expo temporaire, ça monte jusqu'à 11 € (on frise l'arnaque !) ; réduc ;* Roma Pass. *Audioguide : 4 €, avec plan numéroté très pratique car il n'y a aucune info sur le site.*

Selon la légende, un ange, apparu au sommet du monument, aurait remis son épée dans son fourreau pour indiquer la fin de l'épidémie de peste qui ravageait Rome en 590, d'où son nom de château Saint-Ange. Sa masse imposante se découpe près du Vatican. Un pont piéton très gracieux le relie à la rive opposée du Tibre ; 10 merveilleuses statues d'anges baroques du Bernin, avec celles de saint Pierre et saint Paul, escortent le visiteur qui le traverse. Le château Saint-Ange était à l'origine (139) le mausolée d'Hadrien, gigantesque tumulus surmonté d'une statue de l'empereur et d'un quadrige en bronze. Dès le IIIe s, le monument fut transformé en forteresse et intégré à l'enceinte d'Aurélien.

Ce qui surprend de prime abord, c'est sa conception médiévale complètement alambiquée s'appuyant sur la structure antique. Sur l'ancien mur, on note la trace des clous qui tenaient le placage de marbre. De nombreux éléments romains furent intégrés dans le château. À l'intérieur, ce ne sont qu'escaliers et passages dérobés, formant un labyrinthe original. Sans oublier l'impressionnante rampe d'Alexandre VI menant au cœur du château : hélicoïdale, on pouvait l'emprunter à cheval. Elle prolonge en réalité l'accès d'origine du tumulus, et traverse d'ailleurs une antique chambre funéraire (destinée aux urnes contenant les cendres de la famille impériale). Puis apparaît la résidence papale. C'est sûr qu'en pénétrant dans cette forteresse improbable, on ne s'attend pas à tant de raffinement et de débauche ornementale. Fresques et grotesques enluminent le moindre mur, le moindre plafond. C'est magnifique ! Quant à la vue sur Rome et la cité vaticane, elle est juste belle à couper le souffle. On vous conseille de faire la visite en fin d'après-midi pour avoir la chance d'assister au coucher de soleil et à l'illumination de la ville...

LE PASSAGE DES ANGES

Au IXe s, Léon IV bâtit le passetto, *la longue muraille qui relie le Vatican au château Saint-Ange. Innocent VIII fait emprisonner au château le cardinal Alexandre Farnèse, futur Paul III. La forteresse, réputée l'une des plus sûres d'Europe, devient le refuge des papes en cas de crise et Alexandre VI fait aménager un conduit direct entre le Vatican et le château. Bref, un passage se crée... En 1527, Clément VII lui doit son salut pour échapper aux troupes de Charles Quint.*

Arrivée à la cour d'honneur, un ange y veille !

– *Salle de l'Apollon :* délicates fresques avec personnages. D'autres pièces présentent des plafonds peints. Pavement d'origine. Au passage, on peut voir quelques œuvres d'art, ou l'expo temporaire du moment (mais on n'est pas vraiment venu pour ça). Bon, on va vous faire monter maintenant tout en haut pour le fameux panorama, et puis vous visiterez les dernières salles en repartant.

– Sur le *chemin de ronde intérieur,* le panorama (on vous l'avait promis), la cafétéria et un tout petit *Musée militaire.* Quelques pièces intéressantes, comme un heaume du XVe s, ou encore un très rare casque de gladiateur du VIe s av. J.-C. Poires à poudre ouvragées, armures, boucliers gravés, superbes pistolets en os gravé et une arquebuse (tous du XVIe s), véritables objets d'art (venant de la famille Farnèse).

– Escalier pour le *dernier étage.* Grande salle avec de très belles fresques au plafond (1545) et une cheminée monumentale. Dans la *sala Adriano,* quelques toiles exposées au gré de l'accrochage du moment. Accès à la petite *salle du Trésor,* en grande partie lambrissée et équipée de coffres blindés. À l'époque, elle contenait les richesses et les archives du pape Sixte V. Autre temps, autres mœurs, au XIXe s elle servit de prison. Un couloir à fresques mène ensuite à la *salle Pauline,* aux grandes proportions et particulièrement ornementée. Plafond sculpté doré. Noter ce personnage en trompe l'œil qui semble entrer par une porte peinte (facétie artistique du XVIe s). Autre belle fresque représentant l'empereur Hadrien et l'archange saint Michel.

– *Salle Perseo :* à côté. Vieux coffre en bois sculpté, tapisseries. Chambre à coucher papale curieusement décorée de fresques, disons suggestives (étonnant repas

d'hommes nus !). Paul III, qui fut pape de 1534 à 1549, y aurait habité. Autre fresque presque sensuelle et peu habituelle en ces lieux (femmes prenant leur bain).
– *Terrasse :* le chemin de ronde intérieur, c'est pas mal, mais la vue de la terrasse est incomparable. Accessible depuis un escalier situé à côté de la salle du Trésor, elle offre une vue dégagée et panoramique de Rome. Enfin, si vous n'avez pas épuisé la batterie de votre appareil photo, vous pouvez également emprunter le chemin de ronde extérieur qui fait le tour des remparts en passant par les différents bastions.

Via della Conciliazione *(plan général B3)* **:** c'est la voie royale pour se rapprocher de Saint-Pierre, depuis le château Saint-Ange ou même le centre historique. Son nom commémore les fameux *accords du Latran*, signés en 1929 entre le Vatican et l'État italien. La via della Conciliazione fut ouverte en 1937, mais les travaux s'étalèrent jusqu'en 1950, entraînant la destruction de nombreuses maisons anciennes de Borgo. Ainsi le projet de Carlo Fontana – créer une artère grandiose débouchant sur la basilique Saint-Pierre – fut-il réalisé bien après qu'il l'eut imaginé. Mais que reste-t-il aujourd'hui de ce vieux quartier, et de « l'arrivée soudaine sur une place inondée de lumière au sortir d'une ruelle obscure » qui subjuguait Augustus Hare et les pèlerins en arrivant à Saint-Pierre depuis le Borgo ? Les voitures et les innombrables bus de touristes ont depuis trouvé leur zone d'élection, et nous une raison supplémentaire de pousser un coup de gueule.
Pour être justes, ajoutons que quelques-unes des plus belles maisons de l'ancien Borgo ont été simplement déplacées sur la via della Conciliazione : c'est le cas, par exemple, des palais Torlonia (n° 130) et Penitenzieri (n° 33). Autre curiosité, l'église S. M. in Traspontina.

La zone située au sud de la via della Conciliazione : c'est la zone d'implantation des premiers centres de pèlerins étrangers, souvent anglo-saxons, d'où le surnom de *Burgus Saxonum* donné au Moyen Âge. Elle comprend notamment le Borgo Santo Spirito, ainsi baptisé après la construction par Sixte IV du grand hôpital du Saint-Esprit, un des rares témoignages des débuts de la Renaissance à Rome. Remarquer l'*église Santo Spirito in Sassia,* qui lui est attachée. Un peu plus loin, lungotevere Vaticano plus précisément, la délicieuse petite *église Santa Maria Annunziata.*

La zone située au nord de la via della Conciliazione : c'est ici que transpire l'atmosphère de Borgo, du Borgo d'aujourd'hui, il va sans dire. Ailleurs, c'est un quartier sans âme, exclusivement tourné vers le Vatican. Une petite vie de quartier anime en effet les *borghi* Angelico, Vittorio et Pio. Arpenter ce dernier à pas de sénateur permet d'y découvrir de vénérables maisons des XVIe et XVIIe s, et, à côté de quelques boutiques de bondieuseries, des épiceries et autres bars fréquentés par les vieux habitants du coin. Vous vous dirigerez ensuite vers Borgo Vittorio – son nom rappelle la fameuse victoire de Lépante –, dont vous apprécierez le calme et le charme provincial.

PRATI *(plan général A-B2-3)*

➢ **Accès :** Ⓜ *Lepanto ou Ottaviano San Pietro (ligne A). Autre possibilité : le bus n° 64, ou encore ceux qui desservent les piazze Cavour et Mazzini (n°s 30, 34, 49, 87, 88, 186...).*

Un peu d'histoire

Connu dans l'Antiquité comme « Prata Neronis » (pré de Néron), indiqué au Moyen Âge comme « Prata Sancta Petri » (pré de Saint-Pierre) et ensuite comme « Prati di Castello » en référence au château Saint-Ange, Prati était encore jusqu'à la fin du XIXe s une zone de jardins parsemée de vignobles. Il s'agissait en fait de mauvaises terres paludéennes couramment inondées.

Les choses s'améliorèrent nettement après la construction, en 1876, des murailles contenant le Tibre. Mais le quartier se transforma surtout fin XIXe s, lorsqu'il fallut trouver de l'espace pour bâtir des logements de fonctionnaires de la Nouvelle Italie, à la tête de laquelle Rome venait d'être propulsée. Des plans d'urbanisme se chargèrent d'aménager ces terrains maudits en quartier digne de ce nom. Tout un symbole, c'est Prati, un promoteur piémontais, qui façonna le visage de cette zone. Aujourd'hui, on peut chercher en vain l'esprit champêtre de Prati. Très commerçant, il offre un aspect radicalement différent des autres quartiers de Rome. Un émule du baron Haussmann semble en effet être passé par là. Les avenues sont larges, les immeubles hauts ont des tons quelque peu sévères pour Rome, les platanes ont supplanté les pins... Cet agréable quartier héberge un mélange de cadres, d'employés, de retraités... et beaucoup de commerçants, dont faisaient partie les parents de Cécilia, l'héroïne de *L'Ennui* de Moravia.

Les visites

Piazza del Risorgimento *(plan général A-B3)* **:** dominée par la coupole de Saint-Pierre, cette place est toujours très animée. On y rencontre beaucoup d'automobiles, mais aussi une file interminable de touristes suivant les contours de la muraille Léonine... avant de pouvoir poser le pied à l'intérieur des musées du Vatican.
Pour rejoindre l'autre grande place du quartier, la piazza Cavour, prenez la via Crescenzio. Le nom de cette rue évoque les Crescenzi, farouches opposants des empereurs à la fin du Xe s. En 998, Otton III captura le chef de cette famille patricienne, qui eut les yeux arrachés et les membres mutilés avant d'être gentiment décapité. Son cadavre fut ensuite exposé au milieu d'autres, sur un gibet dressé sur le monte Mario, qui prit alors le nom sympathique de « mons Malus ».

Piazza Cavour *(plan général B-C3)* **:** au centre de cette place élégante plantée de magnifiques palmiers, vous verrez le monument en bronze de Cavour, datant de 1895. Mais la place, aussi grande soit-elle, reste dominée – mais non pas écrasée – par l'imposante façade postérieure du palais de justice.

Palazzo di giustizia *(palais de justice ; plan général C3)* **:** pas moins de 22 années ont été nécessaires à son édification (1888-1910). C'est aujourd'hui le siège « della Corte Suprema di Cassazione ». Ses dimensions énormes – 170 m de long pour 155 m de large sans les rampes – en font un des bâtiments les plus imposants de la Rome contemporaine. L'extérieur est en travertin, comme les grands monuments romains (voir « Le Colisée »). Rien d'étonnant à cela car « Il Palazzacio » (surnom donné par les Romains) mélange les inspirations antique (notamment le quadrige en bronze surmontant l'ensemble)... et baroque.
C'est en le regardant depuis la rive gauche (parages de la piazza Umberto I^{ero}) que vous prendrez la pleine mesure du colosse.

Via Cola Di Rienzo *(plan général B-C2-3)* **:** c'est la plus grande artère commerçante du quartier. Séparée en son milieu par une place, la piazza Cola Di Rienzo, elle débute piazza del Risorgimento pour finir piazza della Libertà, en bordure du Tibre qu'il suffit de traverser pour déboucher piazza del Popolo. C'est dans cette rue que vous trouverez le petit marché couvert de la piazza dell'Unità, ainsi que l'excellent traiteur *Franchi* et le célèbre torréfacteur-épicier de luxe *Castroni*. Un lieu pour faire vos emplettes, par exemple, entre la visite de Saint-Pierre et celle des musées du Vatican. Sur le chemin du retour, une fois vos cabas pleins de victuailles, vous vous demanderez certainement qui était ce Cola Di Rienzo ? Tribun politique, il fut le véritable instigateur de la révolution républicaine de 1347. Son comportement excessif finit cependant par lui coûter ses appuis traditionnels (la papauté notamment). Coupable d'hérésie, il revint en 1354 à Rome pour être emprisonné. Libéré, il retrouva pour peu de temps le pouvoir. Un matin d'octobre 1354, un ancien collaborateur le liquida. Place de Venise, près de Santa Maria in Aracoeli, sur un carré de pelouse côté gauche, vous trouverez une statue de Cola Di Rienzo.

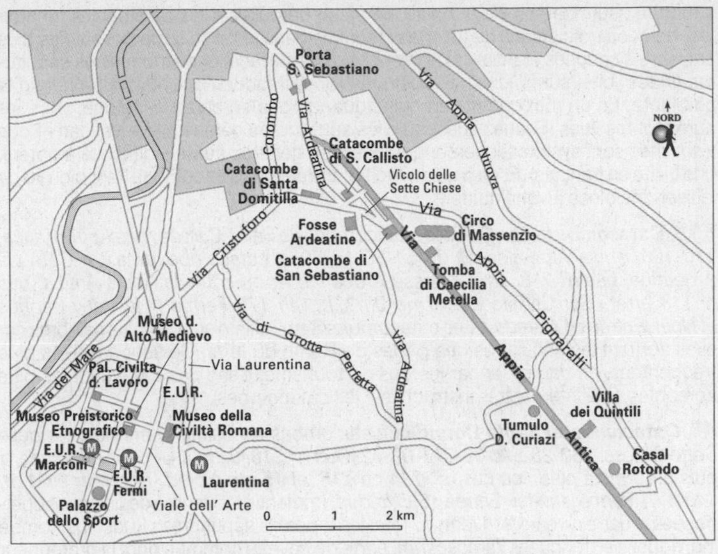

L'EUR ET LA VIA APPIA ANTICA

LA ROME PÉRIPHÉRIQUE *(ROMA PERIFERICA)*

Il faut sortir des sentiers battus et quitter par conséquent le centre historique délimité par l'enceinte d'Aurélien pour visiter ces quartiers et édifices qui ne manquent pas d'intérêt.

LA VIA APPIA ANTICA (plan général E6)

➢ **Accès :** *de la piazza S. Giovanni in Laterano (plan général F5), prendre le bus n° 218 (arrêt « Fosse Ardeatine »). Depuis la Piramide, piazza Ostiense, prendre en face de la gare et du métro le bus n° 118. Également accessible par l'*Archeobus *(voir « Adresses et infos utiles »).*

On vous recommande d'y aller le dimanche de 9h à 17h, lorsque la via Appia Antica se transforme en vaste zone piétonne. En semaine, mieux vaut marcher au-delà du tombeau de Cecilia Metella, où elle est également piétonne sur une portion de 3-4 km. Avant cette zone, on est frôlé par les voitures et on « profite » plutôt des pots d'échappement... Au passage, juste après la porta San Sebastiano, remarquer l'*église du Quo-Vadis* (sur la gauche). Selon la légende, c'est là que saint Pierre, fuyant les persécutions ordonnées par Néron contre les chrétiens après le grand incendie de Rome, rencontra le Christ. « *Domine, quo vadis ?* », lui demanda-t-il (en v.f. : « Seigneur, où vas-tu ? ») et le Christ répondit : « À Rome, me faire crucifier de nouveau. » Saint Pierre comprit le message et fit demi-tour. Il n'était quand même pas si trouillard que ça. Arrivé à Rome, il fut effectivement arrêté puis crucifié.

La via Appia Antica est très romantique avec ses énormes pavés antiques et les vestiges qui la bordent. Cette route menait à l'origine (312 av. J.-C.) à Capoue, puis fut rallongée jusqu'à Bénévent et Brindisi (191 av. J.-C.). La loi romaine interdisait les cimetières en ville, ce qui explique la présence ici des catacombes, chrétiennes ou juives, qui n'étaient rien d'autre alors que des cimetières. À notre avis, il n'est pas nécessaire de visiter toutes les catacombes, qui présentent toutes la même structure : surmontées d'une basilique où se déroulaient les cérémonies funéraires, deux ou trois étages de galeries creusées dans le tuf se superposent (les plus anciennes couches étant les plus proches de la surface) et distribuent les sépultures (vides, bien sûr !). Ici et là, quelques rares fresques ont résisté à l'humidité ambiante. En un mot comme en mille, quand vous en aurez visité une, vous les aurez toutes vues. Sachez aussi qu'elles sont toutes gérées par le Vatican et que les visites sont systématiquement guidées (en général, aucune difficulté à obtenir une visite en français). Et en plus du droit d'entrée (pas si modique), il est bien vu de laisser une pièce à votre guide.

Catacombe di San Callisto (catacombes de Saint-Callixte) *: via Appia Antica, 110-126, et via Ardeatine. ☎ 06-51-30-15-80. • catacombe.roma.it • Côté via Ardeatine, bus n° 218, arrêt « Fosse Ardeatine » ; ou côté via Appia Antica, bus n° 118, arrêt « San Callisto ». Tlj sf mer 9h-12h, 14h-17h. Fermé 1er janv, fév, Pâques et Noël. Entrée : 6 € ; réduc.* Les catacombes San Callisto sont les plus célèbres car elles abritent les sépultures des papes de Rome du IIIe s. Ce sont aussi les plus fréquentées, en particulier par les bus de tourisme, donc pas forcément les plus agréables. Site internet très instructif sur les catacombes.

Catacombe di Santa Domitilla (catacombes de Sainte-Domitille) *: via delle Sette Chiese, 280-282. ☎ 06-511-03-42. Bus n° 218 jusqu'à « Fosse Ardeatine », puis 5-10 mn à pied ; ou bus nos 714 ou 716, et 15 mn à pied. Tlj sf mar 9h-12h, 14h-17h. Fermé janv-fév. Entrée : 6 € ; réduc.* Immense labyrinthe de galeries superposées (quatre niveaux et 17 km !). Tous les types de sépultures : le *loculus,* tombe individuelle en longueur, l'*arcosolium,* sorte de caveau commun dont la profondeur permettait d'accueillir jusqu'à 15 personnes, surmontés en général d'une voûte, et le *cubiculum,* une véritable pièce qui faisait fonction de caveau familial en combinant un *loculus* et un *arcosolium* (ce sont plutôt les familles riches qui en disposaient).

Catacombe di San Sebastiano (catacombes de Saint-Sébastien) *: via Appia Antica, 136. ☎ 06-788-70-35. Bus n° 118, arrêt « San Sebastiano ». Tlj sf dim 9h-12h, 14h-17h. Fermé 1er janv, Pâques, de mi-nov à mi-déc et Noël. Entrée : 6 € ; réduc.* Cette catacombe aurait accueilli un temps les reliques de saint Pierre et saint Paul. Autrefois, les tombes étaient à ciel ouvert, puis elles furent recouvertes par la basilique chrétienne. Galeries sur trois niveaux abritant différentes tombes chrétiennes, mais également des tombes païennes agrémentées de quelques peintures. Une seule avec une plaque de marbre. Saint Sébastien était un soldat romain converti au christianisme et tué pour cette raison. Ses reliques, autrefois dans la crypte, se trouvent aujourd'hui dans la basilique.

Fosse Ardeatine : via Ardeatina, 174. ☎ 06-51-36-742. Tlj 8h15-16h45. Fermé 1er janv, Pâques, 1er mai, 15 août et 25 déc. Entrée gratuite.
Après les catacombes de l'Antiquité, voici un mémorial consacré à la mémoire des victimes d'une Histoire bien plus contemporaine. Le 23 mars 1944, 33 policiers allemands sont tués lors d'un attentat perpétré par la résistance italienne à l'occupation nazie. Le lendemain, 24 mars 1944, 335 Romains, soupçonnés d'être liés à des mouvements de résistance, sont extraits de leurs prisons et menés jusqu'à une carrière de pierre en bordure de la via Ardeatine. Certains n'avaient pas même 16 ans, mais tous furent fusillés, en représailles à l'attentat de la veille : 10 victimes pour un soldat allemand mort. L'exécution prit la journée entière. Puis les Allemands firent exploser l'entrée de la carrière, afin d'en obstruer l'accès... C'est grâce à un berger, caché à proximité, que l'on put retrouver le lieu exact du massacre. Il fallut des semaines pour en dégager l'entrée.
Dans le mémorial, d'une très grande sobriété et servi par des artistes de talent, le cratère de l'explosion et le fond de la carrière, où une veilleuse brûle en permanence, ont plus ou moins été laissés en l'état. Une crypte, au plafond très bas, réunit les 335 tombes en basalte noir. L'effet est très impressionnant. Petit musée également.

Le tombeau de Caecilia Metella : *via Appia Antica, 161. ☎ 06-39-96-77-00. Tlj sf lun de 9h jusqu'à 1h avt le coucher du soleil. Entrée : 6 € (valable 7 j., incluant aussi l'accès à la villa dei Quintili et les thermes de Caracalla).* Imposant mausolée circulaire de 20 m de diamètre, datant de la fin de la République. Pas grand-chose à voir, sinon le patio, car il fut remanié au Moyen Âge.

Villa dei Quintili : *via Appia Nuova, 1092. Accès le plus simple :* Archeobus. *Mêmes horaires et tarifs que le tombeau de Caecilia Metella.* Vestiges d'une villa : quelques pavements, et restes de thermes privés.

L'EUR – L'EXPOSITION UNIVERSELLE ROMAINE

➢ **Accès :** Ⓜ *Laurentina, EUR-Palasport ou EUR-Fermi (ligne B). De nombreux bus aussi, dont les nos 30, 170, 671, 714, 764 et 791.*
– Possibilité de visite guidée du quartier ; rens sur • romaeur.it •
Ce quartier au sud de la ville tient son nom (prononcer « éour ») de l'Exposition universelle qui aurait dû se tenir à Rome en 1942 (pour célébrer les 20 ans du fascisme) mais qui fut tout bonnement annulée à cause de la guerre. Construit principalement entre 1937 et 1941 sous l'impulsion de Mussolini, il donne une assez bonne idée de la folie des grandeurs du Duce. Son but était de construire le nouveau quartier administratif de la ville, réunissant ministères, ambassades, musées novateurs... une « nouvelle Rome », l'ultime forum de la ville... Et pour s'inscrire dans la tradition antique (toujours ce besoin d'asseoir sa légitimité), il utilisa les mêmes matériaux : marbre, travertin et tuf. Il s'inspira également de l'architecture : le palais des Congrès est une sorte de faux Panthéon, le palazzo della Civiltà del Lavoro, encadré par Castor et Pollux, évoque un Colisée carré, avec ses sept rangées de baies en arc en plein cintre, éclatant sous le ciel bleu, et la piazza Marconi est dominée par un gigantesque obélisque. Quant à la via Cristoforo Colombo, qui traverse le quartier de part en part, évidemment issue du modèle des voies romaines, elle se voulait la plus large du monde. Ridicule par ses dimensions à l'époque, elle se révèle bien pratique en ce XXIe s vrombissant... Aujourd'hui, outre son intérêt architectural, ce quartier n'est pas désagréable, avec ses espaces verts, son lac artificiel, sa zone résidentielle pavillonnaire aérée... Le cinéaste Antonioni y tourna son film *L'Éclipse* avec Monica Vitti et Alain Delon.
L'expo n'eut donc pas lieu, mais la vocation muséale de certains des bâtiments fut maintenue, et la zone accueille désormais pas moins de quatre musées (cinq avec celui des Postes et des Télécommunications), injustement peu fréquentés pour certains : le musée de la Civilisation romaine (le plus intéressant), le musée de la Préhistoire et d'Ethnographie « Luigi-Pigorini », le musée du Haut Moyen Âge, et enfin le musée des Arts et des Traditions populaires.

Museo della Civiltà romana (*musée de la Civilisation romaine*) *: piazza G. Agnelli. ☎ 06-59-26-041. • museociviltaromana.it • ♿ Mar-dim 9h-14h (13h30 dim). Fermé 1er janv, 1er mai et 25 déc. Entrée : 6,50 € ; réduc ; gratuit pour les moins de 18 ans et les plus de 65 ans de l'Union européenne. Un planétarium (le w-e slt 9h-19h) y a ouvert ses portes et des expos temporaires y sont régulièrement organisées.*
Inauguré en 1955 dans un gigantesque bâtiment achevé après la guerre, ce vaste musée organisé en deux ailes permet, malgré une scénographie on ne peut plus vieillotte, de mieux appréhender la civilisation romaine. On y trouve une synthèse historique de Rome (depuis l'origine jusqu'au VIe s apr. J.-C.), ainsi qu'un ensemble de reproductions (grandeur nature !) de fragments d'édifices, d'œuvres (statues, reliefs...) et d'objets qui illustrent la Rome antique sous ses aspects les plus divers (des structures juridico-administratives aux loisirs, en passant par l'habitat et l'alimentation). Et, le plus intéressant, une série de maquettes (impressionnantes de précision), reconstitutions de scènes (les Français retrouveront Alésia) et monuments mal en point ou disparus : le théâtre de Marcellus, l'arc d'Auguste, etc. Le

clou de cette collection (dans l'autre aile du bâtiment, en traversant le parking) : l'incroyable maquette de la Rome impériale au 1/250 (soit une surface de 240 m^2), qui mérite à elle seule le détour. À ne pas manquer non plus, la maquette de la Rome archaïque (la seule au monde qui soit conservée dans un musée), ainsi qu'une reconstitution de la colonne Trajane (célébrant les victoires de l'empereur Trajan sur les Daces, au IIe s). Si vous passez plusieurs jours à Rome, ça vaut presque le coup de commencer par ce musée pour mieux comprendre la structure de la ville ; quant aux enfants, cette illustration concrète de l'évolution de l'urbanisme d'une ville ne pourra que les séduire.

Museo nazionale preistorico etnografico *(musée national de la Préhistoire et d'Ethnographie)* ***:*** *piazza Marconi, 14. ☎ 06-54-95-21. • pigorini.arti.beniculturali.it • ♿ Tlj sf lun 9h-13h30. Fermé 1er janv et 25 déc. Entrée : 4 € ; réduc ; gratuit pour les moins de 18 ans et les plus de 65 ans de l'Union européenne.* Pourquoi un musée à la fois sur la préhistoire (et la protohistoire) et sur l'ethnographie ? Tout simplement parce que le projet de son concepteur et fondateur, Luigi Pigorini, était de rassembler de quoi permettre une étude comparative des peuples italiens de la préhistoire et de certains peuples encore bien vivants, afin d'apprécier le développement culturel de l'homme. Le but a-t-il été atteint ? Difficile à dire. Toujours est-il que le musée comporte donc une section consacrée à la protohistoire de la péninsule (du néolithique à l'âge de fer) et une partie dédiée aux ethnies non européennes avec une multitude d'artefacts, d'ustensiles de guerre, d'instruments de musique, de masques, d'objets de culte, de sculptures et d'autres œuvres d'art en provenance d'Afrique, d'Océanie et d'Amérique surtout. Des pièces splendides quoi qu'il en soit, mais souvent mal mises en valeur. Les vitrines sont décidément bien tristes. Dommage.

Museo dell'Alto Medioevo *(musée du Haut Moyen Âge)* ***:*** *viale Lincoln, 3. ☎ 06-54-22-81-99. ♿ Situé à deux pas du précédent. Tlj sf lun 9h-14h. Fermé 1er janv et 25 déc. Entrée : 2 € ; gratuit pour les moins de 18 ans et les plus de 65 ans de l'Union européenne.* Petit musée qui rassemble les vestiges italiens les plus représentatifs du haut Moyen Âge. On y découvre divers objets de l'Antiquité tardive, des restes de nécropoles lombardes, des bijoux, des marbres et céramiques de l'époque carolingienne ou encore des tissus et reliefs coptes.

Museo nazionale delle Arti e Tradizioni popolari *(musée national des Arts et des Traditions populaires)* ***:*** *piazza Marconi, 8-10. ☎ 06-59-26-148. • popolari.arti.beniculturali.it • ♿ En face des 2 précédents. Mar-ven 9h-16h, w-e et j. fériés 9h-20h (9h-16h en juil-août). Entrée : 4 € ; réduc ; gratuit pour les moins de 12 ans, et pour les moins de 18 ans et plus de 65 ans de l'Union européenne.* Un coup de cœur ! Qu'on se permet de vous conseiller vivement pour peu que vous séjourniez à Rome quelque temps. Comme son nom l'indique, ce musée s'intéresse au patrimoine ethnographique italien. On sort totalement ébloui par l'immense richesse de couleurs et de motifs que l'on retrouve dans chaque objet du quotidien. Des carrioles et des charrettes, peintes et sculptées, étourdissantes de beauté, des crèches napolitaines confondantes de naïveté et de précision, sans oublier les outils et instruments de travail ou encore les costumes de fêtes ou de tous les jours aux couleurs chatoyantes... La collection, présentée de façon claire et aérée, semble infinie. Une section est consacrée au Carnaval, aux jeux et aux marionnettes... Ce musée est décidément une vraie fête.

LE QUARTIER DE LA GARBATELLA
(quartiere della Garbatella)

Remis au goût du jour par le cinéaste Nanni Moretti dans son *Journal intime (Caro diario),* ce vieux quartier ouvrier et populaire au sud de Rome, qui se développa dans les années 1920-1930, possède toujours aujourd'hui une identité très forte.

À l'époque, on y développa toutes les formes d'architecture sociale : cités-jardins, rangées de maisons ouvrières, HLM, jusqu'aux *alberghi suburbani*, immenses bâtiments collectifs destinés à répondre à la crise du logement. Malgré les inévitables mutations sociales de ces dernières années, vous sentirez encore qu'il existe ici une vie de quartier, des lieux où se tissent de vieilles solidarités, des places pleines de mômes chahuteurs... Les murs eux-mêmes, couverts d'affiches, de graffitis et de slogans politiques, témoignent que les débats et contradictions du quartier sont encore bien vivants et que ça bouge. Le quartier est même en passe de devenir légèrement branché, en témoigne le *musée de la Centrale électrique* (qui n'est pas à proprement parler dans le cœur de la Garbetella, mais à la lisière), où vous vivrez l'une de vos visites culturelles les plus intenses... la plus insolite aussi !

***La centrale Montemartini** (hors plan général par C6) **:** via Ostiense, 106. ☎ 06-06-08. • centralemontemartini.org • Ⓜ Garbatella (ligne B). En sortant du métro, ne pas rater la passerelle sur la gauche qui franchit les voies (sortie via Ostiense) ; à droite, c'est pour s'enfoncer dans le cœur du quartier : env 10 mn à pied. Tlj sf lun 9h-19h ; 24 et 31 déc 9h-14h. Fermé 1er janv, 1er mai et 25 déc. Entrée : 4,50 € ; réduc ; billet jumelé avec les musées capitolins, valable 7 j. : 8 € (10 € en cas d'expo) ; gratuit pour les moins de 18 ans et les plus de 65 ans de l'Union européenne, ainsi que pour les Parisiens.*

Voici un mélange de styles détonnant. Les pièces antiques des musées du Capitole, expulsées pour cause de restauration, ont pris place dans une ancienne usine électrique construite en 1912 pour éclairer la Ville éternelle. Et ça fonctionne. Les turbines à charbon et les tuyauteries mettent magnifiquement en valeur les chairs et les courbes des statues de marbre. Diane chasseresse, Apollon, Bacchus, Aphrodite soulignent à leur tour la force des machines et la beauté de l'architecture industrielle de la première moitié du XXe s. Les contrastes sont saisissants et la complémentarité réellement fascinante. Photographes, prévoyez de la mémoire dans votre appareil, vous vous en donnerez à cœur joie.

Pour contempler le tapis de mosaïques de la salle des chaudières (peinte en vert), prendre la passerelle : scènes de chasse à l'ours et aux gazelles, une pièce unique à rapprocher des mosaïques du site de piazza Armerina, en Sicile, pour ceux qui connaissent. Dans la même salle, statue de muse songeuse enveloppée dans son manteau (IIe s av. J.-C.). Quant aux fesses dans la perspective, appartiennent-elles à une femme ou à un homme ? À vous de voir... En conclusion, un seul mot d'ordre : tous au charbon !

LA BASILIQUE SAINT-PAUL-HORS-LES-MURS
(basilica San Paolo fuori le Mura)

➢ **Accès :** *Ⓜ Basilica San Paolo (ligne B) ou bus n° 23 depuis le centre historique. Tlj 7h-18h30 (18h en hiver). Entrée gratuite.*

Saint Paul naquit à Tarse, sous le nom de Saül. Plus tard, il participa aux persécutions contre les premiers chrétiens en tant que légionnaire romain. Mais, touché par la grâce de Dieu, il se convertit, devient apôtre et s'en alla de par le monde prêcher la bonne parole. C'est ainsi qu'il arriva à Rome où il fut à son tour persécuté, sous le règne de Néron. Et en tant que Romain, il fut décapité. À l'emplacement de sa tombe fut construite une première basilique (consacrée en 324), en périphérie de la ville, comme toutes les catacombes chrétiennes de l'époque. Elle sera détruite au profit d'un ensemble plus conséquent sur lequel nous n'insisterons pas, car une grande partie fut réduite en cendres à l'issue du terrible incendie de 1823. Seul le beau cloître du XIIIe s demeura debout.

Elle fut reconstruite sur le plan de l'ancienne grâce à des matériaux offerts au Vatican par toute la chrétienté, et même au-delà (Mohamed Ali – l'Égyptien, pas le boxeur – offrit ainsi de l'albâtre). Cette nouvelle église, précédée d'un large portique et d'un atrium, impressionne par sa taille (c'est la plus grande de Rome après

Saint-Pierre) et par son caractère massif. De sa façade imposante, vous retiendrez la très belle porte en bronze des années 1930, niellée d'argent et incrustée de lapis-lazuli ; de part et d'autre de la croix qui la scinde, saint Pierre et son martyr sur la gauche, et saint Paul à droite. Quant à la porte à l'extrémité droite de la façade, il s'agit de la Porte sainte, celle que l'on n'ouvre que lors des jubilés, surmontée, comme toujours, du nom du dernier pape à avoir franchi son seuil.
L'intérieur est plus remarquable encore : déambulez dans la « forêt de colonnes » (toutes offertes par la Ville de Milan) qui délimitent les cinq nefs. En tournant le dos à l'autel, face aux portes donc, vous remarquerez deux « mini » mihrab, hommage au don de Mohamed Ali : et les six colonnes qui encadrent lesdites portes sont de son albâtre. Puis levez le nez sur le ciborium (l'espèce de grand baldaquin du XIIIe s) abritant le maître-autel, et au pied duquel se trouve l'entrée de la catacombe qui abrite la dépouille de saint Paul. À côté, le candélabre pascal (XIIIe-XIVe s) en marbre, illustré sur trois niveaux à la gloire du Christ (son arrestation, sa crucifixion et sa résurrection). Et puisque vous avez le nez en l'air, vous remarquerez certainement qu'entre les fenêtres les plus hautes, des fresques illustrent la vie de saint Paul. Juste en dessous, tout autour de l'église, courent 265 médaillons : les portraits des 265 papes (certains sont assez stylisés, car l'incendie de 1823 détruisit les originaux, et l'on ne retrouva pas toujours de modèle pour représenter fidèlement les plus anciens)... Vous trouverez le dernier en date, Benoît XVI, au fond à droite de l'autel, au-dessus de la dernière colonne de la nef de droite. Vous le repérerez facilement : c'est le seul mis en valeur par un rai de lumière ! Et, en routards sagaces, vous noterez qu'il reste un certain nombre de médaillons vides : c'est pour accueillir les futurs papes. Symboliquement, il aurait été inconcevable de ne pas leur prévoir des emplacements, la fin des papes signifiant la fin de la chrétienté !
Enfin, ne manquez pas le baptistère d'origine (suivre le fléchage « Sagrestia »), et surtout le cloître, lui aussi d'origine. Magnifique et très bien entretenu, avec ses colonnes doubles ; chacune de ces colonnes – elles sont toutes différentes – est une œuvre à part entière : torsadées ou sculptées, incrustées de pierres semi-précieuses (lapis-lazuli, corail, etc.). Vous remarquerez cependant que ce traitement d'exception a été réservé aux colonnes des déambulatoires longeant la basilique, les côtés les plus sacrés, donc. Et n'hésitez pas à approcher de la fontaine centrale dans le jardinet pour pouvoir admirer la belle frise qui surmonte les colonnes.
– ***La pinacothèque*** *(entrée : 3 €)* vaut surtout pour les quelques gravures qui représentent la basilique avant l'incendie de 1823.

LA BASILIQUE SAINT-LAURENT-HORS-LES-MURS (basilica San Lorenzo fuori le Mura)

➢ ***Accès :*** *Ⓜ Policlinico (ligne B) puis descendre la via Regina Elena jusqu'à la piazzale San Lorenzo. Bus n°s 71, 93, 163... ou 492 depuis la station de métro Barberini (ligne A). Tlj 8h-12h30, 16h-19h (20h en été).*
Saint Laurent, comme vous l'aurez sans doute deviné, est un autre martyr de la chrétienté. Il connut, dit-on, le supplice du gril en 258. À l'emplacement de la tombe du malheureux, la foule se pressait, d'où la construction d'un édifice religieux. L'église de Pélage II surplombant le tombeau (bâtie sous Constantin en 330, puis reconstruite au VIe s) vit pousser à côté d'elle une autre église, celle d'Honorius III, au XIIIe s. L'intérêt de la visite tient justement au contraste entre les deux églises qui, réunies au niveau de leurs absides, donnèrent naissance à la basilique. Remaniée de nombreuses fois, celle-ci sera en partie détruite par une bombe en juillet 1943 avant d'être restaurée sous son aspect du XIIIe s.
Une histoire tourmentée pour cette basilique excentrée qui n'en vaut pas moins le détour. Une fois franchi le portique de la façade dominée par le campanile du XIIe s, vous pénétrez dans cet édifice plutôt austère (colonnes à chapiteaux ioniques de Vassalletto, sol cosmatesque) et un peu déroutant en raison de ses deux axes. Ces

derniers correspondent évidemment aux deux anciennes églises : celle d'Honorius III, où il faut observer les deux ambons (ou chaires ; dont une signée par les frères Cosma, incrustée de mosaïques) ; celle de Pélage II avec sa très belle chaire pontificale (XIIIe s). Avant de rejoindre d'autres cieux, jetez un coup d'œil au superbe cloître roman, dont l'entrée se trouve au fond de la basilique à droite. Quelle sérénité !

Cimitero monumentale del Verano *(cimetière du Verano ; plan général G3)* **:** *tlj 7h30-17h (18h en été).* Avant de repartir, vous pouvez vous balader dans le plus grand cimetière de Rome, adjacent à la basilique. Un océan de calme et de verdure. Au milieu, un immense cloître bordé des mausolées grandiloquents et poussiéreux des grandes familles bourgeoises et aristocratiques du XIXe s. Sur la gauche, un escalier mène à la partie la plus ancienne du cimetière. Chemins musardant parmi buissons et cyprès, tombes monumentales ou pompeuses, angelots moussus et éplorés. Demandez un plan à l'entrée si vous voulez partir à la recherche des tombes de Vittorio Gassman, Sergio Leone ou encore Roberto Rossellini.

L'AUDITORIUM – PARCO DELLA MUSICA

➢ **Accès :** *par le métro jusqu'à Flaminio (ligne A), puis tram n° 2. Sinon, bus n° 910 depuis Termini. L'auditorium est au n° 30, viale P. de Coubertin.*
– **Visites :** *les w-e et j. fériés, visite ttes les heures, 11h30-16h30. En sem, slt sur résa, 10 pers min. Visite en français sur résa : ☎ 06-80-24-12-81. • auditorium.com • Visite guidée (1h) : 9 € ; réduc.*
En 1946, la salle de concerts de Rome, l'auditorium Augusto, a dû être démolie pour effectuer les restaurations de la tombe d'Auguste, qui la jouxtait. Il s'est passé pratiquement un demi-siècle avant que Rome ne puisse retrouver une installation musicale digne de ce nom. L'auditorium, inauguré en 2002, est l'œuvre de Renzo Piano, architecte réputé, père du centre Georges-Pompidou à Paris et de nombreux opéras en Italie et dans le monde. Il comprend trois amphithéâtres, qui ressemblent à de gigantesques insectes endormis sur le gazon. Ces trois salles (Santa Cecilia, Sinopoli et Settecento) sont reliées par l'intermédiaire de gradins extérieurs qui peuvent se transformer en caveau de jazz. À l'intérieur, un foyer accueille une exposition d'œuvres contemporaines (Calder, Klee...) et peut également se prêter à des séances musicales. Les salles de concerts sont de véritables prouesses technologiques. Rien n'a été laissé au hasard, du choix des matériaux utilisés (brique, ardoise oxydée à l'acide, cerisier d'Amérique...) à la disposition des rangées (entièrement reconfigurables), en passant par la climatisation (sous chaque fauteuil, pour limiter les nuisances sonores)... Arrêtons-nous là, et laissons à nos routards mélomanes le plaisir de découvrir tous les autres aménagements, pourquoi pas à l'occasion d'un concert ?
Une place a également été faite pour un minimusée archéologique, car, là encore, le site est installé sur les vestiges d'une villa romaine du Ve s avant notre ère qui ont été mis au jour lors du chantier ; de toute façon, à Rome, en creusant, on est à peu près assuré de découvrir quelque chose...

LES ENVIRONS DE ROME

OSTIA ANTICA

(00119)

Ostie fut la première colonie de Rome (elle aurait été fondée par le quatrième roi légendaire de la cité, un certain Ancus Martius, au VIIe s av. J.-C.). Placée à l'embouchure du Tibre, elle devint rapidement le port (et le principal entrepôt) de Rome. À l'origine, il s'agissait pourtant d'un port en eaux peu profondes. Les embarcations lourdes devaient rester au large, et les marchandises étaient transportées à bord de petits navires. Évidemment, en cas de tempête, le lieu n'était pas le plus idéal... C'est pourquoi Trajan fit creuser un profond bassin au nord d'Ostie, permettant à la fois de protéger les bateaux et de faciliter les transbordements. Ostie se développe alors considérablement et compte plus de 50 000 habitants à l'époque d'Hadrien (117-138). Le déclin intervient au IVe s, avec la chute du vaste empire dont elle faisait partie. Petit à petit, depuis le XVIe s, le port s'est ensablé, et le site est maintenant à environ 5 km de la côte. La visite d'Ostie est une promenade bucolique au milieu des nombreux vestiges et des pins parasols. Peut-être moins facile à comprendre que Pompéi, Ostie présente néanmoins beaucoup de charme ; la première s'est figée d'un seul coup, la seconde s'est éteinte tout doucement. Une chose est sûre : la visite s'impose dès lors que l'on reste plus de 4 jours à Rome. L'accès est on ne peut plus facile et rapide, et c'est un des sites antiques les mieux conservés d'Italie.

– ***Rens*** *(en italien) :* ☎ *06-56-35-80-99.* • *itnw.roma.it/ostia/scavi* •

➢ ***Accès :*** *prendre à la gare San Paolo (reliée à la station de métro Piramide, et à ne pas confondre avec Roma-Ostiense, à 500 m) le train de banlieue direction C. Colombo et descendre à Ostia Antica (départ ttes les 30 mn ; un simple ticket de métro – soit 1 € – suffit pour l'ensemble du trajet). Éviter les heures de pointe du w-e : les Romains vont à Ostie-plage (l'arrêt suivant) et les trains sont bondés. À Ostia Antica, prendre la passerelle bleue en face de la gare ; le site est un peu plus loin sur la gauche, à 5 mn à pied. En voiture (mais on ne vous le conseille vraiment pas), quittez Rome en suivant le Tibre par la via Ostiense. Sur place, parking payant.*

– Fin mars-fin oct env, on peut en principe (tt dépend de l'état du Tibre, parfois en crue) se rendre à Ostia en bateau-mouche. Départ à 10h du ponte Marconi, arrivée sur le site à 12h. Deux compagnies se partagent le marché : Battelli di Roma, ☎ *06-69-29-41-47 ;* • *battellidiroma.it* • *et* Gite Sul Tevere, ☎ *06-50-93-01-78 ;* • *gitesul tevere.it* •

– ***Horaires d'ouverture :*** *tlj sf lun : nov-fév, 8h30-17h ; mars, 8h30-18h ; avr-sept, 8h30-19h ; oct, 8h30-18h (fermeture de la caisse 1h avt l'évacuation du site) ; fermé 1er janv, 1er mai et 25 déc.*

– ***Entrée :*** *6,50 € ; réduc ; gratuit pour les moins de 18 ans et les plus de 65 ans de l'Union européenne.* Roma Pass *accepté.*

Le site est très vaste : prévoir un chapeau... et du temps ! Car, comme dans beaucoup de lieux de fouilles, il est assez difficile de situer les monuments ouverts, entre les échafaudages et les restaurations en cours.

– *Attention :* on ne peut pas sortir du site pour déjeuner, alors prévoyez un pique-nique (le théâtre s'avère un décor idéal !).

Sachez aussi qu'il existe une ***cafétéria*** sur place qui propose un honnête plat de pâtes à prix raisonnable.

Le site

On vous conseille d'investir 2 € dans un plan du site, publié en français. ***Le numéro indiqué ci-dessous correspond au report sur le plan officiel.*** Il existe plusieurs itinéraires possibles, à vous de choisir le vôtre.

🏛 ***Necropoli*** *(nécropole)* ***– 1 :*** *tt de suite après l'entrée, à gauche.* Comme de coutume, les sépultures, en pierre et en brique polychromes, se trouvaient hors des murs de la ville. Noter les cavités qui renfermaient les urnes cinéraires et les nombreux sarcophages portant des inscriptions grecques (peuple de commerçants, forcément en nombre dans un tel port).

🏛 ***Porta Romana – 3 :*** il s'agit de l'une des deux portes urbaines ; elle marquait la limite de la ville républicaine. Ici, la via Ostiense (sur laquelle vous vous trouvez sans doute) devient le *decumanus maximus.* Sur la gauche, la Minerve ailée et victorieuse ***(5)*** vous accueille. Le bâtiment voisin était réservé aux animaux des attelages qui faisaient le transport des marchandises entre Rome et Ostie.

🏛 ***Terme dei Cisiarii*** *(thermes des Cisiarii)* ***– 4 :*** *à env 50 m à droite de la porta Romana.* Les *cisiarii* étaient les charretiers (et un peu les chauffeurs de taxi) de l'époque. Voir la belle mosaïque quadrangulaire de 8,70 m de côté.

🏛🏛🏛 ***Terme di Nettuno*** *(thermes de Neptune)* ***– 7 et 8 :*** *toujours sur la droite, à env 200 m des précédents.* Monter sur la terrasse pour avoir une belle vue sur la ville et surtout pour admirer deux des plus belles mosaïques d'Ostie. La première représente Neptune entouré d'une bande de monstres marins. Dans l'autre salle, une autre mosaïque (vous n'avez pas fini d'en voir) avec Amphitrite (déesse de la Mer). Descendre de la terrasse pour gagner la palestre. Elle donne sur des galeries de service en bon état, où l'on verra notamment un hypocauste bien conservé (système de chauffage à air chaud installé dans les sous-sols).

🏛 ***Caserma dei Vigili*** *(caserne des Vigiles)* ***– 9 :*** *derrière les thermes de Neptune.* Les vigiles en question étaient les pompiers de l'époque. Comme il s'agissait de militaires, ils étaient tenus d'honorer le culte impérial. Voir par conséquent l'*Augusteum* (sanctuaire consacré au culte impérial), et cette mosaïque assez géniale représentant le sacrifice d'un taureau. La composition est encadrée à droite et à gauche par la même scène, où un personnage s'apprête à dépecer l'animal : il en taillera une part pour les dieux et une part pour les hommes. Au centre, de gauche à droite : le bouvier, aiguillon en main, vient d'amener la bête. Le taureau, attaché par la corne, n'est pas content du tout : il s'arc-boute, tire la langue et bat l'air de sa queue. À sa droite se tient le sacrificateur, hache levée, prêt à frapper, puis l'autel est allumé (fragmentaire), un joueur de flûte et le prêtre semblent mettre de l'encens et du vin sur l'autel.

🏛🏛 ***Teatro*** *(théâtre)* ***– 13 :*** il fut construit à l'instigation d'Agrippa (gendre et fidèle conseiller d'Auguste, célèbre promoteur et mécène qui avait déjà commandité les grands monuments publics de Rome, dont le Panthéon) une quinzaine d'années avant la naissance du Christ, mais fut agrandi par la suite et finit par pouvoir accueillir 4 000 spectateurs. En bas, derrière la scène, belles sculptures de masques. Testez l'acoustique : elle est loin d'être mauvaise ! D'ailleurs, on y organise à l'occasion des spectacles.

🏛🏛🏛 ***Foro delle Corporazioni*** *(forum des Corporations)* ***– 14 :*** *derrière le théâtre.* Un must d'Ostie. C'était le noyau des activités commerciales de la ville, centrées surtout sur le trafic maritime, comme en témoignent les splendides mosaïques, noires et blanches, des 60 salles qui, jadis, faisaient le tour de la place. Ces différents espaces appartenaient à autant de corporations de négociants et d'armateurs, représentant les grands ports de l'empire. Au centre du forum, un podium surmonté d'un temple (probablement dédié à Cérès).

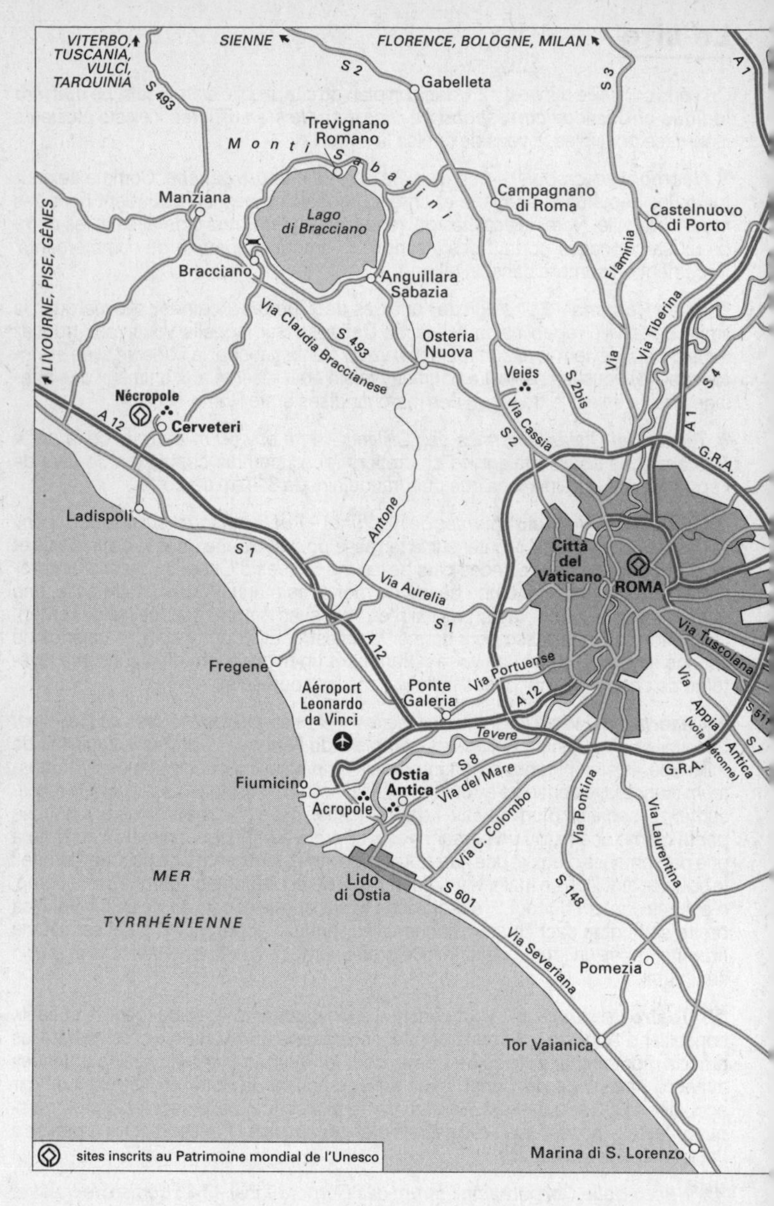

LES ENVIRONS DE ROME

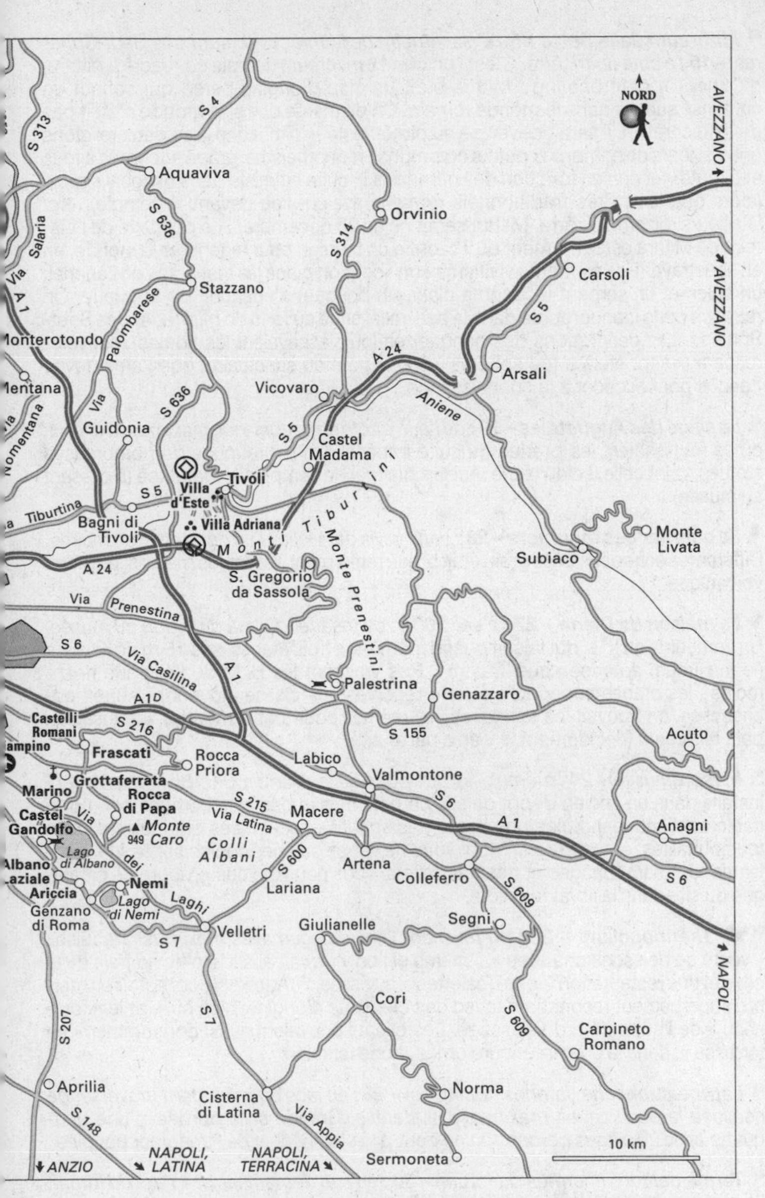

LES ENVIRONS DE ROME

Mithreum delle Sette Sfere *(sanctuaire de Mithra ; mithreum des Sept-Sphères)* **– 15 :** *à côté du théâtre.* C'est l'un des 18 *mithreum* (temple consacré à Mithra) d'Ostie. Un petit briefing : Mithra était un dieu d'origine perse qui connut un immense succès dans le monde romain. On dit même que si le monde n'était pas devenu chrétien, il serait devenu – ou plutôt resté – mithriaque. Les deux religions ont d'ailleurs de nombreux points communs : monothéisme, grâce accordée à tous et à toutes (et non en fonction des offrandes !), culte intimiste dans un local simple (alors que les cultes traditionnels romains avaient lieu devant le temple), etc. D'ailleurs, bizarre, bizarre, Mithra serait né un 25 décembre... Le point clé de l'histoire de Mithra est le moment où il sacrifie un taureau pour régénérer le monde, en en soustrayant les éléments vivifiants : un scorpion pince les testicules de l'animal, un chien et un serpent lèchent la plaie, un bouquet s'épanouit de la queue. On retrouve cette iconographie dans le bas-relief situé au fond du *mithreum* des Sept-Sphères. Les décorations des banquettes (où s'asseyaient les fidèles) font référence aux sept étapes (ou sphères, d'où le nom du sanctuaire) que l'âme devait franchir pour accéder à la connaissance.

Le siège des Augustales – 19 : *de l'autre côté du decumanus maximus.* L'endroit où se réunissaient les prêtres du culte impérial. On y a retrouvé de nombreuses statues, dont celle (selon toute vraisemblance) de l'empereur Maxence (à présent au musée).

Le quartier des meuniers – 23 : *dans la via dei Molini, l'un des accès au musée.* Différentes échoppes où le grain était broyé renferment encore les meules, en pierre volcanique.

La maison de Diane – 27 : *à env 200 m du théâtre, dans la direction du musée.* Un immeuble du IIe s, qui faisait quand même, sur trois étages, ses 18 m de hauteur (le maximum autorisé sous Trajan)... Pas vraiment les HLM de l'époque néanmoins : les étages supérieurs étaient réservés à la classe moyenne. Au rez-de-chaussée, on trouvait les sanitaires (les mêmes pour tout le monde). Là aussi, un petit *mithreum* (décidément, il y en a partout...).

Museo *(musée)* **– 24 :** *même billet que pour le site. Mar-dim 9h-18h (16h en hiver).* Installé dans un ancien dépôt de sel, ce petit musée pas franchement incontournable contient néanmoins une partie des statues et sculptures originales d'Ostie (personnalités, empereurs...), dont vous ne verrez que des copies sur le site. Également des sarcophages et des bas-reliefs. Vous pourrez vous procurer le catalogue du site dans la librairie à côté.

Thermopolium – 28 : *en revenant vers le decumanus maximus.* Traduisez « vente de boissons chaudes »... même si l'on y servait aussi le p'tit vin frais de la cave et une restauration légère (galettes, saucisses...). Admirer le comptoir en marbre superbement reconstitué (avec des éléments d'origine, bien sûr), et le « fourneau » de l'autre côté du passage. Les clients pouvaient aussi consommer « en terrasse », dans la cour intérieure ornée d'une fontaine.

Latrine pubbliche *(latrines publiques)* **– 29 :** *en face du précédent (traverser de nouveau le decumanus maximus).* Hilarantes. Grande salle bordée d'une banquette avec 20 sièges percés. On ne peut pas s'empêcher de l'imaginer peuplée.

Terme del foro *(thermes du forum)* **– 30 :** *au sud des latrines et à l'est du forum.* Le plus grand établissement thermal d'Ostie.

Foro *(forum)* **– 34 à 38 :** dominé par les restes du capitole. C'est ici que naquit Ostie et que s'y déroulaient, comme à Rome, toutes les activités quotidiennes, politiques et religieuses. Architecture massive et impressionnante. De là-haut, point de vue extraordinaire sur la ville. Au sol, notez les dalles percées en forme d'hélice. Il s'agit des plaques d'égout d'origine !

Le champ de la Magna Mater – 31 : *à 300 m au sud-est du forum (prendre le chemin qui part du temple de Rome et Auguste).* Il s'agit d'un espace triangulaire (délimité par l'enceinte de la ville et d'autres constructions) qui était voué aux cultes orientaux. On y trouve des restes de temples et le sanctuaire d'Attis.

La maison d'Amour et de Psyché – 45 : *à 200 m du temple Rond (prendre, à la fourche, le chemin qui part à droite).* Une *domus* tardive (IVe s), parée de décorations en marbre polychrome où l'on peut voir, notamment, une représentation du groupe *Amour et Psyché,* dont la sculpture est conservée au musée.

Terme del Mitra *(thermes de Mithra)* **– 47 :** *un peu plus loin.* Ainsi nommés en raison du *mithreum* qui s'y implanta. À voir pour son réseau de couloirs souterrains, dont l'eau était puisée et conduite vers le haut au moyen d'une roue munie de seaux.

La maison des Auriges, maison de Sérapis et thermes des Sept-Sages – 52 à 54 : cet îlot constitue l'un des coins les plus charmants et les mieux conservés du site. Accès par le portique de la maison de Sérapis. Voir la mosaïque représentant des scènes de chasse, dans la grande salle circulaire, et, si la grille est ouverte, les fresques des sept sages prodiguant des conseils pour rester en forme. La maison des Auriges abrite également de jolies fresques. Du toit, on profite encore une fois d'une vue splendide sur la ville.

Les tavernes des Marchands de poissons – 56 : on peut encore y voir les tables de marbre, les viviers et le système d'évacuation des eaux.

Scuola di Traiano *(école de Trajan)* **– 58 :** *à env 200 m des thermes des Sept-Sages (revenir à la fourche et prendre l'autre chemin).* On l'attribue à la corporation des forgerons des chantiers navals... d'une part, tout simplement parce qu'on y a retrouvé une statue de Trajan en armure (désormais au musée), et d'autre part parce que l'on sait que la corporation en question portait l'empereur aux nues depuis que celui-ci avait eu la bonté d'ordonner l'agrandissement du port.

Domus des Dioscures, de la Nymphée, et les insulae des Murs-Jaunes, des Muses... – 59 à 64 : *non loin de la limite occidentale du site.* Il s'agit d'une sorte de cité-jardin assez huppée, un complexe de riches *insulae* donnant sur un bel espace vert dont l'entretien était pris en charge par les différents propriétaires. Normalement, seule la *domus* des Dioscures (côté sud) est visitable, mais celle-ci recèle justement de superbes mosaïques, dont certaines sont polychromes.

Caupona di Alexander – près du 65 : *à proximité de la porta Marina, juste avt de sortir de l'enceinte de la ville.* Il s'agit d'une ancienne auberge, aménagée dans une partie de la porte Marine. Au sol, on trouve d'admirables mosaïques représentant Vénus, des athlètes (Alexandre et Hélix, deux grands champions de l'époque) et des danseurs.

Terme di porta Marina *(thermes de la porte Marine)* **– 66 :** *en dehors des murs de la ville, à l'extrémité sud-ouest de la ville.* Imposant vestige de la grandeur antique (la grande salle faisait plus de 14 m de côté). Ne pas rater la mosaïque des vestiaires montrant des sportifs en action.

– Il y aurait encore beaucoup de monuments à mentionner... À vous de les découvrir, au hasard de votre promenade (le plan du site, nul doute, vous y aidera).

Pour aller à la ***plage Lido di Ostia,*** prendre, à la gare San Paolo (reliée à la station de métro Piramide de la ligne B), le train de banlieue direction C. Colombo, et descendre à Lido Centro. Si vous êtes motorisé, préférez-lui la ***plage de Fregene*** (au nord d'Ostie), incomparable.

TIVOLI

IND. TÉL. : 0774

De tout temps, la région de Tivoli a eu la cote pour son environnement privilégié. Hadrien s'y trouvait mieux qu'à Rome, les romantiques aimaient y peindre une nature resplendissante. Cette grosse bourgade, assise sur une colline surplombant la périphérie de Rome, doit sa notoriété actuelle aux villas d'Este et d'Hadrien (Adriana), toutes deux classées par l'Unesco au Patrimoine mondial en 2001. Difficile de vous conseiller la visite de l'une, chef-d'œuvre Renaissance situé dans la ville même, plutôt que l'autre, grandiose amoncellement de ruines antiques étalé au pied du bourg, côté Rome... Autant faire les deux dans la foulée. Une chose est sûre, Tivoli mérite le détour par beau temps, quand la découverte des villas est enrichie par de superbes points de vue sur Rome et ses alentours. Et puis, ce n'est pas tout proche, alors visiter une ville d'eaux sous la flotte, hein... !

Comment aller aux villas d'Este et d'Hadrien ?

Situées à respectivement 33 et 29 km du centre de Rome, il faut prévoir au minimum 1h30 pour effectuer ce court trajet car les routes sont très encombrées. Vu l'éloignement et la déclivité, pas de balade à pied agréable entre les deux villas. Solutions ci-dessous.

En bus

➢ *De Rome, prendre le métro (ligne B) jusqu'à Ponte Mammolo. À la sortie, départ des bus* Cotral. *Rens : ☎ 800-174-471. • cotralspa.it •*
– Trois possibilités : bus rapides (départ ttes les heures) ou classiques (ttes les 15 mn, empruntent la nationale), arrêt via Tiburtina (à 1 km de la villa d'Hadrien), puis à Tivoli (villa d'Este) ; autre ligne de bus classiques (ttes les heures), arrêt plus proche de la villa d'Hadrien (à 300 m), puis à Tivoli. Intervalles plus longs dim. Env 5 € aller-retour (mieux vaut acheter le billet aller-retour au départ ; on nous signale quelques cas d'arnaque sur les tickets).

Conseils

– Si vous souhaitez visiter les deux sites, il est plus simple de commencer par la villa d'Este, puis, au départ de la grande place de Tivoli, d'emprunter les bus locaux CAT (le n° 4X ou le n° 4) qui vous mèneront près de la villa d'Hadrien.
– En haute saison, l'idéal est de découvrir la villa d'Este tôt le matin ou à l'heure du déjeuner.
– La villa d'Hadrien est beaucoup moins fréquentée que la villa d'Este car plus difficile d'accès et gigantesque. Sa visite, véritable petite rando archéologique, est également propice au pique-nique. En revanche, elle se fait quasi exclusivement à découvert : privilégier la fin de journée par temps très chaud.

En train

➢ ***Train régional FR2 Tiburtina-Tivoli :*** *la station de métro Tiburtina (ligne B) est à 5 stations de Termini. À Tivoli, la gare se situe derrière la villa Gregoriana (voir* Sibilla *dans la rubrique « Où manger ? »), à 1 km du centre et de la villa d'Este (15 mn de marche ou bus).* 6h30-21h30 env, départs ttes les 15-30mn (dans les deux sens). Env 5 € aller-retour. Durée : 1h. Plutôt que les embouteillages...

En voiture

Se justifie plutôt si on couple la visite de Tivoli avec les Castelli Romani en passant une nuit en route. Sinon, une partie non négligeable de l'excursion se passera dans les embouteillages.

En passant à ***Bagni di Tivoli,*** vous apercevrez certainement les ***carrières de travertin*** à ciel ouvert, qui permirent d'édifier le Colisée et quantité d'autres bâtiments romains. Plus récemment, le musée Getty de Los Angeles y puisa pour sa construction pas moins de 16 000 t.

Adresse utile

IAT – office de tourisme : *largo Garibaldi.* ☎ *33-45-22.* • *iat.tivoli@tiscali.it* • *Sur la grande place de Tivoli. En principe, lun-ven 9h-13h en été ; très aléatoire en hiver.* Infos diverses, plans et petites brochures, dont un circuit (français théoriquement dispo) couvrant les principaux sites de la ville.

Où manger ?

Une très bonne option consiste à ***pique-niquer*** dans un coin tranquille de Tivoli, près de la villa Gregoriana (voir *Sibilla* ci-dessous) ou dans le parc de la villa d'Hadrien.

Trattoria L'Angolino di Mirka : *via della Missione, 3.* ☎ *31-20-27.* • *langolinodimirko@libero.it* • *Depuis la grande place de Tivoli, s'engager dans la rue piétonne, puis, de suite à gauche, dans la rue qui descend. Tlj en continu 10h30-21h. Plats 6-12 €.* Bonnes pizzas et délicieuses pâtes confectionnées maison, tout comme le pain. Également des plats typiques réactualisant d'anciennes recettes, comme les gnocchis au ragoût d'agneau. Bien aussi pour boire un café ou un verre. Atmosphère familiale.

Sibilla : *50, via della Sibilla. À côté de l'entrée de la villa Gregoriana. Compter 10 mn à pied depuis la villa d'Este en s'engageant par la via del Trevio (la rue principale). Tlj sf lun.* Cette adresse, la plus célèbre de la ville, profite d'un décor incomparable. Aux beaux jours, on déjeune sur une terrasse qui entoure la superbe rotonde romaine de la Sibylle, en surplomb d'un ravin rafraîchi d'une belle cascade et d'une végétation luxuriante. Bien des rois ont apposé leur nom dans le luxueux hall d'entrée. Mais, pour être honnêtes, c'est très cher et pas exceptionnel. On peut se contenter d'y boire un verre.

Antica Trattoria del Falcone : *via del Trevio, 34.* ☎ *31-23-58.* • *info@anticatrattoriadelfalcone.it* • *S'engager dans la rue piétonne depuis la place principale. Tlj midi et soir. Plats env 8-13 €.* Très touristique. Cela dit, les locaux ne dédaignent pas cette adresse au cadre classique, car les traditionnels *antipasti*, *primi* (pâtes, risotto) et *secondi (saltimbocca, agnello al forno, scamorza al prosciutto)* se révèlent de bonne tenue. Bon accueil et service soigné.

Ritornano le Pastarelle : *viccolo della Missione, 3. Par un petit passage en contrebas de la* Trattoria L'Angolino di Mirka. Petite pâtisserie-traiteur qui travaille à l'ancienne. *Bignes* de Saint-Joseph (beignets), *cannolo siciliano* (cigares de pâte frite fourrés de ricotta garnie de pistache) et autres douceurs.

À voir

LA VILLA D'ESTE

– **Rens :** ☎ *199-76-61-66.* • *villadestetivoli.info* •
– **Horaires d'ouverture :** *tlj sf lun 8h30-17h en hiver, jusqu'à env 18h30 aux intersaisons et 19h45 en été (fermeture des caisses 1h avt). Fermé lun (si lun est un j. férié, fermé mar), 1er janv, 1er mai et 25 déc. Compter 2h de visite.*

– ***Entrée :*** *6,50 € (ou 9 € en cas d'expo temporaire) ; réduc ;* Roma & Più Pass. *Audioguide en français : 4 €.*

Très prisée des cruciverbistes, la villa d'Este est avant tout célèbre pour ses vastes jardins à l'italienne, savant mariage de géométrie (tracé des allées), de flore et de fantaisie aquatique débridée, illustrée par plus de 50 fontaines !
Attention ! la villa d'Este sans eau, c'est plus que décevant ! Or, le fonctionnement des fontaines s'interrompt en hiver, et, même le reste de l'année, mieux vaut vérifier que les principales d'entre elles sont bien en service.

Un peu d'histoire

En 1550, Hippolyte II vint prendre ses fonctions de gouverneur de Tivoli. En digne fils de la sulfureuse Lucrèce Borgia, il dut trouver bien austère son logement, un vieux monastère bénédictin, car il chargea l'architecte Pirro Ligorio de le transformer en l'une des plus somptueuses villas de l'époque... Pour ce faire, et notamment pour agrandir son jardin, il fit expulser 400 familles. Mais comme cela lui faisait « seulement » 4 ha de jardins, le brave Hippolyte demanda également la destruction des deux églises voisines. Un comble pour un homme d'Église ! Dieu merci, le Vatican refusa. Autre preuve du charmant caractère du personnage : comme Pirro Ligorio était aussi l'archéologue en titre de la villa d'Hadrien, ce cher Hippolyte lui demanda de s'en inspirer largement... et même de se servir directement dans la villa pour égayer sa propriété, ce qui fut fait. C'est vrai, quoi, pourquoi se gêner ?

ITINÉRAIRE D'UN ENFANT GÂTÉ

Hippolyte II, petit-fils du pape Alexandre Borgia et fils de Lucrèce Borgia, hérita du siège d'archevêque de Milan à l'âge de... 10 ans. Il fut ensuite archevêque de Lyon, d'Auch et d'Arles, puis le plus riche cardinal de son époque. Logiquement, il voulut devenir pape. C'était même une obsession. Il se présenta quatre fois à l'élection du trône pontifical mais ne fut jamais élu en raison des nombreuses intrigues (et tentatives de corruption !) qu'on lui attribuait... À la fin, on ne lui permit même plus de se présenter : il fut exclu de la curie pontificale !

La villa

Si la villa doit surtout à ses jardins de figurer sur la liste du Patrimoine de l'humanité, on prendra tout de même le temps de visiter le palais, aux fresques magnifiquement restaurées.
Le premier étage (au niveau de la cour d'entrée, dite de Vénus) renferme les appartements privés du cardinal. Dans sa chambre, seize figures féminines personnifiant les vertus composent une frise surmontée d'un plafond à caissons très élaboré. On y découvre les armes d'Hippolyte, l'aigle et la fleur de lys, ainsi que sa devise, allusion aux fruits du jardin des Hespérides, et par là à Hercule, omniprésent dans toute la décoration de la villa. Une preuve que le cardinal s'identifiait à ce dieu antique et à ses légendaires travaux ! Au-delà de la chambre, on remarque encore une chapelle privée quasi entièrement décorée par Zuccari, maître du maniérisme romain, parée d'éléments architecturaux en trompe l'œil, comme la plupart des pièces du palais, et les belles chambres de Moïse et de Noé.
Au rez-de-chaussée, un étonnant corridor à la voûte couverte de mosaïques et agrémentée de trois fontaines conduit aux pièces de réception. Parmi elles, le salon de la Fontaine, où sont représentés les jardins de la villa, encadrés de colonnes torsadées, s'ouvre sur la loggia d'où la vue sur le vieux bourg de Tivoli et sur les jardins est absolument superbe.

Les jardins

Ah ! les jardins... Hippolyte les obtint de bien cruelle façon (voir plus haut), mais quel incroyable jeu d'optique et de perspective... Il faut savoir que ces jardins des merveilles *(giardini delle meraviglie)* n'ont jamais cessé d'évoluer depuis le XVIe s. Et si l'on est frappé par leur apparente homogénéité, s'y côtoient en réalité des éléments Renaissance, baroques, voire rocaille... certaines fontaines datent même de 1927 ! Vous serez immanquablement ébloui par la profusion de jets d'eau, bassins et cascades qui inspirèrent aussi bien Montaigne que Fragonard ou Maurice Ravel. Ce qui frappe, c'est la fusion entre ces ouvrages et la nature (flore magnifique). Au gré des allées soigneusement entretenues, on croise des cyprès vieux de 400 ans qui inspirèrent une sonate à Franz Liszt (c'est à la villa que ce dernier reçut les ordres mineurs pour devenir l'abbé Liszt) ou encore des rosiers centenaires.

Les fontaines

Pour acheminer l'eau du cours d'eau voisin (l'Aniene), Pirro Ligorio fit construire un aqueduc, mais comme cela ne suffisait pas, il fit creuser sous la ville un gros tunnel, mit à profit la dénivelée du terrain et calcula la pression naturelle de l'eau pour l'utiliser au maximum. Et quand on dit au maximum, c'est vraiment au maximum : tous les jeux d'eau sont obtenus à partir du principe des vases communicants, sans aucun recours à une force motrice. Génial, non ?
Parmi nos fontaines préférées, ne ratez pas les Cent Fontaines, soit une centaine de jets d'eau sortant de masques de grotesques, le tout formant une superbe allée symbolisant la voie (royale ?) qui mène à Rome et donc au trône de pape, vainement convoité par Hippolyte. Elle conduit à l'est à la belle *fontaine de l'Ovale,* qui doit son nom à l'énorme vasque où une Sibylle est entourée de personnages masculins benoîtement allongés, représentant le Tibre et l'Aniene (le cours d'eau local). À l'ouest, elle s'achève par l'immense *fontaine de la Romette*, soit une Rome en miniature. Vous y verrez la louve et les jumeaux, la barque symbolisant l'île Tibérine, l'obélisque de la piazza del Popolo (le premier rapporté d'Égypte), Saint-Jean-de-Latran, de petits temples représentant les sept collines de Rome, ou encore, dans une grotte artificielle, ce personnage de dos qui, soutenant le monde, incarne le Tibre et l'ambition de l'ancien propriétaire des lieux. Au-delà de ce véritable paysage aquatique, très belle vue sur Rome, au loin, et sur les carrières de travertin.
En contrebas, la *fontaine de la Chouette (fontana della Civetta)* produit, grâce à un subtil mécanisme séparant l'air de l'eau connu dès l'Antiquité, un doux gazouillis que l'on peut entendre aux beaux jours (10h, 12h, 14h, 16h ; en été, séance supplémentaire à 18h). À l'origine, des petits jets d'eau dissimulés dans le sol arrosaient par surprise les spectateurs ébahis ! Plus bas, une large allée rythmée par trois grands bassins, d'anciens viviers où s'ébattaient autrefois cygnes et canards, conduit à la *fontaine de Neptune* (grands jets d'eau), surmontée de l'étonnante *fontaine de l'Orgue*. Son mécanisme, analogue à celui de la *fontaine de la Chouette* (les deux ont été conçues par le même ingénieur français), émet un madrigal de Palestrina (10h30, 12h30, 14h30 ; en été, séance supplémentaire à 16h30 et 18h30). Son esthétique n'est pas forcément la plus réussie, mais ses cariatides torsadées sont tout de même des plus sexy, non ?
Enfin, si vous voulez rendre hommage à la fécondité artistique de ce jardin, cherchez donc la statue d'Artémis, dont on vous rappelle qu'elle ne serait pas couverte de seins mais de testicules de taureau. Cette statue antique provient comme beaucoup d'autres de la villa d'Hadrien.

◎ *LA VILLA D'HADRIEN (villa Adriana)*

– ***Rens :*** *☎ 38-27-33.*
– ***Archéologie :*** *● villa-adriana.net ●*

– ***Horaires d'ouverture :*** *tlj 9h-17h au cœur de l'hiver, jusqu'à 19h30 en été (fermeture des caisses 1h30 avt). Fermé 1er janv, 1er mai et 25 déc.*
– ***Entrée :*** *6,50 € (plus 3,50 € en cas d'exposition temporaire) ; réduc ;* Roma & Più Pass. *Audioguide en français (très bien fait, il permet aussi d'orienter la visite) : 4 €. Parking : 2 €.*
♿ Possibilité de monter en voiture jusqu'au site.

Cette villa somptueuse fut construite de 117 à 134 apr. J.-C. pour Hadrien qui y vécut les dernières années de son règne. Il fut d'ailleurs le seul empereur à élire domicile hors de sa capitale. Se trouver en pleine nature, à deux heures de cheval de Rome, permettait selon lui d'élever l'esprit et de mieux réfléchir. Ne partageant pas cette opinion, ses successeurs retournèrent au Palatin. Rappelons que « villa » désigne en latin une propriété et non une maison. Ici, résidence impériale oblige, elle se distingue par ses dimensions colossales (près de 150 ha), mais aussi le nombre et la qualité des bâtiments qui en font une véritable ville ! Ainsi, à côté des logements de l'empereur et de son personnel, on trouvait une caserne, des thermes grandioses (les vestiges de fresques et de pavements l'attestent), un stade, un hippodrome et un gymnase, deux théâtres, deux bibliothèques et un temple. Passionné de culture hellénistique et grand voyageur, Hadrien voulut créer une sorte d'album de souvenirs géant, garni de nombreux monuments qu'il avait admirés en Grèce, en Asie Mineure et en Égypte. Évidemment, la *villa Adriana* est aujourd'hui en ruine, victime des barbares mais aussi d'esthètes et marchands qui s'emparèrent sans vergogne de nombreuses sculptures, fresques et mosaïques.
L'ensemble des vestiges forme en tout cas un paysage de ruines très bucolique (bancs et pelouses pour le pique-nique) et encore riche de secrets car la villa n'a jusqu'à ce jour jamais fait l'objet d'une fouille systématique... La maquette exposée dans une petite bâtisse en haut de l'allée d'accès (avant le *pecile*) donne une idée de ce qu'elle pouvait être à son apogée. Une idée seulement, car si les fondations permettent de deviner le plan, l'élévation réelle des bâtiments reste beaucoup plus hypothétique, en l'absence de descriptions précises.
Parmi les éléments les plus remarquables, nous citerons le ***pecile,*** vaste quadriportique (97 m x 232 m) se déployant autour d'une piscine, lieu de promenade à l'origine couvert. Puis en prenant à gauche, le ***théâtre maritime,*** un îlot entouré d'une superbe colonnade sur lequel Hadrien aimait se retirer. Au-delà des thermes, il ne faut surtout pas louper le ***Canope.*** Ensemble monumental le plus connu de la villa, ce superbe bassin entouré de colonnes et de statues antiques reproduit, en miniature, le bras sacré du Nil. En été, Hadrien profitait de cette vue exotique depuis un ***triclinum*** (salle à manger) aménagé dans un bâtiment semi-circulaire ouvert sur la nature.

LES CASTELLI ROMANI

Cette région était déjà appréciée dans l'Antiquité. Les Romains aisés s'y faisaient construire des villas où ils venaient se reposer de la capitale au frais. Mais attention, les « châteaux romains » n'en sont pas ! C'étaient à l'origine 13 villages qui avaient été fortifiés au Moyen Âge. Le terme de Castelli Romani désigne maintenant toute la région de ces villages, située au sud-est de Rome et connue aussi sous le nom de monts Albains *(colli Albani).* C'est une région montagneuse d'origine volcanique, au relief pittoresque parsemé de lacs de cratère. En outre, la campagne et les villages ont gardé un caractère simple et authentique. Ses routes en lacet sont un must pour une promenade dominicale. On sort la voiture, la famille, les beaux habits... et on part en grande pompe à la messe, au resto, et on passe l'après-midi à manger des glaces en prenant l'air... Autant vous dire que la balade dans les *Castelli* n'enchantera que les amateurs de tranches de vie... Car, à part regarder vivre les Italiens et partager un de leurs sacro-saints

dimanches en famille, il n'y a pas grand-chose à voir ou à faire. Ceux qui, au contraire, recherchent le pittoresque et l'authentique seront aux anges.

➢ ***Pour y aller :*** *la voiture est, de loin, la meilleure solution, d'autant que la via dei Laghi (la route des Lacs) offre de belles échappées.*

Où dormir dans le coin ?

🏠 ***B & B Dormineconomia :*** *via dei Glicini, 25, 00040 Frattocchie-Marino. 📱 328-220-57-76. • a.zarotti@libero.it • dormineconomia.it • Un petit B & B à 2 km de castel Gandolfo et tt près de Marino. Quitter la via Appia au km 21,3 (direction Frascati et Marino) et, au feu rouge, prendre la via Spinabella à gauche ; après 1 km, la petite via dei Glicini se trouve sur la droite. Fermé de mi-janv à mi-mars. Selon saison, doubles sans/avec sdb 55-65/70-80 € ; petit déj compris. Réduc de 5 € par nuit à partir de la 2ᵉ nuit sur présentation de ce guide.* Jolie maison décorée avec goût. Cadre bucolique à souhait (beau et grand jardin) et accueil adorable d'Antonella, qui se fera un plaisir de vous donner de nombreux renseignements sur une région qu'elle connaît bien.

Où manger dans les Castelli Romani ?

À Frascati

|●| ***Il Pergolato :*** *via del Castello, 20. ☎ 06-94-20-464. Tlj 12h-15h, 18h-23h (minuit en été). Env 15-20 € à la carte.* Derrière les halles, on ne peut rêver plus typique et populaire que cette grande taverne. Au self, on remplit son plateau de légumes grillés, de charcuterie, de fromage... on montre du doigt ce qu'on veut (gratin, lasagnes, entrecôte, côte de veau...) ou on commande ses pâtes... et on paie au poids. Ensuite, on va s'asseoir (mieux vaut avoir marqué son territoire avant !). Pendant que l'on se régale de ses *antipasti*, la viande part sur le barbecue... et vos pâtes sont préparées à la commande... Un endroit vraiment insolite.

À Grottaferrata

|●| ***Nando :*** *via Roma, 4. ☎ 06-94-59-989. • info@ristorantenado.it • En contrebas de la route qui mène de Grottaferrata à Frascati. Tlj sf lun. Carte env 30-40 €.* À chaque étape, on choisit entre la mer et la terre... Succulents *antipasti, primi* et *secondi* copieux et bien réalisés, notamment les ravioli à la ricotta et aux truffes, et le filet de bœuf à l'italienne au roquefort (!). Du côté des douceurs, essayez la glace à la vanille au vinaigre balsamique : surprenant ! Pour le vin, on vous laisse découvrir la cave... Service adorable, ce qui ne gâche rien !

|●| ***Antica Fontana :*** *via Domenichino, 24. ☎ 06-94-31-57-04 ou 06-94-13-687. • info@anticafontana.it • Fermé lun et mar midi. Carte env 25-30 €. Apéritif maison offert sur présentation de ce guide.* Très beau local avec beaucoup de charme pour ce restaurant-pizzeria, où les arbres poussent dans le sable et les jardins-terrasses sont transformés en salle à manger. Les excellentes fleurs de courgette et les *olive ascolane* font partie des *antipasti*. La pizza *Antica Fontana,* aux 4 parfums, est remarquable de légèreté. Honnête choix de poissons frais. Très bon service.

À Marino

|●| ***Taverna Mari :*** *via Cavour, 100. ☎ 06-93-66-82-61. • info@tavernamari.it • Ts les soirs sf mer, plus les sam et dim midi. Env 20 €. Résa conseillée.*

Cette authentique cave rustique accueille une trentaine de couverts chaque soir. Suivez le chef et ses suggestions. Sa série d'*antipasti,* ses *pappardelle* aux tomates fraîches et ses asperges sont remarquables.

À voir

Frascati : le plus célèbre des Castelli Romani... en partie grâce à son vin ! Ne pas hésiter à descendre dans une cave pour le goûter, notamment sur la piazza del Mercato. Pour ceux qui préfèrent les douceurs, c'est sur cette même place que l'on trouve la ***pasticceria Renata Purificato,*** qui confectionne les biscuits de Frascati : *pepetti* au miel et au poivre, *tozetti,* et aussi la fameuse *pupazze,* affublée de trois seins (deux pour le lait, un pour le vin), symbole de la ville. Sur la place centrale de Frascati, vue superbe jusqu'à Rome. Beaux *jardins de la villa Torlonia* (désormais publics) avec théâtre d'eau réalisé par Maderno et fontaines. La villa à proprement parler a été détruite lors de la Seconde Guerre mondiale. La place est fermée par la magnifique *villa Aldobrandini,* édifiée par Giacomo Della Porta. On en visite les jardins le matin. Il y a de nombreux autres édifices à découvrir au hasard d'une balade : la villa Lancellotti, la villa Falconieri et, un peu dans les hauteurs, la villa Tuscolana, l'église des Capucins *(chiesa S. Francesco)* et le Musée éthiopien qui la jouxte. Ce dernier, fondé en l'hommage du cardinal Massaia, missionnaire en Éthiopie durant plus de 30 ans, présente divers objets, dont une collection d'armes et des pièces traditionnelles (horaires capricieux).

Grottaferrata : *au bout de la rue principale. Tlj 7h-19h30 (20h30 au printemps et en été).* Connu surtout pour son abbaye, l'*abbazia di S. Nilo*. Fondée en 1004 sur les ruines d'une ancienne villa romaine qui aurait appartenu à Cicéron, elle fut fortifiée au XVe s. On y pratique aujourd'hui le culte catholique mais de rite byzantin.

Rocca di Papa : village ultra pittoresque, avec ses antennes télé et son linge suspendu au-dessus de ruelles en à-pic. Rien de spécial à voir sauf... tout !

Nemi : notre village préféré, réputé pour ses fraises des bois, qui sont, il faut bien le reconnaître, sacrément bonnes (et sacrément chères). Le coin est absolument charmant, avec lac de cratère et village médiéval de caractère. Plusieurs terrasses de cafés, de restos, surplombent le lac. Les Italiens s'y retrouvent en fin d'après-midi pour manger des glaces... à la fraise, bien sûr ! Du temps de Caligula, des fêtes orgiaques s'y déroulaient et ce dernier faisait même voguer des navires fabuleux sur les eaux du lac de Nemi. On peut en voir les restes (repêchés au fond du lac) exposés au palais Massimo, à Rome.

Ariccia : à voir surtout pour sa *place centrale* et les édifices qui la bordent. Ces réalisations du Bernin sont d'autant plus incroyables qu'elles semblent en totale démesure avec le reste du village, qui ne comptait guère plus de trois rues ! Hors de la ville, ne pas rater la *descente en montée* (demandez aux gens du coin *« la discesa in salita »,* ils connaissent tous). Ce n'est pas une blague... Dans cette descente, si vous êtes en voiture et que vous vous arrêtez en laissant au point mort (sans frein à main !), vous sentirez votre véhicule remonter tout doucement la pente. Encore plus frappant avec une balle.

Albano : voir l'*église Santa Maria della Rotonda* et la *tombe des Horaces et des Curiaces,* qui en fait est plus tardive (fin de la République).

Castel Gandolfo : en fait, le site antique d'Albe a été identifié à castel Gandolfo et non à Albano. Depuis le XVIe s, le pape y a sa villa d'été, construite par Maderno sur une jolie place du Bernin. Le lac d'Albano, facile d'accès à castel Gandolfo, est vraiment très agréable.

TUSCANIA

(01017) 8 000 hab.

Ses remparts abritent un centre avec tout juste ce qu'il faut pour plaire (beaux édifices religieux, rues pavées, passages couverts et cours de maisons). La ville se dresse au beau milieu d'une vaste plaine alluviale et à proximité des centres étrusques de Vulci. Elle a subi des dégâts considérables lors du tremblement de terre de 1971.

Arriver – Quitter

En bus

Départs depuis la viale Trieste (avenue parallèle aux remparts, à l'ouest). Compagnie *Cotral :* ☎ 07-66-89-041. • *cotralspa.it* •

➢ ***Viterbo :*** env 20 bus/j.

➢ ***Gare de Montalto di Castro :*** env 10 bus/j.

En train

Il n'y a pas de gare à Tuscania. Le plus commode est de se rendre à ***Montalto di Castro*** en bus, à 25 km (voir ci-avant).

➢ ***Rome :*** 12 trains/j., dont 8 directs et 1 express. Dernier départ vers 22h. Trajet env 1h20.

Circulation et stationnement

Bonne nouvelle, pour une fois, le centre-ville n'est pas interdit aux voitures de tourisme. Stationnement gratuit, limité à 30 mn ou 1h. Le nom des rues fait l'objet de bizarreries, avec des doubles plaques auxquelles même les habitants ne comprennent rien !

Adresse utile

Office de tourisme : *piazza Trieste. ☎ 0761-43-63-71. • turistico.tuscania@libero.it • Chalet de bois à l'extérieur de la Porta di poggio fiorentino. Tlj sf lun 10h-12h30, 16h-18h.*

Où dormir ? Où manger ?

Affittacamere Carla : *via della Libertà, 27. ☎ 0761-43-50-21 (bar) ou 349-674-67-48 (Carlo). Pas d'enseigne. Double avec bains 50 €, petit déj compris. CB refusées. Parking gratuit.* 5 chambres à petit prix, basiques mais clean. Angelo (le proprio) ne crèche pas sur place. Il faut l'appeler, ou demander les infos au bar de son fils à l'entrée du rempart (Porta del Poggio fiorentino).

|●| ***Osteria da Alfreda :*** *largo Torre di Lavello, 1-2. Fermé jeu. Ne pas confondre avec l'établissement chic situé juste au-dessus.* Chez *Alfreda,* prix populaires. Il n'y a pas de carte mais, grosso modo, vous ne dépenserez jamais plus qu'il ne faut (environ 11 €). Et pour du populaire, c'est du popu, animé à l'italienne. On aime beaucoup. On y mange en terrasse sur de grandes tables en bois avec toiles cirées une cuisine franche allant des tripes au traditionnel plat de melon et *prosciutto.* Quand le temps est maussade, on passe les rideaux de perles et on installe les mêmes tables rudimentaires à l'intérieur, dans une salle voûtée, lambrissée à mi-hauteur. Cuisine *casalinga* loin d'être touristique. Accueil franc, on s'en doutait !

À voir

Au cœur de Tuscania, dans le dédale des rues, nombreux ***palais*** : *Baronale* (Poggio Barone, 9b), *Tartaglia, palazetto Farnese* (via Rivellino, 19), *Maccabei* (via Lunga, 23), *Spagnioli* (via Valle d'Oro, 22), *Giannoti* (via della Libertà).

Basilica di San Pietro : *tlj sf lun 9h-13h, 15h-19h (17h oct-avr ; sans pause juil-août). Entrée gratuite. À l'extérieur des murs, au sud-ouest de la ville.* Construite du VIIIe au XIIIe s, dépouillée et inutilisée mais avec un beau sol de mosaïque polychrome. Le site lui-même est très pictural. Notez ces curieux couvercles de sarcophages étrusques (Ier-IIe s av. J.-C.) éparpillés alentour. Ils adoptent la position allongée du repos.

Chiesa Santa Maria Maggiore : *juste en contrebas de la basilique (mêmes horaires).* Petite et toute trapue, de style furieusement médiéval. Belle charpente en bois et surtout magnifique pupitre ciselé en marbre. Autel couvert également intéressant. Belle *Annonciation.* Portails romans du XIIIe s. L'église a été sérieusement endommagée pendant le tremblement de terre ; sa reconstruction à l'identique est parfaite.

Nécropoles étrusques à voir dans les environs

Vulci : *à une vingtaine de km au nord-ouest de Rome.* Vulci était l'une des 12 villes de la fédération étrusque. Au début du XIXe s, les terres de Vulci étaient la propriété du prince de Canino, le frère de Napoléon Ier, Lucien Bonaparte. Un paysan qui labourait le terrain vit le sol se dérober sous ses pieds : le site était découvert. Lucien Bonaparte étant à court d'argent, il lança aussitôt des fouilles dans l'espoir de découvrir quelque trésor. En 4 mois, 2 000 objets furent exhumés des décombres. Persuadés que les Étrusques étaient d'ascendance ionienne, les ouvriers détruisirent systématiquement tous les vases noirs et retinrent uniquement les vases à figure rouge. Manque de pot (ça, on peut le dire !), les vases noirs étaient les *buccheri* lustrés si caractéristiques de la civilisation étrusque.

Tarquinia : *à 20 km au sud-ouest de Tuscania. Tlj sf lun de 8h30 au coucher du soleil. Entrée : 4 €.* À première vue, on ne voit rien ou pas grand-chose : les chambres funéraires sont creusées dans le sous-sol et il faut descendre quelques marches pour découvrir ces témoignages extraordinaires de la civilisation étrusque. De nombreuses tombes datant du VIe au Ve s av. J.-C. sont décorées de peintures aux thèmes variés : chasse, pêche, jeux et spectacles (courses de chevaux, entre autres), banquets funéraires, scènes religieuses. Parmi les plus intéressantes : la *tombe des Léopards,* la *tombe des Lionnes,* la *tombe de la Chasse et de la Pêche,* la *tombe de la Pucelle* et enfin la *tombe de la Fustigation* (très olé-olé). Ces peintures fournissent de précieux renseignements sur la vie (et la mort...) des Étrusques, peuple mystérieux par excellence dont l'origine orientale reste, aujourd'hui encore, hypothétique.

Cerveteri : *à mi-chemin entre Tarquinia et Rome. Tlj sf lun de 8h30 au coucher du soleil. Entrée : 4 €.*
Cerveteri, sous le nom de *Caere,* était une cité étrusque florissante (du VIIIe au IVe s av. J.-C.), en partie grâce à ses deux ports. Le bourg que l'on découvre date de l'époque médiévale. En revanche, à 2 km de là se trouve une immense nécropole bien conservée.
Gigantesque ensemble de tumulus recouvrant des chambres sépulcrales (VIIe-Ier s av. J.-C.), avec la campagne et des cyprès pour décor. Voir surtout la *tombe des Reliefs,* illustrant la vie quotidienne des Étrusques, et les *tombeaux A Dado,* ultimes demeures (sic !) des représentants de ce peuple disparu.

Pour plus d'informations : Tél. : 01 44 63 51 00*
Fax : 01 42 80 41 57- www.avi-international.com

assurance routard WEEK-END & VOYAGES

routard assurance light

Voyage de moins de 8 jours exclusivement en Union Européenne

AVI INTERNATIONAL L'Assurance Voyage

BULLETIN DE SOUSCRIPTION

❑ M. ❑ Mme ❑ Mlle

Nom : |__|__|__|__|__|__|__|__|__|__|__|__|__|__|__|__|__|__|__|__|__|__|__|__|__|

Prénom : |__|__|__|__|__|__|__|__|__|__|__|__|__|__|__|__|__|__|__|__|__|__|

Date de naissance : |__|__| / |__|__| / |__|__|__|__| (jusqu'à 65 ans)

Adresse de résidence : |__|__|__|__|__|__|__|__|__|__|__|__|__|__|__|__|__|__|__|__|
|__|__|__|__|__|__|__|__|__|__|__|__|__|__|__|__|__|__|__|__|__|__|__|__|__|__|__|__|

Code Postal : |__|__|__|__|__|

Ville : |__|__|__|__|__|__|__|__|__|__|__|__|__|__|__|__|__|__|__|__|__|__|__|__|__|

Pays : |__|__|__|__|__|__|__|__|__|__|__|__|__|__|__|__|__|__|__|__|__|__|__|__|__|

Nationalité : |__|__|__|__|__|__|__|__|__|__|__|__|__|__|__|__|__|__|__|__|__|__|__|

Tél. : |________________| Portable : |________________|

Email : |________________|@|________________|

Pays de départ : |__|__|__|__|__|__|__|__|__|__|__|__|__|__|__|__|__|__|__|__|__|__|

Pays de destination principale : |__|__|__|__|__|__|__|__|__|__|__|__|__|__|__|__|__|

Date de départ : |__|__| / |__|__| / |__|__|__|__|

Date du début de l'assurance : |__|__| / |__|__| / |__|__|__|__|

Date de fin de l'assurance : |__|__| / |__|__| / |__|__|__|__| = |__|__| jours

(Calculer exactement votre tarif en jour selon la durée de votre voyage)

COTISATION FORFAITAIRE (Tarifs valable jusqu'au 31/03/2012)

❑ De 1 à 3 jours	7,50 € TTC
❑ De 4 à 5 jours	8,00 € TTC
❑ De 6 à 8 jours	9,00 € TTC

TOTAL À PAYER = |__|__|__|__| € TTC

PAIEMENT

❑ Carte Bancaire (Visa / Eurocard / Mastercard / American Express) Expire le |__|__| / |__|__|

N° |__|__|__|__|__|__|__|__|__|__|__|__|__|__|__|__| Cryptogramme |__|__|__|__|

❑ Chèque (sans frais en France) à l'ordre d'AVI International à envoyer au 28, rue de Mogador 75009 Paris

❑ Je reconnais avoir pris connaissance et accepté l'ensemble des dispositions contenues dans les conditions générales Pass'port Sécurité Routard Assurance ou Séniors, avec lesquelles ce document forme un tout indivisible.

❑ Je déclare être en bonne santé et savoir que toutes les conséquences de maladies et accidents antérieurs à ma date d'assurance ci-dessus, ne sont pas assurés, ni toutes les suites et conséquences de la contamination par des MST, le virus HIV ou l'hépatite C. Je certifie ne pas prévoir de traitement à l'étranger et ne pas voyager pour des raisons médicales.

❑ Je dispose d'un droit d'accès, de modification, de rectification et de suppression des informations me concernant figurant dans les fichiers d'AVI International dans les conditions prévues par la loi n° 78-17 du 6 janvier 1978 modifiée en contactant AVI International par courrier ou mail. Je reconnais que ces informations sont destinées à l'assureur, à AVI et à leurs partenaires pour les besoins de la gestion du contrat.

Date : |__|__| / |__|__| / |__|__|__|__| SIGNATURE :

* Coût d'un appel local.

INDEX GÉNÉRAL

A

B

C

G-H-I

J-L

M

N-O

P

INDEX GÉNÉRAL

Q-R

INDEX GÉNÉRAL

S

T-U

V-Z

OÙ TROUVER LES CARTES ET LES PLANS ?

Les **Routards** *parlent aux* **Routards**

Faites-nous part de vos expériences, de vos découvertes, de vos tuyaux.
Indiquez-nous les renseignements périmés. Aidez-nous à remettre l'ouvrage à jour. Faites profiter les autres de vos adresses nouvelles, combines géniales... On adresse un exemplaire gratuit de la prochaine édition à ceux qui nous envoient les lettres les meilleures, pour la qualité et la pertinence des informations. Quelques conseils cependant :

– Envoyez-nous votre courrier le plus tôt possible afin que l'on puisse insérer vos tuyaux sur la prochaine édition.
– N'oubliez pas de préciser l'ouvrage que vous désirez recevoir.
– Vérifiez que vos remarques concernent l'édition en cours et notez les pages du guide concernées par vos observations.
– Quand vous indiquez des hôtels ou des restaurants, pensez à signaler leur adresse précise et, pour les grandes villes, les moyens de transport pour y aller. Si vous le pouvez, joignez la carte de visite de l'hôtel ou du resto décrit.
– N'écrivez si possible que d'un côté de la lettre (et non recto verso).
– Bien sûr, on s'arrache moins les yeux sur les lettres dactylographiées ou correctement écrites !

En tout état de cause, merci pour vos nombreuses lettres.

Les Routards parlent aux Routards :
122, rue du Moulin-des-Prés, 75013 Paris

e-mail : ***guide@routard.com***
Internet : ***routard.com***

Le Trophée du voyage humanitaire ROUTARD.COM s'associe à VOYAGES-SNCF.COM

Ils ont aidé à la création d'un poste de santé autonome au Sénégal, à la reconstruction d'un orphelinat à Madagascar... Et vous ?
Envie de soutenir un projet qui favorise la solidarité entre les hommes ? Le Trophée du Voyage Humanitaire Routard.com est là pour vous ! Que votre projet concerne le domaine culturel, artisanal, écologique, pédagogique, en France ou à l'étranger, le *Guide du routard* et Voyages-sncf.com soutiennent vos initiatives et vous aident à les réaliser ! Si vous aussi vous voulez faire avancer le monde, inscrivez-vous sur ● *routard.com/trophee* ● ou sur ● *tropheesdutourismeresponsable.com* ●

Routard Assurance *2011*

Routard Assurance et Routard Assurance Famille, c'est l'Assurance Voyage Intégrale. Dépenses de santé et frais d'hôpital pris en charge directement sans franchise jusqu'à 300 000 € + caution + défense pénale + responsabilité civile + tous risques bagages et photos. Assurance personnelle accidents : 75 000 €. Très complet ! Tarif à la semaine pour plus de souplesse. Tableau des garanties et bulletin d'inscription à la fin de chaque *Guide du routard* étranger. Pour les départs en famille (4 à 7 personnes), demandez le bulletin d'inscription famille. Pour les longs séjours, contrat Plan Marco Polo « spécial famille » à partir de 4 personnes. Pour un voyage éclair de 3 à 8 jours dans une ville d'Europe, bulletin d'inscription adapté dans les guides villes avec des garanties allégées et un tarif « light ». Également un nouveau contrat Seniors pour les courts et longs séjours. Si votre départ est très proche, vous pouvez vous assurer par fax : 01-42-80-41-57, en indiquant le numéro de votre carte de paiement. Pour en savoir plus : ☎ 01-44-63-51-00 ou ● *avi-international.com* ●

Photocomposé par Jouve
Imprimé en Italie par L.E.G.O. S.p.A - Lavis (Tn)
Dépôt légal : septembre 2010
Collection n° 13 - Édition n° 01
24/4948/6
I.S.B.N. 978-2-01-244948-0